105

POUR UNE
POÉTIQUE DE
L'IMAGINAIRE

JEAN BURGOS

POUR UNE POÉTIQUE DE L'IMAGINAIRE

ÉDITIONS DU SEUIL
*27, rue Jacob, Paris VI*ᵉ

ISBN 2-02-006275-5

*Car c'est de l'homme qu'il s'agit, et de son
renouement.
Quelqu'un au monde n'élèvera-t-il la voix?
Témoignage pour l'homme...
Que le Poète se fasse entendre, et qu'il
dirige le jugement!*

Saint-John Perse

IMAGINAIRE
ET RÉALITÉ POÉTIQUE

L'image entre les mots et les choses

Parce qu'elle donne à voir et à vivre quand on ne l'attendait pas, l'image fascine. De cette fascination, quelles que soient ses sources, quelles que soient ses fins, le texte poétique joue. Il se pourrait même que ce jeu définisse la fonction poétique, hors des sentiers battus de la littérature.

Voilà qui est bien, et semble aller de soi ou presque; aussi longtemps du moins qu'on se refuse au moindre examen sérieux de cette fascination, soit qu'on la veuille garder intacte en se réfugiant derrière le trop tenace « mystère poétique », soit qu'on la veuille d'emblée récuser en recourant à quelque système explicatif apaisant parce que réducteur. Mais pourquoi ne pas s'attarder sur cette fascination qui fait que le texte soudain cesse de dire quelque chose pour se dire lui-même, nous détourne de son discours alors même qu'il nous fige en lui, nous parle d'un ailleurs au moment où il nous parle vraiment d'ici et finalement se montre à nous en nous montrant tout autre chose que lui?

Autant de paradoxes qui ne restent pas sans réponses si l'on veut bien interroger l'image. Non point l'image allusive, et qui renverrait à une perception, à une pensée ou à une rêverie déjà constituée qu'elle se contenterait de ramasser, d'illustrer, de farder, de fixer, au sens photographique du terme, cette fausse image qu'avec Bachelard nous nommerons métaphore et qui n'est jamais qu'un signe; mais l'image vraie, expression d'une réalité jamais vécue jusque-là, ne renvoyant précisément à rien d'antérieur à elle et créatrice d'un être de langage qui s'ajoute à la réalité et fabrique du sens.

Une telle image, justement, fascine – émerveille, diront certains –, parce qu'elle donne à voir autre chose et qu'elle donne à voir autrement. Elle donne à voir autre chose dans la mesure où elle ne renvoie pas à un déjà-vu ou un déjà-pensé, alors cependant que tout ce qui la précède, dans le texte, l'a préparée et rendue nécessaire. Le mot se met à dire plus qu'il ne disait d'abord, plus que ce qu'il était venu pour dire. L'ordonnance horizontale du texte, qui implique un agencement irréversible des mots, un trajet obligatoire même s'il ne s'agit pas d'un langage proprement logique, se trouve arrêtée, mise en péril : le mot soudain se gonfle par lui-même de significations multiples qui viennent à entraver la marche du discours et, la retardant, la font dévier, imposant en contrepoint un cheminement vertical, conférant au texte une épaisseur qu'il n'avait pas d'abord. A la signification du mot-image, dans l'ordre du discours, vient se superposer, jusqu'à l'oblitérer, une pluralité sinon de sens du moins de valences qui le font résonner, laissant émerger du même coup autour de lui une réalité qui sans lui ne serait jamais venue à l'existence; réalité qui procède du langage mais n'est peut-être pas que de langage, et dont la mise à jour se confond avec l'acte poétique, qu'il soit d'écriture ou de lecture.

L'image, grâce à cette réalité neuve qu'elle est en mesure d'octroyer, donne ainsi à voir autre chose; mais elle donne aussi, peut-être s'en est-on moins souvent avisé, à voir autrement. En effet, et de par cette déviance qu'elle impose constamment, elle récuse d'emblée toute reconnaissance et exige une disponibilité, une ouverture à la nouveauté, que le poète et son lecteur ont aussi en partage. Voir autrement, c'est accepter de ne pas connaître à l'avance ses itinéraires, mais plus encore c'est pouvoir se faire conjointement le découvreur et le sujet actif du texte qui s'écrit. L'image en cela non seulement fait se confondre le rêveur de mots et celui qui les ordonne, celui qui pilote et celui qui est piloté, mais elle fait se rejoindre le poète et son lecteur qui tous deux cessent pareillement de s'isoler dans la solitude du sujet pensant ce qu'il écrit ou ce qu'il lit, pour s'éveiller, s'ouvrir à elle, réalité vivante et non plus abstraite du langage. C'est précisément parce qu'elle est au départ d'une expérience langagière, qui ne saurait avoir lieu d'autre façon et tourne le dos à la représentation intellectuelle du monde et des choses, qu'elle force à voir autrement : elle oblige non pas à tenter de retrouver au mieux, dans le texte, une réalité extérieure qui ne saurait s'y trouver qu'appauvrie et singulièrement déformée dans le miroir des mots, mais à assister à la progressive émergence d'une réalité qui institue un nouveau rapport des mots aux choses et demande à être vécue pour la première fois.

La poétique de l'image, cette impasse

On voit désormais comment peut se justifier mais mieux encore légitimement se fonder une poétique de l'image. Une telle poétique, sans doute, ne se contentera pas d'énoncer les principes et préceptes de composition du poème ou d'étudier les différents modes de combinaisons linguistiques à l'œuvre dans le texte. On ne saurait trop s'étonner, d'ailleurs, que cette acception du mot « poétique », déjà dénoncée comme passablement vieillie par Valéry dans sa première leçon du *Cours de poétique,* soit encore utilisée de nos jours, et d'une façon propre à entretenir la confusion avec la rhétorique dont elle ne serait, au mieux, qu'une application privilégiée à l'écriture. Mais cette poétique, plus fidèle aux préceptes valéryens, ne se contentera pas davantage d'étudier « le faire, le *poiein* [...] qui s'achève en quelque œuvre [1] », abandonnant l'anatomie pour la physiologie et mettant l'accent du même coup sur les modes de fonctionnement du langage et, par là, sur les différentes formes de production et les différents types de productivité de l'écriture. Car ce n'est plus avec la rhétorique que la poétique cette fois se trouve confondue, mais avec la linguistique dont elle ne devient à son tour qu'un cas particulier; or, n'en déplaise à nombre de nos contemporains qu'obsède un nouveau scientisme, l'extension du champ de la poétique à l'ensemble du fait littéraire en tant que tel laisse entier le problème de la poéticité, quand elle n'engendre pas un contresens assez grave sur certain usage du langage comme instrument de réalisation.

Une poétique de l'image s'opposant résolument à une théorie généralisée de la littérature, plus préoccupée d'elle-même que de la réalité créée par l'écriture, va se vouloir essentiellement une pratique. Se fondant sur les privilèges de l'image ainsi reconnus, ses pouvoirs de déviance qui sont de dénaturation du langage dans ses fonctions de représentation et de déréalisation dans ses fonctions de signification, cette poétique va se proposer de voir comment s'opère l'épaississement du mot-image, mais plus encore d'explorer le champ de réalité neuve ouvert par cet

---

1. Paul Valéry, « Première leçon du cours de poétique » (1938) (*Variété V,* 1944), in *Œuvres,* Paris, Gallimard, 1959, t. I, p. 1342.

épaississement, d'examiner les rapports qu'entretient cette réalité langagière avec la réalité du monde et des choses.

Dès lors, entreprendre une poétique de l'image – qu'il s'agisse d'étudier telle ou telle image à l'intérieur d'une œuvre poétique donnée ou les multiples virtualités poétiques d'une image hors de toute œuvre particulière – revient d'abord à envisager toutes les formes de cette image, leurs modes et leurs lieux d'émergence, les modalités de leurs déformations et les rythmes de leur récurrence, les degrés de leurs résonances et de leurs harmoniques; mais cela revient ensuite et surtout à voir comment l'image, se dérobant sans cesse à toute signification et sans cesse renvoyant au-delà d'elle-même, élabore ou contribue à l'élaboration d'une réalité autre que celle que le langage était censé représenter.

L'intérêt d'une telle approche est peu contestable, qui non seulement permet d'accéder autrement à l'œuvre poétique, en suivant par l'intérieur certains de ses itinéraires et en se faisant complice, par la lecture, de son écriture même, mais qui permet aussi de mettre en évidence, au moins dans certains de ses aspects, le caractère spécifique du fait poétique. Mais, quelle que soit la façon dont on l'envisage, cette poétique, qui, depuis les travaux de Bachelard, entrepris il est vrai dans un dessein tout autre, a connu diverses fortunes et donné quelquefois d'heureux résultats, n'est pas sans présenter certaines difficultés en passe de devenir de réels dangers pour le poéticien.

En effet, s'il s'agit de suivre telle image dans une œuvre donnée, celui-ci découvrira vite, pour enrichissante que soit son investigation et propre à l'introduire sans tarder au cœur du texte, le caractère à la fois artificiel et mutilant de sa démarche. Artificiel, car l'image qu'il aura choisie comme fil d'Ariane, quelles qu'aient été ses motivations premières, risque fort de ne plus lui apparaître bientôt comme aussi primordiale qu'il l'avait crue d'abord, sur la foi trompeuse de son indice de fréquence ou du moins de sa permanence au fil de l'œuvre. Mais mutilant plus encore, car il ne tardera pas à s'apercevoir d'une part que de grands pans de l'œuvre, dans lesquels cette image n'apparaît pas ou n'apparaît qu'à l'arrière-plan, devront être laissés dans l'ombre; et d'autre part que l'image qu'il s'efforce de suivre, dans ses apparitions-disparitions, dans ses déformations et ses métamorphoses, ne cesse de lui échapper pour le renvoyer moins à cette polyvalence et cette polysémie à laquelle il était d'avance préparé, qu'à une multiplicité d'autres images tenant étroitement à celle-ci et qui l'informent aussi bien qu'elle-même les appelle et les nourrit. Au point qu'il se verra contraint ou bien de renoncer à l'analyse exclusive de l'image première et donc de renier sans tarder sa démarche, ou bien de s'en tenir strictement à celle-ci mais alors de s'abstenir de toute conclusion sérieuse et sur les virtualités créatrices de cette image et sur les particularités de l'œuvre qu'elle anime.

C'est en une semblable impasse que se retrouve aussi bientôt le poéticien de l'image qui a choisi la seconde voie, celle qui consiste à étudier, hors de tout texte particulier, mais sans négliger cependant les champs textuels où il la découvre, toutes les formes et déformations d'une image singulière, toutes ses possibilités d'engendrement d'une réalité neuve. Car si la question de la précellence de l'image retenue n'a pas à le préoccuper, non plus que son rôle fonctionnel à l'intérieur des textes où il la trouve, il n'en demeure pas moins qu'il va très vite s'apercevoir lui aussi que tout tient à tout dans le texte et que, si grand que soit son soin à ne pas détacher l'image du champ sémantique où elle prend vie et du réseau thématique sur lequel elle s'installe, il ne saurait échapper au danger de la dénaturer en l'isolant, de la dévitaliser presque à coup sûr. Aussi bien sera-t-il paralysé dans sa démarche, s'il veut la conduire honnêtement, car il devra veiller sans cesse à ne pas perdre de vue la réalité langagière que contribue à façonner l'image et qui lui donne sens – ce qui implique une attention totale au texte dans lequel elle s'inscrit; mais il devra veiller aussi à ne pas se laisser prendre dans telle texture où joue l'image, puisqu'il lui faut dresser l'inventaire de toutes les virtualités créatrices de celle-ci – ce qui implique une attention privilégiée portée aux seules valences de l'image, à ses forces vectorielles, à ses qualités intrinsèques, voire à la *materia prima* qui la sous-tend et à ses pouvoirs de réversibilité. Une telle contradiction, comment ne pourrait-elle pas inquiéter?

Vers une poétique de la relation et de la rupture

De ces difficultés, qu'il serait vain de minimiser, il ne ressort certes pas qu'il faille délibérément condamner cette poétique de l'image, et sans appel. Mais sans doute faut-il au moins repenser son usage au moment où elle se développe dans la plus parfaite anarchie, à la dérive d'un pseudo-bachelardisme qui permet tous les délires, autorise toutes les lectures et en vient bientôt à ne plus considérer le texte poétique que comme un vaste réservoir d'images où puiser de quoi rêver à sa fantaisie, vérifier ses théories sur l'imagination, réexaminer les subterfuges de l'inconscient et confondre au bout du compte ses propres phantasmes avec ceux du poète.

Car, s'il est indéniable que l'étude de l'image et de ses pouvoirs a rendu d'immenses services à toutes les sciences qui se préoccupent d'une meilleure connaissance de l'homme à partir de ce qu'il fait et qui le fait en retour − tout ce qui répond à ce que Valéry appelait volontiers des fonctions poïétiques −, il est moins certain en revanche qu'elle ait jusque-là rendu à la poésie les services qu'on en pouvait attendre.

Aussi bien, partant pareillement des pouvoirs de l'image, mais déplaçant l'accent des contenus qui lui sont propres au dynamisme qui l'anime, se refusant et à l'isoler du texte où elle fonctionne et à la séparer dans ce rôle des autres images qui animent le texte, convient-il de revoir totalement les rapports de l'image à la poésie et, pour tout dire, de remplacer une poétique de l'image, qui n'arrive que bien imparfaitement à faire ses preuves, par une poétique de l'Imaginaire.

S'il fallait entendre par là une poétique qui, d'une part, veuille se mettre au seul service du texte sur lequel elle se penche à partir de ses cheminements profonds et de ses productions autonomes, et d'autre part se propose de ne privilégier aucune image au détriment des autres afin d'envisager globalement les jalons et les jeux créateurs de l'Imaginaire sans interférer dans cette production en choisissant certains matériaux et en établissant certaine hiérarchie entre eux, l'entreprise serait louable, sans doute, mais bien peu originale. Des travaux importants, ces dernières années, se sont d'ailleurs assigné telle tâche et l'ont aussi menée à bien. Il s'agira plutôt, reprenant au départ l'analyse de l'image, de ses pouvoirs et de ses modes de fonctionnement à l'intérieur d'une écriture mais par rapport à un univers imaginaire, d'essayer de voir si les mécanismes créateurs qui lui appartiennent en propre ne tiennent pas davantage aux forces qu'elle recèle qu'à la substance, élémentaire ou non, à laquelle elle renvoie dans ses fonctions référentielles, ou à la forme qu'elle emprunte dans le pur jeu de ses fonctions linguistiques. Allant plus loin encore, il s'agira de voir si ces forces émanant de l'image, bien loin d'être anarchiques et liées au seul hasard de l'instant − celui de l'écriture et celui de la lecture, inspiration ou état d'âme –, ne s'organiseraient pas selon certaines lois, déterminant dans l'œuvre des parcours auxquels n'échapperaient ni le poète ni son lecteur. Si de telles hypothèses se vérifiaient, il serait en effet possible de découvrir l'élaboration du surcroît de réalité qui définit la poéticité du texte dans la convergence même des forces qui l'animent; mais il serait aussi possible, une fois cette cohérence établie, de suivre *in concreto,* dans leurs moindres détails, les modes spécifiques de tissage du texte déterminant sa lecture. C'est à ce prix seulement, et par la mise à jour progressive d'une sorte de grammaire du langage poétique répondant à une syntaxe d'une espèce particulière directement pourvoyeuse de sens, qu'il sera possible de parler sérieusement d'une poétique de l'Imaginaire.

Une telle poétique ne manquera pas d'irriter ceux qui voudraient faire procéder la réalité poétique de la seule réalité objective, voire de la seule matérialité de ses référents, aussi bien que ceux qui voudraient la découvrir dans le seul continuum d'un fonctionnement linguistique et des mécanismes logiquement formalisables qui le manifestent. Car, tout à l'inverse, se détachant et de la réalité matérielle du monde dont elle procède et de la réalité formelle des jeux linguistiques dont elle se sert, la poésie pourrait se trouver définie par cette poétique comme langage de la discontinuité; et ce seraient alors les ruptures qu'elle instaure qui permettraient justement de l'isoler du champ général de la littérature et de lui réserver un mode de déchiffrement spécifique.

Sans doute pourra-t-il paraître surprenant de voir finalement reposer cette poétique et sur une syntaxe de l'Imaginaire qui résulte à coup sûr d'une intime cohérence du texte, quelle que soit la nature de cette cohérence, et sur un principe de discontinuité qui paraît contredire cette cohérence, empêcher du moins de l'appréhender. En fait, et parce que l'image désormais n'est plus envisagée que dans les divers réseaux et systèmes relationnels qu'elle instaure et déjoue tour à tour, la contradiction a tôt fait de s'estomper; l'exercice d'une telle poétique devrait en tout cas le confirmer, qui voudrait fonder à la fois une méthode d'analyse de l'écriture poétique accordant la priorité aux conflits générateurs de formes, et une pratique de lecture susceptible d'éviter les errements solitaires et les progressions hasardeuses sur les chemins profonds du texte.

Par là non seulement devraient se voir réconciliées, dans le champ critique, l'approche la plus objective et l'approche la plus subjective, mais encore devraient se trouver à jamais conjoints les problèmes de l'écriture et de la lecture en poésie. Il se pourrait que les pouvoirs de fascination de l'image s'en trouvent raffermis et que les paradoxes auxquels se heurte cette poétique n'aient plus besoin dès lors d'être résolus.

I

L'ÉCRITURE
DE L'IMAGINAIRE

Qu'à toute réquisition un poème puisse, en
tout comme en fragments, parcours entier, se
confirmer, *c'est-à-dire* assortir *les errements,*
m'apporter *les preuves de son indicible réa-*
lité.

René Char

1
L'image en liberté

Le mot du commencement

Tout commence avec le mot, et l'aventure poétique est d'abord aventure du langage. Sans doute cette aventure déborde-t-elle largement le seul langage verbal, dont on ne se sépare pourtant pas aisément, comme aussi toute forme de communication langagière, quand, après avoir donné à voir autre chose et donné à voir autrement, elle donne à vivre une réalité qui n'aurait jamais été vécue sans elle. Mais il n'empêche : c'est bien dans le langage qu'il se passe quelque chose, par le langage que s'opère cette expansion de l'être qui fait que « la grande aventure de l'esprit poétique ne le cède en rien aux ouvertures dramatiques de la science moderne [1] ».

Le poéticien, cependant, n'est point anatomiste du langage; car ce n'est pas ce langage en lui-même qui lui importe, ni ses états ni ses ressorts, mais bien ce qu'il en peut advenir et les « terres inconnues » qui s'offrent à explorer. Il n'est point davantage épris de mécanique, et même s'il pressent que c'est d'un certain mode de fonctionnement du langage que procède la poésie; car il se garde bien de confondre la fonction poétique du langage, au sens que lui donnent aujourd'hui les linguistes de « composante d'une structure complexe, mais [...] composante qui transforme nécessairement les autres éléments et détermine avec eux le comportement de l'ensemble [2] », avec la poésie, ce cas privilégié d'un langage qui cesse de dire quelque chose pour se dire lui-même et donner réalité à l'indicible.

Si l'on voulait dès lors, à l'exemple de Valéry, procéder au

1. Saint-John Perse, *Poésie* (Discours de Stockholm, 1960) in *Œuvres complètes,* Paris, Gallimard, 1972, p. 444.
2. Cf. Roman Jakobson, « Qu'est-ce que la poésie? » (1933), *Questions de poétique,* Paris, Éd. du Seuil, 1973, p. 124.

nettoyage de la situation verbale afin de définir le statut du poéticien et cerner au plus près le champ d'une poétique qui se voudrait le plus fidèle à son objet et le plus utile à son apprentissage, il faudrait d'abord oublier momentanément, s'il était possible, tout ce qui a été dit jusque-là, et de façon combien savante, sur la question de la poésie, et reprendre les choses à leur commencement. Or, au commencement, il y a le mot; et le mot du commencement, le mot prononcé comme pour la première fois, le mot qui crée à mesure ce qu'il nomme, qui fait réalité de son énonciation, quel poète n'en a rêvé, dont l'œuvre toujours de quelque manière s'est voulue genèse et parole première?

Une première rupture avec le langage de la signification s'opère ici qui, sans permettre encore d'aborder le langage poétique, permet cependant, de nous acheminer vers lui, mais de façon beaucoup moins simple, qu'on ne pourrait le croire, tant les contradictions qui surgissent sont nombreuses. Ainsi le linguiste, analysant les formes poétiques, s'en prend-il à raison aux stylisticiens épris de statistiques qui laissent entendre que la quantification des éléments du discours est nécessairement signifiante et que la récurrence de certains mots à l'intérieur d'une œuvre donnée autorise à des conclusions définitives sur l'« art » ou la « pensée » de l'auteur; s'inscrivant en faux contre telle prétention, il en vient à conclure :

> [...] un mot n'est important que par la place qu'il occupe dans le discours, par les liens qu'il établit avec le contexte. Ces liens peuvent être plus ou moins remarquables. Un mot ôté de son contexte n'a plus aucune signification [3].

Sans doute le mot n'a-t-il plus *telle* signification, ne trouve-t-il plus *son* sens hors de la phrase, du texte, de l'œuvre dans lesquels il s'inscrit et qui lui donnent *son* rôle. Mais entendons-nous bien : c'est par rapport à l'ensemble dans lequel il se situe que s'opère cette perte de sens. Est-ce à dire pour autant qu'il n'a plus aucune signification?

De signification finie, au sens que donne Valéry à cette expression, de fait il n'en a plus, et par lui désormais on ne peut plus rien *comprendre :*

3. Jean-Claude Chevalier, *Alcools : analyse des formes poétiques,* Paris, Lettres modernes, 1970, p. 71.

Chaque mot, chacun des mots qui nous permettent de franchir si rapidement l'espace d'une pensée, et de suivre l'impulsion de l'idée qui se construit elle-même son expression, me semble une de ces planches légères que l'on jette sur un fossé, ou sur une crevasse de montagne, et qui supportent le passage de l'homme en vif mouvement. Mais qu'il passe sans peser, qu'il passe sans s'arrêter – et surtout, qu'il ne s'amuse pas à danser sur la mince planche pour éprouver sa résistance!... Le pont fragile aussitôt bascule ou se rompt, et tout s'en va dans les profondeurs. Consultez votre expérience; et vous trouverez que nous ne comprenons les autres, et que nous ne nous comprenons nous-mêmes, que grâce à la vitesse de notre passage par les mots. Il ne faut point s'appesantir sur eux, sous peine de voir le discours le plus clair se décomposer en énigmes, en illusions plus ou moins savantes [4].

Il n'en reste pas moins que si le mot, moyen de passage, est parfaitement clair dans son emploi courant où il se contente de remplir la fonction qui lui est dévolue, de rendre les services qui lui sont demandés, il ne perd pas pour autant toute signification lorsqu'on s'arrête sur lui et que, le retirant de tout discours, on l'examine à part. Au contraire, aussitôt qu'isolé le mot paraît vouloir se mettre à vivre par lui-même, pour lui-même : n'ayant plus de rôle à remplir, il se gonfle d'une multiplicité de valeurs entre lesquelles il n'y a pas nécessité immédiate de choisir et qui font de lui un immense réservoir de possibles. Aussi bien Valéry, dans sa belle analyse de « Poésie et pensée abstraite », a-t-il parfaitement raison d'écrire que le mot devient soudain « magiquement embarrassant », qu'il introduit « une résistance étrange », puisque c'est alors même qu'on s'appesantit sur lui qu'on dérange le discours usuel, univoque, lequel ne demandait qu'à poursuivre sa route : on quitte le domaine rassurant et limpide du dire pour celui, magique et étrange, du parler. Mais on comprend mal, en revanche, que Valéry feigne de chercher « un sens » au mot, après l'avoir retiré du discours, et de se demander « ce que signifie au juste un terme que l'on utilise à chaque instant avec pleine satisfaction »; car ce n'est pas la signification qui disparaît alors mais le « au juste » d'un signifié, et le mot désormais détient effectivement « plus de sens qu'il n'a de fonctions ».

4. Paul Valéry, « Poésie et pensée abstraite » (1939) (*Variété V*, 1944), in *Œuvres, op. cit.*, t. I, p. 1317-1318.

Le mot pour le mot

Cette première rupture du langage de la signification, qui nous met sur la voie de la poésie sans nous faire encore entrer en poésie, en quoi consiste-t-elle précisément? Valéry, prolongeant les analyses de Mallarmé, nous dit que le mot, jusque-là pris comme moyen, est soudain devenu fin, et du même coup « objet d'un affreux désir philosophique » qui le fait changer en énigme, en tourment de la pensée. Et toute la suite de son analyse va tendre à séparer ce qu'il nomme « deux espèces d'effets tout différents » du langage : les uns dont la tendance, nous dit-il, est d'abolir les mots eux-mêmes au profit de tout autre chose – images, relations, impulsions qui sont autant de réponses à leur fonction et signes de leur bonne réception; les autres au contraire dont la tendance est de faire remarquer, respecter, désirer les mots dont ce langage se sert et qui, bien loin de s'abolir, de se résoudre en autre chose, vont demander à se faire réentendre pour eux-mêmes. D'un côté un emploi pratique du langage, dont le gage d'efficacité est la transformation en non-langage; de l'autre un emploi désintéressé qui fait que le langage ne cesse de renvoyer à lui-même, de renaître de lui-même et de se survivre, ouvrant l'accès à ce que Valéry nomme l'univers poétique.

On s'aperçoit bientôt cependant que cette distinction, si habile soit-elle et propre à séduire, résiste mal à la réflexion, qui fait reposer entièrement ce dernier emploi du langage, en un premier temps du moins, sur l'attention que mobilise la « forme », sur la réquisition du « physique », du « sensible », du son qui se répète et demande à être répété, du rythme, des accents, du timbre; à tel point que Valéry, pour fortifier, nous dit-il, cette notion d'« univers poétique », en vient à faire appel à l'« univers musical », aux fluctuations rythmiques et mélodiques qui le définissent, pour finalement séparer radicalement la forme et le fond – il le dit d'ailleurs expressément dans sa conclusion [5] –, renvoyer l'usage économique du langage du côté du sens et du fond, et son usage poétique du côté d'une forme qui « tend à se faire reproduire

---

5. « Songez aussi qu'entre tous les arts, le nôtre est peut-être celui qui coordonne le plus de parties ou de facteurs indépendants : le son, le sens, le réel et l'imaginaire, la logique, la syntaxe et la double invention du fond et de la forme... » (*ibid.*, p. 1339).

dans sa forme [...] nous excite à la reconstituer identiquement ».
Sans doute Valéry se garde-t-il bien de rejeter la poésie du seul
côté de la forme, si proche parente fût-elle de la musique dont
il fait grand cas; mais dans la métaphore du pendule à laquelle
il recourt pour mieux séparer la poésie de tout ce qui n'est pas
elle, il place d'un côté tout ce qui relève de cette forme et
nomme la *Voix* en action, de l'autre tout ce qui relève du fond,
qu'il appelle valeurs significatives, lesquelles vont constituer le
sens du discours. Et c'est dans ce balancement du son au sens
et du sens au son, tout se passant « comme si le sens même qui
se propose à votre esprit ne trouvait d'autre issue, d'autre expression, d'autre réponse que cette musique même qui lui a donné
naissance [6] », qu'il voit « le principe essentiel de la mécanique
poétique », lequel est « échange harmonique entre expression et
impression ».

Il reste néanmoins que, dans la perspective valéryenne, le mot
– qui se trouve défini comme « assemblage instantané d'un son
et d'un sens qui n'ont point de rapport entre eux [7] » ou « qui
n'ont entre eux qu'une liaison de pure convention, et qu'il s'agit
pourtant de faire collaborer aussi efficacement que possible [8] » –
ne paraît avoir de réalité autonome et toute provisoire qu'en tant
que signifiant, dans les formes sonores qu'il revêt; car ces formes
induiraient, chez qui l'écrit ou l'énonce, certain état propre à
mettre en branle le pendule poétique, d'où résulterait la sensation
« merveilleuse » de l'union intime entre la parole et l'esprit. On
comprend le souci de Valéry de faire se rejoindre, dès le départ,
en raison de ce qu'il nomme la double nature du mot, poésie et
pensée abstraite; mais on peut se demander si les conclusions
sont fidèles aux prémisses, et si le mot pour le poète valéryen,
comme il était assuré au début de la conférence d'Oxford, cesse
bien d'être moyen pour seulement devenir fin. Ou plutôt si
« l'objet d'un affreux désir philosophique », à force de tourmenter
la pensée, n'a pas fini par se remettre à son service pour sortir
de l'abîme.

Aussi convient-il peut-être d'aller plus avant et d'examiner en
elle-même, et non plus en fonction d'un « état poétique », cette
prise de pouvoir du mot par lui-même. C'est déjà d'une certaine
façon ce que se proposait Roman Jakobson dans son article
intitulé « Qu'est-ce que la poésie? » bien antérieur à « Poésie et

6. *Ibid.*, p. 1332.
7. *Ibid.*, p. 1328.
8. *Ibid.*, p. 1338.

pensée abstraite ». Cherchant à analyser la façon dont se manifeste ce qu'il nomme poéticité, et qu'il vaudrait mieux appeler seulement fonction poétique, il reconnaît en effet pour sa part celle-ci à ce que « le mot est ressenti comme mot et non comme simple substitut de l'objet nommé ni comme explosion d'émotion ». Déjà ce dernier point le sépare de Valéry, et l'accent est mis plus rigoureusement sur le mot devenant lui-même sa propre fin. Mais le linguiste de préciser encore :

> [...] les mots et leur syntaxe, leur signification, leur forme externe et interne ne sont pas des indices indifférents de la réalité, mais possèdent leur propre poids et leur propre valeur [9].

Cette distance entre le signe et l'objet, qui doit conférer au mot son propre poids et sa propre valeur, va se trouver pareillement au départ d'une démarche comme celle de Bachelard, qui se voulait « rêveur de mots [10] » ainsi qu'il se plaisait lui-même à le répéter. Mais il ne s'agit évidemment pas, dans ce cas, d'une rêverie à partir d'une forme vide susceptible d'engendrer d'autres formes, d'instituer ainsi un jeu de signes ne tenant leur nouveauté que d'eux-mêmes ou plutôt de leur mode de fonctionnement; il ne s'agit pas davantage, comme c'était le cas chez Valéry, d'une rêverie à partir d'une impression dépendant pour l'essentiel d'une résonance et d'un rythme, œuvrant un peu à la façon d'un accord musical, se combinant avec d'autres éléments analogues et finissant par prendre sens en rejoignant une pensée qui était restée en coulisses mais ne s'était en fait jamais absentée vraiment. Dans le cas de Bachelard, d'une part le mot est une forme pleine, d'autre part la rêverie ne traduit d'aucune façon quelque chose qui lui serait préexistant, et son objet ne se sépare point de son exercice.

Il serait inutile de résumer plus avant la théorie bachelardienne de la dernière période, et qui se trouve tout entière exposée dans les trois Poétiques, lesquelles font le bilan de l'œuvre en dégageant sa cohérence [11]. Qu'il suffise de rappeler

---

9. « Qu'est-ce que la poésie? », art. cité, p. 124. Sous le titre « Co je poesie? », l'article a paru dans *Volné směry*, XXX (1933-1934), p. 229-239.
10. C'est le sous-titre, on le sait, du chapitre premier de sa *Poétique de la rêverie*.
11. Cf. *la Poétique de l'espace*, Paris, PUF, 1957; *la Poétique de la rêverie*, Paris, PUF, 1960; *la Flamme d'une chandelle*, Paris, PUF, 1962.

que le mot, pour Bachelard, n'est pas signe conventionnel, mais matière qu'il convient d'apprendre à habiter. Ainsi nous parlet-il de « la maison du mot [12] », et de son espace à la fois clos et ouvert qu'il faut savoir aménager au mieux, non point selon quelque libre fantaisie qui serait évaporation, vaporisation et fuite de la réalité la plus vivante, mais selon cette plongée dans la matière, cette conversion à la *materia prima* qui seule peut nous faire retrouver la vraie vie en même temps que notre véritable identité, et qu'il nomme rêverie. Aussi bien la rêverie sur les mots ne sera-t-elle pas libre abandon à une création d'ordre purement linguistique, pas plus qu'elle ne sera tâtonnement crépusculaire pour retrouver une pensée enfouie qui sans eux serait à jamais ignorée, voire pour mettre à jour les fragments de quelque autobiographie secrète [13]. Elle a ceci de particulier, dont on n'a peut-être pas suffisamment rendu justice à Bachelard, qu'elle est inhérente au langage lui-même, inséparable de son expression ou de son énonciation. Bien mieux, ce n'est pas quelque perception ou quelque expression antérieure qu'elle dévoile à travers les mots, c'est la parole elle-même qu'elle aide à naître, dont elle se fait creuset et matrice.

Mais la création qui s'opère dans cette rêverie et par elle, et qui donne à parler, si elle est exclusivement vécue dans les mots et procède de la seule façon de les habiter ne reste point purement formelle pour autant; elle ressortit au contraire à une réalité pleine et authentique, réalité que l'on peut qualifier de langagière dans la mesure où elle ne rend compte d'aucun donné préalable, mais réalité cependant puisque, par la parole, quelque chose s'ajoute à la réalité, puisque le mot et la rêverie qu'il engendre créent de la réalité nouvelle. Il est bien certain que, par là, on accède au poétique, au sens le plus plein du terme, d'autant que c'est à ce point précisément qu'éclate, chez Bachelard, l'opposition du rêve et de la pensée; une opposition qui nous emmène aux antipodes du balancier valéryen quand la pensée fait du langage un instrument ou un système au service de quelque chose qui existe déjà, alors que le rêve en fait le lieu d'une création au présent.

---

12. *La Poétique de l'espace, op. cit.,* p. 139.
13. Que l'on songe à Valéry affirmant qu'« il n'est pas de théorie qui ne soit un fragment, soigneusement préparé, de quelque autobiographie ». (« Poésie et pensée abstraite », art. cité, p. 1320).

Le mot en liberté

Sans être des « indices indifférents de la réalité », les mots, dès lors qu'on sait les rêver, possèdent donc bien chez Bachelard « leur propre poids et leur propre valeur », selon les vœux de Jakobson. Mais c'est de la prudence de ce dernier qu'on peut s'étonner, cette fois, au moment d'en chercher les raisons, quand il veut découvrir la spécificité de la fonction poétique dans le fait que le signe ne se confond pas avec l'objet à cause d'une contradiction fondamentale qui empêche la mise en rapport automatique du concept et du signe :

> Pourquoi faut-il souligner que le signe ne se confond pas avec l'objet? Parce qu'à côté de la conscience immédiate de l'identité entre le signe et l'objet (A est A1), la conscience immédiate de l'absence de cette identité (A n'est pas A1) est nécessaire; cette antinomie est inévitable, car, sans contradiction, il n'y a pas de jeu des concepts, il n'y a pas de jeu des signes, le rapport entre le concept et le signe devient automatique, le cours des événements s'arrête, la conscience de la réalité se meurt [14].

Si, effectivement, de la distance entre le signe et l'objet résulte une antinomie, peut-on cependant situer cette antinomie dans la conscience immédiate et simultanée de l'identité et de la non-identité du signe et de l'objet? Sous couvert de la conscience de la relation entre le mot comme signe et un référent, c'est en fait la question du signifié et des niveaux de production de significations qui se trouve à nouveau posée; et nous ne sommes pas très loin du pendule de Valéry quand, à côté du « jeu des signes », vient soudain se placer le « jeu des concepts » que l'on n'attendait pas ici [15]. Par la négative, puisque fidèle à son principe il ne cherche à définir la poésie qu'en énonçant ce qu'elle n'est pas, Jakobson en vient donc à cette conclusion que la poéticité se

14. « Qu'est-ce que la poésie? », art. cité, p. 124.
15. On retrouve d'ailleurs parfaitement Valéry dans telle définition ultérieure de la poésie : « La poésie [...] est une province où le lien entre son et sens, de latent, devient patent, et se manifeste de la manière la plus palpable et la plus intense [...] » (*Essais de linguistique générale*, Paris, Éd. de minuit, 1971, p. 241).

26

reconnaît à ce que la « conscience de la réalité » ne meurt pas. Mais de quelle réalité s'agit-il alors? Réalité des choses et du monde extérieur auquel renvoient les mots? Réalité des signes eux-mêmes, participant de l'objet mais indépendants d'eux? Réalité procédant, à travers les mots, de cette conscience déchirée éprouvant simultanément l'identité et la non-identité du signe et de l'objet? Nous n'en saurons pas davantage; et tout au plus pourrons-nous retenir que certaine appréhension du mot, sinon certain usage du langage – et là encore nous retrouvons Valéry –, empêche le cours des événements de s'arrêter, empêche donc la parole de mourir en autre chose qu'elle-même, en non-langage, et que cette survie de la parole, qui est conscience d'une réalité, repose en fait sur une contradiction résultant du rapport du signe à son objet.

Cette contradiction, essentielle en effet, peut-être convient-il de la déplacer quelque peu pour ne pas retomber dans le piège de la Voix et de la Pensée, de la Présence et de l'Absence [16]. Laissant aux mots plus de liberté, les dégageant au mieux de cette pensée qui sans cesse les tire en arrière et les utilise comme autant d'instruments à son service, empêchant toute création vraie, il apparaît que cette contradiction qui détermine et nourrit en même temps la fonction poétique pourrait bien se situer moins dans le mode de relation du signe à son objet que dans la nature même de la réalité du mot ressenti comme mot. L'antinomie qui se devrait alors de préoccuper le poéticien pourrait être celle d'une énonciation ou d'une profération dont l'être, hors toute réalité psychique, n'est que de langage et n'est vécu comme tel que dans les mots; mais qui tout à la fois, loin d'exprimer quelque chose qui serait antérieur et dont les mots seraient le pur reflet, fabrique de la réalité, crée de l'être qui vient s'ajouter à ce qui est. Une réalité, donc, qui est éprouvée dans son appartenance au seul langage et qui conjointement, cependant, donne à être, à vivre plus : telle est bien la contradiction fondamentale sur laquelle Bachelard a mis le doigt et qui définit au plus juste, en une première approximation, à la fois la fonction poétique et le fonctionnement du langage poétique.

Qu'importe, pour l'heure, qu'un tel projet nous achemine au poétique plutôt qu'à une poétique proprement dite, si par là nous faisons un pas de plus sur les chemins de la poésie? Ce pas en avant, c'est celui de la mise en liberté du mot qui se voit ici

16. Cf. « Poésie et pensée abstraite », art. cité, p. 1333.

27

assigner son statut et dont la juste portée se mesure dans la création qu'elle permet. Car mettre les mots en liberté, c'est chercher à libérer la parole et, de là, par une œuvre de subversion intégrale entreprise dans le langage, tenter de renouveler les rapports de l'homme avec lui-même, avec les autres, avec le monde. Telles ont été, au début du siècle, les tentatives des futuristes, et plus particulièrement celles de Marinetti qui, dès mai 1913, un an exactement après la parution de son *Manifeste technique de la littérature futuriste,* publie son manifeste de synthèse, *l'Imagination sans fils et les Mots en liberté.* Allant beaucoup plus loin que dans le *Manifeste du futurisme* publié dans le *Figaro* du 26 février 1909, et que dans le *Futurisme* de 1911, Marinetti se propose alors non plus seulement de faire de la destruction des normes logiques et grammaticales une étape dans la destruction des structures politiques autoritaires et des valeurs en place, mais de délivrer l'esprit humain des chaînes de l'intelligence, de libérer avec la sensibilité de nouveaux modes d'expression, et par là même d'inventer un homme nouveau pour le monde nouveau. Pour cela, il va recommander de s'exprimer « par des mots déliés, sans les fils conducteurs de la syntaxe et sans aucune ponctuation [17] », des mots dont le désordre et la dysharmonie mettront en péril l'ordre et l'harmonie rassurante, mais, plus encore, inaugureront une vision renouvelée du monde :

> Délivrance des mots, ailes planantes de l'imagination, synthèse analogique de la terre embrassée d'un seul regard [18].

C'est ce dernier point surtout qui importe, même si Marinetti devait bientôt l'oublier, ainsi que l'esprit subversif qui l'accompagnait, pour se mettre au service du nouvel autoritarisme et abandonner par discipline politique et choix personnel toute revendication de liberté de parole. Car la mise en liberté des mots [19], au dire de l'auteur du *Manifeste,* doit d'abord permettre de remplacer les données analytiques, passéistes de la pensée, et

---

17. *L'Imagination sans fils et les Mots en liberté, manifeste futuriste,* Milan, Corso Venezio, 11 mai 1913.

18. *Manifeste technique de la littérature futuriste,* Milan, Corso Venezio, 11 mai 1912.

19. Marinetti n'abandonnera jamais, et même au temps de sa collaboration la plus étroite avec le régime fasciste, ce recours aux mots en liberté. Ainsi en viendra-t-il à célébrer en « mots en liberté » les louanges de Mussolini, dans les années trente, et un peu plus tard la conquête de l'Éthiopie puis l'enrôlement des dernières troupes fascistes.

de la logique qui l'assure, par une vue synthétique et futuriste, résolument novatrice. Et l'entreprise au départ n'est en rien pur jeu rhétorique, puisqu'il s'agit de créer, à partir d'un nouveau langage, une réalité nouvelle se détournant du monde en place et de l'homme qui s'en est fait l'esclave.

Il est certain que l'entreprise de Marinetti, au moins dans les années qui précèdent la Première Guerre mondiale, semble aller tout à fait dans le sens de la mise à jour à la fois d'une réalité spécifique du langage et d'une réalité fabriquée par ce langage qui déterminent le passage au poétique. Le père du futurisme italien ne s'en tiendra d'ailleurs pas là, qui, dans son souci de réduire à merci le bon goût et l'«intelligence cauteleuse», s'attaquera bientôt aux mots eux-mêmes qu'il recommande de mutiler et remodeler tour à tour [20], avant de prôner le recours à l'onomatopée, la délivrance de l'orthographe et de la ponctuation, voire de la typographie, traditionnelles, ouvrant ainsi la voie à nombre d'innovations du siècle. Mais, pour s'en tenir aux seuls mots en liberté, on peut évidemment se demander pourquoi cette tentative extrême de déconditionnement du langage et de régénération par le langage allait non seulement tourner court, mais déboucher sur des résultats exactement inverses de ceux que l'on aurait pu escompter. On s'explique mal, en effet, que cet usage du langage qui se voulait intégralement subversif – mais toute entreprise poétique n'est-elle pas à quelque degré subversion [21]? – au lieu d'ouvrir des portes nouvelles sur un monde à venir n'ait bientôt plus donné à entendre que le bruit des machines et des mines, des bottes aussi, n'ait plus fait que calquer le monde en place avec ses fausses ivresses et ses vraies idoles. Car, quelles qu'aient été les ambitions et les contradictions de Marinetti, on ne saurait réduire sa théorie des mots en liberté à une seule technique capable de restituer au mieux le monde moderne mais sans toutefois le remettre en question, un seul outil d'exploration des sensations finissant par tourner à vide sur lui-même.

20. « [...] Notre ivresse lyrique doit librement déformer, modeler les mots en les coupant ou en les allongeant, renforçant leur centre ou leur extrémité, augmentant ou diminuant le nombre des voyelles ou des consonnes » (l'Imagination sans fils..., op. cit.).
21. Dans son Déshonneur des poètes (1945), Benjamin Péret affirme ainsi que « le poète n'a pas à entretenir chez autrui une illusoire espérance humaine ou céleste, ni à désarmer les esprits en leur insufflant une confiance sans limite en un père ou un chef contre qui toute critique devient sacrilège. Tout au contraire, c'est à lui de prononcer les paroles toujours sacrilèges et les blasphèmes permanents » (Paris, Pauvert, 1965, p. 74-75).

Qu'on le veuille ou non, l'expérience de Marinetti et de ses mots en liberté donne à réfléchir, même si d'autres après lui – et l'on songe à Dada dont les expérimentations sur le langage n'ont cessé d'être des remises en question – ont repris le projet dans un sens plus résolument novateur. Car mettre les mots en liberté, c'était bien au départ façon de parler autrement pour dire autre chose; si l'expérience devait tourner mal, elle montrait par son échec non pas qu'il est dangereux de se délivrer des barrières de la logique et de la pensée, mais bien plutôt qu'on ne laisse pas n'importe comment les mots parler par eux-mêmes.

Ces mots qui font l'amour

André Breton, dont on n'a pas toujours compris la férocité à l'endroit de Marinetti, l'avait pour sa part fort bien senti. Alors que tout semblait le rapprocher du père du futurisme italien, et notamment les techniques de mise à jour du message automatique dont on sait l'importance pour l'élaboration de la théorie surréaliste [22], Breton très fermement montre ce qui l'en sépare :

> [...] il faut être le dernier des primaires pour accorder quelque attention à la théorie futuriste des « mots en liberté », fondée sur la croyance enfantine à l'existence réelle et indépendante des mots [23].

Ce ne sont pas des oppositions idéologiques qui dictent de telles paroles; d'autant qu'en 1926, lorsque Breton attaque Marinetti, celui-ci vient de prendre au moins provisoirement ses distances à l'égard du pouvoir et paraît vouloir se cantonner dans des recherches purement abstraites sur le langage des sens et les modes de communication autres que conceptuels. Mais si Breton se montre peu tendre, c'est qu'il voit dans l'entreprise futuriste une sorte de parodie à vide de ce qu'il s'essaie à faire et dont il attend tout : une nouvelle mesure de l'homme et, par-delà les

22. Cf. *Premier Manifeste* (1924) in *Manifestes du surréalisme,* Paris, Pauvert, 1962, mais aussi « Entrée des médiums », *les Pas perdus* (1924), Paris, Gallimard, 1974.

23. « Légitime défense », *Point du jour* (1934), Paris, Gallimard, 1970, p. 42-43. Et Breton de poursuivre : « Cette théorie est même un exemple frappant de ce que peut suggérer à l'homme épris seulement de nouveauté l'ambition de ressembler aux hommes les plus fiers qui l'ont précédé et les plus grands. »

barrières de la raison et les seuils interdits, une authentique
révolte susceptible de remettre en question toutes les évidences
et toutes les certitudes afin de faire coïncider, une fois dépassées
les contradictions, les forces profondes de l'être et les forces du
monde. Il est vrai que Marinetti, par ses catalogues de mots, se
propose de briser toute pensée en place et de s'installer dans un
domaine verbal coupé de toute réalité extérieure; et même si
certains de ses proches proclament bientôt que le futurisme est
forme de vie qui a son complément logique dans l'action politique [24], pour lui c'est de forme d'art qu'il s'agit, et l'art à ses
yeux est un monde autonome qui n'a que faire de ce qui se passe
hors de lui. Or, Breton, tout au contraire, et les textes sur ce
point abondent, ne cesse de se référer à une « pensée parlée »,
plus vivante que l'autre, que le langage peut libérer dans certaines
conditions. Pensée analogique, certes, et non point logique, qui
est toute tension et toujours à venir – Breton n'appellera-t-il pas
l'écriture automatique « écriture de pensée »? – mais qui parle
au-delà du connu, du sensible, au-delà des mesures de la prétendue condition humaine, d'un domaine nouveau qui peut rendre
l'homme à ses vraies dimensions, à son unité primordiale, ici et
maintenant, changer enfin la vie selon les vœux de Rimbaud.

Il ne saurait donc y avoir, pour Breton, d'existence réelle et
indépendante des mots, d'autant que pour lui, comme pour la
plupart des membres du groupe, du moins en sa première période,
c'est une sorte de discours déjà constitué dans les profondeurs
de la conscience qui tend à émerger dans certains états d'abandon
et de renoncement de l'être, d'abord purement fortuits mais
bientôt provoqués à des fins poétiques. Un discours qui, en deçà
de toute conscience claire et de toute logique organisatrice, révèle
la conscience à elle-même, dans ses désirs profonds, ses métamorphoses incessantes, et donne de façon immédiate des nouvelles
de son existence vraie. Si l'on se reporte aux deux textes dans
lesquels Breton rapporte sa découverte du message automatique,
on ne peut pas ne pas être frappé par le fait que, dans les deux
cas, il est question non point de mots désenchaînés, libérés de
toute syntaxe, mais de phrases et de syntaxe en place. Ainsi,
dans « Entrée des médiums », parle-t-il de ces « phrases plus ou
moins partielles » qui surviennent « en pleine solitude », à l'approche du sommeil, et retiennent bientôt toute son attention :

24. Qu'on se reporte plutôt à la revue *Futurismo*, et aux déclarations de
proches collaborateurs de Marinetti comme Mino Somenzi au printemps 1933.

Ces phrases, remarquablement imagées et d'une syntaxe parfaitement correcte, m'étaient apparues comme des éléments poétiques de premier ordre. [...] C'est plus tard que Soupault et moi nous songeâmes à reproduire volontairement en nous l'état où elles se formaient. Il suffisait pour cela de faire abstraction du monde extérieur et c'est ainsi qu'elles nous parvinrent deux mois durant, de plus en plus nombreuses, se succédant bientôt sans intervalle avec une rapidité telle que *nous dûmes recourir à des abréviations* pour les noter [25].

De la même façon, dans le premier *Manifeste,* c'est le caractère articulé, organique, successif de ce discours profond déjà constitué et inopinément donné à la conscience claire, tombant à son oreille [26], qui est mis en relief :

[...] je perçus, nettement articulée au point qu'il était impossible d'y changer un mot, mais distraite cependant du bruit de toute voix, une assez bizarre phrase qui me parvenait sans porter trace des événements auxquels, de l'aveu de ma conscience, je me trouvais mêlé à cet instant-là, phrase qui me parut insistante, phrase oserai-je dire *qui cognait à la vitre.* J'en pris rapidement notion et me disposais à passer outre quand son caractère organique me retint. [...] elle fit place à une succession à peine intermittente de phrases qui ne me surprirent guère moins et me laissèrent sous l'impression d'une gratuité telle que l'empire que j'avais pris jusquelà sur moi-même me parut illusoire et que je ne songeai plus qu'à mettre fin à l'interminable querelle qui a lieu en moi [27].

Nous sommes évidemment bien loin du désordre provoqué et des « mots déliés, sans les fils conducteurs de la syntaxe » de Marinetti, quand c'est au contraire la révélation d'une organisation profonde et plus adéquate à la réalité de l'être en devenir – en expansion aussi – qui séduit Breton, et l'incite à y voir « des

25. « Entrée des médiums », *les Pas perdus, op. cit.,* p. 124.
26. Dans « Entrée des Médiums », Breton nous dit d'ailleurs son impression à cet instant de recueillir « quelques mots qui tombaient de la bouche d'ombre ». Belle image de l'« imagination parlée » chère à Bachelard et que développe le texte du premier *Manifeste.*
27. *Premier Manifeste* in *Manifestes du surréalisme, op. cit.,* p. 34-36.

éléments poétiques de premier ordre », mais aussi à renouveler à partir de leur utilisation l'exploration du domaine poétique.

Une organisation implicite du langage précède donc, pour lui, l'organisation rationnelle que nécessite la communication utilitaire, l'usage économique qui est fait de ce langage. N'importe s'il laisse entendre que cet avant-discours est l'expression même de l'inconscient qui serait langage en puissance n'attendant que l'occasion de se réaliser, de se manifester comme langage. L'important est qu'il décèle en cette zone obscure d'essence langagière une structure qui légitime certaines associations, appelle une création neuve et empêche finalement de séparer la réalité qui s'invente de la syntaxe qui l'engendre. Ainsi Breton tourne-t-il délibérément le dos aux « mots en liberté » pour s'attacher aux mots qui font l'amour, selon sa belle formule des *Pas perdus* que l'on a bien à tort confondue avec celle de Marinetti. Le contexte pourtant, si l'on prend soin de s'y reporter, ne porte guère à confusion :

> Et qu'on comprenne bien que nous disons : jeux de mots, quand ce sont nos plus sûres raisons d'être qui sont en jeu. Les mots du reste ont fini de jouer. Les mots font l'amour [28].

Les jeux de mots, les jeux des mots sont jeux sérieux qui engagent l'homme même : ils ne se dissocient pas de ses « raisons d'être » qui, pour n'être point rationnelles, n'en répondent pas moins à un phrasé gouvernant à la fois l'homme et le monde.

Du mot à l'image

Aussi bien, et l'opposition, si schématique soit-elle, vaut d'être soulignée, tandis que pour les futuristes le mot délivré de toute attache syntaxique de par son autarcie en vient à faire image, pour les surréalistes, au contraire, si l'on s'en tient du moins aux déclarations de Breton, c'est le « caractère organique » de l'« assez bizarre petite phrase » perçue dans la période crépusculaire précédant le sommeil qui déclenche l'image. Pour Marinetti, en

---

28. « Les mots sans rides », *les Pas perdus, op. cit.,* p. 141.

effet, l'image n'est pas différente, semble-t-il, de l'expression du mot en liberté :

> Par imagination sans fils j'entends la liberté absolue des images ou analogies exprimées par des mots déliés, sans les fils conducteurs de la syntaxe et *sans aucune ponctuation*. *[...] L'analogie n'est que l'amour immense qui rattache les choses distantes,* apparemment différentes et hostiles [29].

Et de la même façon, dans son *Manifeste technique de la littérature futuriste,* l'année précédente, vantant les mérites d'un désordre savamment entretenu pour permettre une création vraie, il recommandait d'« orchestrer les images en les disposant suivant un maximum de désordre [30] ». A l'inverse, chez Breton, l'image n'est jamais donnée avec le mot : il n'est pas question de se faire rêveur de mots, à la façon de Bachelard, mais bien plutôt rêveur de phrases; et l'amour des aphorismes, des proverbes, des définitions, comme aussi des citations, chez la plupart des surréalistes, va tout à fait dans ce sens. C'est l'imagination non d'une matière mais d'une forme ou de formes nouvelles qui devient première désormais : l'image se voit inséparable d'une organisation syntaxique et, mieux encore, du dynamisme qu'elle entraîne. Ce n'est d'ailleurs pas hasard si les surréalistes, se cherchant des ancêtres, découvriront Lautréamont et plus d'une fois se référeront, pour cerner la beauté, c'est-à-dire une réalité aux perspectives moins cavalières que celle qui nous est donnée d'abord, aux fameuses formules du dernier chant de *Maldoror :*

> Il est beau comme la rétractilité des serres des oiseaux rapaces; ou encore, comme l'incertitude des mouvements musculaires dans les plaies des parties molles de la région cervicale postérieure; ou plutôt comme ce piège à rats perpétuel, toujours retendu par l'animal pris, qui peut prendre seul des rongeurs indéfiniment, et fonctionner même caché

---

29. *L'Imagination sans fils..., op. cit.*
30. D'où cette profession de foi : « Les images ne sont pas des fleurs à choisir et à cueillir avec parcimonie, comme le disait Voltaire. Elles constituent le sang même de la poésie. La poésie doit être une suite ininterrompue d'images neuves, sans quoi elle n'est qu'anémie et chlorose. »

sous la paille; et surtout, comme la rencontre fortuite sur une table de dissection d'une machine à coudre et d'un parapluie [31]!

Il apparaît ici clairement, une fois l'humour écarté, que la beauté entendue comme émergence d'une réalité différente est indissolublement liée à la dynamique même d'un langage; mais il apparaît aussi que l'image qui fait glisser d'une réalité à l'autre, effaçant les frontières, tient moins aux mots eux-mêmes, encore que leurs connotations ne soient pas indifférentes, qu'à ce qu'un Henri Michaux nommera leur « passage ». Ainsi le dernier « beau comme » de Lautréamont, que l'on retient volontiers seul à l'appui d'une esthétique de la surprise, prête-t-il à contresens s'il est lu comme nature morte à la table de dissection : c'est la « rencontre fortuite », en ce lieu inattendu, d'une machine à coudre et d'un parapluie qui d'abord importe, et l'image comme la beauté disparaîtrait si les choses devaient demeurer en l'état, au-delà du choc de cette rencontre. Car si les jeux des mots tendent à devenir jeux compromettants qu'on ne saurait prendre à la légère, c'est bien l'image en liberté, laquelle n'a pas connu toujours la même fortune ni les mêmes faveurs, qui, par les réseaux qu'elle tisse, ouvre en fait un champ nouveau.

Mais c'est une seconde rupture du langage de la signification qui se découvre alors, rupture capitale et qui pourrait paraître d'abord en totale contradiction avec la précédente. Après la rupture du mot devenu fini en lui-même, c'est celle qu'opère la suite de mots s'organisant en une syntaxe qui ne renvoie pas à une pensée mais façonne à mesure une image ou une série d'images pourvoyeuses de sens multiples et créatrices d'une réalité nouvelle. Le mot qui tout à l'heure semblait libérateur, dès lors précisément qu'il était désenchaîné, sorti d'une syntaxe, utilisé non plus comme un instrument mais comme un objet neuf, à la façon de ces ustensiles aratoires ou piscicoles nettoyés et polissés dans nos modernes boutiques d'artisans afin d'être seulement regardés pour eux-mêmes, le mot maintenant devient à son tour suspect. Comme s'il n'était pas possible de le dénaturer, de le laver vraiment de ses précédents rôles, d'oublier qu'il a tant servi et sert encore à tant d'emplois – comme s'il n'était pas possible de le désintéresser. De là l'impatience du poète et son découragement, décidé bientôt à renoncer au langage pour

---

31. *Les Chants de Maldoror,* chant sixième, str. 3.

se libérer des mots, « ces collants partenaires [32] », s'insurgeant contre leur tyrannie – « Des mots? Je ne veux d'aucun. À bas les mots. Dans ce moment aucune alliance avec eux n'est concevable [33] » –, et découvrant, en même temps que l'impossibilité de les déconceptualiser, la menace du prosaïsme qu'ils brandissent :

> J'étouffais. Je crevais entre les mots. [...]
> Mots, mots qui viennent expliquer, commenter, ravaler, rendre plausible, raisonnable, réel, mots, prose comme le chacal [34].

Tout se passe comme si le mot en liberté se trouvait rendu à ses fonctions de signe, reconnu, codifié, figé dans ses diverses acceptions, c'est-à-dire dans les limites de ses divers usages, et donc usé déjà. Peu capable en tout cas de se dégager longtemps d'une pensée ou d'un monde déjà constitués, ou du moins retombant bien vite dans les anciennes ornières, si l'on en croit Henri Michaux. Et l'on comprend mieux encore l'étouffement du poète si l'on sait son envie de « participer au monde par des lignes [35] », son refus de tout signe qui est aussi « signal d'arrêt » et finalement son désir, auquel répondent aisément dessin et peinture mais qui va bientôt modeler aussi l'écriture de ses poèmes, de ce qu'il nomme un *continuum* et qu'il faut rendre à tout prix, nous dit-il :

> Un *continuum* comme un murmure, qui ne finit pas, semblable à la vie, qui est ce qui nous continue, plus important que toute qualité.

L'image en poésie pourrait bien naître de ce *continuum,* de cette prolongation du mot en un tracé tout proche des « trajets pictographiés » du poète, capable comme eux d'être « le phrasé même de la vie » mais d'une vie qui n'était point l'instant d'avant qu'ils émergent.

---

32. Henri Michaux, *Mouvements* (« Postface »), Paris, Gallimard, 1951, n. p.
33. Henri Michaux, *Émergences-Résurgences,* Genève, Skira, 1972, p. 38.
34. Henri Michaux, *Passages* (« Premières impressions »), Paris, Gallimard, 1963, p. 131-132.
35. *Émergences-Résurgences, op. cit.,* p. 11 *sq.*

L'image et la rêverie élémentaire

Très curieusement, alors même qu'on s'y attendait le moins quand le rêveur de mots avait cédé sa place au rêveur de rythmes et de phrases, c'est Bachelard que l'on retrouve encore ici, et qui justement s'essaie à séparer le mot de l'image. Réfléchissant à l'action signifiante de l'image poétique, dans sa première conclusion de *l'Air et les Songes,* et après avoir remarqué que cette image nous fait vivre une durée à elle combien plus riche que la durée chronologique quand l'objet temporel qu'est le poème crée sa propre mesure, Bachelard en vient à citer la préface des *Petits Poèmes en prose* où est décrit le rêve d'« une prose poétique, musicale, sans rythme et sans rime, assez souple et assez heurtée pour s'adapter aux mouvements lyriques de l'être, aux ondulations de la rêverie, aux soubresauts de la conscience ». Chose étonnante, alors qu'il se présente à nous en phénoménologue, il n'en conclut pas à quelque analogie proprement merveilleuse entre la vie profonde de l'être au monde et cette langue poétique capable, par la vertu de ses images, de rendre le « phrasé même de la vie », mais il en retient la désignation de « presque toutes les allures fondamentales du dynamisme prosodique avec sa continuité, ses ondulations et ses accents subits [36] ». On croirait volontiers des propos de linguiste ou de stylisticien, et l'on s'y tromperait encore en entendant parler du polylogisme de la poésie vraie et de l'accord des mots, des symboles et des pensées, quand on attendait un développement sur la dynamique des images et ses implications. Mais Bachelard de nous rappeler bientôt malignement, en soulignant une fois de plus les mérites d'une lecture silencieuse, qu'il s'agit d'abord de se mettre en mesure de « rêver les images en profondeur », d'apprendre à « revivre la plus large des intégrations, celle du rêve et de la signification, en laissant au rêve le temps de trouver son signe, de former lentement sa signification ».

Qu'est-ce à dire, sinon que l'image, pour qui sait du moins l'appréhender, donne à rêver, et que de ce rêve va naître une signification nouvelle, un ordre de signification issu non point d'un usage ancien du mot restauré mais de la réalité nouvelle

---

36. « L'image littéraire », *l'Air et les Songes* (1943), Paris, Corti, 1959, p. 283.

procédant de la façon même de vivre cette image? C'est bien ainsi, semble-t-il, qu'il faut entendre l'analyse que fait Bachelard de ce qu'il nomme « l'action signifiante de l'image poétique » :

> Le signe n'est pas ici un rappel, un souvenir, la marque indélébile d'un lointain passé. Pour mériter le titre d'une *image littéraire,* il faut un mérite d'originalité. Une image littéraire, c'est un *sens* à l'état naissant; le mot – le vieux mot – vient y recevoir une signification nouvelle. Mais cela ne suffit pas encore : l'*image littéraire* doit s'enrichir d'un *onirisme nouveau.* Signifier autre chose et faire rêver autrement, telle est la double fonction de l'image littéraire. La poésie n'exprime pas quelque chose qui lui demeure étranger. Même une sorte de didactisme purement poétique, qui exprimerait de la poésie, ne donnerait pas la vraie fonction du poème. Il n'y a pas de *poésie* antécédente à l'acte du verbe poétique. Il n'y a pas de réalité antécédente à l'image littéraire. L'image littéraire ne vient pas habiller une image nue, ne vient pas donner la parole à une image muette.

Ce n'est pas le lieu de revenir sur cette réalité langagière, si bien mise en lumière par le philosophe du Non créateur, et qu'aucune poétique sérieuse ne saurait négliger aujourd'hui. Et c'est bien comme langage inventeur de significations nouvelles et par là d'un surcroît de réalité que Bachelard définit la poésie, à travers les pouvoirs de l'image. Mais une première question se pose pour ce qui nous regarde : l'image est ici définie comme un signe d'une qualité particulière, qui fait de lui un creuset et non pas seulement un reflet; faut-il donc la considérer comme un mot d'une espèce privilégiée, et donc, dans l'esprit de la phénoménologie des éléments, un mot inducteur d'une rêverie vraie, conversion à la *materia prima?* Ou bien est-ce au contraire une rêverie particulière qui est susceptible de dynamiser le mot, n'importe lequel ou presque, pour le gonfler d'un sens nouveau et lui donner un nouveau rôle? Une seconde question découle de celle-ci, et d'ailleurs non moins importante : dans l'un et l'autre cas, quelle que soit donc sa nature, l'image a pour fonction de « faire rêver autrement »; mais de quelle rêverie s'agit-il alors : la « rêverie écrite » de celui qui sait si bien s'abandonner au courant de la plume que ce qu'il avait à dire est vite supplanté par ce qu'il se surprend à écrire [37]? Ou la rêverie du lecteur

---

37. Cf. *ibid.,* p. 284.

qui donne au rêve le temps de trouver son signe, sachant que
« la deuxième lecture – à la différence d'une lecture intellectua-
liste – est plus lente que la première [38] » et qu'elle conduira plus
loin?

Il est difficile d'apporter réponse à ces questions, d'autant que
le rêveur de mots que se veut Bachelard et qu'il voudrait faire
de chacun de nous paraît prendre plaisir, si l'on se réfère non
plus à ce seul texte mais à l'ensemble de son œuvre, aussi bien
à choisir les mots qui donnent à rêver [39] qu'à s'apprendre à rêver
sur le premier mot venu; et, quant à l'onirisme nouveau que
devrait receler l'image, il semble qu'il atteigne conjointement le
poète et son lecteur. C'est là sans doute ce qui fait problème,
car jamais Bachelard ne se penche véritablement sur la nature
de l'image et sa fonction créatrice : tout au plus se contente-t-il
d'en faire l'inventaire et de nous inviter à vivre sympathiquement
chacune d'elles avec lui; et d'autre part, même s'il se présente
à nous en lecteur et non pas en critique, loin de nous apprendre
à nous laisser rêver dans le texte, à suivre « oniriquement » les
chemins profonds de ce labyrinthe qu'est le texte, il pourrait
bien nous en détourner en se servant de lui pour s'abandonner,
à partir d'images détachées, à sa propre rêverie et nous inviter
à en faire autant. Autrement dit, et de par cette confusion
constamment entretenue entre les mécanismes de l'écriture et
ceux de la lecture, Bachelard prend prétexte des pouvoirs créateurs de l'image non pour suivre au plus près les sentiers de la
création mais pour lire autrement, en suivant des chemins nouveaux; et inversement, il prend prétexte de la rêverie vraie
qu'autorise la rencontre des images du texte poétique, et de
l'adhésion dynamique à certaines d'entre elles, pour fuir le texte
et l'interpréter au gré de sa fantaisie. Tant et si bien que celui
qui s'est toujours refusé à faire travail de critique se découvre
sans doute, toujours se retrouvant, un lecteur heureux; mais sa
lecture, elle, pourrait bien être moins heureuse.

Le mot même de texte, ou d'œuvre, apparaît d'ailleurs rarement chez Bachelard, et l'on comprend mal, dès lors, qu'il ait
tant parlé de lecture, de « merveilleuse lecture »; à moins qu'il
ne s'agisse, évidemment, de chercher à lire l'homme à travers
l'œuvre, ou plus simplement de chercher à se lire? Telles étaient

---

38. *Ibid.*, p. 286.
39. Ainsi parlera-t-il bientôt d'images fondamentales, entendant par là les
images activées à la fois par les forces du monde extérieur et les forces de notre
nature profonde.

bien, avouées ou non, ses intentions premières dans la psychanalyse, devenue bientôt phénoménologie, des éléments aristotéliciens à laquelle il se livre d'abord, en s'efforçant de suivre l'imagination, entendue comme faculté de déformer les images, au cœur même des substances élémentaires. Et si, très vite, il découvre en l'image sur laquelle il s'arrête telle ou telle « matière fondamentale » propre à nous convertir à nos origines, il découvre surtout en elle la possibilité de vivre dynamiquement cette conversion : la matière ne saurait se séparer du geste, « l'imagination d'un mouvement réclame l'imagination d'une matière [40] », la matière et le mouvement ne cessent de renvoyer l'un à l'autre. Mais il apparaît alors que si l'image est en quelque sorte nécessitée par le dynamisme créateur qui procède à la genèse de l'œuvre – et c'est bien ce qu'il montre de façon quelque peu empirique mais souvent convaincante dans l'ouvrage qu'il consacre à Lautréamont [41] –, elle est elle-même source d'un dynamisme que la lecture du texte va réactiver. Or, si Bachelard se révèle fort peu disert sur les sources de l'image, sur ses modes de formation et de déformation, comme sur les constellations qu'elle engendre, et donc sur l'écriture de l'Imaginaire, en revanche sa façon de vivre et de faire vivre, comme lecteur, le dynamisme de l'image entendue comme mise en mouvement d'une substance montre bien l'importance qu'il attache à une lecture ponctuelle des images, qui va malheureusement à contresens d'une lecture de l'Imaginaire du texte.

Sur le premier point, on pourra seulement regretter que Bachelard, qui a su si justement senti la spécificité du domaine poétique, et pas seulement en poète comme on serait tenté de lui faire reproche à la lecture de ses derniers ouvrages, ait été si peu rigoureux dans ses définitions de l'image. Ou plutôt regretter qu'il n'ait pas vraiment adapté l'image psychique, entendue comme représentation échappant aux cadres conceptuels, et pour laquelle il avait si vigoureusement réclamé le droit à une étude systématique [42], à l'image poétique, cette « œuvre pure de l'imagination absolue » qu'il qualifie de « phénomène d'être, un des

---

40. « Philosophie cinématique et philosophie dynamique », in *l'Air et les Songes, op. cit.,* p. 300.
41. L'image, dans cet ouvrage (*Lautréamont,* Paris, Corti, 1939), apparaît comme la matérialisation dans l'écriture des forces agressives qui animent l'auteur des *Chants de Maldoror,* lesquels ne trouvent signification qu'à partir de l'instant où le lecteur prend à son compte cette agressivité.
42. Cf. *la Philosophie du non,* Paris, PUF, 1940, p. 75.

phénomènes spécifiques de l'être parlant [43] », mais auquel il ne cherche jamais de statut à l'intérieur de l'œuvre où il la découvre, se contentant de l'envisager en elle-même, privée de toute racine comme de tout bourgeon. Et, en effet, nulle part ne se trouve, dans la production bachelardienne, cette étude systématique de l'image poétique que l'on était en droit d'attendre de l'auteur de plusieurs poétiques. Sans doute lui est-il arrivé de chercher dans le psychisme créateur des raisons d'être de l'image; moins d'ailleurs à travers des instincts et des phantasmes profonds, dont l'aspect pulsionnel et souvent négateur retenait sa méfiance, qu'à partir de préférences secrètes sur lesquelles il ne s'est jamais clairement expliqué et qui relèvent de la doctrine des tempéraments poétiques issus des quatre humeurs fondamentales dont il devait longtemps faire grand cas. Mais bien vite, en fait, c'est-à-dire dès qu'il renonce à la voie psychanalytique dans laquelle il avait cru d'abord pouvoir s'engager pour limiter son étude à la rêverie éveillée et aux productions d'une imagination greffant habilement nature et culture, Bachelard abandonne la recherche de toute causalité : il ne fait plus d'abord que décrire les images et tenter de les classer selon des modalités non rationnelles, mais bientôt se refuse même à toute classification pour ne plus les envisager qu'à l'instant de leur émergence. Quant à la façon dont ces images non seulement procèdent les unes des autres mais plus encore s'organisent en constellations dynamisées par les éléments qui les composent et dynamisant du même coup le texte qu'elles écrivent, et dont l'étude représente une tâche essentielle pour le poéticien, certes Bachelard ne s'en désintéresse pas tout à fait. Mais s'il lui arrive à plusieurs reprises, et surtout dans sa trilogie finale, d'étudier certains modes de regroupement qui permettent, nous dit-il, de monter ou de descendre le long d'un axe qui va, dans les deux sens, de l'organique au spirituel, s'il met bien en évidence la cohérence non rationnelle de ces constellations, jamais en fait il ne s'y arrête vraiment et moins encore ne se risque à en entreprendre l'examen systématique.

De ces insuffisances, d'ailleurs, Bachelard est pleinement conscient, qui limite son champ d'action, précise à plus d'une reprise son point d'intervention et ne prétend généralement pas faire œuvre critique, même s'il ne cesse de célébrer les mérites de l'écriture et de la page « où la pensée parle, où la parole

---

43. *La Poétique de l'espace, op. cit.*, p. 80.

pense [44] », et si le désir lui vient souvent de définir cet acte d'écrire, l'agencement des rêves et des pensées [45]. En revanche, combien de fois ne se présente-t-il pas à nous comme un lecteur patient et totalement attentif à sa lecture, comme un liseur de choix capable de ne point se laisser distraire par le discours de surface mais de vivre chaque image dans l'instant même de son éclosion, bref comme un professeur de lecture? Curieuse lecture que la sienne, pourtant, si l'on y prend garde, et qui réserve un sort bien discutable au dynamisme de l'image qu'elle réactualise et réactive à son gré. Il ne s'agit pas de dénoncer ici cette « frivolité » de lecteur que tel critique pouvait faire apparaître, il y a quelques années, à partir d'une page des *Aventures d'Arthur Gordon Pym,* lue de façon bien superficielle et, sans doute trop hâtivement interprétée dans *l'Eau et les Rêves* [46]. Les « inconséquences » qui lui étaient alors reprochées relèvent pour une part d'une utilisation périlleuse et tronquée de la psychanalyse, dont Bachelard, il est vrai, ne s'est pas encore complètement défait au moment de la rédaction de son ouvrage – mais il fera bientôt amende honorable à ce propos; pour une autre part d'une méconnaissance et de l'ouvrage dont il tire sa page, et plus encore des autres ouvrages d'Edgar Poe qui lui auraient évité certaines interprétations abusives; pour une dernière part, enfin, d'une méthode d'approche du texte bien peu rigoureuse qui choisit certains éléments, néglige totalement les autres, mais surtout ne cesse de renvoyer le texte à un hors-texte qui le précéderait et qu'il aurait pour fonction d'exprimer. Tout cela, à des titres divers, ne laisse pas d'être inquiétant pour qui refuse de réduire le texte à l'état de document et ne veut l'envisager que dans sa réalité de texte. Mais il y a plus grave encore : le fait que ce lecteur qui, au travers des images qu'il cherche à vivre sympathiquement, prétend s'identifier à la rêverie créatrice ne retienne des images que celles où d'emblée il se retrouve – se proposant d'être heureux dans sa lecture plutôt que fidèle à ce qu'il lit; et non pas même pour vivre ces images et les faire vivre dans le dynamisme qui les emporte et les relie, mais bien

---

44. *L'Air et les Songes, op. cit.,* p. 282-283.
45. Il est à remarquer cependant que, dans la seconde conclusion de *l'Air et les Songes,* il se propose de donner un exemple « d'une critique fondée sur les images, d'une critique " imaginaire " » (p. 291).
46. Jean Ricardou, « Un étrange lecteur », in *les Chemins actuels de la critique,* Paris, UGE, 1968, p. 214-221.

pour les isoler, pour les réactiver séparément, au plus parfait mépris du texte.

Ces « sonorités écrites » que promulgue l'image, cet « univers des phrases » qui s'ordonne sur la page à partir d'elle, cette « cohérence d'images » qui bientôt transparaît et dont on pouvait tout attendre pour la saisie d'un univers poétique [47], qu'en advient-il désormais? On se le demande, dès lors que celui qui nous approchait au plus près de la poéticité, découvrant dans l'image « la fonction la plus novatrice du langage » et nous invitant à écouter, d'explosion en silence, sa façon de nous « transporter d'un univers dans un autre », affirme que « même dans des images isolées, on sent en action ces forces cosmiques de la littérature ». Non seulement il renonce par là au dynamisme proprement poétique de l'image dont il semblait vouloir faire grand cas, la sortant du domaine langagier pour la vivre « en substance » et, du même coup, la dénaturant, mais il la falsifie aussi en lui donnant une fonction autre que celle qu'elle occupe dans le texte, en faisant d'elle un usage privé qui ramène le texte à l'état de prétexte à rêverie heureuse ou de champ d'exploration de l'imagination humaine. De plus en plus, d'ailleurs, s'écartant de ses premiers pressentiments d'un univers imaginaire du texte, avec ses sentiers multiples et ses lois propres, Bachelard va isoler les images, abandonnant le texte, et non point seulement pour les mieux rêver à son aise mais bien parce qu'il pense qu'elles affleurent isolément chez le poète dont le métier résiderait « dans la tâche subalterne d'associer des images [48] ».

Ce contresens – car c'est bien là aller à contresens et des voies de l'Imaginaire, et des modes de fonctionnement du langage, et finalement de la nature même de l'œuvre poétique, au profit de la seule analyse de l'Imagination – pourrait s'expliquer par le fait que, malgré quelques timides tentatives [49], jamais Bachelard

---

47. Cf. *l'Air et les Songes, op. cit.,* p. 284-285.
48. *La Poétique de l'espace, op. cit.,* p. 15.
49. Ainsi les deux volets de conclusion de *l'Air et les Songes* s'efforcent-ils, rassemblant des matériaux épars dans l'ouvrage, de donner un statut à l'image poétique. Sans cesse cependant l'analyse est repoussée, entretenant la confusion avec l'image psychique et la mutilant toujours de quelque façon. Elle est d'abord définie comme un produit de l'action directe de l'imagination sur le langage (« L'image littéraire »), puis comme une source de l'intuition philosophique et de toute réflexion philosophique sur l'homme qui ne fait que poursuivre le mouvement inscrit en elle (« Philosophie cinématique et philosophie dynamique »). Mais jamais elle n'est envisagée dans sa spécificité poétique, à l'intérieur du texte où elle émerge, qu'elle organise et fait fonctionner, lui donnant d'abord existence et lui conférant ensuite ses raisons d'être et de se faire – ses justes dimensions.

ne parvient à tirer au clair les rapports de l'image et du mot. Ce ne sont pas les images du texte qu'il rêve et donne à rêver : ce sont les seuls mots qui les parlent, qu'il dérobe à son gré et va rêver à l'écart du texte. Loin de rêver le poème, comme il voudrait le faire et nous l'apprendre [50], il prend de lui prétexte pour se donner à rêver. On ne saurait élaborer dans ces conditions de véritable poétique.

Les perspectives anthropologiques

Si la « pure mobilité d'images [51] » peut définir l'imagination du lecteur, permettant l'ouverture à une réalité neuve, si elle nous fait appréhender au mieux le champ du poétique, elle ne nous aide donc guère à cerner la poéticité en œuvre dans le texte. Bachelard d'ailleurs implicitement le reconnaît lorsqu'il écrit :

> [...] l'image littéraire est un explosif. Elle fait soudain éclater les phrases toutes faites, elle brise les proverbes qui roulent d'âge en âge, elle nous fait entendre les substantifs après leur explosion, quand ils ont quitté la géhenne de leur racine, quand ils ont franchi la porte des ténèbres, quand ils ont transmué leur matière. Bref, l'image littéraire met les mots en mouvement, elle les rend à leur fonction d'imagination [52].

C'est là clairement affirmer que l'image ne fabrique pas du texte, qu'elle n'organise pas le texte au gré des forces qu'elle recèle, qu'elle ne le structure ni ne le conditionne, mais qu'elle « rend » les mots à leur véritable nature, hors de tout usage particulier, qu'elle leur redonne pour eux-mêmes leur fonction d'imagination – qui est dans le psychisme humain « l'expérience même de *l'ouverture,* l'expérience même de la *nouveauté* [53] ». C'est dire que, pour Bachelard, l'explosion, qui définit l'image comme toute manifestation d'un dynamisme vital qui est toujours libération, ne saurait être compatible avec des modalités de structuration, à quelque niveau qu'on les situe; c'est dire aussi qu'il ne croit

50. *L'Air et les Songes, op. cit.,* p. 286.
51. *Ibid.,* p. 288.
52. *Ibid.,* p. 285.
53. *Ibid.,* p. 7.

pas à une organisation profonde de l'œuvre, et encore moins à la nécessité de faire dépendre cette organisation des images elles-mêmes et des structures auxquelles celles-ci seraient associées. Sans doute objectera-t-on qu'au moins dans un premier temps, dans ses ouvrages consacrés à la phénoménologie des éléments, Bachelard a pu envisager qu'une nécessité intérieure, issue des profondeurs de l'être, préside à l'enchaînement des images. Mais, sans s'être expliqué à ce propos ni conduire plus avant l'analyse, il devait abandonner bientôt cette hypothèse et tout ce qui concerne la génération du texte, pour ne plus s'intéresser qu'à l'imagination derrière l'image, qu'à l'homme derrière l'imagination. Ses perspectives se font de plus en plus anthropologiques, alors même qu'il parle davantage de poétique et de lecture, et l'on comprend que philosophes et psychologues de l'anthropologie culturelle s'inscrivent volontiers sous le patronage de Bachelard. C'est ainsi que Gilbert Durand, après avoir montré que l'image, dans la pensée occidentale, a été constamment dévaluée ontologiquement au cours de l'histoire, et tout récemment encore par ceux qui ont tenté de la réhabiliter après le passage des psychologues classiques s'ingéniant à en faire un doublet mnésique de la perception, une copie miniaturisée des choses objectives, récuse et la position bergsonienne, qui fait de l'image un souvenir surgissant spontanément dans le désintéressement du rêve, et la position sartrienne qui, pour éviter de la chosifier, en fait une absence présente à la conscience, un objet fantôme renvoyant à une vie factice [54]. Contre ces théories réductrices et dévalorisantes, auxquelles il joint l'École de Würzburg et la Denkpsychologie – et il n'hésite pas à écrire, dans le cas de Sartre au moins, que l'essence de l'image ne saurait être perçue par qui est fermé à ce point à la poétique –, Gilbert Durand se range résolument du côté de Bachelard et de ceux qui ne rejettent la fécondité de l'image ni ne la réduisent à une pâle esquisse conceptuelle, mais montrent au contraire sa spécificité, son rôle fondamental dans la vie psychique comme sa cohérence fonctionnelle.

C'est évidemment ce dernier point qui retient tout particulièrement l'attention du poéticien. Or, ce qui, dans la position bachelardienne, séduit d'abord Gilbert Durand, c'est qu'une telle conception du symbolisme imaginaire repose sur deux intuitions qu'il fait siennes : « l'imagination est dynamisme organisateur, et

54. Gilbert Durand, *Les Structures anthropologiques de l'Imaginaire*, Paris, PUF, 1960, p. 11-18.

ce dynamisme organisateur est facteur d'homogénéité dans la représentation [55] ». C'est effectivement là une ligne de conduite dont Bachelard ne devait guère s'écarter, de *la Philosophie du non* et de *l'Air et les Songes* jusqu'à *la Poétique de l'espace* et *la Flamme d'une chandelle;* et Gilbert Durand a tout à fait raison de souligner qu'enfin désormais, par là, l'image prend son véritable sens, trouve sa juste place à côté de la pensée et par rapport à elle, cessant de lui être tributaire, et par la fonction symbolique qui est sienne fait apparaître une cohérence d'un autre ordre, révèle une logique d'une nouvelle espèce :

> On peut dire que le symbole n'est pas du domaine de la sémiologie, mais du ressort d'une sémantique spéciale, c'est-à-dire qu'il possède plus qu'un sens artificiellement donné, mais détient un essentiel et spontané pouvoir de retentissement [56].

Comment ne pas approuver sans réserve une telle affirmation, qui pourrait se placer au départ de toute poétique vraie dont elle livre les objectifs en même temps qu'elle en définit le programme? On ne saurait oublier cependant, avant de trop se réjouir, que de cette « sémantique spéciale » il n'est guère question dans l'œuvre de Bachelard. Mais on ne saurait oublier davantage que, de cet « essentiel et spontané pouvoir de retentissement », il est fait un usage tout autre que celui qu'on serait en droit d'attendre de qui se penche sur la « pensée parlée », voudrait saisir dans la parole poétique « l'origine du langage », affirme que la parole poétique est instrument de réalité et très justement remarque que les mots, sitôt déliés du langage de la signification, veulent faire leurs phrases, s'organisant dans un univers du langage qui répond à des lois autonomes [57]. A un tel programme théorique, nul écho; et le retentissement dont il sera question sera toujours retentissement chez le rêveur de mots, et non point retentissement dans le texte s'écrivant et se lisant, dans le langage se formant et se déformant pour inventer ce surcroît de réalité dont on ne saura jamais rien [58].

---

55. *Ibid.,* p. 20.
56. *Ibid.,* p. 21. Cf. *la Poétique de l'espace, op. cit.,* p. 6-7.
57. Cf. *la Poétique de l'espace,* Introduction, et *la Poétique de la rêverie, op. cit.,* chap. V.
58. Dans cette même *Poétique de la rêverie,* Bachelard d'ailleurs s'avoue lui-même mauvais lecteur lorsqu'il écrit : « Je crois lire. Un mot m'arrête. Je quitte la page. Les syllabes du mot se mettent à s'agiter. Des accents toniques se mettent à s'inverser » (p. 15).

Sans doute, l'anthropologue qu'est Gilbert Durand trouve-t-il là encore son compte. Mais ne se propose-t-il pas davantage quand il fonde son anthropologie sur l'étude des productions culturelles, au sens large du terme, et par là même se refuse à mutiler les œuvres qu'il retient afin de les envisager dans leur spécificité et leur globalité [59]? Ses « lectures » de *la Chartreuse de Parme* ou de *Lucien Leuwen,* comme aussi ses présentations d'œuvres graphiques (Hoffmann) ou sculptées (Gilioli), le montrent au contraire attentif à l'objet autonome et au centre organique que représente toute œuvre constituée. C'est bien en elle qu'il cherche à suivre, en ses métamorphoses créatrices d'une réalité nouvelle, le retentissement de l'image, et non point en lui comme son maître Bachelard dont il se sépare radicalement sur ce point.

Sur ce point, mais aussi sur quelques autres qui ne sont pas des moindres. Car s'il cherche, comme l'épistémologue, à mieux connaître l'homme imaginant qui prend du réel d'autres mesures que celles dans lesquelles le confine la pensée, s'il découvre avec lui que le monde des images sous-tend mais aussi conditionne et sans cesse revivifie le monde de ce qu'il est convenu d'appeler la réalité, ses desseins en fait sont tout autres. Il ne lui suffit pas de constater l'existence de l'Imaginaire, de montrer le rôle dynamisant et unificateur de l'imagination, de célébrer les pouvoirs de retentissement et de création de l'image; encore se propose-t-il de voir comment cela se passe et pourquoi. Même si ses visées ne sont pas davantage critiques, au sens littéraire du terme, que celles de Bachelard, il ne saurait se contenter de « vivre directement les images [60] » : il veut les suivre dans leurs métamorphoses, dans leurs déformations et leurs renversements, dans leur façon de consteller et de s'organiser dynamiquement. Il ne saurait davantage se contenter de remarquer qu'une « nécessité » profonde, qui est assimilation subjective, préside à l'enchaînement des images : il veut savoir les sources et les modalités de cet enchaînement, il veut déceler, à partir des modes de structuration des images au sein de systèmes mythiques

---

59. Cette conscience de l'œuvre en tant que telle apparaît d'ailleurs nettement dans les critiques que Gilbert Durand porte à la théorie sartrienne de l'image, lorsqu'il dénonce l'« incapacité de l'auteur de l'essai sur Baudelaire à saisir le rôle général de l'œuvre d'art et de son support imaginaire », le fait que chez lui « jamais l'image ou l'œuvre d'art n'est prise dans son sens plein, mais toujours tenue pour message d'irréalité », et finalement son inaptitude foncière, faute du moindre sens poétique, à saisir l'essence de l'image (*les Structures anthropologiques de l'Imaginaire, op. cit.,* p. 15).
60. Cf. *la Poétique de l'espace, op. cit.,* p. 6-8.

et de constellations statiques, « certains protocoles normatifs des représentations imaginaires, bien définis et relativement stables, groupés autour des schèmes originels » qu'il nomme structures [61].

Il n'y a pas là seulement rigueur plus grande et souci de classification plus méthodique et mieux motivée. Car Gilbert Durand, constatant que la classification élémentaire ne fait guère apparaître les motifs ultimes qui résoudraient les ambivalences inhérentes à toute image, et constatant aussi que les images, irréductibles les unes aux autres par nature, ne sauraient être objectivement ramenées aux quatre éléments aristotéliciens, doit bien convenir finalement de l'échec de la classification bachelardienne, à la fois inadéquate et insuffisante. Il lui faut reconnaître que le principe même adopté par Bachelard présente « un certain flottement, une certaine sinuosité dans l'analyse des motivations symboliques, l'épistémologue et le théoricien du non-cartésianisme semblant paradoxalement se refuser à pénétrer dans la complexité des motifs et se repliant en une poétique paresseuse sur le bastion préscientifique de l'aristotélisme [62] ». Or, s'il se propose, lui, de pénétrer dans la complexité des motifs, qu'il va découvrir conjointement objectifs et subjectifs, il en vient du même coup à mettre à jour les mécanismes d'un Imaginaire qui régit l'émergence, l'organisation et le trajet dynamique des images, et dont on ne trouve nulle esquisse chez Bachelard.

C'en est donc fini, dans une telle perspective, des images en liberté; et la position de Gilbert Durand par rapport à Bachelard, dans un certain sens, se trouve homologue de celle de Breton par rapport à Marinetti, rejetant les mots en liberté au profit de la phrase « qui cogne à la vitre ». Il est d'ailleurs remarquable que dans l'un et l'autre cas, bien qu'à des registres différents, on s'achemine, encore qu'il n'en soit pas explicitement fait mention, vers une syntaxe de l'Imaginaire aussi rigoureuse que la syntaxe rationnelle mais obéissant résolument à d'autres principes, du moins vers un sémantisme de l'Imaginaire antérieur à la pensée rationalisée qui n'en serait qu'un appauvrissement, à l'inverse du schéma que proposent la philosophie classique et même encore la thèse sartrienne [63]. Le départ entre le mot et l'image, qui s'opérait assez mal chez Bachelard où le mot reste

---

61. *Les Structures anthropologiques de l'Imaginaire, op. cit.*, p. 55.
62. *Ibid.*, p. 26.
63. Cf. *ibid.*, p. 21-22. Gilbert Durand avoue d'ailleurs ici qu'il rejoint, à travers Herder, Novalis ou Schubert, la conception des grands romantiques allemands, aussi bien que celle de Breton et des surréalistes.

signe dans le texte et ne devient image que dans le seul psychisme du lecteur où il retentit, est d'ailleurs bien marqué par Gilbert Durand qui reprend le problème, pour mieux le cerner, au niveau du langage :

> [...] la phénoménologie psychologique a toujours coupé entre le noumène signifié et le phénomène signifiant, confondant le plus souvent le rôle de l'image mentale avec les signes du langage tels que les définit l'école saussurienne. Le grand malentendu de la psychologie de l'imagination, c'est finalement, chez les successeurs de Husserl et même de Bergson, d'avoir confondu, à travers le vocabulaire mal élaboré de l'associationnisme, l'image avec le mot.

Et, après avoir montré que finalement, pour Sartre, l'image n'est qu'un signe dégradé et que « la généalogie de la " famille de l'image " n'est que l'histoire d'un louche abâtardissement », de poursuivre :

> Mais il est capital de remarquer que dans le langage, si le choix du signe est insignifiant parce que ce dernier est arbitraire, il n'en va jamais de même dans le domaine de l'imagination où l'image – aussi dégradée qu'on puisse la concevoir – est en elle-même porteuse d'un sens qui n'a pas à être recherché en dehors de la signification imaginaire. C'est finalement le sens figuré qui seul est significatif, le soi-disant sens propre n'étant qu'un cas particulier et mesquin du vaste courant sémantique qui draine les étymologies [...]. L'analogon que constitue l'image n'est jamais un signe arbi-trairement choisi, mais est toujours intrinsèquement motivé, c'est-à-dire est toujours symbole. C'est finalement parce qu'elles ont manqué la définition de l'image comme symbole que les théories précitées ont laissé s'évaporer l'efficacité de l'imaginaire [64].

On pourrait s'étonner là encore de voir celui qui ne cesse, en dépit de quelques signes d'impatience, de se ranger sous la bannière de Bachelard, s'en écarter résolument, quand on sait que dans son ouvrage testament ce dernier devait non seulement réassocier l'imagination et la mémoire, mais surtout opposer

64. *Ibid.*, p. 19.

catégoriquement l'image, qui inaugure de nouveaux rapports avec les choses, avec le monde, au symbole qui toujours renvoie à un savoir et affirme d'entrée de jeu ce déjà connu [65]. Il reste que c'est sur cette fonction symbolique de l'image que Gilbert Durand veut s'appuyer désormais pour affirmer sa position et tenter de déceler les modes de structuration de l'Imaginaire. Dans la perspective de l'élaboration d'une poétique qui se fonde tout entière sur l'image et ses pouvoirs de création sans quitter à aucun moment le vrai domaine qui est le sien, celui du langage, il est certain qu'un dernier pas est ici franchi qui est décisif. D'autant, comme se plaît à le souligner Gilbert Durand en s'appuyant sur les travaux de psychologues et de logiciens contemporains attentifs à cette « hormone du sens » qu'est le symbole, que « dans le symbole constitutif de l'image il y a homogénéité du signifiant et du signifié au sein d'un dynamisme organisateur et que, par là, l'image diffère totalement de l'arbitraire du signe [66] ».

Aussi lorsque, poursuivant sur le même terrain, l'anthropologue en vient à constater que la sémantique de l'image ainsi définie entraîne à reconnaître l'antériorité de la fonction symbolique sur toute signifiance audio-visuelle, le poéticien remarque pour sa part que le passage du cri rudimentaire à un langage constitué qui joue de ce cri et voudrait le faire entendre est déjà de quelque façon passage au poétique, entendu comme principe fonctionnel. Et, lorsque l'anthropologue découvre que cette même sémantique qui rejette le principe saussurien de l'arbitraire du signe rejette du même coup le principe de la linéarité du signifiant, impliquant la succession linéaire, horizontale, du sens des mots, le poéticien songe que l'épaississement sémantique, qui retarde et détourne, contredit à chaque instant le sens unique du discours, définit assez bien pour sa part la poéticité entendue comme actualisation de ce principe fonctionnel.

Il semble donc, compte tenu de ces diverses prémisses, qu'il soit possible de fonder une poétique rigoureusement comprise, et selon ses exigences propres, sur les données et les méthodes de l'anthropologie culturelle, telles qu'elles ont été définies notamment par Gilbert Durand. Tout au plus, sachant que les desseins de cette approche visent, au travers de ses productions, une meilleure connaissance de l'homme régénéré, rendu à ses justes

---

65. Cf. *la Flamme d'une chandelle, op. cit.,* p. 30 *sq.*
66. *Les Structures anthropologiques de l'Imaginaire, op. cit.,* p. 20.

mesures, revivifié par l'intégration de cet Imaginaire qui peut « transformer le monde selon l'Homme de Désir [67] », conviendrait-il de procéder aux ajustements qui s'imposent quand il s'agit pour le poéticien de ne point quitter l'œuvre pour l'homme et d'explorer au mieux, sans le réduire ni le mutiler d'aucune sorte, tout le champ du texte. Mais avant même d'essayer de voir comment opérer ces ajustements indispensables, une sournoise inquiétude vient à tempérer l'euphorie première : n'a-t-il pas été question jusqu'alors essentiellement de l'image, accessoirement seulement de l'Imaginaire? Réévaluation de l'image, cohérence fonctionnelle et dynamique de l'image, fonction symbolique de l'image entraînant un épaississement et une multiplication du sens, une perversion du discours, de nouveaux processus d'agglutination et d'enchaînement – bref, une sémantique particulière et une logique pluridimensionnelle fondées sur la nature même de l'image. Au stade de la pure description, nul problème, et l'adéquation est parfaite, ou peu s'en faut, entre la démarche de l'anthropologue et celle du poéticien. Mais on ne saurait en rester au seul constat des privilèges de l'image – soupçonner des principes ou des cadres plus rigoureux présidant à la mise en place et au fonctionnement de cette sémantique et de cette logique nouvelles et cependant s'abstenir de remonter jusqu'à eux, de crainte de museler la « folle du logis », mais préférant courir le risque de remettre les images en liberté.

Or, ce que d'abord retient le poéticien des leçons de l'anthropologue, c'est que, dans le domaine de l'image, tout tient à tout, qu'il n'est rien qui ne soit insignifiant, et que l'émergence d'un sens ne peut résulter que de la convergence d'un réseau de significations. L'image propose son sens propre dans la constellation d'images qu'elle instaure et où elle s'installe, mais elle est à son tour modifiée, déformée par les images qui l'entourent et qui sans cesse la font dévier, la contraignant à de nouvelles métamorphoses qui laissent toujours le sens à venir [68]. Comment dès lors pourrait-il s'en tenir à une poétique de l'image, de quelque façon qu'il envisage cette poétique? Car, s'il récuse d'emblée une poétique de l'image isolée, qui prend prétexte du

---

67. *Ibid.*, p. 468.

68. Gilbert Durand évoque à ce propos les « essaims » d'images dont parle Jacques Soustelle à propos du récit mythique, et « l'imbrication réciproque de tout dans tout à chaque instant » par laquelle il définit l'épaisseur sémantique de ce récit (*la Pensée cosmologique des anciens Mexicains,* Paris, Hermann, 1940, p. 9) (cf. *ibid.*, p. 22, n. 57).

texte pour éclairer le seul rêve du lecteur, il est amené à récuser pareillement l'étude d'une seule image à travers le texte, même s'il ne prétend point quitter ce dernier. Que pourrait en effet lui apporter une telle étude, sinon la preuve *a contrario* qu'une image ne signifie qu'au travers des autres images qu'elle informe et qui l'informent en retour, au travers de leurs métamorphoses conjuguées mais au travers aussi de toute une syntaxe inséparable de ces interactions et de ces métamorphoses? Tout au plus devrait-il retenir de cette entreprise, outre certaines modalités de fonctionnement de l'image dont l'importance n'est certes pas négligeable, une grande prudence concernant son rôle et sa valeur propres, et surtout l'impossibilité absolue de lui conférer à jamais un sens, sous peine de la réduire à l'état de signe.

Et c'est là qu'une première fois le poéticien devra se séparer de l'anthropologue, s'il veut faire montre d'une telle prudence. Car les voies de l'anthropologie pourraient être pour lui peu sûres, qui ne cessent de mettre en relief le dynamisme créateur, s'efforcent de montrer que l'image ne prend vie que dans le « trajet anthropologique » sur lequel elle s'inscrit [69], ne prend signification que dans le prolongement d'un geste pulsionnel et l'assimilation d'un milieu objectif; mais qui tout en même temps ne parviennent pas, et quoiqu'elles s'en défendent, à se défaire d'une certaine réification – qui n'est pas seulement la légitime prise en compte de la « matière » de l'image – où viennent se mêler les éléments fondamentaux de Bachelard et les archétypes de Jung, les uns et les autres porteurs *a priori,* semble-t-il, non de leur seule structure formelle mais bien de leur signification. Et lorsque Gilbert Durand, poussé sans doute par la complexité de sa tâche et la nécessité d'opérer une première clarification au sein de la profusion et de la confusion des terres de l'Imaginaire, en vient à proposer une classification isotopique des images, il ne se contente pas de répartir, selon les divers régimes qu'il a préalablement définis, structures caractéristiques, attitudes logiques, réflexes dominants, schèmes verbaux, archétypes épithètes et figures symboliques du jeu de Tarot; encore procède-t-il à une rudimentaire répartition des images elles-mêmes, archétypes substantifs ou synthèmes, à l'intérieur des trois grandes classes de l'Imaginaire [70]. C'est là précisément que le bât blesse : n'y a-t-il pas une contradiction, et non point superficielle, et non

69. *Ibid.,* p. 31.
70. Cf. *les Structures anthropologiques de l'Imaginaire, op. cit.,* 2ᵉ éd., 1963, annexe II, p. 472-473.

point occasionnelle, entre la définition de la structure comme « ensemble dynamique » ou « système de forces antagonistes [71] », comme jeu de formes en transformation refusant tout arrêt dans un état, toute fidélité à un sens [72], et la répartition des images – fussent-elles archétypales – entre certains régimes qui d'avance les enferment dans un sens, du moins déterminent ce sens ? On ne saurait trop s'étonner de voir celui qui dénonce si justement toute forme de « bocalisation », par souci de ne rien négliger des motivations symboliques et de leurs interactions, étiqueter ainsi les images, celles du moins qui lui paraissent les plus exemplaires.

Sans doute Gilbert Durand objecterait-il que toute classification est nécessairement schématique, et que la distinction qu'il opère entre trois grandes classes de l'Imaginaire, définies chacune par un certain nombre de structures caractéristiques, ne veut assurer qu'un premier débroussaillage, plus méthodologique que pratique, qu'il ne cessera de nuancer et d'affiner dans la suite de son œuvre. Il va de soi, à ses yeux, que faire de sa classification une stricte grille que l'on pourrait adapter telle quelle à n'importe quelle production culturelle, voire à n'importe quel producteur, au sens valéryen du terme (car la tentation est grande de remonter à une typologie), n'a pas la moindre signification. Et l'on ne saurait le rendre responsable de tant d'utilisations naïves de son archétypologie générale, qui ont tôt fait de transformer sa méthode de repérage en moderne clé des songes. Quant à la répartition des images entre deux régimes et trois grands types de structures, qui ne sont pas des groupements rigides de formes immuables, il prend soin lui-même de le préciser [73], elle voudrait mettre en relief l'isotopie des images au sein de l'Imaginaire, et indiquerait certaines convergences et des intentions communes plutôt qu'elle n'assignerait aux images des places immuables.

Malgré cela, il est fort à craindre, si nous restons sur le terrain qui est le nôtre, celui de la poétique, qu'un tel catalogage n'aille à l'encontre et de la fonction symbolique de l'image, qui fait vivre celle-ci sur des pôles antagonistes, et du dynamisme créateur de cette image comme des images qu'elle suscite, qu'elle affronte, qu'elle ensemence et fait retentir, ne découvrant sa valeur, et finalement son sens, que dans le texte qu'elle tisse ainsi. Pour ne prendre qu'un exemple, et certes pas choisi au hasard, il est

71. Gilbert Durand, *Le Décor mythique de* la Chartreuse de Parme, préface de la 2ᵉ éd., Paris, Corti, 1971, p. 5.
72. *Les Structures anthropologiques de l'Imaginaire, op. cit.*, p. 55.
73. Cf. *ibid.*, p. 56.

impossible de suivre Gilbert Durand lorsqu'il range délibérément l'image de l'arbre à l'intérieur du régime nocturne de l'image, dans le tiroir des symboles cycliques qui répondent aux structures dramatiques de l'Imaginaire. Non que l'arbre ne vibre souvent comme résumé cosmique et cosmos verticalisé, conjointement [74], non qu'il n'incite à « rêver une fois de plus un devenir dramatique [75] » et ne renvoie souvent à « un symbolisme cyclique au sein des aspirations verticalisantes [76] » − image privilégiée d'un temps qui se régénère dans sa répétition même et montre aussi la voie d'un sens unique de l'histoire aimantée par quelque messianisme; mais il s'en faut de beaucoup que l'image de l'arbre ne puisse « jamais se détacher complètement de son contexte saisonnier et cyclique », qu'elle soit mesure du temps nécessairement « orientée par la verticalité, individualisée jusqu'à privilégier la seule phase ascendante du cycle [77] ». Une étude méthodique et *concrète* de cette image montre en effet que celle-ci s'intègre tout aussi bien, si l'on s'en tient à la classification en question, à des structures héroïques : l'arbre y apparaît alors comme lien entre deux mondes, l'un sombre et l'autre clair, ou moyen de passage des ténèbres à la lumière, comme celui qui sépare autant que celui qui réunit, celui qui donne la verticale, oblige à s'élever, mais celui aussi qui fait mesurer la hauteur et le risque de la chute, lieu d'affrontement des contraires, à ses pieds veille le monstre et le héros s'en sert d'échelle pour tenter l'escalade du ciel; double agrandi de l'homme, il est modèle de toute gigantisation, glaive dressé contre le monde d'en haut et espace privilégié d'où mettre à distance les choses du monde d'en bas; et si ses racines fouillent parfois les profondeurs de la terre tandis que sa frondaison retient des morceaux du ciel, c'est que son image très symétriquement peut se renverser, parfois, comme dans cet arbre cosmique des *Upanishads* qui prend racine dans le ciel et vient transmettre à la terre, par ses branches et tous ses rameaux, caressant le sol, le suc et la sève d'en haut. Et, de la même façon, il n'est pas rare que cette image surgisse au sein de structures mystiques, l'arbre devenant le microcosme parfait dans lequel trouver asile hors du temps chronologique, l'alambic de toute transmutation purificatrice; il est alors la Mère nourricière, dispensatrice du liquide nourricier primordial ou la

74. *Ibid.*, p. 368.
75. *Ibid.*, p. 365.
76. *Ibid.*, p. 371.
77. *Ibid.*, p. 372.

source cachée, dans ses fruits, des breuvages d'immortalité [78]; au départ non plus de rêveries conquérantes mais de rêveries intimistes, il devient la demeure intérieure, le foyer régénérateur ou le ventre à regagner pour une nouvelle naissance; lieu d'effacement des conflits et des oppositions, il enserre la nuit au profond de son feuillage parsemé d'étoiles, ou au creux de son tronc – berceau, tombeau ou barque –, réconciliant la vie et la mort, le plomb et l'or, rêve des alchimistes et des sorciers-griots; proposant des refuges au cœur même des refuges qu'il aménage et veut renforcer tour à tour, son image aisément se redouble en des emboîtements de plus en plus miniaturisés vers un Centre à jamais détaché de tout contexte saisonnier et cyclique.

Mais il y a plus grave encore, pour le poéticien, que ce catalogage sclérosant des images, dans la démarche de l'anthropologie culturelle sur laquelle il pensait d'abord pouvoir fonder sans réserve sa poétique. Il y a cette recherche des motivations, derrière l'image et ses manifestations, recherche entreprise certes d'une façon originale qui rompt délibérément avec les « intentions » sartriennes et toutes les explications linéaires relevant de quelque causalité logique, mais qui cependant n'est pas faite pour le rassurer ni même pour l'assurer dans ses tâtonnements. Car ce que se propose l'anthropologue de l'Imaginaire, c'est de « trouver, pour suppléer au déterminisme de type causal que l'explication utilise dans les sciences de la nature, une méthode compréhensive des motivations [79] ». Aussi écarte-t-il d'abord toutes les méthodes de classification de ces motivations, et donc des grands symboles de l'imagination, fondées sur les cadres de la logique ustensilitaire, sur des classes de motivations cosmologiques, physiques, sociologiques, philologiques, voire sur des postulats évolutionnistes, toutes classifications, nous dit-il, qui « semblent pécher par un positivisme objectif qui tente de motiver les symboles uniquement à l'aide de données extrinsèques à la conscience imaginante et être, dans le fond, obsédées par une explication ustensilitaire de la sémantique imaginaire [80] ». Mais il en vient à écarter pareillement, à l'inverse, les recherches de motivations entreprises, sur les chemins hypothétiques de la psychanalyse, du seul côté des comportements élémentaires du psychisme

---

78. Gilbert Durand, d'ailleurs, n'omet pas de signaler à sa place, mais sans y revenir plus tard, l'anastomose de l'archétype de la mère avec celui de l'arbre (*ibid.*, p. 276).
79. *Ibid.*, p. 23.
80. *Ibid.*, p. 28.

humain, des pulsions qui les manifestent spontanément et des refoulements qui nécessairement s'y attachent; tant le contenu imaginaire ne saurait se résoudre « en une tentation honteuse de tromper la censure » et tant l'image ne saurait être interprétée sans être totalement dénaturée.

Le poéticien, qui ne veut point sortir des terres qu'il explore, fidèle en cela et à ses desseins propres et à l'essence même de la chose poétique, ne saurait donc que se réjouir d'abord de voir ainsi rejetées dos à dos les motivations cherchées exclusivement hors de ces terres, du côté du monde matériel ou du côté du psychisme profond, et qui pareillement réduisent les images à autre chose qu'elles-mêmes en les expliquant au lieu de les comprendre. Mais, pour la seconde fois, il va devoir cependant se séparer de l'anthropologue lorsqu'il découvre que cette recherche des motivations symboliques, si justement centrée soit-elle, entraîne ce dernier à repérer, à l'aide d'une méthode tout empirique de convergence, des constellations d'images, « constellations à peu près constantes et qui semblent structurées par un certain isomorphisme des symboles convergents [81] », et de là à remonter, par confrontation des homologies entre ces ensembles où viennent converger les images, à des « noyaux organisateurs que l'archétypologie anthropologique doit s'ingénier à déceler à travers toutes les manifestations humaines de l'imagination [82] ». Car l'Imaginaire, dès lors, se confondant avec l'échange de forces contradictoires répondant à certains modes d'organisation des images autour de ces noyaux cellulaires, à des structures récurrentes, n'est bientôt plus envisagé par l'anthropologue dans les processus de création incessante qui sont les siens, mais dans le seul inventaire des motivations de tous ordres, tant extérieures qu'intérieures, qui président à la rencontre et à l'ordonnance des forces qui l'habitent. Alors que le poéticien, soucieux de ce qui se fait – le « *poiein* » – de ce qui se crée à mesure, de ce qui devient, attendait l'Imaginaire au-delà des images, c'est en deçà de ces images que l'anthropologue, peu fidèle en cela à ses promesses premières, s'en vient à le chercher. N'annonçait-il pas que « les images ne valent pas par les racines libidineuses qu'elles cachent, mais par les fleurs poétiques et mythiques qu'elles révèlent [83] »? Or, ce n'est pas sur les développements et les métamorphoses conjugués des images en présence, sur leur mode d'épanouissement et de fructification,

81. *Ibid.*, p. 33.
82. *Ibid.*, p. 34.
83. *Ibid.*, p. 30.

sur leurs pouvoirs créateurs, qu'il centre son analyse, mais sur les figures en place et leurs infrastructures, bref sur leurs raisons d'être et d'être ensemble plutôt que sur leur devenir. Dans son souci de séparer l'analogie de l'homologie à laquelle il en appelle, peut-être d'ailleurs en fait-il à demi l'aveu lorsqu'il opte pour la convergence qui « joue davantage sur la matérialité d'éléments semblables que sur une simple syntaxe » et définit l'homologie comme « équivalence morphologique, ou mieux structurale, plutôt qu'équivalence fonctionnelle [84] ». Et même s'il recourt, pour se faire entendre, à la variation thématique, de type musical, à laquelle le poéticien pourrait se laisser prendre, il n'en demeure pas moins que ce qui lui importe, ce ne sont pas les résonances des images et des constellations écrivant leurs variations qui tissent la toile de l'Imaginaire, mais les images en tant que symboles ayant pouvoir de consteller « parce qu'ils sont des développements d'un même thème archétypal, parce qu'ils sont des variations sur un archétype ».

Il apparaît ainsi, finalement, que ce n'est pas dans la même situation par rapport à l'image, dans le même intervalle d'investigation, que se placent l'anthropologue et le poéticien soucieux tous deux d'explorer les terres de l'Imaginaire, le premier pour mieux comprendre l'homme et le second pour mieux habiter l'œuvre. Il ne s'agit donc pas, comme on pouvait le croire d'abord, d'une seule opposition des desseins poursuivis, impliquant pour le poéticien d'adapter au mieux les méthodes d'exploration de l'Imaginaire aux fins qui sont les siennes. Sans doute celui-ci pourra-t-il faire fond sur ce que l'anthropologue, au plan phénoménologique essentiellement, lui apporte, comme il devra prendre à son compte, pour son plus grand profit, les modalités d'organisation primaire des réseaux d'images dont il a su déceler les motivations symboliques. Mais il faudra bien, en dernier ressort, puisqu'il va travailler quant à lui non en deçà de l'image mais au-delà des images, que le poéticien se taille son domaine contre ceux-là même qui l'ont conduit jusque-là, et rende possible une poétique de l'Imaginaire.

84. *Ibid.*, p. 34.

2

Espace du texte,
lieux de l'Imaginaire

Image mentale, image poétique

Sans doute a-t-on trop souvent parlé de l'image, en poésie, comme d'un produit de fabrication rhétorique à point venu pour illustrer ce qui a déjà été perçu ou pensé par ailleurs, ou comme d'un cas particulier de l'usage établi du signe linguistique et de son fonctionnement utilitaire, pour qu'il ne soit pas nécessaire de revenir sur le statut de cette image. Car c'est de ce statut que découle ce qu'il faut bien nommer les pouvoirs de l'image.

Il est curieux de constater en effet que, de ces pouvoirs qui tiennent à l'essence même de l'acte poétique en tant que générateur d'une réalité neuve et permettent de cerner la spécificité du langage poétique, il n'est jamais vraiment question chez ceux qui cherchent à décrire la nature de l'image afin de distinguer la ou les figures qu'elle revêt des autres figures du langage. Du moins parviennent-ils assez mal à leurs fins, tel Henri Morier qui, dans son *Dictionnaire de poétique et de rhétorique,* définit une première figure de l'image qu'il nomme « abstraite », comme « terme abstrait indiquant de manière imagée l'essence, l'état, la manière d'être, le mouvement de l'objet ou la disposition d'un ensemble d'objets [1] ». Sans parler de la tautologie qui consiste à définir l'image comme une représentation imagée, toutes les explications qui suivent ne tendent à rien autre qu'à faire de cette prétendue image un outil à l'aide duquel le poète, habile artisan, peut réaliser ce qu'il veut réaliser, un instrument auquel il doit avoir recours pour traduire au mieux certaine réalité préexistant à son texte. Bien plus, si telle figure « suggère des enchantements », c'est que, du fait même de son abstraction,

---

1. *Dictionnaire de poétique et de rhétorique,* Paris, PUF, 2ᵉ éd., 1975, p. 523.

« ses bords restent flous », « son essence n'a pas reçu de forme définitive ». C'est là laisser entendre que l'image ne serait jamais que partiellement adéquate à l'objet qu'elle est censée représenter, lequel pourrait être aussi bien évoqué par d'autres images, pareillement inadéquates. Mais c'est aussi laisser entendre que l'image, non seulement ne répond à aucune nécessité profonde, mais encore ne tient ses pouvoirs que de ses approximations et de ses manques qu'elle pousse à combler.

De la même façon, Henri Morier croit pouvoir définir une autre figure de l'image, l'image « impressive », qui ne reposerait pas sur une comparaison objective entre deux réalités connues, mais « sur la comparaison subjective établie entre un objet connu et un second objet sans rapport formel, de poids, de masse, ni de couleur avec le premier, mais qui produit sur la sensibilité de l'auteur une impression analogue à celle que produirait le premier [2] ». Outre que l'image se trouve là encore considérablement appauvrie en ce qu'elle est réduite à une comparaison ramassée qui viendrait tout au plus traduire la convergence analogique, fortuitement ressentie, de deux objets d'ordre différent, il ne s'ensuit pas qu'elle trouve fonction dans le texte même où elle surgit, mais seulement chez le créateur dont elle manifeste certain état affectif latent et chez le lecteur qui sera incité à la rêverie, de par son impossibilité à se représenter formellement telle image. Et il est amusant de voir l'acharnement que met alors le stylisticien à tenter d'expliquer cette fois les pouvoirs de l'image non plus par le flou poétique et les délices de l'incertitude, mais par des liens de causalité sous-jacents et clairement analysables entre les deux objets rapprochés.

C'est là revenir encore à la conception sartrienne de l'image, quoi qu'il en paraisse, puisque cette image ainsi définie renvoie à une pensée préalable dont elle ne serait que dégradation, même sublime, à une organisation rationnelle toujours première qu'elle manifesterait succinctement en privilégiant isolément tel ou tel rapport causal ou final entre deux réalités d'ordre différent. Le poète, dans cette perspective, apparaît comme celui qui dit la même chose mais d'une autre façon – un original de l'expression tout au plus; quant à la poésie, elle se trouve reléguée à l'état de langage immature, inapte encore à dominer conceptuellement l'ensemble des rapports entre les choses, mais surtout, ce qui est bien plus grave, incapable de donner signification par lui-même

2. *Ibid.*, p. 524.

hors de toute réalité déjà vécue ou pensée. Aussi ne saurait-on s'étonner de voir l'image, à laquelle on croyait déjà qu'un statut autonome allait être enfin attribué, bientôt confondue avec la métaphore, et cela de façon explicite [3]. Il n'est pas question ici de ranimer un débat qui régulièrement revient au premier plan, suscitant toujours les mêmes passions, et qui laisse face à face ceux qui voient entre image et métaphore une différence de nature et de réalité, ceux qui ne veulent y voir qu'une différence de degré, et ceux qui n'y voient nulle autre différence que terminologique. D'autant que, abandonnant à chacun le champ d'investigation qui est le sien, une réflexion sur l'image préludant à une théorie de l'écriture de l'Imaginaire, et mieux encore au déchiffrement des forces de cet Imaginaire en œuvre dans le texte, devrait porter sur les modalités de fonctionnement de cette image et leurs pouvoirs de création bien plutôt que sur sa nature propre [4]. Il apparaît toutefois, dans le contexte, non pas d'une sémiotique poétique ni même d'une sémantique structurale, mais bien d'une poétique de l'Imaginaire, que l'image n'est pas la « donnée immédiate de la sensibilité ou de l'intuition » qui nous ferait apercevoir au travers de l'objet réel un objet image, que nous lui substituerions aussitôt [5], tandis que la métaphore serait la figure de style concrétisant dans l'écriture cette substitution mentale et transformant l'identité partielle en identité absolue. C'est au sein même de l'écriture, n'en déplaise à certains, qu'il faut établir la différence.

De ce point de vue, il est probable que le poéticien aura plus à apprendre du phénoménologue et de l'anthropologue que des linguistes de toute obédience. Il lui faut là encore, à titre provisoire, revenir à Bachelard, lequel ne voit dans la métaphore qu'un compromis entre la raison et l'imagination : la métaphore ne saurait en effet satisfaire ni la raison, quand elle vient tout au plus déguiser une pensée et mettre en évidence une fausse identité tenue pour vraie, ni l'imagination, quand au lieu d'aller de l'avant pour fabriquer un supplément d'être elle reste attachée à un passé qu'elle se contente de travestir en le résumant. Si la

---

3. « [...] il eût eu recours à des images ou plutôt, ici, à des métaphores abstraites » (*ibid.*, p. 523). « Il est plus rare de rechercher des images ou des métaphores concrètes pour des réalités abstraites » (p. 524).
4. Sur ce dernier point, on consultera notamment P. Caminade, *Image et Métaphore*, Paris, Bordas, 1970, et M. Le Guern, *Sémantique de la métaphore et de la métonymie*, Paris, Larousse, 1973.
5. *Dictionnaire de poétique et de rhétorique, op. cit.*, p. 647.

métaphore, pour Bachelard, n'est qu'une fausse image, c'est qu'elle est faite pour évoquer quelque chose qui est essentiellement différent d'elle et lui préexiste en tout état de cause :

> La métaphore vient donner un corps concret à une impression difficile à exprimer. La métaphore est relative à un être psychique différent d'elle [6].

Il suffit, pour s'en assurer, de lire les explicitations de la métaphore, ou plutôt les explications de son rôle, que donne le linguiste : son premier souci est en effet d'identifier les divers éléments impliqués par les deux réalités en présence qu'il nomme « comparé » et « comparant », de tirer de leur confrontation une « évocation » qui rende compte, eu égard à ce que l'on sait de chacun des deux termes, du bien-fondé conceptuel de la métaphore. Or, ce qui convient parfaitement lorsqu'il s'agit effectivement d'une métaphore – c'est le cas des variations de Sartre sur le nom de Florence : « Florence est ville et fleur et femme, elle est ville-fleur et ville-femme et fille-fleur tout à la fois [7] » – devient du plus haut comique lorsqu'il s'agit d'une authentique image, tout aussitôt désimagée. Ainsi le vers de Baudelaire : « Ta gorge triomphante est une belle armoire [8] » nous vaut-il une démonstration qui devrait justifier l'audace baudelairienne tout en rassurant le lecteur sur la légitimité du rapprochement entre les seins et les panneaux de l'armoire :

> Courbe généreuse et accentuée d'objets symétriques de couleur claire, fermes, et riches de principes capiteux [9].

Voilà qui certes donne à regretter que nos humoristes n'aillent chercher leurs aliments dans nos traités et dictionnaires les plus savants. Mais voilà surtout qui ne laisse pas d'inquiéter quant au mode de réception du langage poétique, et plus généralement quant au crédit qui est accordé à la création poétique, constamment envisagée, même par ceux qui la perçoivent et voudraient la défendre, comme une émanation plus ou moins dégradée du travail de la pensée.

---

6. *La Poétique de l'espace, op. cit.*, p. 79.
7. Jean-Paul Sartre, *Situations II*, Paris, Gallimard, 1948, p. 66, et *Dictionnaire de poétique et de rhétorique, op. cit.*, p. 649.
8. « Le beau navire », *Spleen et Idéal*, LII, str. 5.
9. *Dictionnaire de poétique et de rhétorique, op. cit.*, p. 651.

L'exégèse du vers baudelairien, si mutilante soit-elle, reste cependant intéressante dans la mesure où elle nous montre *a contrario* ce qu'est une métaphore, laquelle ramène toujours à des réalités préexistantes et se contente dans tous les cas, en agissant selon un principe de sélection dont notre linguiste fait le meilleur usage, de redonner d'une façon neuve du déjà-vu ou du déjà-vécu, du déjà-su, bref de faire œuvre frelatée. C'est ce que Bachelard, qui justement s'était attardé sur cette image de Baudelaire, a très bien exprimé, en écartant soigneusement la métaphore de son étude :

> [...] la métaphore ne peut guère recevoir une étude phéno-
> ménologique. Elle n'en vaut pas la peine. Elle n'a pas de
> valeur phénoménologique. Elle est, tout au plus, une *image*
> *fabriquée* sans racines profondes, vraies, réelles [10].

En revanche, l'image vraie, l'image non « causée » et qui ne reste pas prisonnière d'un passé qui l'enserre mais au contraire, dans le langage, par le langage même, conquiert sa liberté et sa vraie nouveauté, cette image a bien une existence à elle et n'est pas seulement cette donnée immédiate de la sensibilité et de l'intuition dont la nature serait toute psychique. Pour Bachelard, c'est par son instantanéité qu'elle se distinguerait essentiellement de la métaphore, ou plus exactement par le fait qu'au lieu d'être expression fabriquée sur des données anciennes, et donc traduction, elle est tout entière contemporaine de son expression ou, comme il se plaît à le montrer, lieu d'un avènement. Aussi va-t-elle devenir productrice de langage par le fait qu'elle tient tout son être, et pas seulement sa forme, de l'imagination :

> L'image, œuvre pure de l'imagination absolue, est un phé-
> nomène d'être, un des phénomènes spécifiques de l'être
> parlant [11].

S'il est donc bien un statut propre de l'image, tout différent de celui de la métaphore, encore convient-il de le découvrir et de le préciser, non point chez « l'être parlant » ou le rêveur cher à Bachelard, mais à l'intérieur du langage poétique, puis du texte lui-même.

10. *La Poétique de l'espace, op. cit.*, p. 79.
11. *Ibid.*, p. 80.

L'image contre la métaphore

Le lieu de l'image, de fait, s'il est lieu de rencontre de deux mondes différents qui viennent y échanger leurs forces, ressemble d'assez loin au lieu de la métaphore, cette intersection où viennent coïncider, en divers points, les deux ensembles que constituent le comparant et le comparé. Dans ce dernier cas, ce sont les éléments communs à l'un et l'autre ensemble qui font la métaphore, au détriment des autres éléments, hétérogènes, délibérément laissés dans l'ombre; ce n'est jamais que d'un certain point de vue, sous un certain angle, qu'il y a adéquation des deux termes, et il faut que le lecteur retrouve cet angle, ce point de vue, s'il veut adopter la métaphore. Pour reprendre les exemples d'Henri Morier, dans la formule de Hobbes reprise à Plaute : « L'homme est un loup pour l'homme », c'est l'élément cruauté qui est commun à l'homme et au loup, c'est lui qui est le lieu de la métaphore; alors que, dans le vers de Lamartine : « L'homme est un dieu tombé qui se souvient des cieux », c'est un tout autre aspect de l'homme qui est mis en lumière, et l'intersection porte sur le sentiment de perfection, le sens de l'infini, le désir d'immortalité, la conscience de la faillibilité. Là est le lieu de la métaphore qui filtre les diverses composantes d'un homme et d'un dieu pour n'en retenir que les éléments communs. Au point que la métaphore est nulle, nous dit Henri Morier, lorsque aucune intersection n'est possible entre les termes, faute du moindre point commun [12].

Certes, si l'on s'en tient à ces inventaires d'huissier et à ces recensements d'analogies, sinon même d'identités partielles, le stylisticien a raison d'affirmer que les deux pôles – un perroquet du Ghana/une cheminée d'usine – découragent d'avance toute tentative d'assimilation. Lorsque la distance s'agrandit par trop entre le comparé et le comparant, lorsque les ensembles sont disjoints au point qu'il n'y a plus d'intersection, implicite ou explicite, ni même de tangence possible, la métaphore, qui repose effectivement sur des données préétablies, sur des éléments conceptualisables et qu'il est tout loisible de confronter, n'a plus lieu d'être, n'ayant plus de lieu où éclore. Est-ce à dire cependant qu'il n'y ait nul passage, d'aucune façon, du perroquet du Ghana

---

12. *Dictionnaire de poétique et de rhétorique, op. cit.*, p. 651.

à la cheminée d'usine et que toute assimilation, dans ce cas, soit interdite?

Certainement non. Ce passage est toujours possible, et il s'appelle image. Car le lieu de l'image n'est pas dans l'intersection de deux réalités perçues en compréhension, dont les éléments communs, sinon identiques, répondant au moins à quelque analogie, permettent l'assimilation; mais il est dans la conjonction immédiate, fût-elle apparemment arbitraire [13], de forces venues de deux mondes différents et dans leur prolongation ou résonance en une réalité langagière perçue en extension et source possible de toutes les métamorphoses. On voit déjà le changement de registre que cela suppose, et quel écart se creuse entre métaphore et image. Tout d'abord, de la même façon que la métaphore est bien davantage qu'une comparaison elliptique [14], l'image ne saurait être réduite à une métaphore elliptique, ainsi que le stylisticien tendrait à nous le faire croire [15]. N'est-ce pas en effet à partir du moment où il rencontre des métaphores qu'il juge incomplètes – ce qui montre d'ailleurs à l'évidence la tacite référence, dans l'analyse, au développement de la pensée conceptuelle et à la comparaison toujours tenue pour première – qu'il parle d'image, selon l'acception, nous dit-il, de la théorie des ensembles? Partant d'un exemple puisé dans la *Poétique* d'Aristote [16], et étudiant le passage de la métaphore explicite à la métaphore elliptique – le passage de la comparaison : « le soleil jette ses rayons comme le fleuve verse ses ondes », à la proposition unique : « le soleil verse ses rayons » – Henri Morier nous dit que, dans les relations de couples symétriques : soleil/fleuve,

13. André Breton, on le sait, spéculera précisément sur cet arbitraire pour apprécier la puissance de l'image – l'image « la plus forte » étant « celle qui présente le degré d'arbitraire le plus élevé », et qui donc résiste le mieux à l'assimilation métaphorique.

14. Dans l'article « métaphore » de son *Dictionnaire de poétique et de rhétorique*, Henri Morier en vient, après recension des divers modes d'assimilation des termes de la comparaison, à la définition suivante : « La métaphore est destinée à mettre en lumière les éléments communs au comparé et au comparant, tout en approfondissant la réalité spirituelle par l'esquisse d'affinités multiples, et déclenchant des résonances de valeur esthétique, intellectuelle et morale » (p. 646).

15. Cf. *ibid.*, p. 656-665. Remarquons cependant que ce sont souvent d'authentiques images qui sont ici répertoriées, mais pour être analysées toujours en compréhension, comme des comparaisons incomplètes, et par référence à des contenus de pensée.

16. « Des quatre espèces de métaphores, la plus efficace est la proportionnelle. Par exemple : " le soleil verse ses rayons " » (1457 b) (cf. *ibid.*, p. 657, n. 1, qui renvoie à tort à *Rhétorique*, 1411 a).

jette/verse, rayons/ondes, chacun des termes seconds peut être dit *image* des termes initiaux; et c'est encore dans le sens mathématique du terme qu'il parlera plus loin, dans le cas du type de comparaison multiple appelé similé, d'une série d'*images* dont chacune réfléchit un point réel et un seul [17]. C'est bien ce caractère de réflexion, de renvoi, d'implication directe ou indirecte qui définit pour lui la nature de l'image, laquelle aura d'autant plus de force ou de valeur qu'elle sera plus concentrée; ainsi, dans le cas de la métaphore elliptique d'Aristote, en vient-il à cette conclusion :

> [...] une seule « image » (de préférence l'image verbale, qui peut constituer le nœud de la proposition, *transférée* de l'autre côté de l'axe et substituée à son répondant, suffit à induire les images de l'ensemble de la relation [18].

L'image se trouve bien ici définie comme métaphore, puisqu'il y est nommément question de transfert; une métaphore qui voit l'échange de l'objet et de son reflet et, précisément parce qu'elle porte sur un schème verbal, appelle tous les autres symétriques de la relation qu'elle contient en elle d'une certaine façon. Mais c'est là, une fois de plus, en revenir à la théorie réductrice de l'implication qui veut qu'à l'issue de l'échange il n'y ait rien de plus que ce qui d'abord s'y trouvait.

L'analyse de tous les types de métaphores elliptiques qui sont envisagés tour à tour, pour illustrer et préciser la définition initiale, met d'ailleurs en relief cette même recherche d'un lieu commun où viennent s'échanger deux réalités par ailleurs différentes. Qu'il s'agisse de l'ellipse de l'intersection – « des eaux d'émeraude » (par participation), « la soie de tes cils » (par inclusion apparente), « une femme sphinx » (par juxtaposition), « cheveux bleus, pavillons de ténèbres tendues » (par apposition subsidiaire) –, de l'ellipse du comparant – « le banyan de la pluie prend ses assises sur la ville » (ellipse d'un sous-ensemble significatif du comparant) –, ou même de l'ellipse du comparé – « ce toit tranquille où marchent des colombes » : dans tous les cas, c'est un mécanisme de condensation qui permet à l'auteur de parler d'image. Et s'il parle d'image, verbe-image ou substantif-image, c'est parce que d'une part s'opère un échange en un

17. *Ibid.*, p. 953.
18. *Ibid.*, p. 656. C'est l'auteur qui souligne.

66

même lieu réduit de convergence, et que d'autre part se trouvent sous-tendues par le terme échangé, qui se voit survalorisé par la substitution même qu'il effectue, d'autres images connexes et symétriques qui ne sont point explicitées.

Rien à redire à ce beau travail de mécanicien, à cela près qu'il réduit systématiquement l'image au processus métaphorique de transfert qui, certes, ne lui est pas étranger mais ne la définit en aucune façon, du moins dans la perspective mathématique qui est retenue. Car implications, intersections, inclusions, ne nous font à aucun moment sortir de ce champ clos où l'image est enfermée et par là même désimagée, la substitution jouant, semble-t-il, au seul niveau formel de l'organisation du langage et n'opérant nulle création de réalité neuve – ne nous faisant jamais aller au-delà de ce que la pensée nous donnait d'abord. De ce point de vue, qu'y a-t-il de plus, en effet, dans « des eaux d'émeraude » que dans « des eaux couleur d'émeraude »? Et la différence entre « une femme sphinx » et « une femme mysté-rieuse, énigmatique et cruelle comme un sphinx » est-elle autre qu'économique?

Il semble bien que ce soit cette seule économie qui fasse d'abord que le stylisticien, à plus d'une reprise, nomme l'image sous le couvert de la métaphore. Mais s'il ne décèle pas, dans le répertoire qu'il établit ici et les analyses auxquelles il se livre, la vraie nature de l'image et sa spécificité, du moins pressent-il que les prérogatives de cette image pourraient tenir d'une part à son pouvoir de suggestion, d'autre part à sa faculté de renvoyer à d'autres images. Parlant de l'ellipse de l'intersection par par-ticipation, il remarque en effet ceci :

> [...] pourquoi s'acharner à nommer une teneur qui se trouve incluse dans le comparant? En ne précisant pas la nature de la teneur on en augmente les virtualités. L'ellipse s'impose par son pouvoir de suggestion [...]. Des « eaux d'émeraude » emportent l'idée d'un vert à la fois limpide et velouté, aux ombres profondes, et qui se distingue du vert Véronèse, du vert Japon, du vert Empire [...] [19].

Passons outre la terminologie – l'idée de vert et la référence comparative aux verts déjà connus –, il reste que le pouvoir de suggestion ici avancé laisse entendre qu'une telle figure exprime

---

19. *Ibid.*, p. 658.

plus qu'elle ne dit, et donc fait éclater les barrières du lieu de rencontre, ce prétendu nœud de la métaphore où s'opéreraient les échanges. Sans doute la création est-elle encore bien timide quand elle ne porte que sur des attributs inclus dans la substance première, ainsi qu'il est précisé : « La formule métaphorique $\boxed{A \text{ de } B}$ a donc une valeur qualificative extrêmement riche, parce qu'elle tire de la substance un ensemble de qualités qui forment une synthèse de sensations. » Mais il n'empêche : cette valeur, cette richesse de la formule, même si elle ne débouche pas sur une substance nouvelle comme on pouvait l'espérer, mais seulement sur une synthèse de sensations, et donc sur de l'ancien autrement ordonné, amorce déjà la possibilité d'une création vraie. Avoir pouvoir de suggestion, n'est-ce pas avoir pouvoir d'évoquer au présent, concrètement, quelque chose d'absent, par là de réaliser selon la meilleure approximation du non encore vécu, du non encore perçu? C'est bien là avoir valeur symbolique, une valeur qu'il arrive à Henri Morier de reconnaître lorsque, à propos de la parataxe par exemple, il avoue que, dans la formule « une femme-sphinx », « nous voyons se développer, par implication, toute une série de valeurs ou de vertus qui transforment le comparant en symbole [20] ».

Quant au second pouvoir reconnu à cette forme privilégiée de la métaphore, celui de renvoyer à d'autres images, il est intéressant plus encore pour ce qui nous importe : il montre de façon éclatante combien le terme d'image aurait dû ici franchement se substituer à celui de métaphore, mais il montre aussi combien le traitement métaphorique de l'image auquel nous sommes conviés est dégradant, dénaturant même, quand les pouvoirs attribués à la prétendue métaphore viennent à chaque instant contredire le procédé de dénombrement cartésien et le rassurant recours au connu comme à tout ce qui est impliqué par les diverses dénotations de la substance et leurs attributs de routine. En effet, lorsqu'il est dit des métaphores explicites, apparemment incomplètes, que la relation amorcée entre les différents éléments du comparant et du comparé « pourrait se poursuivre », ou que, dans le cas des métaphores elliptiques, une seule « image » parfois « suffit à induire les images de l'ensemble de la relation [21] »; lorsque, à propos de l'ellipse du comparant, il est reconnu que « la partie évocatrice du comparant n'est pas nommée » et que, finalement, « une métaphore est presque toujours chargée de

20. *Ibid.*, p. 660. – 21. *Ibid.*, p. 656.

sous-entente [22] »; mieux encore, lorsque, à propos de la métaphore affective, il est fait appel, quitte à les rejeter ensuite, aux rapports connexes, « ceux qui naissent d'un fonds d'expérience commun à tous les hommes » et aux rapports synesthésiques, « rapports individuels ou de groupes restreints d'individus » qui, faute de pouvoir expliciter rationnellement le lieu de rencontre entre les deux termes de la métaphore, suscitent une multiplicité d'autres images [23], nous sortons bel et bien du domaine des implications enfermant rigoureusement la figure appelée métaphore dans un donné et donc dans un passé, et la relation qui définit celle-ci n'est plus cherchée à l'intérieur de l'intersection.

L'image en devenir

Là est l'image, dont le statut dans le langage apparaît ainsi foncièrement différent de celui de la métaphore, même s'il le recoupe en partie, puisque, loin de nous limiter à ce que le stylisticien appelle la « teneur » du lieu commun aux deux termes, loin de nous enfermer tant bien que mal dans des inclusions statiques et qui n'évitent pas la médiation de la pensée, l'image nous fait sortir directement de l'énoncé et nous projette au-delà de la pensée, au-delà de ce qui existait déjà de quelque façon.

Œuvre de l'imagination absolue et non point de cette pseudo-imagination qui « paraît avoir abstrait de l'acropole une forme vide que le poète a réifiée dans le comparant [24] », l'image se définit dès l'abord par son dynamisme; un dynamisme qui l'empêche de s'enfermer nulle part, de se laisser confiner dans un sens qui la réduirait à l'état de signe et la momifierait tout aussitôt. Si la substance de l'image n'est pas insignifiante, contrairement à ce que certains formalismes outrés ont voulu nous faire croire, aucun sens cependant ne saurait se dégager de l'image hors de sa mise en œuvre : de par sa nature même, il apparaît en effet que l'image entraîne certaine structuration du langage à l'intérieur du texte poétique qu'elle infléchit à coup sûr en en dictant l'écriture, et que ce texte lui-même, parce qu'il n'est pas

22. *Ibid.*, p. 664.
23. *Ibid.*, p. 666-668.
24. *Ibid.*, p. 658. A propos d'une image de Saint-John Perse : « La ville jaune casquée d'ombre » (*Anabase* IV) que Roger Caillois appelle « image intégrée ».

translation linéaire d'un message mais tissu de forces qui se croisent et s'échangent, ne cesse de l'informer en retour.

Si la métaphore de quelque façon se « fabrique » et, une fois faite, peut s'analyser comme telle, au besoin servir à nouveau, l'image, elle, est toujours en train de se faire, pour le créateur comme pour le lecteur, et ne peut donc jamais entièrement être cernée. Tout se passe comme si elle était toujours au-devant de ce qu'elle énonce, et par là insaisissable d'une certaine façon, puisque vivante par son seul dynamisme où elle trouve à la fois lieu d'être et raison de devenir. On comprend désormais que l'image échappe à tout catalogage, à toute répertorisation qui la dévitaliserait en la réduisant à l'état de signe; mais aussi qu'elle échappe à toutes les classifications du grammairien ou du linguiste qui, en l'analysant comme figure d'un langage et non comme élément d'un texte, la ramène obligatoirement à l'état de métaphore. On ne saurait donc accabler d'aucune façon l'auteur d'un dictionnaire des images ou de poétique qui ne peut, dans l'un ou l'autre cas, quel que soit son talent, réaliser son projet qu'en dénaturant son objet. Car il n'est d'image vraie, c'est-à-dire pleinement signifiante, qu'à l'intérieur du texte où elle émerge.

Est-ce à dire que l'image est forme vide qui ne trouve sa substance qu'en prenant place dans le texte? Ce n'est pas davantage exact. Mais, pour bien situer le problème, peut-être faut-il s'en référer d'abord aux principes généraux de fonctionnement d'une langue dont les divers éléments se définissent par les jeux des rapports qu'ils nouent entre eux à l'intérieur d'une structure donnée; mais ces jeux, pour autonomes et originaux qu'ils soient, ne sauraient cependant fonder un sens qui, même s'il est découvert dans le langage et amplifié par lui, trouve son fondement dans un vécu – lequel vécu de référence répondrait lui-même, au moins partiellement, à des structures linguistiques qui s'imposent à lui, et auxquelles il ne saurait échapper :

> Ainsi le fondement ultime du sens est extérieur à la langue mais aucun sens ne peut être précisément défini en dehors d'une structure linguistique. L'étude de cette structure, qui nous fait connaître les conditions dans lesquelles les signes se déterminent en elle, constitue une approche utile du sens mais elle ne le livre pas [25].

25. Jean Rudhardt, « Image et structure dans le langage mythique », *Cahiers internationaux de symbolisme* n°s 17-18, 1969, p. 90.

Il est difficile de ne pas souscrire à cette assertion de Jean Rudhardt, d'autant qu'il est précisé, sitôt après, que l'énoncé du sens appartient non pas à la langue mais à la parole, et que « le déchiffrement du sens ne s'opère pas dans l'analyse de la structure linguistique mais dans la lecture ou l'audition du message formulé ». Voilà qui met judicieusement la poétique à distance de la linguistique, avec laquelle pourtant elle a intimement affaire, mais qui pourrait aussi servir de propédeutique à la lecture de l'Imaginaire du texte poétique, ce qui n'est pourtant pas le propos du mythologue. Car le passage à la parole, à qui revient l'énoncé d'un sens dont le déchiffrement ne saurait s'opérer que dans une lecture, définit tout langage en action, mais mieux encore ce langage qui est action et se veut parole pure, le langage poétique.

Or, si l'image seule ne va pas suffire à produire de la réalité nouvelle, à partir de l'organisation et du fonctionnement du langage dans une structure donnée, encore qu'elle en soit l'élément dynamique primordial, c'est bien par son canal – celui même qui permet ici le passage à la parole – que va se trouver d'abord garantie l'authenticité du sens, qui est aussi l'authenticité du texte. Peut-être a-t-on trop souvent confondu cette authenticité, qui est la marque du vécu dans l'image, avec une réalité qui, elle, est à chercher tout entière à l'intérieur du texte. Et de cette confusion sont nés bien des conflits qui ont opposé et opposent encore, sans issue possible, ceux qui prétendent pouvoir s'en tenir au monde clos du texte et ceux pour qui tout sémantisme implique de sortir du texte de telle ou d'autre sorte. Si l'image en effet peut faire que les jeux verbaux, de quelque nature qu'ils soient, ne restent pas jeux formels, vides de sens, dans l'espace du texte, mais prennent signification dans chacune de leurs conjugaisons jusqu'à donner à cet espace figuré un relief, un volume et une orientation bien réels, c'est qu'elle introduit avec elle une dimension nouvelle qui tient à sa nature propre.

Cette nature, c'est le temps de son surgissement et le lieu même où elle surgit qui la dictent, et non point cette mystérieuse aura dont se plaisent trop souvent à l'entourer ceux qui la placent au centre de leur pratique poétique mais ne font que la réduire davantage, en la voilant, lorsqu'ils se risquent à en parler [26]. C'est

---

26. Tel est, par exemple, le cas d'Aragon, tout prêt à définir la poésie – à travers le surréalisme qui se confond pour lui avec l'exercice même de la poésie – comme « l'emploi déréglé et passionnel du stupéfiant image » (*le Paysan de Paris* (1926), Paris, Gallimard, 1961, p. 80).

ainsi qu'André Breton n'hésite pas à retranscrire telles quelles, dans le *Premier Manifeste,* les définitions de Pierre Reverdy qu'il avait pu lire dans *Nord-Sud* [27] et qu'il fait entièrement siennes en un premier temps; ce n'est que plus tard qu'il fera intervenir la notion d'arbitraire, au reste bien peu compatible avec la « justesse » des rapports réclamée par l'auteur du *Gant de crin :*

> L'image est une création pure de l'esprit.
> Elle ne peut naître d'une comparaison mais du rapprochement de deux réalités plus ou moins éloignées.
> Plus les rapports des deux réalités rapprochées seront lointains et justes, plus l'image sera forte – plus elle aura de puissance émotive et de réalité poétique [28]...

Il est vrai que l'accent est justement mis ici sur la création pure qu'est l'image, et qui la situe tout entière dans le présent de son énonciation. Mais si, par là, elle est bien séparée de la comparaison, elle n'est guère appréhendée dans sa nature propre, puisque nous apprenons tout au plus qu'elle résulte d'un rapprochement inattendu. N'est-ce pas là non seulement esquiver la définition vraie, mais encore faire de l'image une métaphore audacieuse dont le champ commun aux deux réalités composantes ne serait pas *a priori* perceptible, mais s'imposerait par surprise grâce à un rapprochement rendu soudain possible par le langage et dans le seul langage? L'intersection des deux réalités n'est pas ici donnée d'emblée mais bel et bien provoquée par les jeux d'un langage limité à sa seule fonction ludique : la création, de fait, se voit à raison liée à la mise en action d'un langage. Il reste cependant que c'est encore sur l'analogie que spécule Reverdy : une analogie qui n'est pas intrinsèque aux réalités en présence, mais tient à l'esprit qui les choisit et les relie, en tire *intelligemment* des rapports. On feint de croire à la force vive des images, mais c'est encore sur la force des idées que l'on raisonne pour provoquer ces rapports inattendus :

> Une image n'est pas forte parce qu'elle est *brutale* ou *fantastique,* mais parce que l'association des idées est lointaine et juste [29].

---

27. *Nord-Sud* n° 13, mars 1918; cf. *le Gant de crin* (1926), Paris, Flammarion, 1968, p. 30-31.
28. *Premier Manifeste,* in *Manifestes du surréalisme, op. cit.,* p. 94.
29. *Le Gant de crin, op. cit.,* p. 31.

« Association des idées » : on voudrait croire à une expression malheureuse, quand il est question de l'image, de ses vertus et de ses pouvoirs autonomes. Il n'en est rien, la suite du texte vient nous le confirmer :

> L'analogie est un moyen de création, c'est une *existence de rapports;* or de la nature de ces rapports dépend la force ou la faiblesse de l'image créée.

Et plus loin, de façon plus explicite encore :

> Le propre de l'image forte est d'être issue du rapprochement spontané de deux réalités très distantes dont *l'esprit seul* a saisi les rapports [30].

Sans doute Breton, après les avoir adoptées, va-t-il bientôt s'inscrire en faux contre de telles formules, singulièrement réductrices, et, en recherchant l'image qui présente le degré d'arbitraire le plus élevé, sapera-t-il la pertinence des rapports et du même coup libérera-t-il l'image de ses présupposés intellectuels en lui restituant sa nature autonome. Mais l'exemple de Reverdy, qui séduira d'abord le pape du Surréalisme, est révélateur, qui montre combien il est difficile d'échapper à la définition d'une image entendue comme produit artisanal et réalisation du projet d'un intellect à jamais privilégié. Car c'est encore, à peine voilé, le schéma classique d'une pensée première, refusant l'antériorité de l'image, que nous retrouvons, à de bien rares exceptions près, chez ceux-là même qui affirment la primauté tant ontogénétique que phylogénétique de cette image comme du « grand sémantisme de l'imaginaire qui est la matrice originelle à partir de laquelle toute pensée rationalisée et son cortège sémiologique se déploient [31] ».

Lieu de l'image

Très curieusement, ce n'est ni du côté des théoriciens ni du côté des praticiens de la poésie qu'il nous faudra chercher plus juste définition de l'image poétique, mais bien du côté des analystes, point tentés par leur pratique de la confondre avec

---

30. *Ibid,* p. 32.
31. Durand, *Les Structures anthropologiques de l'Imaginaire, op. cit.,* p. 22.

l'image mentale telle qu'elle a été définie par la psychologie classique, et seulement soucieux de sa réalité clinique. Ainsi Jung, dans le dernier chapitre de son ouvrage consacré aux types psychologiques, nous propose-t-il pour sa part cette définition que nous ferons volontiers nôtre :

> [...] quand je parle d'image je n'entends pas la simple copie psychique de l'objet externe, mais une sorte de représentation immédiate, bien décrite par le langage poétique, *phénomène imaginatif* qui n'a, avec la perception des objets, que des rapports indirects; produit plutôt de l'activité imaginative de l'inconscient, elle se manifeste à la conscience de manière plus ou moins subite, comme une vision, ou une hallucination, sans en avoir le caractère pathologique, c'est-à-dire sans faire jamais partie du tableau clinique d'une maladie. Son caractère psychologique est celui d'une représentation imaginative; elle n'a jamais la quasi-réalité de l'hallucination, autrement dit, elle ne prend jamais la place du réel; le sujet la distingue toujours du réel sensoriel parce qu'il la perçoit en tant qu'image « interne » [32].

Outre le fait que Jung se réfère d'emblée au langage poétique, le plus apte selon lui à décrire ce « phénomène imaginatif », mais aussi à le manifester et à le provoquer, il fait de l'image en premier lieu une représentation immédiate, ce qui confirme et précise sa séparation d'avec la métaphore. Mais il y a mieux encore que cette opposition, fortuitement signalée par l'analyste : l'insistance qu'il met à montrer que ce phénomène imaginatif, bien distinct de la figure rhétorique, procède essentiellement de l'activité imaginaire de l'inconscient, qui n'en a cependant pas le monopole, sans pourtant être coupé de toute relation avec le monde de la perception. Les nuances mêmes qu'apporte Jung à sa définition sont de première importance, qui tendent bien à ne pas isoler l'image de ses référents mais aussi à la situer conjointement par rapport aux deux mondes qui la nourrissent. Il reste que, pour être médiate dans ses fondements et immédiate dans ses manifestations, l'image a une réalité propre qui ne saurait être confondue avec le réel sensoriel.

N'est-ce pas là définir la nature propre de l'image poétique,

32. Carl Gustav Jung, *Types psychologiques,* (*Psychologische Typen,* 1920), Genève, Georg, 1950, p. 453.

dans son autonomie relative, en fonction même du lieu où elle surgit? Aussi bien, d'ailleurs, Jung tente-t-il sitôt après de préciser cette réalité « non réelle » de l'image en n'excluant pas le fait qu'elle puisse même, dans des cas exceptionnels, jouir de certaine projection dans l'espace et donc se manifester du dehors, hors de toute incidence pathologique [33]. Le « il faut être voyant » de Rimbaud [34] cesse, dans cette optique, d'être formule racoleuse de ralliement ou libellé de reconversion du langage poétique à mettre au compte de qui, déjà, s'écrasait les yeux de ses poings non pour voir autrement mais pour voir autre chose : il devient programme à prendre au pied de la lettre. Il devient volonté de substituer au réel sensoriel cette réalité « monstrueuse » découverte en soi au prix d'une « ineffable torture » et capable de s'imposer au-dehors aussitôt qu'atteint « l'inconnu »; volonté du moins de forcer à venir « d'un bond sur la scène », au cœur même de cette plate réalité extérieure à jamais circonscrite par nos sens, une réalité *différente* – « bondissement par les choses inouïes et innommables » – défiant l'intelligence, inventant pour ses reliefs de nouveaux horizons et exigeant finalement de « trouver une langue [35] ».

Cette puissance de l'image venant imposer ses « inventions d'inconnu » au point de reléguer à l'arrière-plan la réalité donnée d'abord comme extérieure, Jung ne la néglige point :

> Bien qu'il ne faille pas attribuer généralement à l'image de valeur dans l'ordre des réalités extérieures, elle peut cependant, dans certaines circonstances, avoir pour l'expérience psychique une importance d'autant plus grande, une valeur *psychologique* énorme, comme expression d'une « réalité » interne qui l'emporte, le cas échéant, sur l'importance psychologique de la réalité « externe » [36].

Si nous transposons cette remarque dans l'ordre qui est le nôtre, il est certain que l'image vraie cesse à jamais d'être cette simple représentation mentale à laquelle voudraient la réduire ceux qui ne lui accordent nulle place autonome dans

---

33. « Au degré primitif, c'est-à-dire dans la mentalité primitive, l'image intra-psychique se transforme fréquemment en vision, ou en hallucination auditive dans l'espace, sans jamais devenir pathologique » (*ibid.*, p. 453).
34. Lettre à Paul Demeny (15 mai 1871).
35. *Ibid*, passim.
36. *Types psychologiques, op. cit.*, p. 453.

leurs dictionnaires de poétique, pour cette raison que l'image n'est pas une figure de rhétorique et que la poésie, pour eux, reste si bien la « seconde rhétorique » de nos ancêtres qu'ils ne peuvent voir en elle autre chose qu'une langue « où la Forme est l'image de l'Idée [37] ». Et ce n'est pas le fait d'accoler à la représentation mentale du référent son évocation sensible, et même quasi réelle, qui change quelque chose à l'affaire, si l'image reste l'adjuvant psychique, accessoire non linguistique du processus métaphorique. Car si l'image se confond avec cette « vision » même, chère à Rimbaud, où viennent se faire « inspecter l'invisible et entendre l'inouï », elle est certes bien davantage que cette auréole concrète venue s'ajouter au rapprochement analogique de deux entités distinctes se découvrant un fonds commun. Elle est totalité de son énonciation, et sa réalité n'est point marginale ni secondaire qui ne laisse point transparaître sa double source au travers d'éléments hétérogènes dont les significations singulières se chevaucheraient, mais s'impose globalement dans sa parfaite nouveauté.

De ce fait, plus l'image se montre à nous dans son originalité, fruit de cette « expérience même de la nouveauté [38] » qui recouvre aussi bien, en un premier temps, la fonction imaginante que la création poétique, et plus elle se découvre non comme renvoyant à ce qui la constitue mais comme appelant ce qui la définit. C'est encore Jung que l'on retrouve ici, lequel, et d'une façon presque troublante, vient dire au poéticien que si l'image est « une grandeur complexe composée des matériaux les plus hétérogènes et d'origine infiniment diverse », elle n'est cependant pas un simple conglomérat mais au contraire « un produit qui a en soi une unité, avec son sens particulier ». Et de préciser :

L'image est *une expression concentrée de la situation psychique globale,* et non pas seulement, ou en majeure partie, des contenus inconscients; certes, elle constitue une expression de ceux-ci, mais pas de tous; elle en exprime certains : ceux qui sont momentanément constellés. Cette constellation répond, d'une part, à la créativité propre de l'inconscient et, d'autre part, à l'influence de l'état momentané de la conscience; celle-ci provoque toujours l'activité de matériaux subliminaux s'y rapportant, en même temps qu'elle inhibe

37. *Dictionnaire de poétique et de rhétorique, op. cit.,* p. 15.
38. Cf. *L'Air et les Songes, op. cit.,* p. 8.

76

tous les autres. L'image est donc à la fois une expression de la situation momentanée du conscient et de l'inconscient. On ne peut par conséquent l'interpréter ni par l'un ni par l'autre pris séparément, mais uniquement en tenant compte de leur rapport réciproque [39].

Voilà qui nous entraîne plus loin encore et nous aide à préciser enfin cette réalité neuve de l'image par sa localisation même. Cette réalité, qui est contemporaine de son émergence, se voit bien attribuer une double source; mais elle n'est pas somme de deux univers distincts qui se verraient rapprochés jusqu'à la détermination en un même lieu d'intersection d'éléments communs, comme il en est de la métaphore : elle est produit, et produit d'éléments appartenant à des mondes à la fois conjoints et opposés.

Pour ce qui est de ce dernier point, Jung prend soin de préciser en effet que l'image est située au carrefour de deux mondes qu'elle exprimerait pareillement et simultanément, mais jamais cependant en totalité. Il n'est donc pas question d'assimiler l'image au phantasme, comme le voudraient bon nombre de nos contemporains, pas question même d'en faire une figuration momentanée du phantasme dans le texte – lequel permettrait, pure projection d'un monde profond à jamais ignoré de la conscience, de remonter à quelque complexe générateur et de là au psychisme profond du créateur où serait cachée la clé du code secret du texte. Plus réservé encore qu'au début de sa définition, où il accordait que l'image était le produit « plutôt de l'action imaginative de l'inconscient », Jung n'affirme plus même maintenant qu'elle est l'expression « en majeure partie de contenus inconscients » : tout au plus en exprime-t-elle certains, « ceux qui sont momentanément constellés ». Or cette constellation, et il ne paraît pas que ceux mêmes qui jusqu'à ce jour se sont appuyés sur les travaux du maître de Zürich pour décrypter l'Imaginaire du texte s'en soient suffisamment souciés, ne répond pas à la seule créativité propre de l'inconscient : elle est soumise aussi, mais conjointement, à « l'influence des états momentanés de la conscience ». Est-ce à dire alors que l'image serait déterminée, au moins partiellement, par la conscience et la perception d'une réalité extérieure dont elle ne se sépare pas? Certainement non. Et Jung vient apporter un démenti catégorique à ceux qui,

39. *Types psychologiques, op. cit.,* p. 453-454.

à l'inverse des précédents, voudraient lire dans l'image sinon un gommage des phantasmes de par leur verbalisation, du moins leur inévitable apprivoisement par des contraintes extérieures particulièrement prégnantes dans le langage et imposant finalement leur empreinte, reflet dans l'instant d'un monde en place qui aurait toujours le dernier mot et qu'il serait tout loisible de retrouver dans le texte. C'est là compter sans le fait que l'activité de la conscience, à tel moment donné, n'est jamais autonome mais « provoque toujours l'activité de matériaux subliminaux s'y rapportant », et donc entraîne avec elle nécessairement certaine projection partielle du monde profond.

Aussi bien, voilà déjà renvoyés dos à dos ceux qui se servent de l'image, et plus généralement du texte qu'elle engendre, ou pour y lire le seul projet d'une réalité profonde, ou pour y lire le seul reflet d'une réalité extérieure, alors que ces deux réalités ne cessent de s'appeler l'une l'autre dans l'image, de s'informer l'une l'autre, de se déformer au contact l'une de l'autre, au point non seulement d'être indissociables mais de créer cette réalité neuve qui ne saurait être ramenée à aucune d'elles en particulier. Réalité qui a son unité et son sens à elle, nous dit Jung, précisément parce qu'elle n'est pas la somme des matériaux qui s'y retrouvent et s'y confrontent, mais bien leur produit. Au lieu de chercher à isoler à nouveau ces matériaux générateurs, peut-être serait-on mieux avisé de tenter de voir comment s'opère la synthèse et pourquoi.

De l'image à l'Imaginaire

Sans doute la tâche du poéticien devrait-elle commencer là où s'arrête celle de ceux pour qui le texte n'est jamais qu'un prétexte à une meilleure connaissance de l'homme ou du monde, puisque ce n'est pas le passé mais l'avenir de l'image qui désormais importe. Or, cet avenir, c'est bien sa situation au carrefour de deux mondes qui le dicte; une situation qui appelle moins une analyse à double sens, comme on serait tenté de le croire d'abord, qu'une prise en considération de cette notion de produit chère à Jung mais aussi à toute une école de psychologie contemporaine qui se refuse délibérément à séparer, dans l'étude des diverses productions humaines, ce qui revient aux pulsions du moi profond et ce qui revient aux pressions du milieu matériel, de l'environnement culturel et social [40]. Car si l'image est création pure et si sa nature ne saurait se ramener aux éléments qui la composent, c'est bien parce qu'elle résulte à la fois de pulsions qui tendent spontanément à éclater dans un langage et de pressions qui remodèlent sans cesse dans les jeux des mots leurs significations référentielles, les unes et les autres se conjuguant en une force qui est proprement leur résultante.

Si donc l'image semble faire allusion toujours à autre chose que le langage qu'elle informe, tournant le dos à tous les référents dont elle procède, c'est effectivement parce qu'elle est essentiellement lieu d'éclosion, point de départ. Il importe de remarquer à ce propos que la plupart des thématiques contemporaines, que leurs attaches soient historiennes ou psychologiques, sociologiques ou psychanalytiques, idéologiques ou phénoménologiques, retombent dans les ornières d'un positivisme scientiste qu'on croyait depuis longtemps dépassé et, tel l'héroïque docteur Hallidonhill, ne tardent pas à tuer leurs malades guéris pour mieux observer, à l'autopsie, les bons effets de leurs miraculeux remèdes [41]. Tout finit sur la table de dissection, sans machine à coudre et sans parapluie, tant il est plus aisé de disséquer un cadavre que travailler sur du vivant. Sans doute n'a-t-on jamais autant parlé de dynamisme et de dynamique du texte, de poésie vive, de vie en poésie; discours à l'écoute de lui-même, se donnant lui-même pour fin, et qui tient à l'écart, au secret muselé, celui dont il parle, ce texte qui est mort sans qu'on s'en aperçoive et dont on cherche vainement les raisons de vivre dans le corps déjà refroidi [42].

L'image, pour sa part, ne reste image qu'autant qu'elle est considérée dans son rôle vivant qui la situe au commencement et la porte au-delà de ce qu'elle énonce. Est-ce à dire que la seule rencontre de forces venues de deux mondes complémen-

---

40. Cf. notamment les travaux de Jean Piaget, et plus particulièrement *la Formation du symbole chez l'enfant*, Neuchâtel-Paris, Delachaux-Niestlé, 1945; *la Construction du réel chez l'enfant*, id., 1945; *Introduction à l'épistémologie génétique*, 3 vol., Paris, PUF, 1950.
41. Cf. Villiers de l'Isle-Adam, « L'héroïsme du docteur Hallidonhill », in *Histoires insolites*.
42. Ainsi bon nombre de ceux qui, dans leurs analyses, voudraient se réclamer de Freud et qui, oublieux de cette force vive qu'est la libido et qui donne signification vivante à tout son système, ne font plus que travail de fossoyeur ou de vidangeur de l'inconscient, quand ils n'*interprètent* pas les images refroidies qu'ils exhument à la façon d'une clé des songes.

taires suffira à lui donner, outre sa force originelle, une direction propre, à l'acheminer vers un sens? Il ne le semble pas, et cela pour deux raisons majeures, qui finissent par se confondre : la première, c'est que le dynamisme de l'image est lié en toute priorité à la fonction symbolique de cette image; la seconde, que l'image poétique, même envisagée dans cette dernière fonction et donc point refermée sur elle-même, ne peut prendre signification qu'à partir du moment où elle est située dans son tissu de l'Imaginaire.

Pour ce qui est de la fonction symbolique de l'image, peut-être n'est-il pas inutile de s'y attarder, même si c'est un lieu commun d'affirmer désormais que l'image, en tant que symbolisant concret puisant sa pleine réalité, comme le dit Paul Ricœur, à la fois dans le cosmique, dans l'onirique et le poétique [43], n'est jamais que la moitié visible du symbole dont l'autre moitié est le symbolisé auquel il renvoie et avec lequel seulement il prend signification. André Guimbretière, qui se défend à ce propos d'utiliser les termes de « signifiant » et de « signifié » bien trop vagues, et qui risqueraient de confondre le symbole avec le simple signe, insiste à raison sur le fait, trop souvent négligé à ses yeux, que le symbole est d'abord « l'union de deux moitiés se faisant face, et dont l'une appartient à l'univers symbolisé, et dont l'autre appartient à l'univers symbolisant, donc à l'univers de l'expression, ou de la manifestation, ou de l'émanation, ou de la représentation [44] ». C'est bien à ce dernier univers qu'appartient l'image poétique, laquelle ne saurait donc se suffire à elle-même mais appelle nécessairement ce sens qui lui est conjoint et qu'elle voudrait moins exprimer ou manifester, d'ailleurs, que révéler, cette face secrète d'elle-même [45]. En tant que meilleure figuration possible d'une réalité absente que l'on ne saurait désigner de façon plus claire ou plus caractéristique [46], et qui est son complément indispensable, l'image ne saurait être remplacée par une autre voisine ou similaire (à la différence de la métaphore) et

43. Cf. Paul Ricœur, *Finitude et Culpabilité,* II, *la Symbolique du mal,* Paris, Aubier, 1960, p. 18.
44. André Guimbretière, « Quelques remarques préliminaires sur le symbole et le symbolisme », *Cahiers internationaux de symbolisme* nᵒ 2, 1963, p. 36.
45. Guimbretière remarque à ce propos l'excellence de la traduction allemande du mot « sumbolon » et qui ouvre, nous dit-il, sur une compréhension directe du symbole : « l'expression " Sinnbild ", mot à mot " Image-Sens ", marque bien cette double nature du symbole qui fait partie à la fois du domaine de l'image et du domaine du Sens, de l'Idée avec un grand I » (*ibid.,* p. 36).
46. Cf. Jung, *Types psychologiques, op. cit.,* p. 491.

moins encore être traduite par un signifié censé être son équivalent conceptuel; mais en aucun cas non plus elle ne saurait être considérée comme un pur signe linguistique ne tirant sa réalité que de lui-même et ne trouvant de signification que dans l'organisation formelle où il prend place. On voit dès lors, à la lueur de sa fonction symbolique, qu'il est de la nature de l'image, et non pas seulement dans ses attributions éventuelles, de révéler un sens caché et qui, sans elle, ne pourrait être autrement appréhendé.

Il reste toutefois que, pour être la meilleure figuration possible, l'image n'est jamais qu'approximation dans la mesure où la réalité qu'elle appelle demeure à jamais absente, secrète et insaisissable; et la prise en considération de sa fonction symbolique nous apprend ainsi qu'elle est essentiellement inadéquate et renvoie, de ce fait, à une multiplicité de qualités non figurables. C'est là reconnaître l'infinité des virtualités sémantiques de l'image, c'est reconnaître aussi, du même coup, que non seulement l'image n'a pas d'équivalent conceptuel et ne saurait donc être traduite, mais qu'elle recèle encore une pluralité de significations à la fois complémentaires et contradictoires, englobant au total les contraires. Cela va nous contraindre à ne privilégier *a priori* aucune de ces significations particulières, mais bien plutôt à nous attacher constamment à leur confrontation et à leur superposition; nous contraindre aussi à évaluer non leur chance de cohérence logique à l'intérieur d'un contexte déterminé, mais les rapports de force qui s'établissent entre elles dans le champ sémantique où joue l'image et se tisse le texte.

Nous touchons là un second point caractéristique de la dynamique de l'image, auquel nous achemine tout naturellement la restauration de sa fonction symbolique, et qui est l'intégration de cette image dans le monde où elle surgit, où elle opère. Ce monde, dans lequel l'image pour nous va résonner et se déformer, se transformer du fait même de l'inadéquation résultant de sa fonction symbolique entraînant d'incessantes métamorphoses, comme autant d'implicites réajustements, c'est le monde de l'écriture. Sans doute, ce monde apparaît-il clos d'une certaine façon, obéissant à des lois qui lui sont propres à l'intérieur d'un langage déterminé; un monde qui a son temps à lui, son espace à lui, une réalité bien spécifique et qu'on serait tenté de rapporter d'abord aux seules propriétés de ce langage, au seul jeu de ses signes. Mais l'image, ce signe qui soudain refuse de n'être que signe et fait allusion à autre chose qu'à lui-même, à autre chose aussi qu'aux signes dont il procède ou qui vont procéder de lui, ne dément-elle pas cette rassurante impression première? Ce mot qui, se gonflant, prend une consistance autre que linguistique, revêt une concrétude qui ne saurait appartenir au seul monde du logos, devient vivant d'une autre vie que celle à laquelle il semblait dévolu, ce mot vient vite déranger le bel édifice des théories formalistes, quand bien même elles s'appuieraient, dans les meilleurs des cas, sur les grammaires génératives ou transformationnelles. Or, ce sucroît de vie provient bien d'abord, nous l'avons vu, des deux mondes vivants qui conditionnent le monde du texte et ne cessent d'échanger en lui leurs forces; et s'il est convenu d'appeler Imaginaire « ce trajet dans lequel la représentation de l'objet se laisse assimiler et modeler par les impératifs pulsionnels du sujet, et dans lequel réciproquement [...] les représentations subjectives s'expliquent " par les accommodations antérieures du sujet " au milieu objectif [47] », c'est bien à ce carrefour d'échanges qu'il faut situer l'écriture, lieu d'émergence de l'anthropos et d'infléchissement du cosmos et qui, loin de pouvoir définir le texte comme un monde clos ou voué aux seules structures du langage, ne prend forme et signification que par rapport aux deux mondes qui viennent y échanger leurs forces et d'où il tire d'abord sa substance.

Mais devra-t-on conclure de cela que l'image, d'une part poussée par les forces dont elle procède et d'autre part attirée par le sens qu'elle appelle, suffirait à faire du texte ce lieu d'un événement qui serait effectivement épiphanie, apparition et manifestation d'une réalité vraie qui ne préexistait pas à une écriture inventant ses formes à mesure? Il serait bien simpliste de l'affirmer, car ce serait compter sans le fait que l'image n'est pas une forme vide, et que son remplissement même ne la laisse pas libre de toute improvisation mais l'appelle à organiser, selon certaines lois, ses métamorphoses le long des lignes de force qui parcourent le texte. Ce serait surtout compter sans le fait que ces lignes de force, au long desquelles se forment et se déforment les images, se définissent les unes par rapport aux autres en convergeant vers un sens ultime du texte, mieux encore, ne s'organisent que les unes par les autres, tissant serré le tissu du texte au point qu'une même image, bien souvent, jouera sur des réseaux différents et que des échanges, voire des métamorphoses, de réseau

47. G. Durand, *Les Structures anthropologiques de l'Imaginaire, op. cit.,* p. 31-32.

à réseau viendront doubler les échanges et métamorphoses linéaires. D'où cette écriture en devenir qui n'est pas davantage la somme des images qui l'habitent que chacune des images n'est la somme des matériaux qu'elle abrite; une écriture qui ne se dissocie pas de l'espace du texte qu'elle détermine mais ne circonscrit point.

Espace du texte et trajets de l'Imaginaire

On ne peut donc plus, désormais, considérer le texte comme seul reflet des mondes extérieurs ayant présidé à sa naissance, ni comme seul projet du moi profond du créateur. Par là même, on ne peut plus interpréter les matériaux de l'écriture, et notamment le lexique, à la façon des thématiques les plus rudimentaires, comme des équivalents linguistiques des référents matériels ou des phantasmes intimes, équivalents qui seraient en relation d'analogie avec ces référents et ces phantasmes. S'engager sur cette voie, quelles que soient les précautions prises et les professions de foi préalables, c'est s'obstiner à considérer le texte comme seul document – document au service de l'histoire, de la sociologie, de l'économie et de la politique, ou bien au service de l'anthropologie, de la psychologie des profondeurs, de la psychanalyse, voire de la psycho-pathologie, comme il se voit encore bien souvent. En tout état de cause, c'est nier la spécificité du texte poétique, et plus encore nier la création *effective* qui s'opère dans l'écriture. Que le texte soit considéré comme reflet ou comme projet, c'est en effet un sens unique que chaque interprète entend suivre dans ce texte, auberge espagnole en cela, réduit à la mesure de la grille qu'on lui appose : un sens fermé qui non seulement est infusé du dehors, mais encore dénature le texte en le ramenant à l'état de système de signes référentiels, en raison même du principe d'analogie qui préside au transfert de sens. Or, il est certain qu'un tel principe tue l'image en oblitérant sa fonction symbolique puisque, de par sa nature, le symbole ne relève pas du principe d'analogie, lequel est dévolu au signe – cette désignation abrégée et arbitraire de la chose à désigner qu'elle remplace –, mais du principe d'identité; l'image étant, rappelons-le, la meilleure formulation possible d'une réalité absente de laquelle elle est inséparable et avec laquelle seulement elle prend sens.

Mais plus encore, à partir de là, on peut se demander si ce n'est pas en fin de compte escamoter l'espace du texte dans ce qu'il a de singulier et de vivant, d'essentiel en poésie, que s'engager sur de telles voies qui n'ont de cesse, s'efforçant chacune à sa façon d'aller fort « méthodiquement » du plus complexe au plus simple, de réduire l'épaisseur du texte à un discours linéaire que l'écriture aurait seulement travesti. De ce point de vue, une lecture fondée sur les pouvoirs de l'image et la dynamique de l'Imaginaire, mettant au premier plan cet espace du texte où se crée et se joue la réalité poétique *pour la première fois,* tant pour le poète que pour son lecteur, va donc résolument à contrecourant, et d'une interprétation de l'écriture du monde, et d'une interprétation de l'écriture des phantasmes, qui toutes deux vident le volume du texte au lieu de l'habiter.

Est-ce dire alors, afin de donner sa juste place à la « productivité » du texte poétique et de sauvegarder son espace essentiel, qu'il faille s'engager sur la voie d'une interprétation de la seule écriture des formes qui, elle, serait susceptible d'éviter toute dénaturation en reconnaissant le sens propre, en le laissant venir et vivre par lui-même? On pourrait d'abord le penser, d'autant qu'une telle approche, ne se référant à rien d'extérieur à elle, paraît bien en mesure de ne pas réduire le texte en le parcourant. Il reste qu'on voit mal comment le poéticien, qui ne saurait se satisfaire d'un sens étroit qui ne contient rien de plus que le dire, pourrait faire sienne une analyse qui refuse toute épaisseur au langage ou, du moins, s'interdit de prendre en considération cet indicible sur lequel s'inscrit et se détache l'écriture et sans lequel les mots ne seraient plus que mots. De plus, il est manifeste que c'est s'empêcher de déboucher sur un surplus de signification que procéder au décodage systématique de l'écriture à partir des seules données immanentes du langage, hors de tout référent extérieur. Car si c'est bien là mettre l'accent sur la génération de l'écriture, et donc sur une production dont ne saurait rendre compte aucune raison étrangère au texte, c'est aussi refuser toute autre dimension que sémiologique, le texte poétique, dans une telle perspective, n'étant jamais qu'un cas particulier d'une sémiologie générale où tout est signe à décoder. Certes, il ne s'agit plus ici de défaire le sens pour le ramener à des racines biologiques ou historiques, psychologiques ou économiques; mais le décodage de cette écriture des formes, qui n'admet finalement que le seul message horizontal délivré par le code linguistique, ne saurait aucunement déboucher sur ce débordement de sens qu'entraîne l'exercice de la fonction symbolique du langage, encore moins sur l'exploration d'un espace qui se trouve, certes, en telle occurrence, parfaitement délimité, mais n'est guère à même cependant d'être envisagé dans son remplissement.

Or, c'est bien ce remplissement qui seul importe puisque c'est lui, en dernier ressort, qui vient opérer le passage au poétique en détournant le langage de ses visées utilitaires et donc en rendant inutile, du moins très accessoire, le décodage de son discours, son dévidement. De ce point de vue, il apparaît que l'espace poétique ne se confond aucunement avec le lieu de déroulement et de fonctionnement de tout langage à l'intérieur du champ clos de son texte, celui-ci fût-il purement informatif ou documentaire. Si confusion il y a parfois cependant, elle s'explique en partie par le fait que toute communication peut voir entrer en jeu, à quelque degré, cette fonction poétique chère à Roman Jakobson et qui « met en évidence le côté palpable des signes, approfondit par là même la dichotomie fondamentale des signes et des objets [48] », attire l'attention sur le message en tant que tel : structure, tonalité, mais surtout rythmes et sonorités [49]; et il est vrai que tous ces éléments apportent par eux-mêmes un supplément de sens au contenu du message qu'ils véhiculent. Cela cependant n'autorise nullement à abolir les frontières si bien tracées par Valéry entre langage poétique et langage économique, jusqu'à prétendre que tout message, que tout texte, finalement, relève de la poétique, dès lors que l'on s'attache à l'agencement de son langage à l'intérieur de son champ sémantique. Et l'erreur est grande de ceux qui, de nos jours, non sans dogmatisme, se font fort de montrer ce qu'est la littérature et son apprentissage, voire ce qu'est la poésie, au travers des fonctions du langage, à partir du premier quotidien venu – de tel billet politique, de telle chronique syndicale, de tel communiqué publicitaire. Car le lieu de ce billet, de cette chronique, de ce communiqué, si composés fussent-ils et bien refermés sur eux-mêmes, n'est point espace poétique mais seulement limites entre lesquelles le message en question, comme il se doit, prend forme et signification.

Il en va autrement de l'espace poétique qui n'est pas espace

---

48. *Essais de linguistique générale, op. cit.*, p. 218.
49. La publicité, on le sait, joue à plein de cette fonction : « On a souvent besoin de petits pois chez soi »...

parcouru par un message, mais espace plein qui lui-même est message; un espace plein de tous les trajets qui le parcourent et qui est indissociable de ces trajets qui définissent l'écriture de l'Imaginaire mais conditionnent aussi la lecture du texte poétique. Aussi est-ce la prise en considération première de cet espace plénier qui va se trouver au centre d'une poétique de l'Imaginaire, dès lors précisément que l'Imaginaire, ce carrefour d'échanges, se révélera lieu des réponses cherchées dans l'espace aux angoisses de l'être devant la temporalité. L'écriture du poème, de ce fait, va pouvoir s'analyser en fonction de l'utilisation et de l'aménagement d'un espace donné ou plutôt découvert à mesure; et ce sont aussi cette utilisation et cet aménagement qui vont dicter toutes les lectures du texte poétique comme autant de façons non de se l'approprier mais de le reconnaître et de l'habiter mieux. Par là, sans doute, le texte poétique va se définir comme celui dans lequel l'Imaginaire joue à plein et où l'écriture se fait spatiale qui trouve signification dans le volume qu'elle occupe et anime tout à la fois. Il se distingue ainsi nettement non seulement du texte informatif, seul véhicule du message qu'il transmet, mais aussi du texte romanesque ou dramatique dans lequel la fonction poétique, attirant l'attention sur l'énonciation même, octroie certaine épaisseur au langage, mais sans jamais cependant que cessent d'être privilégiés le discours linéaire et son sens unique.

Faut-il en conclure que cet espace poétique pourrait se confondre avec l'espace pictural, en cela qu'il serait délivré du déroulement temporel ou du moins pourrait être exploré sans que soit pris d'abord en considération ce déroulement? Certainement pas. Car, pour rempli qu'il soit des forces qui l'occupent et se tissent entre elles, des formes pleines qu'elles gouvernent mais aussi des silences dont il faut bien se décider enfin à tenir compte quand ils ne sont point des vides mais des intervalles eux-mêmes signifiants, cet espace est orienté, on ne saurait à aucun moment l'oublier. Un peu à la façon d'un Paul Klee, poète s'il en fut et pas seulement dans l'intitulé de ses tableaux, qui propose des itinéraires pour parcourir ses toiles et se plaît à flécher ces parcours, non sans humour, il est vrai, mais avec une grave insolence qu'on aurait tort de prendre à la légère; à la façon aussi d'un Henri Michaux, peignant, composant, écrivant pour « se parcourir [50] » et tentant de rétablir dans l'espace de la page,

---

50. Cf. *Passages, op. cit.,* p. 142.

sinon cette « libre circulation » qu'il trouve dans le tableau [51], du moins ces « passages » qui lui sont chers et ces « trajets » fidèles au « phrasé même de la vie » qu'il ne voudrait jamais quitter [52]. Sans doute est-ce cette notion d'espace orienté qui rassemble les poètes-peintres et les peintres-poètes, opère chez eux la symbiose entre les deux langages, bien plutôt que ces jeux de symétrie grammaticaux et sonores, « ces arrangements rivaux, binaires et tertiaires, de thèmes ou de procédés grammaticaux » que découvre, de façon laborieuse et bien peu convaincante, Jakobson [53]. Et ce que Michaux a très finement perçu dans ses réflexions sur la peinture mais aussi dans ses démêlés avec le « verbal », ses révoltes contre « le chemin tracé, unique », Apollinaire de son côté, fasciné par la « peinture nouvelle », l'avait justement pressenti, sinon habilement énoncé, dans ses *Méditations esthétiques*, en mettant l'accent sur les « nouvelles mesures possibles de l'étendue » et ce qu'il est convenu d'appeler la quatrième dimension [54]. C'est bien de cet espace orienté que devra partir le poéticien de l'Imaginaire, soucieux, contre tous les herméneutes, d'appréhender au mieux les forces en action dans le texte mais aussi de saisir, au travers du remplissement de son volume qu'opère leur tissage, l'avènement d'une réalité supplémentaire.

L'Imaginaire et l'espace ouvert

Du point de vue de l'Imaginaire, cette notion d'espace orienté est fondamentale, quand le « trajet anthropologique », que Gilbert

---

51. Cf. *Lecture de 8 lithographies de Zao Wou Ki*, Paris, Euros et Godet, 1950, p. 1.
52. Cf. *Émergences-Résurgences, op. cit.*, p. 13.
53. Cf. « Sur l'art verbal des poètes-peintres : Blake, Rousseau et Klee », *Questions de poétique*, p. 378-400. A l'issue d'une fort savante analyse linguistique, comment accorder en effet le moindre crédit à cette conclusion de l'article sur Klee : « Cette étonnante union de transparence radieuse, de savante simplicité et d'imbrication multiforme permet, chez Klee, au peintre comme au poète, de déployer une harmonieuse combinaison des procédés, surprenants par leur variété, aussi bien sur un morceau de toile que dans les quelques lignes d'un journal » (p. 399-400)? A n'en pas douter, le poème de Michaux consacré à Klee, « Aventures de lignes », nous en dit bien plus et sans mots inutiles (cf. *Passages, op. cit.*, p. 173-180).
54. *Les Peintres cubistes – méditations esthétiques* (1913), Paris, Hermann, 1965, p. 51-52. Apollinaire écrit notamment ceci : « Telle qu'elle s'offre à l'esprit, du point de vue plastique, la quatrième dimension serait engendrée par les trois mesures connues : elle figure l'immensité de l'espace s'éternisant dans toutes les directions à un moment déterminé » (p. 52).

Durand a eu l'insigne mérite de clairement dégager et définir à la suite des travaux de Piaget, de Bachelard, de Kardiner et du courant de psychologie sociale américain dans lequel il se situe, l'appelle à coup sûr : l'échange incessant de forces opposées et complémentaires qui définit l'Imaginaire organise bien en effet un espace, mais un espace d'une espèce particulière. Car, si cet espace, dans lequel vont s'inscrire, au fur et à mesure de leur apparition, les représentations de l'objet assimilées et modelées par les « impératifs pulsionnels du sujet » et les représentations subjectives corrigées par les « accommodations antérieures du sujet en milieu objectif [55] », peut se lire, d'une certaine façon, comme un monde autonome, répondant à des structures qui lui sont propres et apportant, *à un moment donné,* la meilleure réponse, à moins que ce ne soit la seule possible, aux questions de l'être-au-monde, cet espace cependant n'est qu'illusoirement fermé qui ne saurait être étudié comme un système clos répondant à une norme logique intemporelle. Sans cesse, en effet, cette « permanence normative », certainement rassurante, celle même que Piaget dénonce dans la plupart des théories métaphysiques de la connaissance où il ne voit qu'« interprétation contemplative de la norme [56] », se trouve remise en cause par le devenir qui caractérise tout phénomène vivant et entretient un conflit perpétuel, et combien salutaire, entre la logique intemporelle et le développement temporel, entre le donné et le possible.

L'espace dans lequel viennent s'effectuer, dans le texte, ces échanges de forces, en des représentations indissociablement subjectives et objectives, résulte bien d'abord, en effet, de possibles antérieurs, et il est tentant de le considérer *a priori* comme le seul lieu d'arrivée, le terminus d'intentions possibles, de virtualités tendant à se réaliser, selon le modèle husserlien, dans un donné actuel. Et c'est bien ainsi d'ailleurs que veulent l'appréhender, le décrivant avec une attention forçant souvent l'admiration, tous ceux qui remplacent l'analyse génétique du texte par une série d'investigations visant moins à isoler les différents référents comme autant de possibles, qu'à remonter à des schémas intentionnels propres à déterminer l'organisation, voire le fonctionnement de ce texte. De là le succès, aujourd'hui, de certaines

---

55. Cf. G. Durand, *Les Structures anthropologiques de l'Imaginaire, op. cit.,* p. 31-32, qui cite ici Piaget, *La Formation du symbole chez l'enfant, op. cit.,* p. 219.
56. *Introduction à l'épistémologie génétique, op. cit.,* t. I, *la Pensée mathématique,* p. 33.

méthodes linguistiques, de type morphologique le plus souvent, comme celle de Propp, et qui, débouchant sur des classifications qui voudraient résumer la totalité des possibles, semblent autoriser à se limiter à poser la grille sur le texte pour y lire immédiatement, comme un résultat définitif, tout ce qu'on en peut connaître [57]. Une telle attitude, outre qu'elle ne saurait réserver la moindre surprise dans la mesure où elle empêche de découvrir autre chose que ce que l'on a mis d'abord, tourne le dos et à la dynamique qui préside à l'écriture et à la dynamique qu'implique la lecture du texte poétique : délimitant totalement son espace, elle signe aussi sa mort.

La nature de cet espace tout privilégié laisse au contraire à penser qu'il faut adopter devant lui l'attitude même des généticiens et refuser d'y voir le seul aboutissement d'un « virtuel préformant », d'un possible antérieur dont il manifesterait l'actualisation. Il en irait désormais de la connaissance du texte poétique, et plus particulièrement de cet espace où il se joue et ne cesse de se rejouer, ce qu'il en est pour Piaget de la connaissance en général :

> [...]le propre de la méthode génétique consiste [...] à ne considérer le virtuel ou le possible que comme une création sans cesse poursuivie par l'action actuelle et réelle : chaque action nouvelle, tout en réalisant l'une des possibilités engendrées par les actions précédentes, ouvre elle-même un ensemble de possibilités, jusque-là inconcevables [58].

C'est précisément cet « ensemble de possibilités jusque-là inconcevables » qu'il faudrait tenter de saisir dans l'espace du texte – et, de ce point de vue, il est certain que chaque lecture de l'Imaginaire sera bien cette « action nouvelle » réalisant, certes, un possible antérieur, mais inaugurant surtout une multiplicité de possibles nouveaux. Pour ce faire, l'analyse de cet espace va impliquer d'une part de cesser d'envisager celui-ci comme espace clos, d'autre part de déplacer le centre qui est le sien dans les perspectives traditionnelles, c'est-à-dire non génétiques. Ces deux

---

57. De là aussi les applications désastreuses de travaux dont les résultats, simplifiés à l'extrême, ne tardent pas à devenir grilles à leur tour dont il sera fait le plus vain usage : ainsi des travaux de Bachelard, promis aux pires dommages, et plus récemment de ceux de Gilbert Durand.
58. *Introduction à l'épistémologie génétique, op. cit.*, t. I, *la Pensée mathématique*, p. 34.

attitudes se trouvent d'ailleurs conjointes sitôt que le poéticien, adoptant une position génétique et s'installant d'emblée dans la dynamique du texte, se refuse à expliquer la réalité du texte par des motivations qui ne sont jamais que des possibles antérieurs, mais cherche au contraire à s'inscrire dans sa réalité actuelle afin de suivre les divers possibles qu'il ouvre et de déceler au mieux les relations qui lient entre eux ces possibles, tissant une réalité neuve qui n'en finit pas d'émerger. Si déterminé qu'il soit par le lieu de son écriture, l'espace du texte n'est donc point véritablement clos, mais ne cesse de s'ouvrir virtuellement, et ce à l'infini, sur des organisations nouvelles à la fois en lui et hors de lui.

L'étude des images dans leur fonction symbolique et leur organisation syntaxique conduisait le poéticien à se séparer de l'anthropologue pour analyser l'imaginaire de l'écriture non en deçà mais au-delà des images; de la même façon, l'étude de l'espace du texte le conduit à se séparer du sémiologue pour analyser cet espace non dans son actualisation, qui l'enferme sur lui-même à un moment donné, mais dans ses virtualités qui l'ouvrent sur un au-delà de lui-même. Et, de ce point de vue, il ne peut que faire siennes les propositions qui définissent l'analyse génétique et délimitent son champ d'investigation en affirmant l'impérieuse nécessité de « subordonner le possible au réel et non pas l'inverse » :

> Elle a [...] l'obligation d'expliquer le virtuel par le réel toutes les fois qu'une action ouvre, par son exécution même, de nouvelles possibilités et engendre ainsi un système d'opérations virtuelles [59].

Tel est bien le cas, sans doute, et même le privilège du texte poétique, à quelque niveau qu'on l'envisage, qui est réalité en devenir. Aussi l'exploration de l'espace qu'il remplit, sans que soit abordée la question de savoir pourquoi telle possibilité antérieure s'est réalisée à un moment dans l'écriture plutôt que telle autre, ou du moins reléguant cette question à l'arrière-plan, va-t-elle consister essentiellement à étudier les modes de création des possibilités ouvertes à partir de l'émergence même de l'écriture.

De façon concrète, on le voit déjà, le poéticien aura finalement

59. *Ibid.*, p. 35.

mieux à faire qu'à examiner la façon dont pulsions subjectives et pressions objectives se conjuguent pour s'actualiser dans cette écriture; un tel objectif n'est certes pas dépourvu d'intérêt, mais est bien incapable de faire appréhender le texte poétique dans sa spécificité, ou même de le distinguer de l'« objet linguistique » en général, tel que certains linguistes ont cherché à le définir. Cet objet, en effet, serait clos, sans référent, structuré, productif [60] : fermé sur lui-même, ne possédant de réalité que formelle et ne pouvant produire que du vide, il ne laisse pas de faire songer à la « statue en rien, en vide » que l'Oiseau du Bénin se propose de sculpter à la mémoire du poète Croniamantal, à la fin du « Poète assassiné » d'Apollinaire [61]. A cela près que, dans la fiction apollinarienne, une fois l'œuvre achevée, c'est-à-dire actualisée, « le vide avait la forme de Croniamantal, [...] le trou était plein de son fantôme » : beau passage de la structure vide à la structure pleine (par un mécanisme de redondance fort révélateur, le monument est d'ailleurs bientôt « comblé avec la terre qu'on en avait tiré »), mais passage aussi du clos à l'ouvert – « là, la nuit tombée, on planta un beau laurier des poètes »; et passage finalement du non-sens au sens à l'instant même où est réintroduit indirectement le référent, puisque l'espace vide a été habillé d'un mur en ciment aux mesures mêmes du poète. Et le remplissement de la structure initialement vide a si bien produit de la réalité neuve, qui n'est pas seulement phénomène de langage, que Tristouse Ballerinette, la femme qu'a aimée Croniamantal mais qui a aussi précipité sa mort, dansant et chantant sur cet espace privilégié qui est précisément espace du chant et de la danse, découvre en même temps la vérité de son amour pour le poète mort et la nouvelle identité de celui-ci [62].

C'est dire la distance qui sépare le texte poétique, lequel ne saurait être qualifié d'objet quand bien même on lui octroierait en supplément gracieux la dimension concrète [63], de l'objet lin-

---

60. Cf. Michel Arrivé, « Postulats pour la description linguistique des textes littéraires », *Langue française* n° 3, 1969.
61. Apollinaire, *Le Poète assassiné* (1916), Paris, Gallimard, 1957, p. 112-113.
62. « C'est vrai c'est vrai je l'aime
Croniamantal au fond du puits
Est-ce lui » (*ibid.*, p. 113).
63. Cf. Daniel Delas et Jacques Filliolet, *Linguistique et Poétique*, Paris, Larousse, 1973, p. 47. A moins qu'il ne s'agisse, évidemment, de concrétitude effective, comme dans le cas du poème-objet.

guistique quelconque; c'est dire surtout le travail du poéticien qui va porter pour l'essentiel sur les modes d'occupation et de remplissement de l'espace qui s'ouvre à partir des formes, des matières et des forces actualisées dans une écriture. Et cependant, même en admettant le bien-fondé d'une telle démarche, qui se propose à juste titre de saisir le texte non dans ses arrêts mais dans ses passages, et donc dans sa situation de vivant, on peut se demander s'il n'y a pas quelque vanité, peut-être même quelque déraison, à vouloir spéculer sur du virtuel et tenter de cerner, à partir de l'analyse du réel en place, ce qui devient et ce qui sera. N'y a-t-il pas d'ailleurs certaine contradiction entre le fait de refuser d'enfermer le texte dans une réalité actuelle qui le chosifie et le dénature, et celui de se proposer de raisonner sur la création des possibles, d'essayer d'y déceler, sinon des lois, du moins des principes récurrents, et finalement d'envisager la façon dont ce virtuel pourra s'actualiser à son tour et donc se réaliser plus loin? Il semble qu'il faille, en dernier ressort, ou bien se résoudre à déplacer seulement le problème en déplaçant son lieu d'investigation, passant du domaine du réel au domaine du possible, mais s'interdire alors de recourir aux ouvertures de l'analyse génétique pour s'en tenir aux seules implications logiques à l'intérieur d'un nouvel espace clos; ou bien s'installer d'emblée dans une réalité en devenir et s'autoriser du même fait à l'aborder comme un processus génétique, dans un espace indéfiniment ouvert, mais se refuser alors à faire l'inventaire des possibles, à limiter leurs modes d'apparition et de transformation, comme aussi à trouver quelque loi cohérente et de la relation de ces possibles avec le réel et de la relation de ces possibles entre eux.

La prise en considération de cet espace vivant, qui est aussi l'espace orienté où s'écrit le texte poétique sur les trajets mêmes de l'Imaginaire, paraît donc entraîner avec elle un problème difficilement soluble qui n'est autre, en définitive, que celui des rapports entre le réel et le possible. Et le poéticien, soucieux à la fois du devenir génétique du texte, où vit et se vit l'*actualité* du poème, et du principe intemporel où saisir sa cohérence et renouveler les modes d'appréhension de ses *virtualités,* conditionnant les façons de l'habiter, devra se tourner là encore vers l'épistémologie génétique s'il veut sortir de l'impasse. Il en retiendra d'abord ceci, qui devrait lui permettre de situer assez bien son domaine d'intervention face au réel et au possible de cette réalité vivante qu'est le texte poétique :

[...]la nature d'une réalité vivante n'est révélée ni par ses seuls stades initiaux, ni par ses stades terminaux, mais par le processus même de ses transformations. Les stades initiaux ne prennent, en effet, de signification qu'en fonction de l'état d'équilibre vers lequel ils tendent, mais, en retour, l'équilibre atteint ne peut être compris qu'en fonction des constructions successives qui y ont abouti. [...] Ce n'est donc pas seulement le point de départ qui importe, d'ailleurs toujours inaccessible à titre de premier départ, ni l'équilibre final, dont on ne sait non plus jamais s'il est effectivement final : c'est la loi de construction, c'est-à-dire le système opératoire en sa constitution progressive [64].

De fait, ce « système opératoire en sa constitution progressive » auquel va devoir s'attacher le poéticien dans l'espace ouvert du texte ne saurait être appréhendé ni par une méthode psychogénétique, incapable de renseigner sur les possibles à venir de l'écriture, ni par une méthode historico-critique, peu à même de faire connaître les sources du réel; or, l'épistémologie génétique, justement, conjuguant les deux méthodes, permet ce « jeu de navette entre la genèse et l'équilibre final (les termes de genèse et de fin étant simplement relatifs l'un à l'autre et ne présentant aucun sens absolu) [65] ». Aussi le poéticien peut-il espérer désormais, s'en référant à elle, prendre des nouvelles conjointement et de l'actualité et des virtualités du texte poétique.

Mais il y a plus. Car, s'il se propose de ne pas seulement décrire, dans sa totalité, cette réalité présente et à venir du texte, mais d'envisager les rapports qui s'instaurent entre son actualité et ses virtualités; mieux encore, s'il se donne pour tâche de révéler le processus génétique du texte, d'appréhender autant que faire se peut la réalité en devenir qui est sienne, mais aussi de saisir sa cohérence profonde en décelant le principe intemporel qui dicte les possibilités de l'habiter, c'est encore vers l'épistémologie génétique qu'il devra se tourner. Et il en retiendra cette fois la justification même de son entreprise et la faculté de la mener à bien :

[...] Le problème des rapports entre la genèse historique ou mentale et la vérité logique, en sa permanence normative,

---

64. Jean Piaget, *Introduction à l'épistémologie génétique, op. cit.,* t. I, *la Pensée mathématique,* p. 17.
65. *Ibid.,* p. 18.

tient [...] essentiellement aux connexions que l'on établira entre le virtuel et l'actuel. L'univers logique constituant le domaine du possible, tandis que la genèse exprime le devenir réel, toute la question de savoir si le processus génétique reflète des normes préalables, ou s'il est de nature à expliquer la constitution des normes, se réduit dès lors au problème de l'actualisation du virtuel ou de la création des possibilités ouvertes par l'action réelle [66].

C'est à la fois cette « actualisation du virtuel » et cette « création des possibilités ouvertes par l'action réelle » qu'est toute épiphanie du texte poétique – aussi bien l'émergence première de son écriture que sa réitération dans le rituel de sa lecture – qu'au travers d'un espace rempli et dynamisé par les forces de l'Imaginaire veut tenter de saisir le poéticien. Et, qu'il cherche à capter dans sa réalité le devenir du texte ou à déceler derrière ses virtualités le principe permanent de sa cohérence fondamentale, il reste en tout cas fidèle à la vision même du poète en marche vers ce qu'il nomme à raison « l'inconnu » : « La Poésie ne rythmera plus l'action; elle *sera en avant* [67]. »

66. *Ibid.*, p. 35-36.
67. Rimbaud, Lettre à Paul Demeny (15 mai 1871).

3

Les itinéraires obligés
et le texte à venir

Actualité et dynamique du texte poétique

Il y a bien longtemps, si l'on se réfère par exemple aux travaux des linguistes russes de la fin du XIXᵉ siècle, que l'on s'est avisé de l'urgence qu'il y avait à fonder l'analyse du langage poétique sur le caractère essentiel de ce langage, celui qui définit conjointement sa nature et sa fonction, à savoir son dynamisme. Mais ce dynamisme, quelle que soit l'appellation qu'on lui donne, paraît bien être spontanément cherché ou bien derrière le texte, dans des motivations psychologiques et sociologiques dont l'organisation linguistique, point ultime d'aboutissement, se devrait de rendre compte, ou bien au sein du texte lui-même, mais dans des jeux phoniques ou métaphoriques fondés sur différents régimes d'association et ne trouvant de signification hors d'eux-mêmes. Dans tous les cas, d'ailleurs, ce dynamisme reste attaché à la seule écriture du texte dont il justifie l'ordonnance et fournit un principe explicatif tout en assurant son unité, voire son identité, à l'intérieur d'un système clos.

Cela revient là encore à n'envisager l'actualité du texte poétique, et donc le déchiffrement de son écriture, qu'en fonction des processus causals qui ont conféré à ce texte certaine réalité déterminable une fois pour toutes et donné comme terme ultime de toutes les opérations qui l'ont conduit jusque-là. Dans une telle perspective, qui saurait d'ailleurs parfaitement convenir à l'analyse du texte prosaïque, la dynamique coïncide avec les jeux de toutes les forces, tant historiques et psychologiques, collectives et individuelles que purement linguistiques, appelées par l'écriture en train de s'écrire, et qui trouvent ici leur achèvement. Or, il en va tout autrement dans le cas du texte poétique, l'avons-nous assez souligné, dont l'actualité est point de départ bien plus encore que point d'aboutissement, et dont les processus génétiques ne rendent compte que très imparfaitement. Dans la mesure où ce sont les possibilités ouvertes par le développement et l'imbrication de ces processus qui essentiellement importent, et l'incessante dialectique qui dès lors s'instaure entre ces virtualités et l'actualité du texte toujours remise en cause, la dynamique inhérente au poème va prendre une couleur nouvelle qui implique nouvelle analyse. Non seulement elle va porter sur l'espace ouvert du texte et donc conduire à refuser toute clôture de l'écriture, mais plus encore elle va imposer d'accorder une place privilégiée et originale à la lecture, qui ne sera plus tentative de réinvestissement des forces ayant présidé à l'élaboration du texte mais mise à l'épreuve au présent de ces forces assurant tout à la fois leur renouvellement et leur prolongement *dans le même sens.* On le voit par là, en effet : la lecture ne sera plus vaine reprise des démarches de l'écriture, illusoire redondance à laquelle on l'a trop souvent limitée [1], mais elle en sera le prolongement indispensable pour que la création poétique soit toujours continuée sans altération aucune de ses données initiales.

Et peu importe, désormais, que le poète, prenant toutes libertés avec ses motivations personnelles comme avec les circonstances extérieures, ait ou non savamment calculé les effets que devaient à coup sûr procurer chez le lecteur, grâce aux relations mutuelles du son et du sens ou à quelque autre technique d'ambiguïté concertée, les jeux de son écriture. Toute lecture à même de s'inscrire dans la dynamique du poème telle qu'elle vient d'être définie, par-delà les intentions les plus délibérées et les partis pris les plus outranciers du poète, redécouvrira d'emblée le sens caché de l'écriture. Il faudra donc aller plus loin, beaucoup plus loin que Roman Jakobson définissant les pouvoirs d'un « langage en action » à partir de l'exégèse du *Corbeau* d'Edgar Poe, ou plutôt de la relation de sa composition qu'en a laissée son auteur [2].

Dans un article célèbre consacré à la genèse de son poème, et qui devait provoquer sourire et indignation chez les critiques prompts, selon Jakobson, à la qualifier de « tour de passe-passe et de supercherie énorme, bonne à faire marcher le public [3] »,

1. Quelles que soient les précautions prises, comment d'ailleurs espérer retrouver l'expérience primordiale de l'écrivain, s'il en est une, pour tenter de la revivre, au sein de l'œuvre, dans une sorte d'identification avec le créateur, comme le voudrait certaine critique thématique contemporaine?
2. « Le langage en action » (trad. André Jarry) in *Questions de poétique,* p. 205-217 (« Language in operation », *Mélanges Alexandre Koyré,* t. I, *l'Aventure de l'esprit,* Paris, 1964, p. 269-281).
3. *Ibid.,* p. 212.

Edgar Poe, s'essayant à se remémorer par le détail la marche progressive de son œuvre « jusqu'au dernier terme de son accomplissement », démonte on le sait sous les yeux du lecteur « les roues et les rouages, les machines pour changements de décor, les échelles et les trappes » de sa création :

> Je me propose de démontrer clairement qu'aucun détail de sa composition ne se peut expliquer par le hasard ou l'intuition, que l'œuvre s'est développée, pas à pas, vers son achèvement avec la précision et la rigueur logique d'un problème mathématique [4].

S'amusant de la vanité ou de l'hypocrisie des auteurs qui « préfèrent laisser entendre qu'ils composent dans une espèce de splendide frénésie, d'extatique intuition [5] », Edgar Poe expose avec une implacable lucidité, frisant l'insolence, le « modus operandi » selon lequel fut construit *le Corbeau*. Toute création, nous dit-il, est fonction d'un effet à produire : c'est donc de cet effet qu'il faut partir pour examiner ensuite quelles combinaisons d'événements ou de tons aideront le mieux à produire cet effet. Dans le cas du *Corbeau,* il s'agissait de satisfaire à la fois le goût populaire et le goût critique en créant un poème expressément destiné à connaître le succès. D'où la nécessité de ne pas composer une œuvre trop longue, puisque « toute excitation intense est, par la loi même de notre nature physique, brève [6] »; de faire en sorte qu'elle produise une impression de beauté, afin de pouvoir être appréciée « universellement [7] »; d'opter pour le ton de la tristesse, puisque « la mélancolie est [...] le plus légitime de tous les tons poétiques [8] »; de s'en remettre au refrain comme pivot autour duquel tournerait toute la machine du poème, à cause de l'universalité de son emploi garant de sa valeur intrinsèque, mais prenant soin toutefois de « produire des effets constamment renouvelés en faisant varier [ses] applications [9]; de retenir, pour que cette dernière difficulté ne fût pas insurmontable, le refrain le plus bref possible, à savoir « un mot unique [10] »; de

---

4. « La philosophie de la composition » (1846), in Edgar Poe, *Trois Manifestes* (trad. René Lalou), Paris, Charlot, 1946, p. 59.
5. *Ibid.,* p. 57-58.
6. *Ibid.,* p. 60.
7. *Ibid.,* p. 62.
8. *Ibid.,* p. 64.
9. *Ibid.,* p. 65.
10. *Ibid.,* p. 66.

diviser le poème en stances auxquelles le refrain, tout naturellement, servirait de conclusion, laquelle pour avoir de la force se devait d'être sonore et donc d'associer au *o* long un *r* le prolongeant au mieux; de choisir dès lors le mot contenant ce son et se rapportant au ton de mélancolie choisi, qui ne pouvait être que « Nevermore [11] »; de trouver prétexte à ramener continuellement, mais aussi de façon plausible, cet unique mot « Jamais plus » et donc de le faire répéter par un animal doué de parole, un corbeau de préférence; d'intégrer cela au thème le plus mélancolique et le plus poétique à la fois, celui de la mort d'une belle femme rapportée par son amant [12]; de combiner enfin l'idée de l'amant pleurant sa maîtresse défunte et celle du corbeau répétant le mot « Jamais plus », en imaginant que « le corbeau se sert du mot pour répondre aux questions de l'amant [13] » et en graduant ces diverses questions, toutes destinées à la même réponse, de la plus banale à la plus définitive, celle où culmine le poème.

Ces préalables soigneusement posés en fonction des effets à produire sur le lecteur, il devenait possible, nous dit Poe, à partir des meilleurs moyens retenus pour y parvenir, de prendre enfin la plume en remontant progressivement l'écriture depuis son point ultime, à savoir « la question après laquelle la riposte " Jamais plus " entraînerait ce qui se peut imaginer de plus absolu dans la douleur et le désespoir » :

> Ici donc le poème trouva, peut-on dire, son commencement – par la fin, comme devraient commencer toutes les œuvres d'art; [...] [14].

Et le poète, non sans cynisme, de nous montrer alors dans le détail comment toute l'œuvre a pu être progressivement réalisée de façon à répondre au mieux aux effets escomptés, compte tenu de la gradation à ménager : choix du rythme et du mètre, délimitation du meilleur lieu de rencontre des protagonistes, recherche des contrastes entre les décors comme entre les situations et entre les personnages, et même calcul des valeurs de complexité et de suggestion susceptibles d'estomper « certaine dureté, une nudité qui offusque l'œil d'un artiste [15] ».

11. *Ibid.*, p. 67.
12. *Ibid.*, p. 68.
13. *Ibid.*, p. 69.
14. *Ibid.*, p. 70.
15. *Ibid.*, p. 79.

Si l'on prend au mot le poète, ainsi que pour l'essentiel semble vouloir le faire Jakobson, on sera très tenté, en un premier temps du moins, de ne voir dans l'écriture du texte poétique qu'une machine à fabriquer des effets calculés et dosés à l'avance, et donc à provoquer certaine lecture programmée. Celle-ci ne saurait être désormais que le décodage, intuitivement entrepris ou rationnellement abordé, des jeux savants de l'écriture, et par là même ne devrait livrer au mieux que son envers. Tout le démontage du poème de Poe par Jakobson, renchérissant au besoin sur la relation de son montage par le poète, va dans ce sens, qui fait coïncider le fonctionnement du poème avec sa seule genèse et circonscrit du même coup ses pouvoirs à l'intérieur d'une réalité qui le définirait tout entier. Et ce que le linguiste nomme le « langage en action » ne dépasse à aucun moment, en dépit d'un titre prometteur en matière de poétique, le relevé des divers processus générateurs.

En suivant pas à pas ce démontage, nous nous apercevons en effet que l'accent est mis dès l'abord sur « le discours poétique dirigé vers les masses » et « la hardiesse avec laquelle [le poète] a su jouer de toutes les ressources de la communication [16] », ce qui implique bien que l'attention portée à l'œuvre se confond en premier lieu avec les intentions de son auteur. Quant à la dualité de l'inattendu et de l'attendu, qui serait le fondement original du poème, le développement qu'elle engendre ramène l'ambiguïté du « Nevermore », à la fois « propos monocorde du Corbeau » et « délire passionné de l'amant », à deux modes de transmission de l'information [17]. Pour ce qui concerne l'amant, cette information, souligne Jakobson, est absolument conforme aux désirs de Poe dont le linguiste se plaît à souligner la parfaite connaissance des diverses fonctions de la communication :

A chaque répétition de la repartie stéréotypée de l'oiseau, l'amant désemparé s'attend avec plus de certitude à son retour, en sorte qu'il adapte ses questions à ce que Poe définit comme « l'escompté *jamais-plus* ». Par une compréhension surprenante des multiples fonctions de la communication verbale, Poe affirme que ces questions sont posées « moitié par superstition, moitié par cette sorte de désespoir qui se délecte à se torturer soi-même » [18].

16. « Le langage en action », art. cité, p. 206-207.
17. *Ibid.*, p. 207.
18. *Ibid.*, p. 208.

Pour ce qui regarde le corbeau, l'information, nous dit le linguiste avec un sérieux qui laisse rêveur le poéticien, est conforme aux observations du spécialiste :

> Mais pour les oiseaux doués de parole, comme l'a remarqué Mowrer, la pratique du langage articulé est, avant tout, une façon d'encourager leur partenaire humain à poursuivre la communication en cours, pour que soit évitée dans les faits toute *rupture de contact.*

Ainsi tout ce qui a été apporté dans le texte *et qui doit donc s'y retrouver* y est dénombré tour à tour, et c'est en fonction de seules *conformités* qu'est faite la lecture du poème de Poe; une lecture aussi rassurante qu'un inventaire, au demeurant parfaitement tautologique, et qui redoute par-dessus tout, en effet, les « ruptures de contact », au nom d'un des facteurs de la « bonne » communication. Il se pourrait pourtant que ce soient de telles ruptures, responsables de toute création véritable, qui fussent d'abord à privilégier dans le domaine de la poétique : d'une part, parce que c'est elles qui organisent l'écriture du poème en désorganisant le langage conventionnel, c'est-à-dire en le rendant non conforme à ce qu'il a déjà servi à dire ou à ce qu'on prétendait précisément lui faire dire; d'autre part, parce que c'est elles encore qui réajustent l'actualité du texte poétique, que l'on croyait d'abord enfermée dans son écriture, en l'ouvrant à des virtualités qui le renouvellent et le prolongent en chaque lecture.

Aussi cette recherche en tout de la conformité, qui fait que sans cesse Jakobson s'en remet à Poe, sans jamais surprendre celui-ci en flagrant délit d'interprétation de son poème, ne laisse-t-elle pas d'apparaître bientôt comme un exercice d'application des théories de la communication, au mieux comme une mise à l'épreuve des diverses possibilités de la communication et de leurs limites au travers de l'écriture du *Corbeau* envisagée comme système clos. D'où l'importance accordée par le linguiste au jeu des questions et réponses interverties qui caractérise le monologue intérieur :

> [...] dans *le Corbeau,* la question est sous la dépendance de la réponse. Et c'est encore selon le même principe que l'existence du répliquant imaginaire se déduit rétroactivement de sa réplique : *jamais plus.* Le dit est inhumain, à la

fois par sa cruauté persistante et par son automatisme répétitif et monotone. Dès lors, une créature parlante mais soushumaine s'impose comme locuteur, et plus spécifiquement un oiseau de race corvine, non pas seulement à cause de son aspect ténébreux et de sa réputation « de mauvais augure », mais également parce que, dans la majeure partie de ses phonèmes, le mot *raven* [corbeau] est simplement l'inverse du sinistre *never* [jamais]. Poe signale le lien en rapprochant les deux mots : *Quoth the Raven « Nevermore »* [Le Corbeau dit « jamais-plus »] [19].

Le lieu clos de l'écriture, dans l'analyse de Jakobson, apparaît d'ailleurs à tous les niveaux, sans cesse renforcé par de nouvelles adéquations internes, de nouvelles corrélations « régressives [20] » entre les effets à atteindre et les moyens mis en œuvre pour les atteindre, selon le principe même d'Edgar Poe : « les fins doivent être obtenues en utilisant les moyens les mieux adaptés à ce résultat [21] »; corrélations entre les réponses et les questions qu'elles prédéterminent, entre le « dénouement » et la savante construction préliminaire qu'il exige, mais aussi entre les combinaisons assonantiques et la destination sémantique dont elles procèdent. C'est sans doute sur ce dernier point que le linguiste pourrait le mieux innover par rapport au « modèle d'analyse critique » que prétend être, sérieusement ou non, « La philosophie de la composition [22] »; mais bien loin d'ouvrir le texte à de nouvelles relations possibles, sa lecture, des plus scrupuleuses, prend au contraire grand soin, en remontant des séquences phoniques au sens préalable qu'elles se devraient de transmettre, de rester fidèle dans son démontage du poème au prétendu montage de Poe. Et de noter, après la mise en valeur des relations mutuelles du son et du sens qui font encore référence aux intentions manifestées par le poète dans l'avant-propos de la première édition du *Corbeau :*

On rejoint ici le caractère régressif de la séquence sémantique, et une telle variation a pour effet d'équilibrer le thème

19. *Ibid.,* p. 209-210.
20. Jakobson nous propose lui-même cette appellation : « Si dans une suite un moment antérieur dépend d'un moment postérieur, les linguistes parlent d'une *action régressive* » (*op. cit.*, p. 209).
21. « La philosophie de la composition », p. 63.
22. Lettre de Poe à son ami Cooke à laquelle se réfère Jakobson (*op. cit.*, p. 211).

« jamais fini » du « Corbeau perché solitairement » *[The Raven, sitting lonely]* par le thème opposé de « Lenore perdue » *[the lost Lenore/*linór*]* [23].

Tant est grand ce souci de « conformité » à des séries de processus causals que Jakobson, s'inscrivant en faux cette fois contre Poe recommandant sagement d'écarter « comme étranger au poème en soi, le fait – ou mieux, la nécessité – qui tout d'abord provoqua le dessein de composer un certain poème [24] », n'hésite pas à chercher comment « l'escompté *jamais-plus,* que l'article présentait comme le ressort essentiel du poème, était, dans le même temps, en consonance avec l'arrière-plan biographique [25] ». Car, s'il est vrai, sans doute, que, dans *le Corbeau* comme dans la lettre écrite par le poète peu après la mort de Virginia Clemm [26], le dénouement attendu est pareillement « un deuil destiné à durer à jamais », si Lenore rejoint Virginia et préfigure son destin, on comprend mal ce que l'élément biographique peut apporter à la dynamique du langage poétique, qui semblerait pourtant devoir seule préoccuper le linguiste; et se voient ici une fois encore confondues la réalité présidant à la genèse du poème et la vérité du poème, sa spécificité qu'il ne tient que de lui-même.

Sans doute Jakobson n'en reste-t-il pas là et dépasse-t-il bien vite cette nouvelle concordance, peu faite, à dire vrai, pour donner à éprouver au lecteur les pouvoirs d'un « langage en action ». Mais c'est pour revenir aussitôt à la mise en œuvre des « problèmes les plus complexes de la communication » dans lesquels il veut voir la plus grande audace du *Corbeau,* et aux « rouages et pignons » de l'art du langage tels qu'ils sont expérimentés par Poe. Or, chose révélatrice, ce n'est pas sur la dynamique créatrice de cette audace et de cet art qu'il s'appuie alors pour en venir à ses fins, mais sur la pertinence ou la non-pertinence de tel ou tel détail au regard du « mécanisme » de l'œuvre dont se réclame le poète, à la fois créateur et critique, sur la pertinence plus particulière du refrain *jamais plus* tant dans l'utilisation qui en est faite au long du poème que dans son analyse linguistique [27]. Pertinence qui replie encore l'écriture sur

23. *Ibid.,* p. 211.
24. « La philosophie de la composition », art. cité, p. 59.
25. *Ibid.,* p. 213.
26. Lettre à George Eveleth citée par Jakobson (*op. cit.,* p. 212).
27. *Ibid.,* p. 213-214.

elle-même et limite définitivement l'action du langage aux seuls processus génétiques d'où germe cette écriture.

Les forces génératrices et régénératrices du sens

Jakobson, cependant, avait bien remarqué, dans sa fine analyse de l'interversion des questions et réponses du poème, qu'un tel jeu « est caractéristique du monologue intérieur, où le sujet connaît d'avance la réplique à la question qu'il va poser lui-même »; Poe, nous dit-il, « laisse la porte ouverte à cette interprétation du pseudo-dialogue avec le Corbeau » qui ferait de l'oiseau et de ses répliques le seul « produit de l'imagination de l'amant [28] ». De fait, dans les toutes dernières lignes de son manifeste provocateur, et qui suffiraient à montrer, s'il en était besoin, qu'il n'est pas dupe de son habile reconstruction où rien n'est laissé au hasard, Edgar Poe introduit brusquement ce qu'il nomme « une certaine valeur de suggestion », et qui lui paraît indispensable pour que le texte, si froidement élaboré en fonction des effets à produire, perde sa dureté mais surtout devienne œuvre poétique. Car cette « valeur de suggestion », il prend soin de préciser qu'elle n'est autre qu'un « courant souterrain de signification, si indéfini qu'il demeure »; et il en attend non pas seulement un effet de trompe-l'œil mais bel et bien le passage de la prose à la poésie :

C'est [cette] seconde qualité en particulier qui confère à une œuvre d'art ce caractère d'*opulence* (pour emprunter à la conversation un terme expressif) que nous avons trop tendance à confondre avec l'*idéal*. C'est l'*excès* de signification suggérée (en faire le courant supérieur au lieu du courant souterrain de l'ouvrage) qui transforme en prose, et en prose de la plus plate espèce, la prétendue poésie des prétendus transcendantalistes [29].

Pour la première fois, à l'instant où s'achève la démonstration, ce n'est plus *la* signification, liée à l'effet en vue duquel le texte en ses moindres détails est construit, qui occupe la première

---

28. *Ibid.*, p. 208.
29. « La philosophie de la composition », art. cité, p. 79.

place, et l'écriture ne se réduit plus à l'ensemble des moyens techniques mis en œuvre pour révéler cette signification. Celle-ci, désormais, se voit rejetée à l'arrière-plan, comme brouillée par l'écriture qui propose une autre possibilité de lecture, une autre vérité du texte que celle contenue dans sa réalité en devenir dont il était question jusque-là. Et c'est avec cette ouverture du champ sémantique actuel au champ sémantique virtuel de son texte que Poe, introduisant les notions d'« expression métapho-rique », de « sens moral » et de « symbole » qui auraient difficile-ment trouvé place auparavant, renverse soudain le sens de son texte, mais aussi la marche de son analyse, donne une autre fonction au langage en action, aux forces qui le meuvent, et nous fait entrer en poésie :

> Tel étant mon avis, j'ajoutai les deux stances qui terminent le poème, afin qu'ainsi leur force de suggestion pénétrât tout le récit qui le précède. Le courant souterrain de signification, je le fais pour la première fois apparaître dans les vers :
>
> *« Arrache ton bec de mon cœur, arrache ton fantôme de ma porte! »*
> *Lors le Corbeau : « Jamais plus! »*

> On remarquera que les mots « de mon cœur » renferment la première expression métaphorique du poème. Ces mots et leur réponse « Jamais plus » disposent l'esprit à chercher un sens moral dans tout ce qui a été conté antérieurement. Le lecteur commence désormais à considérer le Corbeau comme symbolique; mais c'est seulement au tout dernier vers de la toute dernière stance qu'il est autorisé à voir distinctement l'intention de faire du Corbeau le symbole du *Souvenir funèbre et impérissable* [30].

Peut-être objectera-t-on que si Poe fait intervenir le lecteur – car c'est bien lui qui opère le glissement, à peine suggéré jusqu'au dernier vers, du plan factuel au plan symbolique –, il s'accorde cependant, semble-t-il, les pleins pouvoirs pour orienter cette lecture et la faire dévier selon l'« intention » qui est sienne. Mais il n'empêche : il y a bien reconnaissance, qu'il s'en prétende ou non le maître, d'une génération progressive de ce sens qu'il affirmait connaître au départ – « Ici donc le poème trouva, peut-

---

30. *Ibid.*, p. 79-80.

on dire, son commencement – par la fin [31] » –, mais qu'il ne découvre en fait qu'à l'arrivée, il l'avoue lui-même : c'est en se voyant contraint d'ajouter « les deux stances qui terminent le poème » qu'il fait émerger « le courant souterrain de signification » et que par là même se révèlent les vraies dimensions du poème.

Ainsi apparaît-il que l'analyse du poète, en l'occurrence, pour outrée fût-elle et scandaleuse à plus d'un endroit, serre de beaucoup plus près la réalité poétique et la création qui s'y opère que l'analyse du linguiste. Enfermé dans son système de communication qui ne tolère nulle échappée, celui-ci ne voit dans le texte que des jeux de tensions internes et n'a de cesse de lier la dynamique du « langage en action » à des antinomies qui ne sortent jamais d'une actualité donnée; c'est toujours par rapport à du connu qu'il se situe, jamais par rapport à du possible, et son souci de toujours en revenir aux référents pour mesurer la distance parcourue en fait foi. Témoin son recours, pour rendre « plausible » le glissement du plan factuel au plan symbolique sinon la superposition de l'un et l'autre plan dans la dernière stance du *Corbeau*, à l'assoupissement du héros et à sa régression dans le passé, ou encore à certaine hallucination caractérisée :

> Tous les traits spécifiques de l'hallucination auditive – tels qu'ils sont recensés, par exemple, dans la monographie de Lagache – apparaissent dans le discours de l'amant : diminution de la vigilance, angoisse, *aliénation* de la parole propre, attribuée à un *autre*, le tout « dans les limites d'un espace clos »[32].

Comment ce parti pris étroitement clinique, et qui prête à sourire, ne délaisserait-il pas les forces qui, dans l'écriture même, et quels qu'en soient les fondements, acheminent vers le sens plutôt qu'elles ne le manifestent? Il empêche en tout cas de faire de la lecture la remise en œuvre et l'amplification de ces forces, ce que pourtant suggérait, sur le mode cynique, la dernière page de « La philosophie de la composition », au point que Jakobson, commentant celle-ci, ne voit que porte ouverte à une « interprétation éventuelle du pseudo-dialogue avec le Corbeau [33] », et donc réduction du sens, là où il y a au contraire extension du sens. Bien mieux, cette extension fait éclater les barrières du texte poétique

---

31. *Ibid.*, p. 70.
32. « Le langage en action », art. cité, p. 208-209.
33. *Ibid.*, p. 208.

et met en jeu une dynamique créatrice qui n'a que peu à voir avec l'« hésitation entre le sens *superficiel* et le sens *profond* », et la tension qui résulterait du fait que « tout discours intérieur est essentiellement un dialogue » et que « tout discours reproduit est *ré-approprié* et remodelé par celui qui le cite, que la citation en question soit empruntée à quelqu'un d'*autre* ou à un moment antérieur de son *Moi* [...] [34] ». Cette « hésitation » que le linguiste croit lire dans Edgar Poe, et qui l'amène à réduire la dynamique du poème à ces « deux traits fondamentaux et complémentaires du comportement verbal [...] ici mis en évidence », et finalement à faire de la tension entre ces deux aspects du comportement verbal la source même de la « richesse poétique » du texte, n'est cependant pas dépourvue d'intérêt. Elle montre d'abord que ce sont ses propres vues sur le langage que le théoricien se plaît à retrouver dans l'écriture en action du poète; elle montre ensuite que le recours à l'analyse linguistique, pour indispensable qu'elle soit en un premier temps, ne saurait en aucun cas suffire à explorer le domaine poétique sous peine de dénaturer celui-ci en limitant son approche au seul devenir réel; elle montre enfin, et c'est bien cela surtout qui plus importe ici, qu'on ne saurait confondre les tensions inhérentes à tout langage et les antinomies qu'elles engendrent à différents niveaux avec les forces génératrices et régénératrices du sens qui, sur le plan de l'Imaginaire, assurent la dialectique de l'actuel et du virtuel et définissent la spécificité poétique.

Mais ces forces, au vrai, quelles sont-elles et comment les cerner? Pour authentiquement alchimique que soit toute opération poétique véritable, il ne suffit sans doute pas de les faire procéder des forces mêmes du rythme universel avec lesquelles elles coïncident dans un semblable mouvement d'inspiration-expiration, d'involution-évolution. Même si nombre de poètes, et pas seulement depuis Baudelaire, ont spontanément retrouvé dans l'exercice de l'écriture le « *solve et coagula* » de la grande tradition alchimique, si la transmutation de la boue en or n'est pas simple métaphore [35] qui répond à l'extension et l'accélération

---

34. *Ibid.,* p. 209.
35. Cf. Baudelaire, « Projet d'épilogue pour la seconde édition des *Fleurs du Mal* ». Avant d'arriver à cette transmutation rendue possible par l'extraction de la « quintessence » de chaque chose, le poète non seulement s'avoue alchimiste mais encore recourt à tout un symbolisme alchimique :
    Anges revêtus d'or, de pourpre et d'hyacinthe,
    O vous! soyez témoins que j'ai fait mon devoir
    Comme un parfait chimiste et comme une âme sainte.

de la génération naturelle par quoi se définit l'alchimie, on ne saurait cependant s'en tenir aux seules constatations, fussent-elles d'évidence. Dans le creuset de l'écriture, c'est toujours de quelque façon le Grand Œuvre qui s'opère, de la purification mallarméenne des mots et la dissolution du langage usagé à la nouvelle solidification des images et leur combinaison nouvelle, conjonction et sublimation, selon des processus immuables de transformation. Mais si cette transmutation, en l'athanor de la page, confond le moi et le monde, le microcosme et le macro-cosme, dans le même mouvement double de « centralisation » et de « vaporisation », le poéticien qui en suit les différentes étapes ne peut se contenter, comme le poète, d'affirmer que « Tout est là [36] ». Il lui faut chercher comment tout peut être là, alors même que le texte poétique ne cesse de renvoyer au-delà, et s'interroger sur cette présence qui ne prend forme et signification qu'en fonction de l'absence qu'elle appelle et sans laquelle son sens est bien incapable de se régénérer.

Tournant provisoirement le dos à l'alchimie, et parce que le hasard ne manque pas d'humour, c'est encore à Valéry qu'il va demander d'abord de guider sa démarche. Dans sa conférence d'Oxford, qui décidément réserve au critique de ce temps bien des surprises, Valéry rencontre en effet, presque fortuitement, ce problème, sous la forme d'une « petite remarque »; une petite remarque qu'il tient pour « philosophique » et qui est si bien pour lui une incidente qu'il s'empresse d'ajouter qu'il pourrait aisément s'en passer. Il ne tarde d'ailleurs pas à l'abandonner pour revenir bientôt à ce qui seul vraiment lui importe : l'union intime de la parole et de l'esprit qui s'opère dans l'acte poétique. Or, cette petite remarque, loin d'être anodine, et même si Valéry ne lui donne pas les prolongements que l'on serait en droit d'attendre, ouvre la porte à la poétique de l'Imaginaire. Reprenant sa métaphore précédente du pendule par laquelle il se proposait de montrer que le poème « est fait expressément pour renaître de ses cendres et redevenir indéfiniment ce qu'il vient d'être [37] », et donc que la propriété caractéristique de la poésie tient à ce qu'« elle tend à se faire reproduire dans sa forme : elle nous excite à la reconstituer identiquement », il écrit ceci :

> Notre pendule poétique va de notre sensation vers quelque
> idée ou vers quelque sentiment, et revient vers quelque

---

36. Baudelaire, *Mon cœur mis à nu*, I.
37. « Poésie et pensée abstraite », art. cité, p. 1331.

souvenir de la sensation et vers l'action virtuelle qui reproduirait cette sensation. Or, ce qui est sensation est essentiellement *présent*. Il n'y a pas d'autre définition du présent que la sensation même, complétée peut-être par l'impulsion d'action qui modifierait cette sensation. Mais au contraire, ce qui est proprement pensée, image, sentiment est toujours, de quelque façon, *production de choses absentes*. La mémoire est la substance de toute pensée. La prévision et ses tâtonnements, le désir, le projet, l'esquisse de nos espoirs, de nos craintes, sont la principale activité intérieure de nos êtres [38].

C'est bien par le mouvement que Valéry se propose donc de définir le langage poétique; un mouvement qui non seulement empêche ce langage d'être remplacé par son sens, ce qui est le cas du langage utilitaire qu'il nomme prose, l'empêche de s'évanouir à peine arrivé, de se transformer en autre chose que lui-même, mais encore le régénère indéfiniment. Ce mouvement perpétuel, sans doute l'auteur de *Variété* le constate-t-il et en rend-il compte métaphoriquement plutôt qu'il ne l'analyse dans son fonctionnement : il ne nous dit jamais comment s'effectue cet « échange harmonique entre l'expression et l'impression », en vertu de quels principes « le pendule vivant qui est descendu du *son* vers le *sens* tend à remonter vers son point de départ sensible [39] », si tant est que les deux pôles de cette inépuisable dialectique soient la sensation et l'idée. Du moins pressent-il que ce dynamisme, inséparable du langage poétique, opère entre présence et absence, et que tout n'est pas donné dans le présent de la sensation, dans l'actualité du texte. Aussi envisage-t-il une « action virtuelle » qui reproduirait cette sensation, et donc toujours la renverrait hors de sa présence, tout comme il envisage, complétant cette sensation et ne cessant finalement de la modifier, une « impulsion d'action » qui met en péril l'actualité de ce qu'il nommait plus haut « les caractères sensibles du langage » et mieux encore « la Voix en action ». N'est-ce pas là déjà reconnaître de quelque façon que la « production de choses absentes » est le fait de tout le matériel sensible – sons, rythmes, accents, timbres –, aussi bien que de tout ce qui relève de la pensée, de la mémoire ou de l'affectivité?

38. *Ibid.*, p. 1332-1333.
39. *Ibid.*, p. 1332.

La distinction que Valéry cependant s'obstine à faire entre la « Voix », qui serait pure manifestation de l'instant, et « ce qui constitue le fond, le sens d'un discours », se trouve en fait démentie par l'argumentation même de cette petite remarque philosophique, décidément bien gênante. L'« image simple » du pendule n'apparaît guère heureuse, en effet, quand les « valeurs significatives » n'ont lieu d'être reléguées d'un côté plutôt que de l'autre, quand l'image pour sa part appartient à la « Voix » bien plutôt qu'à la « Pensée », et quand les « impulsions virtuelles » tiennent non pas à telle ou telle composante du discours mais au mode de fonctionnement propre au langage poétique tout entier. Et si c'est bien « entre la Présence et l'Absence [40] » que s'engendre ce langage poétique en même temps que la réalité qu'il découvre, si c'est là qu'indéfiniment se régénère son sens, sans doute convient-il de donner à la production des choses absentes une tout autre direction que celle du travail habituel de la pensée.

Les chemins sans issue

C'est en effet une attitude bien paradoxale que celle qui consiste à reconnaître d'une part que le langage poétique, ne cherchant pas à atteindre un terme déterminé, se définit essentiellement comme appréhension sensible d'une réalité toujours à renouveler qui ne saurait autrement s'exprimer [41], et d'autre part à recourir, pour analyser les pouvoirs d'un tel langage, à un système logique et pleinement rassurant, au demeurant bien incapable de sortir du code en usage et de la réalité déterminée à laquelle il s'applique. C'est pourtant ce que fait Valéry lorsque, après avoir très justement fait remarquer qu'« il faut se garder de raisonner de la poésie comme on fait de la prose [42] », il s'empresse d'en revenir à la pensée et à son travail « qui fait vivre en nous ce qui n'existe pas, qui lui prête, que nous le voulions ou non, nos forces actuelles [43] ». Et tout se passe dès lors comme si, après avoir entrouvert les portes de l'Imaginaire, le temps d'une parenthèse qu'il ne tarde pas à regretter, le

---

40. *Ibid.*, p. 1333.
41. Voir à ce propos ce que Valéry dit de la poésie qui, comme la danse, « ne va nulle part » et se veut « de créer, et d'entretenir en l'exaltant, un certain *état*, par un mouvement périodique qui peut s'exécuter sur place » (*ibid.*, p. 1330).
42. *Ibid.*, p. 1331.
43. *Ibid.*, p. 1333.

théoricien de « Poésie et Pensée abstraite » les refermait bien vite sur ces virtualités entrevues pour ne plus chercher les « choses absentes » qu'en arrière du texte, du côté de la pensée qui met au passé, de la mémoire, cette « substance de toute pensée », comme il en vient à l'avouer [44]. Partant du texte comme produit réalisant « l'union intime entre la parole et l'esprit », et voyant là « un résultat proprement merveilleux », il va remonter dans son analyse aux moyens de produire tel effet – ne définira-t-il pas peu après le poème comme « machine à produire l'état poétique au moyen des mots [45] »? – ainsi qu'aux conditions à remplir pour y parvenir.

Et pourtant, n'est-ce pas ce même Valéry qui, onze ans plus tôt, notait dans son *Calepin* que toute écriture n'est jamais qu'un état transitoire et que, de ce fait, l'œuvre poétique ne saurait être envisagée seulement comme produit?

> Le produit est, sans doute, la chose qui se conserve, et qui a ou qui doit avoir un sens par soi-même, et une existence indépendante; mais les actes dont il procède, en tant qu'ils *réagissent* sur leur auteur, forment en lui un autre *produit* qui est un homme plus habile et plus possesseur de son domaine-mémoire [46].

Et de se reprendre en affirmant qu'« une œuvre n'est jamais nécessairement *finie,* car celui qui l'a faite ne s'est jamais accompli »; ce qui signifie que le poème, en définitive, est toujours à effacer et à refaire, selon les propres vœux du poète, afin d'aller un peu plus avant. Sans doute se place-t-il, là encore, davantage sur le plan de la « pureté » de l'expression que sur celui de la dynamique inhérente au langage poétique – la preuve étant qu'il joindra bientôt à ces réflexions ses notes pour une conférence sur la poésie pure [47]. Mais la distinction qu'il établit entre la prose, qui suit le projet qu'elle s'est d'abord donné, et la poésie qui crée son cheminement à mesure, la définition qu'il donne de la métaphore comme « tâtonnement » et comme « impuissance explosive et dépassant la puissance nécessaire et suffisante [48] », le privilège qu'il accorde au mouvement, par quoi « le chant est

---

44. *Ibid.,* p. 1332.
45. *Ibid.,* p. 1337.
46. « Calepin d'un poète », in *Œuvres,* t. I, p. 1450. Le texte a paru pour la première fois en août 1928 sous le titre : *Poésie, essai sur la poëtique et le poëte.*
47. Cf. *ibid.,* p. 1456 *sq.*
48. *Ibid.,* p. 1450.

plus réel que la parole plane [49] », et surtout la place qu'il réserve à l'attente, qui fait du poète le premier auditeur de son texte – « Nous attendons le mot inattendu – et qui ne peut être prévu, mais attendu [50] » : tout cela montre bien qu'avant de faire système d'une pensée abstraite inséparable à ses yeux de la création poétique, avant d'enfermer tout dynamisme dans l'« objet » complet du poème-produit [51], Valéry avait découvert les justes rapports entre les forces en action dans le texte poétique et la production d'une réalité absente échappant à l'actualité du texte.

Soucieux pour sa part de séparer poésie classique et poésie moderne, l'une attachée à accoucher d'une parole qui traduira au mieux la pensée préformée qu'elle se veut d'exprimer, l'autre désireuse de laisser les mots produire une sorte de continu formel d'où émanera peu à peu une densité prenant signification, Roland Barthes, dans son premier essai où il serait peu honnête de vouloir l'enfermer, retrouve d'ailleurs semblable formulation :

> [...] la parole est [...] le temps épais d'une gestation plus spirituelle, pendant laquelle la « pensée » est préparée, installée peu à peu par le hasard des mots. Cette chance verbale, d'où va tomber le fruit mûr d'une signification, suppose donc un temps poétique qui n'est plus celui d'une « fabrication », mais celui d'une aventure possible, la rencontre d'un signe et d'une intention [52].

Voilà sans doute qui est bien vague, et l'on ne sait guère quel dieu caché il convient de placer derrière le « hasard des mots », la « chance verbale » ou l'« aventure possible ». On ne le saura d'ailleurs pas davantage après qu'auront été précisées les oppositions radicales entre un langage classique, prose et poésie, dont l'économie est relationnelle et où les mots s'enchaînent les uns les autres en « une chaîne superficielle d'intentions [53] », et une poésie moderne qui « ne garde des rapports que leur mouvement, leur musique, non leur vérité [54] ». Et cependant c'est bien ce

49. *Ibid.*, p. 1449.
50. *Ibid.*, p. 1448.
51. « Poésie et pensée abstraite », art. cité, p. 1334.
52. Roland Barthes, « Y a-t-il une écriture poétique ? », *le Degré zéro de l'écriture*, Paris, Éd. du Seuil, 1953, p. 64.
53. *Ibid.*, p. 65.
54. *Ibid.*, p. 68.

même avènement d'une réalité neuve, cette même potentialité d'un langage échappant à la finalité de la grammaire pour s'inventer d'autres finalités sans fin, cette même attente de l'imprévisible qui sont ici décelés.

Mais alors que Valéry s'en remettait en dernier ressort, pour rendre compte de ce *merveilleux* poétique proche parent des « prestiges et [...] prodiges de l'antique magie [55] », à un état de grâce libérant « une sorte d'énergie spirituelle de nature spéciale [56] » à partir de laquelle s'effectuera nécessairement le travail de la pensée, Barthes, lui, déplace l'accent sur le mot, qui s'empare de tous les pouvoirs et d'abord celui d'engendrer de nouveaux rapports, sans toutefois se montrer plus explicite sur la nature, la fonction et la portée de cette dynamique :

> Dans le langage classique, ce sont les rapports qui mènent le mot puis l'emportent aussitôt vers un sens toujours projeté; dans la poésie moderne, les rapports ne sont qu'une extension du mot, c'est le Mot qui est « la demeure », il est implanté comme une origine dans la prosodie des fonctions, entendues mais absentes. Ici les rapports fascinent, c'est le Mot qui nourrit et comble comme le dévoilement soudain d'une vérité; dire que cette vérité est d'ordre poétique, c'est seulement dire que le Mot poétique ne peut jamais être faux parce qu'il est total; il brille d'une liberté infinie et s'apprête à rayonner vers mille rapports incertains et possibles [57].

C'est bien encore la fascination que privilégie Barthes, décidément plus proche de Valéry qu'on ne serait tenté de le croire, non certes dans les solutions mais dans les analyses premières, lorsqu'il associe les pouvoirs du langage poétique au surgissement de rapports tout autres que ceux qui, dans l'économie rationnelle du langage, conduisent un message vers l'achèvement de son sens. Mais ces rapports nouveaux, imprévisibles et multiples, engendrant un dynamisme spécifique, c'est à partir du mot que Barthes les voit s'établir, un mot-demeure dont ils seraient l'infinie expansion. Aussi est-ce l'analyse du mot en poésie, lequel bien malencontreusement se trouve ici nommé mot poétique, qui se devrait de préciser la nature de ces rapports. Or, ce mot, quel est-il pour le critique en quête d'une écriture poétique? Rien de

55. « Poésie et pensée abstraite », art. cité, p. 1333.
56. *Ibid.*, p. 1335.
57. « Y a-t-il une écriture poétique? », art. cité, p. 69-70.

plus qu'un « projet vertical », « un bloc, un pilier qui plonge dans
un total de sens, de réflexes et de rémanences : il est un signe
debout [58] ». Laissons de côté là encore l'étonnante résonance
valéryenne : il apparaît aussitôt que le mot ainsi retenu, cet « acte
sans passé immédiat [...] et qui ne propose que l'ombre épaisse
des réflexes de toutes origines qui lui sont attachés », a ceci de
particulier qu'il n'a aucune racine qui lui soit propre, qu'il ne
tient à rien de ce qui l'entoure, et qu'il n'est plus dirigé vers une
fin par l'intention d'un discours. Ce mot, totalement autonome
et riche, nous dit-on, de toutes les virtualités – « quantité absolue,
accompagnée de tous ses possibles » –, en perdant toute identité
va perdre aussi toute matérialité et de là toute vie propre :

> Le Mot est ici encyclopédique, il contient simultanément
> toutes les acceptions parmi lesquelles un discours relationnel
> lui aurait imposé de choisir. Il accomplit donc un état qui
> n'est possible que dans le dictionnaire ou dans la poésie, là
> où le nom peut vivre privé de son article, amené à une sorte
> d'état zéro, gros à la fois de toutes les spécifications passées
> ou futures. Le mot a ici une forme générique, il est une
> catégorie [59].

On ne saurait enterrer plus pompeusement la poésie, sous couvert
de la mettre à l'abri. On ne saurait non plus afficher plus de
désinvolture à l'endroit de ce qui fait sa spécificité : sa nécessité
interne qui tient à son ancrage dans une réalité tant biologique
et psychologique qu'historique et sociale, nécessité qui n'a rien
d'anonyme et ne saurait être escamotée, fût-ce derrière quelque
majuscule; mais aussi, découlant de cette nécessité première, sa
totale présence qui est manifestation la meilleure et la plus pleine
d'une réalité absente qui ne saurait être mieux appréhendée, et
donc nécessité seconde tournée, celle-ci, vers le devenir. De cela
que reste-t-il quand le mot, vidé de sa substance, privé de son
identité, coupé si bien de ses attaches que rien ne le distingue
dans le poème et dans le dictionnaire, n'est plus qu'une forme
vide, « boîte de Pandore d'où s'envolent toutes les virtualités du
langage »? L'image réduite au mot encyclopédique, le symbole
réduit au signe isolé, la substance réduite à la catégorie : il est
difficile sans doute, sauf à vouloir franchir à tout prix les bornes

58. *Ibid.*, p. 70.
59. *Ibid.*, p. 70-71.

mêmes du paradoxe, d'aller plus avant dans la réduction de la poésie « à une sorte d'état zéro ».

Pour s'engager, après une analyse de départ cependant bien voisine, dans une voie radicalement opposée à celle de Valéry, lequel s'en remettait finalement aux seuls pouvoirs *actuels* de la pensée et à la seule présence d'un texte inséparable de ses processus génétiques toujours à réactiver, Barthes n'en pervertit que mieux la spécificité du langage poétique. Car, en limitant celui-ci aux virtualités inconditionnelles de mots privés de tout ancrage comme de toute destination, il ouvre la porte à toutes les lectures prétendument poétiques du Journal officiel ou des romans alimentaires et répond d'avance par la négative à la question initiale : « Y a-t-il une écriture poétique? » De fait, toutes les déterminations du langage poétique, tel qu'il se croit permis de le définir à partir de la poésie moderne, renvoient à ce zéro qui l'obsède, à ces « trous », à ces « absences », à ce discours « sans prévision ni permanence d'intention » ramené à de seules « stations de mots [60] ».

On peut d'ailleurs à bon droit s'interroger sur un tel discours à caractère discontinu et qui s'offre à nous comme un monde « non comblé » que jalonnent de loin en loin ces blocs dressés que sont les mots. Outre le fait que le mode de fonctionnement de ce « nouveau langage poétique » se trouve constamment voilé derrière des qualifications et figures métaphoriques qui nous écartent passablement du degré zéro de l'écriture, il n'est jamais montré comment une création pourrait effectivement s'opérer à partir de ce « discontinu d'objets solitaires et terribles », ou plus exactement comment une parole discontinue pourrait, selon les vœux du critique, ouvrir « la voie de toutes les Surnatures [61] ».

Sur cette dynamique profonde qui forcerait le passage de mot à mot et viendrait combler à sa façon les terres vides entre les blocs, Barthes en effet n'est guère loquace. Tout au plus apprenons-nous qu'entre ces blocs n'existent « que des liaisons virtuelles » :

> personne ne choisit pour eux un sens privilégié ou un emploi ou un service, personne ne leur impose une hiérarchie, personne ne les réduit à la signification d'un comportement mental ou d'une intention, c'est-à-dire finalement d'une ten-

60. *Ibid.*, p. 72.
61. *Ibid.*, p. 71.

dresse. L'éclatement du mot poétique institue alors un objet absolu; la Nature devient une succession de verticalités, l'objet se dresse tout d'un coup, empli de tous ses possibles : il ne peut que jalonner un monde non comblé et par là même terrible [62].

Dans cet univers des vides, des trous et des absences, on ne saurait s'étonner qu'il n'y ait personne non plus. Un étrange raisonnement se fait jour ici, qui voudrait nous faire croire que là où nul choix conscient, nulle décision délibérée, nulle intention déterminée n'apparaît, le sujet s'estompe au profit de la chose seule, régnant sur un désert, objet démesuré vivant d'on ne sait quelle vie et gros d'on ne sait quoi. Voilà qui nous ramène bien loin en arrière et fait bon marché de tous les choix cachés, de toutes les décisions profondes, de toutes les intentions qui se dessinent dans l'ombre et se réalisent selon certaine impérieuse nécessité et qui, pour échapper à la raison, n'en appartiennent pas moins pleinement au sujet. Bien mieux, c'est sans doute lorsque le mot, se dérobant aux catégorisations et agencements de la pensée, se délivre de tous ses masques et autres oripeaux conceptuels pour apparaître dans sa nudité essentielle, qu'il retrouve le mieux les racines qui sont siennes et se remplit de plus d'humanité – de « tendresse ». Et parce qu'alors seulement se découvre que tout tient à tout, en de souterraines connivences, ce n'est pas un mot-objet mais le mot-sujet par excellence, l'image même qui se dresse, emplie de tous ses possibles, dans l'écriture poétique.

Aussi comprend-on que Barthes ne soit guère à l'aise pour expliquer ces « liaisons virtuelles » dont il sent la nécessité mais auxquelles il ne peut en fait accorder la moindre place effective dans la logique du mot qu'il défend. D'où cet aveu qui laisse songeur :

Ces mots-objets sans liaison, parés de toute la violence de leur éclatement, dont la vibration purement mécanique touche étrangement le mot suivant mais s'éteint aussitôt, ces mots poétiques excluent les hommes : il n'y a pas d'humanisme poétique de la modernité : ce discours debout est un discours plein de terreur, c'est-à-dire qu'il met l'homme en liaison non pas avec les autres hommes, mais avec les images les

62. *Ibid.*, p. 73.

115

plus inhumaines de la Nature; le ciel, l'enfer, le sacré, l'enfance, la folie, la matière pure, etc. [63].

Que mettre en effet derrière cette « vibration purement mécanique » qui désharmonise le monde où elle résonne et empêche de parler d'écriture poétique? Et comment concevoir un discours, fût-il « debout » et « plein de terreur », dont les composantes ne seraient reliées par aucun fil conducteur et qui, privé de destinateur comme de destinataire, ne serait que série discontinue d'éclatements de mots-objets hors des « figures de l'Histoire ou de la sociabilité [64] »? Que dire enfin de ces images inhumaines qui se voient révélées par ce pseudo-discours mais ne lui appartiennent point, ne lui fournissent aucune raison d'être et ne lui assurent pas même ce continuum dont il aurait besoin pour prendre signification? Derrière le dogmatisme de surface, l'imprécision est grande.

Les schèmes et leurs fondements

Cette vue mécaniste du langage poétique est en fait très approximative, qui se montre bien fragile dans son argumentation. Ou plutôt bien légère dans sa façon de refuser d'avance une écriture poétique, ne serait-ce qu'en affirmant que la vibration toute mécanique du mot-objet « touche étrangement le mot suivant mais s'éteint aussitôt ». Car c'est là, du seul point de vue linguistique, méconnaître le fait que le mot, pour autonome qu'il paraisse et refermé sur sa mémoire, ne saurait cependant s'affranchir de la langue, et qu'il fait donc bien plus qu'entretenir des relations de contiguïté « étranges » avec le mot qui le suit : il met en œuvre, tant au niveau phonique et rythmique qu'au niveau syntaxique, une série de processus dynamiques qui, bien loin de s'éteindre aussitôt, vont au contraire en s'amplifiant. Mais plus encore, du point de vue strictement poétique cette fois, c'est vouloir ignorer certain fonctionnement privilégié du langage indissociable d'une production qui cherche d'elle-même à s'organiser en une écriture : une écriture qui n'est pas convention mais création continuée; une écriture qui n'est pas éthique du

63. *Ibid.*, p. 73-74.
64. *Ibid.*, p. 76.

langage et qui, « sans recourir au contenu du discours et sans s'arrêter au relais d'une idéologie [65] », mais sans davantage se limiter aux seuls effets de la structuration linguistique, n'en trouve pas moins réalité et pleine signification dans les lignes de force qui continûment la tissent.

Ces lignes de force ne sont pas de vagues résonances, incontrôlables et incontrôlées, inévitables produits de l'éclatement des mots dont résulterait la révélation d'images éparses : ce sont elles, au contraire, qui ordonnent cet éclatement, récupèrent l'énergie des images dont elles dictent les constellations, imposent les passages d'image à image, mais aussi de constellation à constellation, multiplient les échanges à tous les niveaux, mais surtout donnent à ces diverses opérations des directions impératives qui sont autant de sens possibles. Tels sont les schèmes, indissociables de l'image comme des mécanismes fonctionnels du langage, mais qui ne possèdent pas la matérialité de l'image et ne se réduisent pas davantage aux seuls processus linguistiques. De ce point de vue, les schèmes, au sens où nous les entendons, sont bien d'abord des représentations intermédiaires, ainsi que le voulait Kant qui leur accorde un rôle indispensable de jonction entre l'intelligible et le sensible, homogène au concept comme à l'image :

> Il doit y avoir un troisième terme qui soit homogène, d'un côté, à la catégorie, de l'autre, aux phénomènes, et qui rende possible l'application de la première au second. Cette représentation intermédiaire doit être pure (sans aucun élément empirique) et cependant il faut qu'elle soit, d'un côté, *intellectuelle* et, de l'autre, *sensible*. Tel est le *schème transcendantal* [66].

Et Kant prend grand soin de distinguer le schème, qui est toujours par lui-même un produit de l'imagination − « un produit et en quelque sorte un monogramme de l'imagination pure a priori, au moyen duquel et suivant lequel les images sont tout d'abord possibles » −, de l'image, qu'il définit comme « produit du pouvoir empirique de l'imagination productrice », toujours liée au concept au moyen du schème qu'elle désigne et auquel elle n'est pas en

65. *Ibid.*, p. 75.
66. Kant, *Critique de la Raison pure*, « Analytique transcendantale », Livre II, chap. I, « Du schématisme des concepts purs de l'entendement ».

soi entièrement adéquate [67]. Mais s'il insiste sur le caractère synthétique des schèmes, où il voit avant tout une « représentation d'un procédé général de l'imagination pour procurer à un concept son image [68] », il ne montre guère comment ce schème opère la jonction entre le concept et l'image, ni ce qui la rend possible, et laisse ainsi dans l'ombre le mécanisme qui l'anime. Il avoue d'ailleurs, ce qui n'est peut-être pas son moindre mérite, la difficulté :

> Ce schématisme de notre entendement, relativement aux phénomènes et à leur simple forme, est un art caché dans les profondeurs de l'âme humaine et dont il sera toujours difficile d'arracher le vrai mécanisme à la nature, pour l'exposer à découvert devant les yeux [69].

Or, cet aveu, s'il ne met pas davantage en relief le dynamisme qui semble pourtant le caractère dominant du schème, a du moins l'insigne avantage et de laisser entrevoir l'organisation qu'il instaure, et de le faire sourdre des « profondeurs de l'âme humaine ».

C'est bien ce sur quoi vont insister les successeurs de Kant en ce domaine, plus particulièrement les théoriciens du schématisme de la pensée conceptuelle et, plus près de nous, les psychologues de l'intention, de l'inclination et de la tendance. Ainsi Burloud définit-il le schème comme « une tendance à articulations multiples, un rapport composé, une forme qui s'inscrit progressivement dans une matière et qui, en s'y inscrivant, l'organise [70] ». Tendance complexe dont le domaine, nous dit-il, « déborde la vie intérieure et s'étend à toute la vie de relation, et même à la vie organique », le schème moteur n'a besoin pour fonctionner ni de la réflexion, ni de la volonté, et son champ « coïncide avec celui de la spontanéité et de la vie [71] ». Par là même il cesse d'être seule représentation, comme chez Kant, pour devenir d'abord principe organisateur établissant des rapports tant spatiaux que temporels selon des modalités constantes. Mais si Burloud montre bien qu'un tel schème détermine directement la structure des actes qu'il conduit et où il s'inscrit, s'il prend soin de le séparer

67. *Ibid.,* p. 153.
68. *Ibid.,* p. 152.
69. *Ibid.,* p. 153.
70. Albert Burloud, *Psychologie,* Paris, Hachette, 1948, p. 27.
71. *Ibid.,* p. 28-29.

du schéma dynamique bergsonien qui caractérise l'effort intellectuel, s'il insiste enfin sur son aspect *plurivalent,* qui lui permet de s'adapter à des circonstances diverses et de fonctionner d'une façon relativement indépendante des images, ses vues cependant restent intellectualistes qui font de ce schème une forme dynamique mais foncièrement abstraite et peu à même d'inspirer *réellement* un acte, moins encore de le finaliser.

Ce n'est pas assez de dire, en effet, que « le schème est une règle ou une méthode » et que « toutes les règles, toutes les méthodes sont susceptibles de s'intégrer à l'activité subjective, au mouvement de la pensée organisant les contenus que la perception ou l'imagination lui fournissent [72] ». Car c'est là réintroduire implicitement la priorité et la primauté de la pensée sur l'image, selon les perspectives classiques, mais c'est surtout limiter le rôle médiateur et organisateur du schème au seul intervalle séparant la pensée de l'image à la façon kantienne. Aussi Gilbert Durand, qui à son tour adopte le terme, va-t-il conserver les déterminations de ce schème, en ses aspects formels et dynamiques notamment, mais, afin de redonner toute antériorité à l'image en renversant le schéma classique, lui donnera-t-il pour fonction d'opérer la jonction non plus entre le concept et l'image, mais « entre les gestes inconscients de la sensori-motricité, entre les dominantes réflexes et les représentations [73] ». C'est donc dans le prolongement des trois gestes fondamentaux donnés par la réflexologie betcherevienne – dominante posturale, dominante digestive et dominante copulative ou rythmique, considérées elles-mêmes comme structures sensori-motrices et donc principes d'organisation [74] – que Gilbert Durand va placer ces schèmes « qui forment le squelette dynamique, le canevas fonctionnel de l'imagination » :

> La différence qui existe entre les gestes réflexologiques que nous avons décrits et les schèmes est que ces derniers ne sont plus seulement des engrammes théoriques, mais des trajets incarnés dans des représentations concrètes précises [75].

Ce sont bien ces « trajets incarnés dans des représentations concrètes précises », et en cela inséparables des images qu'ils

---

72. *Ibid.,* p. 27-28.
73. *Les Structures anthropologiques de l'Imaginaire, op. cit.,* p. 51.
74. Cf. *ibid.,* p. 39-43.
75. *Ibid.,* p. 52.

vont susciter, informer, regrouper, orienter et entraîner tour à tour, qui vont nous permettre d'identifier, contrairement aux allégations de Roland Barthes, une écriture poétique. Et il est certain qu'en cela le poéticien rejoint l'anthropologue pour lequel le schème « constitue la factivité et la non-substantivité générale de l'imaginaire [76] ». Car cette « factivité », entendue comme le caractère commun de toutes les façons de s'exprimer, « c'est-à-dire d'énoncer que l'esprit du sujet parlant est le siège d'un *phénomène,* et que celui-ci doit réagir sur l'esprit d'un autre être [77] », met l'accent conjointement sur l'antériorité du symbolisme comme pouvoir de retentissement sur toute signifiance audio-visuelle, ainsi que le fait remarquer Gilbert Durand, mais aussi sur la spécificité d'un langage qui ne peut se définir que dans son devenir : dans l'un et l'autre cas, c'est bien le fait poétique que l'on retrouve. Quant à la « non-substantivité générale de l'imaginaire » que constituerait le schème, dans la perspective anthropologique, elle est bien celle des forces en action dans l'espace du texte entendu comme carrefour d'échanges incessants entre deux mondes et qui déterminent, avant tout remplissement des images et toute spécification sémantique, l'écriture de son Imaginaire.

Le schème ainsi défini n'est donc pas sans analogie avec ces « états transitifs » que cherchait à analyser William James. Car, parmi ces états transitifs, à côté des « sentiments de rapports » qui s'expriment par tous les mots et formules de liaison dont le poéticien de l'Imaginaire va faire lui aussi grand cas [78], James décèle ce qu'il nomme les « sentiments de tendances » – échos, halos ou franges –, lesquels proposent des *directions* à ce qui n'est encore que confusément perçu, vont au-devant de ce qui va être dit, pressentant ce qui devrait se passer et accueillant les mots en conséquence, laissent s'engendrer des résonances d'où surgira peu à peu quelque représentation. C'est cependant là, et

---

76. *Ibid.,* p. 51.
77. Damourette et Pichon, *Des mots à la pensée – Essai de grammaire de la langue française* (1911-1927), Paris d'Artrey, 1968-1971, t. I, p. 69. Et les auteurs de préciser : « Le cri est devenu langage quand il a pris une valeur factive » (p. 70).
78. « En bonne justice, écrit James, de même que nous parlons de sensations de *bleu* ou de *chaud,* nous devrions parler des sensations de *mais,* de *par,* de *et* et de *si* » (*Précis de psychologie,* Paris, Rivière, 1909, p. 210). Voilà qui fait mieux que pressentir cette syntaxe de l'Imaginaire, fondée pour partie sur le jeu des contraires et donc sur les systèmes de corrélation, que nous établirons plus loin.

parce que ces « états transitifs » refusent les délimitations des « états substantifs » et ne se bornent pas à l'actualisation d'un processus génétique ou causal mais s'ouvrent à des possibilités neuves, que le poéticien va se séparer à nouveau de l'anthropologue. Comment souscrirait-il, en effet, à la définition du schème comme « généralisation dynamique et affective de l'image [79] », qui laisse entendre une sorte de dilution des images premières dans un courant qui ne retiendrait d'elles que leur dynamisme et leur résonance affective hors de toute substantialité, et conduirait ainsi à des représentations qui marqueraient aussi le terme du processus imaginaire? Le schème que le poéticien, pour sa part, décèle dans l'écriture du texte ne saurait être assimilé, en effet, même approximativement, au symbole moteur dont parle Bachelard à propos du serpent dans lequel il voit « un des archétypes les plus importants de l'âme humaine [80] ». Car un tel symbole moteur, auquel se réfère Gilbert Durand, se veut enrichissement dynamique de l'archétype jungien lequel, nous dit Bachelard, est « une image qui a sa racine dans le plus lointain inconscient, une image qui vient d'une vie qui n'est pas notre vie personnelle et qu'on ne peut étudier qu'en se référant à une archéologie psychologique [81] ». Mais c'est là clairement affirmer une direction de l'analyse de l'image, d'une part, une délimitation du champ opérationnel du schème, d'autre part, contraires aux visées du poéticien de l'Imaginaire.

Pour Bachelard, en effet, « cette archéologie psychologique désigne aussi les images par une sorte d'émotion primitive [82] », et c'est par là que les symboles moteurs sont psychologiquement actifs. L'analyse de l'image-force va donc partir de son pouvoir actuel – l'émotion présente, la réaction instinctive devant le serpent enfermé dans une cage de verre et qui lance sa tête dans la direction de l'observateur – et remonter jusqu'aux profondeurs de la conscience ou plutôt du « plus lointain inconscient » où le serpent, toujours en liberté, est encore dangereux. Le terme même d'archéologie auquel recourt tout normalement Bachelard montre bien que, pour lui, l'étude des forces de l'Imaginaire va s'organiser d'un présent vécu à un passé mythique : d'où l'inévitable réduction à l'archétype primitif devenant système expli-

79. *Les Structures anthropologiques de l'Imaginaire, op. cit.*, p. 51.
80. Bachelard, *La Terre et les Rêveries du repos* (1948), Paris, Corti, 1950, p. 264.
81. *Ibid.*, p. 263-264.
82. *Ibid.*, p. 264.

catif, quelles que soient les précautions prises; une réduction qui est déconstruction et qui tourne le dos aux processus générateurs que cherche à saisir dans leur amplification le poéticien.

Mais ce terme d'archéologie montre aussi dans quelles limites l'épistémologue et à sa suite l'anthropologue entendent enfermer l'action du schème : pour Bachelard, et par le canal de l'émotion, « cet archaïsme », c'est entre les images archétypales, avec les réflexes instinctifs qu'elles déclenchent, et les images présentes; pour Gilbert Durand, entre les dominantes réflexes, se regroupant autour des trois grands gestes fondamentaux qui déterminent une motricité primaire, et les représentations. Dans l'un et l'autre cas, l'émotion actuelle [83] ou la représentation actuelle [84] marque, sinon dans le vécu du moins dans l'analyse, le terme ultime, la limite extrême au-delà de laquelle le schème n'est plus valable. Or, faut-il le redire encore, c'est de là que part, pour l'essentiel, l'étude du poéticien, lequel, tourné vers ce qui pourrait être, ne se tient point quitte envers l'Imaginaire en répertoriant les sources et fondements des schèmes du texte poétique. Sans négliger ces sources et ces fondements qui assurent la réalité du texte, il ne l'oublie point, il se propose bien davantage d'examiner la façon dont ces schèmes, à partir du présent du texte, de l'émergence actuelle de ses images comme de la réactualisation de ses lectures, s'orientent vers un univers des possibles qui est aussi sa vérité.

Structuration dynamique et dimensions du temps

Aussi, et pour opérer cette conversion de l'étude des relations causales à celle des relations finales auxquelles nous acheminent les schèmes moteurs envisagés dans la perspective d'une poétique de l'Imaginaire, faudra-t-il reposer de façon quelque peu différente tant le problème du symbolisme imaginaire du texte poétique, et plus généralement du dynamisme de ses images, que celui de la structuration dynamique ordonnée par les schèmes selon des voies bien définies. C'est ce dernier problème qu'il

---

83. Cf. Bachelard : « Devant le serpent, toute une lignée d'ancêtres viennent avoir peur en notre âme troublée » (*ibid.*, p. 264).
84. Cf. G. Durand : « [...] nous pouvons dire que nous admettons les trois dominantes réflexes, " chaînons intermédiaires entre les réflexes simples et les réflexes associés ", comme matrices sensori-motrices dans lesquelles les représentations vont naturellement s'intégrer [...] » (*les Structures anthropologiques de l'Imaginaire, op. cit.*, p. 43).

convient d'envisager en priorité, tant il est vrai que c'est de lui que va dépendre le devenir de la structure impliqué par la fonction symbolique de l'image.

On remarquera d'abord que les schèmes moteurs, tels qu'on les voit à l'œuvre dans le texte poétique, sont bien proches des « tendances formatives » dont parlent certains psychologues; tendances qui se définissent notamment par leur caractère temporel et dont les schèmes organiques, nous dit Burloud, offrent peut-être le meilleur exemple. Ces schèmes vitaux, en effet, « conduisent d'abord les processus d'organisation, puis, à l'aide des mécanismes ainsi créés, les processus fonctionnels » :

> L'embryologie expérimentale a circonscrit dans l'embryon des territoires à l'intérieur desquels des actions morphogénétiques s'exercent de telle sorte que toutes les parties d'un même territoire croissent et se différencient en corrélation les unes avec les autres. Tout se passe comme si elles se développaient selon un plan préétabli [85].

Un tel développement met en action des tendances plasmatrices qui se sont constituées puis coordonnées et subordonnées entre elles au cours de l'évolution, et qui s'inscrivent à mesure dans la matière vivante. Dès lors, nous dit Burloud, « les formes vivantes sont essentiellement des formes temporelles et plurivalentes qui, dans la limite d'une espèce, se reproduisent, s'incarnent en des êtres distincts et demeurent quand le vivant change de poids et de volume ».

Ce n'est sans doute pas se livrer au seul jeu, passionnant mais combien hasardeux, des analogies, qu'établir à partir de là et justifier le rapprochement qu'on devine entre le développement du tissu embryonnaire et le développement du texte poétique; et ce ne sont pas, comme on pourrait le croire, les seules métaphores faciles de la génération du texte et de sa texture cellulaire qui président à ce rapprochement. Car non seulement, dans l'un et l'autre cas, la primauté du vivant empêche de réduire les processus engagés au seul substrat mécanique, quels que soient les automatismes en cause, mais la prise en compte de ces mécanismes mêmes, une fois dépassés les premiers tâtonnements et mis en route les schèmes organisateurs, entraîne ici et là à chercher un sens dans ce qui devient, dans ce qui sera. Bien mieux, il apparaît que ces schèmes, de par la nécessité qui anime

---

85. *Psychologie, op. cit.*, p. 30.

tant l'organisation qu'ils assurent que le fonctionnement qu'ils gouvernent, dans l'embryogenèse comme dans la « poïétique » dont rêve Valéry [86], n'enferment pas la création dans des déterminations causales qui trouveraient leur terme inévitable dans le corps de l'enfant à sa naissance ou dans l'œuvre poétique prétendument achevée. Tout se passe au contraire comme si le passage de la dépendance à l'autonomie, dans le cas du fœtus prêt à voir le jour comme dans celui du texte prêt à la signature, n'arrêtait pas les processus enclenchés mais leur donnait seulement une forme autre.

Une autre forme, mais certainement pas un autre sens. Biologistes et généticiens ont remarqué depuis longtemps, en effet, ce dont les psychologues du comportement ont su de leur côté faire le meilleur usage, qu'il n'y a pas de coupure entre l'organisation d'une part et le comportement d'autre part, tout comme il n'y a pas de coupure entre le physiologique, le psychique et le mental. Ce qui laisse entendre que les schèmes organiques en action au cours du développement de l'embryon continuent d'opérer, mais d'une autre façon, non seulement pendant le développement de l'enfant jusqu'au stade adulte, mais aussi tout au long de la vie de l'individu et dans le moindre de ses processus vitaux. Mais ce qui laisse entendre surtout que le comportement tout entier de l'individu sera en quelque sorte ordonné de manière continue par ces mêmes tendances sélectrices et formatrices, ces mêmes schèmes organiques qui pourraient bien assurer la permanence et la véritable unité de l'être, en tout cas son identité.

Ce n'est donc pas sans raison que l'on peut avancer que les schèmes moteurs en action tout au long de la genèse du texte poétique ne cessent cependant point de fonctionner lorsque le poète se sépare de son œuvre ou plutôt lorsque celle-ci se détache de qui lui a permis de naître. L'organisation du texte peut alors être dite achevée, mais rien ne fait vraiment que commencer. Si le texte poétique a ceci de particulier qu'il est toujours un commencement, c'est que sa lecture, justement, est l'acte par lequel les forces qui ont déterminé l'organisation de son écriture et assuré son développement progressif vont se trouver non pas seulement réactualisées mais régénérées et prolongées dans leurs potentialités. Potentialités non point laissées au libre arbitre du

---

86. « J'ai donc cru pouvoir le reprendre [le mot « poétique »] dans un sens qui regarde à l'étymologie, sans oser cependant le prononcer *poïétique*, dont la physiologie se sert quand elle parle de fonctions hématopoïétiques ou galactopoïétiques » (« Première leçon du cours de poétique », art. cité, p. 1342).

lecteur, encore moins au pur hasard d'une rêverie de fortune, mais sélectionnées et revivifiées en fonction des structures de l'Imaginaire de ce lecteur, ce que l'on oublie trop souvent.

Il apparaît dès lors que, s'il n'y a jamais qu'une écriture de l'Imaginaire du texte, de laquelle aucune analyse sérieuse ne saurait s'écarter, il n'y a pas de lecture singulière mais à coup sûr une pluralité de lectures, liées à l'infinité des potentialités laissées en attente dans le texte constitué et dont certaines seulement vont être prises en compte, du moins mises en relief, par l'Imaginaire du lecteur. Tout se passe comme si les schèmes moteurs en acte dans l'écriture entraînaient chez le lecteur, aussitôt que réinvestis, certains comportements déterminés par les forces vives du texte et les prolongeant nécessairement, mais ne les reflétant cependant que partiellement. La lecture ne saurait donc être remontée hypothétique des schèmes organisateurs du texte vers quelque cellule initiale ou cause première; une telle opération de déconstruction, renversant le sens de la création, dénaturerait ce qu'elle prétendrait découvrir et du même fait perdrait le droit d'en parler. Elle ne saurait être davantage réécriture du texte, comme on se plaît à le répéter aujourd'hui; ce serait vouloir faire du lecteur la pâle ombre de l'auteur, un être anonyme et privé d'histoire susceptible de recommencer la gestation d'une création déjà venue à terme, dans des conditions qu'il faudrait reproduire, et tentant vainement d'usurper une identité qu'en aucun cas il ne saurait faire sienne. Inséparable de l'écriture dont elle démêle et réactualise d'abord les forces vives, la lecture du texte poétique est passage de l'actuel au virtuel, ouverture aux potentialités du texte, et c'est la même aventure des possibles qu'elle poursuit.

Cette aventure, cependant, n'a rien d'indéterminé, dans la mesure où ce sont encore les schèmes, pour nouvelles que soient leurs formes, qui la guident; et les comportements qui la manifestent, si totalement subjectifs soient-ils, n'en sont pas moins rigoureusement conditionnés par eux. Car ces schèmes ne s'inscrivent pas dans la matière vivante comme des forces aveugles; mais parce que les formes vivantes sont formes temporelles, c'est en fonction du temps qu'ils vont opérer leurs modes de structuration. De fait, si c'est à des tendances organiques profondes, vitales, qu'ils correspondent, et non pas seulement à des attitudes réflexes dominantes qui trouveraient leurs manifestations ultimes dans les représentations du texte, ce sont à coup sûr des réponses aux questions de l'être-au-monde, aux questions de l'homme devant le temps, qu'ils proposent. Des réponses qui toutes à leur façon vont être autant de gestes de survie dont on ne saurait ignorer les signes concrets dans l'écriture et leurs prolongements logiques dans toute lecture, dans tout acheminement vers un sens.

Ces réponses, illimitées dans leurs formulations, se ramènent en fait à trois grandes catégories fondamentales qui manifestent trois sortes de comportement devant le temps chronologique et donc trois types de solution possibles devant l'angoisse liée à la finitude : l'une de révolte, l'autre de refus et la troisième d'acceptation détournée ou de ruse. Si l'on se souvient que l'Imaginaire, qui se confond avec la dynamique de l'écriture et les potentialités qu'elle ouvre, est réponse cherchée dans l'espace aux angoisses de l'homme devant la temporalité, on ne sera pas surpris de voir se dessiner dans le langage poétique trois grandes modalités de structuration dynamique autour desquelles vont cristalliser les images : deux qui organisent un espace à l'abri du temps chronologique et de la dégradation qu'il opère, l'une en s'efforçant d'immobiliser le temps, l'autre en s'efforçant de s'y soustraire; et une troisième qui utilise au contraire ce temps dans sa force vectorielle comme dans sa répétition cyclique pour occuper et ouvrir au mieux cet espace privilégié qu'est le texte.

La première grande modalité de structuration dynamique est de conquête : l'attitude de révolte devant le temps qui passe et la réponse à son angoisse se manifestent alors par le remplissement de l'espace, dans toutes ses dimensions et à tous ses niveaux, comme si cette occupation totale devait arrêter la chronologie, figer le temps en un éternel présent. Aussi les schèmes que l'on peut ici déceler, déterminés par cette fin, vont-ils proposer autant de moyens mis en œuvre dans le langage pour réaliser cette conquête [87] : schèmes d'extension, d'expansion, d'ascension,

---

87. Si nous ne suivons pas Burloud dans la distinction qu'il opère entre le thème, ou tendance thématique, qui inspire l'action – « abstrait réel en quête des déterminations qui lui manquent » – et le schème, qui conduit cette action vers sa réalisation concrète en ajoutant à l'intention un savoir-faire, du moins le rejoignons-nous lorsqu'il fait des schèmes d'authentiques moyens au service d'une finalité le plus souvent inconsciente. Ce sont bien eux, en effet, qui acheminent « par des représentations ou des mouvements successifs vers un but simplement pressenti dont [on] ne sait rien avant qu'il ne soit réalisé » (*Psychologie, op. cit.*, p. 33). On comprend dès lors que l'invention, dépendante d'une finalité le plus souvent inconsciente, non seulement déborde le champ de la pensée, mais puisse encore se rencontrer jusque dans l'ordre de la vie organique, comme ont pu le montrer certains biologistes (cf. Lucien Cuénot, *Invention et Finalité en biologie*, Paris, Flammarion, 1946). Et la création poétique, dans ce qu'elle a d'authentiquement *vital,* s'en trouve par là éclairée.

d'agrandissement, d'accroissement, de multiplication, de rapt, de domination, et qui vont cristalliser toute une thématique d'opposition et de confrontation qui recouvre pour bonne part les implications « héroïques » dont parle Gilbert Durand, sans jamais cependant s'enfermer dans des déterminations substantives à caractère archétypal qui risqueraient de la figer [88].

À l'inverse, la seconde grande modalité de structuration dynamique est de repli : le refus du temps qui passe trouve ici réponse à l'angoisse dans la construction et l'aménagement de refuges, la quête de lieux clos, la délimitation progressive d'espaces dans l'espace, et de nouveaux espaces à l'intérieur de ceux-ci, comme si l'édification et le renforcement d'espaces privilégiés, de plus en plus réduits, devaient permettre enfin de se mettre à l'abri du temps dégradant des horloges. La pérennité, inséparable des grandes tendances vitales, est cherchée cette fois non plus dans le temps mais hors du temps chronologique, au terme de cheminements et d'aménagements toujours remis en cause. D'où les schèmes de fuite, d'intériorisation, de descente, d'enfoncement, d'ensevelissement, d'enfermement, de rétrécissement, voire d'effacement et de fusion. Quant aux images qu'ils vont appeler et ordonner, elles vont non seulement inventer d'autres espaces pour un temps autre, mais aussi estomper leurs contours en dessinant des « passages » plutôt que des états [89].

Quant à la troisième modalité de structuration dynamique, elle est de progrès; par là, bien loin d'être la synthèse des deux grandes tendances précédentes, toutes deux d'opposition, elle leur est foncièrement contraire. Insertion dans le sens même de la chronologie, acceptation de son déroulement inéluctable qui transcende l'angoisse première, elle tente de mettre la main sur

---

88. Nous reviendrons plus en détail sur ces questions dans le chapitre suivant, à propos de la syntaxe de l'Imaginaire. Mais qu'il soit déjà bien établi que, quoique ses fondements ne soient pas les mêmes et que la question de la finalité vienne pour nous se substituer au problème des relations strictement causales, notre classification des schèmes rejoint assez bien celle de Gilbert Durand à l'égard duquel notre dette est grande. Aussi n'hésiterons-nous pas à emprunter parfois, notamment dans les applications pratiques de notre poétique de l'Imaginaire, la terminologie qui est sienne et qui d'ailleurs est maintenant passée dans l'usage. En revanche, pour ce qui regarde l'image et le devenir de la structure, les divergences entre les deux positions, qui pourraient cependant ne pas être totalement inconciliables, sont à coup sûr plus marquées, surtout en ce qui concerne, hors de tout champ sémantique, les « archétypes substantifs ».

89. Il s'agit très exactement des « passages » chers à Henri Michaux, lequel n'est pas par hasard le poète de *Lointains intérieurs*, d'*Ailleurs* et de *la Vie dans les plis* (cf. *Plume* (1938), « Postface », Paris, Gallimard, 1948, p. 211 *sq.*).

le temps en se réconciliant ou plutôt en feignant de se réconcilier avec le temps lui-même. Et c'est en utilisant sa répétition cyclique aussi bien que son sens unique, en se servant de sa roue aussi bien que de sa flèche, qu'elle va vouloir réaliser ses fins. D'où l'organisation et l'habitation d'un espace imaginaire double de l'espace profane et inséparable du déroulement temporel. L'infinitude est ici cherchée non plus dans un temps figé en éternel présent, ni dans un refuge hors du temps, mais dans l'œuvre même du temps dont la circularité est délibérément perçue comme créatrice et dont la vectorialité prend elle-même un sens, lequel devrait déboucher sur un terme ultime, une fin des Temps. Vont ici se rencontrer tous les schèmes de parcours, de retour, de progrès, de relation, de recension, de germination, de fructification, de périodicité, d'alternance, d'affrontement et de dépassement. D'où une thématique dramatique et progressiste, et qui ne sépare point, dans ses visées optimistes, les cheminements dans l'espace et les jalonnements du temps.

Le devenir de la structure et la fonction symbolique de l'image

Cette première grande classification des différentes modalités de structuration du texte par les schèmes moteurs, en fonction des remèdes spontanément cherchés à l'angoisse devant le temps et selon des finalités qui vont se découvrir dans l'écriture même, entraîne à reconsidérer la fonction de l'image par rapport aux schèmes. Car s'il est aberrant de faire de l'image la seule émanation, voire le seul révélateur de ces tendances qui cherchent à se réaliser concrètement (ce qui laisserait entendre que la structure serait ontologiquement et chronologiquement première, avant même d'être structure de quelque chose ou d'avoir quelque chose à structurer), il est tout aussi contestable de vouloir séparer l'image et le schème en leur assignant des charges dissemblables, mais surtout indépendantes, en raison des divergences de leur nature comme de leurs fondements. Même si le dynamisme propre de l'image est essentiellement différent du dynamisme du schème, ce sont cependant les mêmes finalités qui, ici et là, tendent à se réaliser, et c'est au même agencement d'un langage, à la même genèse d'une réponse qui est aussi découverte d'un *sens,* que participent l'image et le schème.

Ici encore, et une fois de plus, se manifeste la différence

des points de vue de l'anthropologue et du poéticien de l'Imaginaire. Car si tous deux se retrouvent, sinon pour délaisser totalement, du moins pour reléguer à l'arrière-plan l'étude des motivations psychologiques et sociologiques, prises isolément, qui tendent à réduire les processus créateurs à des schèmes préexistants et à recourir à un autre langage que celui qui se découvre dans l'œuvre, le rapprochement s'arrête là. Il ne suffit pas davantage, en effet, au poéticien, pour éviter ces écueils de la réduction et de la dénaturation, de repousser tout schéma explicatif et linéaire de la psychologie ou de la sociologie si c'est pour lui substituer l'étude des motivations symboliques selon les vœux de Gilbert Durand. Car si le trajet anthropologique dans lequel se situe ce dernier, et de façon tout à fait pertinente pour son propos, a l'insigne avantage de ne privilégier ni l'ontologie psychologique ni l'ontologie culturaliste [90], il n'en reste pas moins qu'en dépit de l'appel à la thèse séduisante de la genèse réciproque élaborée par Piaget [91], ce trajet reste fermé. Et l'étude des motivations symboliques, si souple soit-elle et soucieuse de la mobilité de l'image, ne s'en limite pas moins à des processus d'ordre génétique ou causal *à l'intérieur* de bornes très nettement posées :

Ainsi le trajet anthropologique peut indistinctement partir de la culture ou du naturel psychologique, l'essentiel de la représentation et du symbole étant contenu entre ces deux bornes réversibles [92].

Or, pour le poéticien, l'essentiel justement n'est pas là. Car s'il admet sans doute que l'acte poétique, comme toute action réelle, constitue bien l'actualisation des possibilités ouvertes par des actions antérieures, et donc que les images qui conduisent cet acte *réalisent* pour partie des virtualités naturelles et culturelles, ce n'est pas cela qui d'abord lui importe. Ce qui lui importe, et qu'il voudrait déceler dans le « *poiein* », c'est la façon dont cette actualisation ouvre à son tour des possibilités nouvelles, la façon dont les images, quelles que soient leurs motivations et par-delà toute borne, créent du virtuel appelé lui-même à devenir réel selon le précepte même du poète en son testament :

90. Cf. *Les Structures anthropologiques de l'Imaginaire, op. cit.*, p. 31.
91. Cf. *Introduction à l'épistémologie génétique, op. cit.*, t. I, p. 36 *sq.*
92. *Les Structures anthropologiques de l'Imaginaire, op. cit.*, p. 33.

Il y a là des feux nouveaux des couleurs jamais vues
Mille phantasmes impondérables
Auxquels il faut donner de la réalité [93]

Et le poéticien de l'Imaginaire, s'écartant de l'anthropologue dans l'analyse de l'image, rejoint encore ici, et sans réserve aucune, le théoricien de l'épistémologie génétique dans son souci de subordonner toujours le possible au réel et non pas l'inverse [94]. Il le rejoint d'autant mieux que, pour lui, l'image, de par sa fonction symbolique et les facultés d'agglutination et de métamorphose qui en découlent, n'est pas achevée dans son actualisation mais appelle une réalité absente, son indispensable complément, dont elle s'approche sans jamais l'atteindre, encore moins la cerner. Dans la mesure où cette image, ou plutôt ce noyau d'images, figure la meilleure approximation possible de cette réalité qui est toujours en avant, et non pas son illustration, elle ne manifeste pas un sens qui lui préexisterait de quelque façon, fût-ce à l'état de contenu inconscient ou d'archétype privilégié, mais s'ouvre au contraire à une pluralité de virtualités sémantiques qui constituent le vrai champ d'investigation du poéticien.

Dans ces conditions, s'agit-il de rejeter purement et simplement la thèse qui fonde l'archétypologie anthropologique et selon laquelle il serait possible de repérer, à travers toutes les manifestations humaines de l'imagination, des ensembles symboliques, des constellations où viendraient s'agglutiner les images autour de certains noyaux organisateurs? Certainement non. Pas plus qu'il ne saurait être question de mettre en doute le caractère sémantique des images-symboles qui fait que la convergence qui préside à leur regroupement en constellations à peu près constantes joue sur la matérialité des éléments en présence comme sur leur syntaxe. Mais il semble impossible, en revanche, de privilégier cette matérialité aux dépens de la syntaxe dont elle se montre étroitement solidaire; impossible surtout d'accepter la proposition selon laquelle « les symboles constellent parce qu'ils sont des variations sur un archétype [95] ».

Affirmer la primauté de cette matérialité, c'est presque inexorablement s'acheminer vers une réification de l'image qui va ramener toute production de l'imaginaire, *a fortiori* toute création

93. Apollinaire, « La jolie rousse », *Calligrammes*.
94. Cf. Piaget, *Introduction à l'épistémologie génétique, op. cit.*, t. I, p. 36.
95. *Les Structures anthropologiques de l'Imaginaire, op. cit.*, p. 34.

poétique, au seul contenu sémantique de ses images. Or, ce contenu risque bien ou de se réduire aux motivations psycho-sociologiques dont procèdent individuellement les images, ou de se résoudre dans le décodage d'images exemplaires puisant leur source hors de la psyché individuelle et censées devoir apporter leur signification avec elles, s'il est isolé du mode de fonctionnement de ces images, de la syntaxe qu'elles se forgent. En tout état de cause, et quel que soit le dynamisme propre de cette matière, dans une perspective bachelardienne, c'est en revenir à un déterminisme causal qui ne laisse que bien peu de place à la création même et fait de l'œuvre l'inévitable produit de ses composantes bien plutôt que l'incessante production de réalités neuves.

En tant qu'organisation dynamique, c'est la syntaxe même ordonnant ces images, entendues non comme figures métaphoriques mais comme formes pleines, qui va permettre en fait cette création. Mais ces images, pour le poéticien, ne sauraient être seules variations sur le thème donné par un archétype, et leur façon de s'attirer, de se regrouper, de consteller, ne saurait être dictée par la seule substantialité de cet archétype. Car le même « archétype », au sens que Gilbert Durand donne à ce terme et auquel il conviendrait peut-être de substituer celui d'image primordiale que souvent lui préfère Jung [96], peut ordonner diverses constellations d'images, ainsi que nous l'avons vu à propos de l'arbre, et il n'apporte pas de ce fait une seule et inévitable détermination, toujours la même, répétée au cours de ses variations, comme certains voudraient nous le laisser croire. Faut-il incriminer le mot même d'archétype qui traîne avec lui l'idée de modèle éternel et immuable, de prototype idéal, comme on le voit chez Platon, Malebranche et même Berkeley? Cela pourrait expliquer en tout cas que Jung, lorsqu'il lui substitue l'appellation d'image primordiale, insiste d'une part sur le fait qu'« elle est en premier lieu et avant tout un dépôt, donc la forme fondamentale typique d'une certaine expérience psychique continuellement répétée » – une forme, précise-t-il, qui est en même temps expression active, sans cesse renouvelée; d'autre part, et peut-être ne l'a-t-on pas suffisamment souligné, qu' « elle est fort probablement l'expression psychique d'une disposition anatomo-physiologique déterminée [97] ». Et de poursuivre :

96. Cf. Jung, *Types psychologiques, op. cit.*, p. 454 *sq.*
97. *Ibid.*, p. 455.

[...] l'image primordiale doit incontestablement être en rapport avec certains processus perceptibles de la nature qui se reproduisent sans cesse et sont toujours actifs; mais, d'autre part, il est également indubitable qu'elle se rapporte aussi à certaines conditions intérieures de la vie de l'esprit et de la vie en général. A la lumière, l'organisme répond par un nouvel organe : l'œil; au processus de la nature, l'esprit oppose l'image symbolique qui appréhende ce processus, comme l'œil, la lumière; et de même que l'œil atteste l'activité créatrice et autonome de la matière vivante, l'image primordiale exprime la force créatrice et inconditionnée de l'esprit [98].

En faisant donc de l'image primordiale l'expression de l'ensemble du processus vital, dont elle permettrait de libérer l'énergie tout en donnant « aux perceptions sensorielles et aux perceptions internes de l'esprit, encore incohérentes et chaotiques, un sens qui les ordonne et les relie entre elles », Jung non seulement se refuse à la figer en un contenu substantif donné une fois pour toutes, et qui serait du déjà-connu, mais encore, privilégiant son fonctionnement dynamique et donc la syntaxe qu'elle instaure, l'associe étroitement à des processus organiques qui sont autant de réponses nouvelles à des sollicitations à la fois internes et externes toujours actives.

Dans ces conditions, comment ne pas conclure que l'image primordiale, dont on ne peut nier le sémantisme ni la fécondité, et le schème structurant, ouvrant les potentialités du texte, qui tous deux reposent sur des fondements organiques et participent pareillement, quoique à des niveaux différents, à l'élaboration d'un sens selon des processus dynamiques tendant à réaliser les mêmes fins, sont indissociables? Indissociables à tel point que, si l'on confronte les caractéristiques qui leur sont propres, il ne semble pas possible de distinguer plus longtemps deux principes organisateurs différents, l'un statique et qui serait l'archétype cristallisant les symboles, l'autre cinématique et qui serait le schème, comme le veut Gilbert Durand :

[...] nous nous sommes vite aperçu que ces convergences mettaient en évidence les deux aspects de la méthode comparative : son aspect statique et son aspect cinématique, c'est-

---

98. *Ibid.*, p. 455-456.

à-dire que les constellations s'organisaient en même temps autour d'images, de gestes, de schèmes transitifs et également autour de points de condensation symboliques, d'objets privilégiés où viennent cristalliser les symboles [99].

Il apparaît au contraire que si les images tendent bien à consteller selon des regroupements à peu près constants et repérables autour des noyaux générateurs et organisateurs que sont les images primordiales, ces constellations ne trouvent pas leur cohérence fonctionnelle dans le développement d'un même thème archétypal, mais dans leur commune appartenance à un schème ou plutôt à un groupe de schèmes définissant une modalité de structuration dynamique. D'où ressortent deux conclusions d'une importance capitale pour le poéticien : la première, c'est que l'analyse des images, laissées comme il se doit dans leur propre champ sémantique, en aucun cas ne pourra se faire indépendamment des schèmes sur lesquels elles s'inscrivent et qui seuls dictent leur sens; la seconde, c'est que les images et constellations d'images ne seront pas tenues pour révélatrices de structures, supposées premières ontologiquement, mais se verront au contraire rapportées à des modalités de structuration intéressant non les fondements mais le devenir du texte.

Les itinéraires obligés et l'acheminement du sens

Ces deux conclusions ont ceci en commun, on le voit déjà, qu'elles mettent toutes deux l'accent sur des processus génétiques acheminant à l'élaboration d'un sens, initialement indéterminé, à partir d'itinéraires obligés dont les déterminations sont conjointement la fonction symbolique de l'image et la modalité de structuration dictée par le schème. C'est dire que nous sortons là tant du pur déterminisme de l'archétype substantif que des lois de la grammaire générative ou transformationnelle pour aborder une syntaxe de l'Imaginaire dont les matériaux, certes, sont linguistiques mais dont l'objet à coup sûr est d'une autre nature. Mais avant d'analyser les principes d'organisation de cette syntaxe à l'œuvre dans le texte poétique, mieux encore les repères qu'elle propose au grand jour et qui devraient être autant de

99. *Les Structures anthropologiques de l'Imaginaire, op. cit.*, p. 36.

balises et de garde-fous pour le lecteur venu s'aventurer en ces terres inconnues, peut-être convient-il de s'attarder un instant sur la génération du sens telle qu'elle se précise désormais. Ce sera pour étayer, s'il en était encore besoin, la réhabilitation de l'Imaginaire dans sa double fonction d'équilibration et de stimulation créatrice de réel; mais ce sera aussi pour en finir avec tous ces morcellements et démantèlements de l'être que, paradoxalement, ont réussi à imposer de nos jours ceux-là mêmes qui croyaient pouvoir résoudre le dualisme cartésien et retrouver de l'homme l'unité essentielle.

En effet, de ces itinéraires obligés par les images et les schèmes, et conduisant à l'élaboration progressive d'un sens toujours repoussé, il ressort tout naturellement que la dichotomie du conscient et de l'inconscient, si fructueuse qu'elle soit comme hypothèse de travail, n'a plus d'utilité pratique voire de signification précise, dans l'approche de l'écriture de l'Imaginaire. Car dès l'instant où des images viennent à s'ordonner d'une certaine façon autour d'une image-mère, dès l'instant où ces constellations d'images viennent à échanger leurs forces et à trouver leur rôle et leur plénitude sémantique dans la direction même que leur imposent les schèmes, il y a construction d'un sens; un sens que la pensée, certes, va chercher à dégager, mais une pensée toute engluée encore de concrétisme [100], embourbée dans la masse des matériaux confusément perçus et transmis par les voies senso-

---

100. Par concrétisme, entendons cette « particularité déterminée de la *pensée et du sentiment,* opposée à l'abstraction » que définit Jung : « Littéralement, concret signifie : uni par la croissance *(con-crescere).* Un concept concret est un concept que l'on se représente lié, fusionné avec d'autres. Un tel concept n'est ni abstrait, ni distinct, ni existant en soi; il se rapporte à quelque chose avec quoi il se mélange. [...] le concrétisme est la fusion de la pensée et du sentiment avec la sensation. A cause du concrétisme, l'objet de la pensée et du sentiment est toujours en même temps objet de la sensation. Cette confusion empêche la différenciation des deux fonctions, qu'elle retient dans la sphère de la sensation, donc de la participation sensorielle; ni l'une ni l'autre ne peuvent donc parvenir à l'état pur; elles restent subordonnées à la sensation » (*Types psychologiques, op. cit.,* p. 438-440). Le concrétisme ainsi entendu, et qui fait la jonction entre le pur donné sensoriel et le concept, ne laisse pas de retenir toute l'attention du poéticien pour qui le texte poétique n'est jamais ni le seul domaine de la sensorialité, ni celui évidemment de la pensée conceptuelle. Son point de vue, qui par là revêt à coup sûr un caractère archaïque que Jung ne manquerait pas de rapprocher de la « participation mystique », cet état de fusion de l'individu avec l'objet externe, reste intermédiaire entre les deux domaines auxquels il tient simultanément. En tout état de cause, c'est dans cette perspective concrétiste que le poéticien se place pour saisir, dans le glissement progressif de l'image à l'idée, l'émergence d'un sens.

rielles. On comprend pourquoi Jung, qui a sans doute le mieux appréhendé les problèmes posés par ces tendances irrationnelles et symboliques qui fondent aussi notre poétique, s'est montré si prudent, et même si réservé, sur les modalités de fonctionnement tant de l'archétype que de l'inconscient collectif, fondements de son système [101]. Car le psychisme n'est point machine que l'on saurait monter et démonter à son gré, et le vivant ne se résout pas en formules pour cette bonne raison qu'il n'est jamais achevé mais ne cesse de se faire. Ainsi du texte poétique.

Aussi bien l'archétype, pour Jung, si tant est que l'on doive adopter ce terme ambigu, n'est pas le réservoir figé d'un contenu immuable que l'on pourrait répertorier dans quelque dictionnaire, avec les variantes culturelles qui s'imposent; il n'est pas ce modèle déposé qui permettrait d'expliquer le conscient par l'inconscient, d'interpréter le donné actuel par une expérience archaïque remise au goût du jour, d'opérer une fois de plus la réduction du complexe au simple. Tournant le dos à toute herméneutique, au contraire, et rejoignant en cela les desseins du poéticien, l'analyse jungienne, au contraire, se propose de chercher à savoir non pas comment cela s'est fait mais ce qui désormais peut se faire, ce qui devrait advenir sitôt que préparées les voies de cette réalité neuve. Ce qui exclut tout mécanisme et fait de l'archétype un moyen d'inventer un ordre, d'aller vers un sens, et non pas un système d'interprétation renvoyant à un code, ainsi que le remarque excellemment Élie Humbert :

> L'idée d'archétype est, elle, avant tout un point de vue à partir duquel certains phénomènes se regroupent, s'ordonnent, projettent des lignes d'action. Elle permet de pressentir certains développements et, par là, de leur faire place. Elle est une façon de traiter le manque, de reconnaître, par exemple, dans certains déficits les traits en creux d'une croissance possible [102].

Voilà qui justifie parfaitement la démarche du poéticien cherchant à découvrir comment les images premières, qui, comme toutes les images, ne sont d'abord que projections de facteurs inconscients d'origine tant naturelle que culturelle, se donnent à

---

101. Cf. Élie Humbert, « Réflexions sur les idées d'archétype et d'inconscient collectif », in *l'Inconscient collectif, études, Cahiers de psychologie jungienne* n° 21, mai 1979, p. 28 *sq.*
102. *Ibid.*, p. 35.

voir et à vivre consciemment dans le texte, mais en même temps organisent le texte où elles se manifestent, tant pour le créateur que pour le lecteur, dans le prolongement même des lignes de force sur lesquelles elles s'inscrivent. Dans de telles conditions, c'est bien dans l'évolution même de leur développement et selon les directions qu'elles suivent en leurs variations et métamorphoses que les images pour nous vont prendre sens; un sens inséparable donc de leurs possibilités de création et que la pensée, se dépouillant progressivement de ce concrétisme qui assure la pleine prise en charge du texte – sa lecture poétique – va finir par conceptualiser. C'est donc à l'opposé du schéma classique de l'appauvrissement de la pensée par l'image que nous conduit cette première réflexion sur la génération du sens, que vient encore confirmer Jung :

> L'image primordiale est le stade préliminaire, la zone matérielle de l'idée; c'est en partant d'elle qu'après avoir éliminé le concrétisme particulier et nécessaire à l'image primordiale, la raison développe un concept – l'idée – qui se distingue de tout autre concept en ce qu'il n'est point une donnée empirique et que l'on finit même par inférer qu'il est à la base de toute expérience. L'idée tient cette propriété de l'image primordiale qui, expression de la structure spécifique du cerveau, donne à l'expérience sa forme déterminée [103].

Outre la pleine réhabilitation de l'image et de l'Imaginaire qui se lit ici, c'est aussi la réunification des aspects de la psyché et des fonctions essentielles de l'être humain qui se voit assurée par l'image première. Et cela intéresse d'autant plus le poéticien, dont l'objet, organisme vivant, concerne conjointement conscient et inconscient, sensible et intelligible, que Jung conclut sa définition en montrant que cette image primordiale, bien qu'exprimant d'abord des matériaux collectifs inconscients et échappant à une situation personnellement conditionnée du conscient, n'en dépend pas moins, *dans son fonctionnement,* et donc dans ses facultés créatrices, de données individuelles :

> Le degré d'efficacité psychologique de l'image primordiale est déterminé par l'attitude individuelle. [...]
> L'image primordiale a, sur la clarté de l'idée, l'avantage

---

103. *Types psychologiques, op. cit.,* p. 456.

d'être vivante. C'est un organisme qui vit de sa vie propre, doué de « force génératrice », organisation héritée de l'énergie psychique, système solide, non seulement expression, mais possibilité de déroulement du processus psychique. Elle caractérise d'abord le mode selon lequel, depuis les temps les plus reculés, il se déroule toujours de la même manière, et rend possible en même temps cet écoulement régulier. Car elle permet de saisir, psychiquement, des situations de telle sorte que l'on puisse toujours donner à la vie une continuation. Elle est donc le pendant nécessaire de l'*instinct,* activité dirigée vers un but d'ordre téléologique, mais qui suppose aussi l'appréhension sensée et conforme au but de la situation de chaque instant [104].

Sans doute, en ce qui nous concerne, ne saurions-nous limiter cette force génératrice à la seule image première, puisque cette image est pour nous inséparable du schème et de la tendance organisatrice qu'il concrétise. Il ne s'agit donc pas seulement d'opérer la transcription de l'analyse jungienne, dont l'objet est le vivant comme il se vit, à l'analyse poétique dont l'objet est l'imaginaire du texte envisagé dans son écriture comme dans sa lecture, quelque grande que soit l'analogie. Il reste cependant que, d'une façon assez troublante, mais qui ne semble guère avoir préoccupé bon nombre de ceux qui se réclament de Jung, l'accent est mis ici non sur des contenus mais sur des potentialités, non sur des situations en acte mais sur des possibilités de déroulement ouvertes par certains processus, non sur des résultats acquis mais sur des « continuations » entrevues. Et c'est là évidemment que le poéticien, soucieux non de mettre à jour des structures déjà figées mais de suivre la genèse progressive de structures vivantes et donc toujours en devenir, va pleinement se retrouver. Car il y voit confirmation d'un fait qu'il avait déjà lui-même intuitivement pressenti dans son expérience des textes : pour archaïque qu'elle apparaisse, et dépassant dans sa substance comme dans son mode d'affleurement la situation personnelle du créateur, quelles que soient ses concordances avec des motifs mythologiques connus et ses signes d'appartenance à un fonds collectif manifeste, l'image n'en reste pas moins tributaire d'attitudes individuelles qui lui garantissent sa pleine efficacité, et donc son autonomie créatrice. Ce sont précisément ces attitudes

104. *Ibid.,* p. 456 et 458.

individuelles fondamentales [105] qui vont dicter les modalités de ce que Jung nomme « activité dirigée vers un but d'ordre téléologique » et qui n'est autre, pour le poéticien, que la syntaxe propre à chaque mode de structuration dynamique ordonnée par l'Imaginaire.

105. Jung, distinguant pour sa part deux grands types psychologiques qu'il nomme attitude d'introversion et attitude d'extraversion, envisage tout naturellement l'infléchissement de l'image primordiale et les particularités des fonctions psychologiques fondamentales qui s'ensuivent selon ces deux attitudes.

4

Tissage du texte
et syntaxe de l'Imaginaire

Le poétique, le virtuel et l'au-delà de la signification

L'analyse de l'écriture de l'Imaginaire entraîne ainsi à une vue réunificatrice du conscient et de l'inconscient, dont il apparaît bien vain, pour le poéticien, d'opérer le partage. Mais elle entraîne aussi à cesser d'opposer, au nom de quelque paléocritique, collectif et individuel comme deux sources distinctes où s'abreuverait le texte poétique. Les matériaux en tant que tels importent moins, en effet, que les processus qu'ils engagent; et quand bien même ces matériaux réapparaissant de semblable façon à travers l'espace et le temps et ne sauraient appartenir en propre à celui qui en use, ils ne prennent forme et signification que selon l'attitude, la tendance fondamentale et toute singulière qui les ordonne et qui les guide [1]. C'est dire que le texte poétique ne peut être saisi que dans la globalité de tout ce qui le nourrit et lui permet d'être ce qu'il est, mais sans pour autant lui donner un sens. Car le recensement, si minutieux fût-il, de tous ses éléments mêlés, conscients et inconscients, collectifs et personnels, la prise en considération de leur ordre et de leur mode d'émergence, de leur organisation même, vont permettre tout au

---

1. La distinction entre inconscient personnel et inconscient collectif, source de bien des malentendus, est d'ailleurs remise en cause aujourd'hui par certains jungiens qui voudraient y voir deux aspects complémentaires d'une même face cachée de la psyché :
« La distinction inconscient collectif/inconscient personnel marque une différence intéressante mais provoque des confusions et des malentendus.
« Elle suggère l'existence de deux inconscients, que l'on a même vu représenter sous forme de deux couches superposées. Or je pense que Jung a proposé cette distinction non pas pour définir deux inconscients mais pour affirmer que l'inconscient n'est pas seulement ce que Freud en a vu. Il a d'autres caractères : une objectivité, une créativité, un savoir. Ces trois points fondent la pratique jungienne et font l'originalité de sa théorie. » (Élie Humbert, « Réflexions sur les idées d'archétype et d'inconscient collectif », art. cité, p. 34.)

plus de dégager un certain nombre de significations, celles mêmes que nous retirons de tout langage utilitaire; mais le poétique n'est en rien maintenu par ces significations auxquelles il échappe toujours en renvoyant plus loin. Or, c'est cette quête du sens au-delà, qui définit aussi l'essence du poétique, que pourrait permettre une poétique de l'Imaginaire.

Pour entreprendre cette quête, sans doute serait-il bon de faire encore appel à la méthode génétique, laquelle ne pourrait trouver meilleure application qu'en ces terrains de la poésie où tout n'est toujours que création, où rien n'est jamais achevé. Tournant le dos à toute forme d'apriorisme qui suppose un système prédéterminé de schémas virtuels précédant l'action réelle et censé l'expliquer, la méthode génétique se propose au contraire, on l'a vu, de « ne considérer le virtuel ou le possible que comme une création sans cesse poursuivie par l'action actuelle et réelle [2] ». Sans négliger le fait que toute action est, pour partie du moins, réalisation de possibles antérieurs – et, pour notre propos, il apparaît par là que l'étude des matériaux *actuels* du texte, peut-être même des significations momentanées qu'ils revêtent, présentera un intérêt certain, à condition de n'en pas tirer de conclusions définitives [3] –, son attention se porte avant tout sur les possibilités multiples qu'ouvre toute action actuelle; mais plus encore, ce qui lui importe, ce sont les liens qui nécessairement lient entre elles ces diverses possibilités, ou plutôt « le lien de virtualité toujours plus proche de l'implication logique [4] » qui devrait fournir une norme intemporelle au devenir génétique.

C'est précisément là le problème majeur du poéticien cherchant à mettre en lumière le devenir du texte, à dégager la nature des relations qui s'établissent entre sa réalisation et les possibles qu'elle engendre. Mais cela ne lui suffit pas, qui permet tout au plus de faire vivre le texte, en s'insérant dans sa création continuée, et de le donner à vivre. Encore veut-il tenter de saisir ce qui unit entre elles, dans leur devenir, les diverses constellations d'images, ce qui fait converger vers un même point les schèmes qui le guident, ce qui finalement assure la cohérence

---

2. Piaget, *Introduction à l'épistémologie génétique, op. cit.*, t. I, p. 34.
3. Une telle étude ne devrait en rien préjuger du sens à venir mais autoriser ce que Jung, à propos de l'image primordiale, appelle « l'appréhension sensée et conforme au but de la situation de chaque instant », appréhension d'une situation donnée que garantissent l'image et le schème toujours présents même s'ils ne cessent de conduire au-delà.
4. Piaget, *Introduction à l'épistémologie génétique, op. cit.*, t. I, p. 34.

du texte. Par-delà toutes les significations partielles et momentanées que peuvent dégager, en deçà du texte, toutes les herméneutiques réductrices, il voudrait trouver ce lien de virtualité
toujours plus proche de l'implication logique dont parle le généticien et qu'il appelle le sens.

Cela suppose de découvrir – ou d'inventer – des lois qui
échappent à la causalité, toujours tautologique et renvoyant à
du déjà-connu ou du déjà-vécu, mais non pas à la nécessité d'une
logique; des lois qui ne sauraient être celles du domaine quantitatif, sans doute, mais qui permettraient cependant, sans mésestimer les données actuelles, de justifier le passage du réel au
possible et de faire se rejoindre réalité et vérité. Et pour la
poétique de l'Imaginaire, qu'il faut bien fonder, la chose est
capitale, qui devrait permettre d'affirmer au grand jour d'une
part que toute science n'est pas nécessairement causale, d'autre
part et surtout qu'un processus génétique – et tel est bien le cas
du texte poétique dans le temps de sa création comme dans celui
de sa lecture – au lieu de refléter des normes préalables, et donc
d'illustrer ou de manifester un sens déjà donné, pourrait bien au
contraire engendrer la constitution de normes, et donc créer du
sens nouveau, fabriquer de la réalité supplémentaire. Le « *poiein* »
cesserait alors de sembler simple métaphore ou le seul « analogon »
du « faire » artisanal, pour apparaître vraiment comme cette
Création dont nous ont parlé tant de poètes mais sans toutefois
nous convaincre vraiment [5].

De cette science des virtualités, le généticien se propose de
poser les fondements, qui entend saisir le passage du processus
génétique que constitue toute réalité en devenir à l'implication
logique dont relève le monde des possibilités ouvertes par celle-
ci :

Toute action formatrice d'une opération engendre, par son
exécution même, deux sortes de virtualités, c'est-à-dire, en
« engageant » l'activité du sujet, elle ouvre deux catégories
de possibilités nouvelles : d'une part une possibilité de répétition effective, ou de reproduction en pensée, s'accompa-
gnant alors d'une détermination des caractères jusque-là
implicites de l'action; d'autre part, une possibilité de compositions nouvelles, virtuellement entraînées par l'exécution de

5. Cf. notamment Saint-Pol Roux, dont toute la « Répoétique » est tentative
pour cerner cette authentique Création qu'il nomme « surcréation » (cf. *la Répoétique,* Limoges, Rougerie, 1971).

l'action initiale. [...] l'action initiale engendre, du seul fait de sa réalisation, deux sortes de possibilités, c'est-à-dire d'opérations virtuelles : les unes consistent à pouvoir répéter l'action exécutée, en dégageant ce qu'elle entraînait dès l'abord; les autres consistent à la prolonger en actions nouvelles nées de son inversion ou de sa composition avec d'autres [6].

Ces réflexions préliminaires de Jean Piaget, lorsqu'on tente de les appliquer à la poétique, semblent bien d'abord multiplier les problèmes plutôt qu'apporter quelque réponse; et l'hypothèse d'un principe fondamental d'équilibre sur lequel elles débouchent, principe selon lequel « toute série génétique tendr[ait] vers certains états d'équilibre opérant la jonction entre le réel temporel et le logique intemporel [7] », le recours à cette notion d'équilibre pour établir une liaison spécifique entre le possible et le réel, lieu où s'assurerait leur interdépendance et qui suffirait à « rendre compte de la jonction du devenir mental avec la permanence logique et normative [8] », sont peut-être moins satisfaisants qu'il ne paraît d'abord [9]. Il se pourrait bien que ce soient au contraire les ruptures d'équilibre et les constants réajustements qu'elles appellent qui, en matière de poésie, conduisent la dialectique du réel et du possible et entraînent à chercher toujours un sens au-delà. Mais ces réflexions, cependant, appliquées à l'écriture de l'Imaginaire, ne laissent pas d'être fécondes.

Il apparaît en effet que la genèse du texte poétique, ou plutôt son émergence en dehors de tout projet et de toute méthode – selon « la seule imagination de l'impuissance à se conformer », au dire de Michaux [10] –, pourrait bien répondre conjointement aux deux catégories de virtualités que distingue Piaget. La première, ouvrant des possibilités de répétition effective ou de reproduction en pensée, permettrait au créateur d'être à chaque

6. *Introduction à l'épistémologie génétique, op. cit.*, p. 34-35.
7. *Ibid.*, p. 38.
8. *Ibid.*, p. 36-37.
9. Gilbert Durand prend cette notion d'équilibre à son compte dans sa définition du « trajet anthropologique », à propos de la genèse réciproque du geste pulsionnel et de l'environnement matériel et social. Mais son point de vue, rappelons-le, reste strictement lié à celui de l'explication anthropologique à l'intérieur d'un champ clos dont l'œuvre est le terme (cf. *les Structures anthropologiques de l'Imaginaire, op. cit.*, p. 31).
10. Henri Michaux, *La nuit remue* (1935), « Postface », Paris, Gallimard, 1967, p. 194.

instant le découvreur effectif de sa propre création et de faire à mesure de cette découverte le tremplin de la création à venir [11]. Voilà qui déjà vient rendre plus complexe, et moins facile aussi à déchiffrer, le schéma initial d'une production de l'Imaginaire où viendraient seulement se conjuguer forces bio-psychiques et forces socio-culturelles, alimentées et aimantées par les images qu'elles glanent et ordonnent. Car cette mise à distance au cours même de la réalisation pourrait bien venir rompre à intervalles réguliers la ligne de l'œuvre en devenir, en incluant des normes logiques – des fragments de sens issus de la cohérence des possibles – à la réalité du texte à chaque palier de son émergence. Autrement dit, la jonction du réel et du possible ne s'opérerait pas seulement au terme du processus de l'écriture, en ce bel équilibre que promet le généticien; elle se ferait tout au long de ce processus, selon des rythmes essentiels dont il importerait de tenir le plus grand compte dans la mise à jour d'une syntaxe de l'Imaginaire, opérant autant de ruptures propres à relancer la création, à la renforcer mais à l'aide de rectifications successives [12].

Mais la deuxième catégorie d'opérations virtuelles, celle qui ouvre des possibilités de compositions nouvelles dans le prolongement même de ce qui vient d'être exécuté, est bien celle au contraire de la continuité, qui va obstinément poursuivre la recherche d'un sens dans la convergence des forces et des matériaux mis en œuvre, par-delà les significations partielles des éléments en présence, mais par-delà aussi ces fragments de sens mis à jour dans les ruptures de la création. C'est sans doute cette continuité qui a le plus retenu l'attention des linguistes contemporains, lesquels à juste titre ont montré que l'étude de la poésie était inséparable de celle du fonctionnement de la langue. Mais, là encore, cette vue primaire se complique, car les prolongements de l'action en cours ne sont pas seules conséquences de mécanismes bien montés tendant à engendrer des répétitions de phonèmes, des variations sur certains cadres consonantiques, des modulations euphoniques, des séries de jeux ryth-

---

11. Là encore, il faudrait se référer, en priorité, à Michaux, continuel spectateur de son œuvre en train de naître, ne s'intéressant d'ailleurs qu'à ce qui devient en un « instantané et progressif quiproquo », mais intégrant surtout ce spectacle de « dilatation » et de « dérapage », si on l'en croit, à sa création « en route vers une re-absurdité ». Cf. *Passages, op. cit.,* « En pensant au phénomène de la peinture », p. 108 *sq.* Cf. aussi *Émergences-Résurgences, op. cit., passim.*
12. Cette rectification va tout à fait dans le sens des intuitions de Saint-Pol Roux, qui entend donner pour fonction au poète de « corriger Dieu ».

miques mesurables, comptabilisables et même transformables en oscillations graphiques, comme on le voit dans la phonostylistique. Ce sont là tout au plus des manifestations de certaines virtualités, lesquelles ne dépendent que très superficiellement de ces mécanismes mais tiennent essentiellement à la finalité des grandes tendances structurantes et des images-symboles qui les nourrissent, les unes et les autres inséparables d'un moi créateur entendu dans sa totalité. Aussi les virtualités qu'il faudrait tenter de saisir ici, en cette continuité qui garantit l'unité non seulement d'un texte particulier mais de la production globale d'un poète, par-delà les variations diachroniques, ne se laissent-elles pas résoudre en procédés linguistiques, en dépit du matériel mis en œuvre et du discours que tient une écriture qui semble vouloir s'organiser de certaines façons, toujours les mêmes, comme pour véhiculer ou restaurer quelque mythe.

Fonction mythique et écriture poétique

Il est banal d'affirmer, et sans qu'il soit besoin pour le montrer de reprendre au départ la question de la nature et de la fonction du mythe, que l'écriture poétique tend à se manifester à la façon d'un mythe. Entendons par là non pas que le poème en son discours cherche obscurément à relater un événement primordial, au sens où l'entend Mircea Eliade [13], à raconter comment une réalité, totale ou fragmentaire, est venue à l'existence, au temps des « commencements ». Ce serait d'ailleurs une erreur, compte tenu de la « surcréation » poétique, que de faire du poème une expression privilégiée du mythe et tendant à sa façon, comme système explicatif déguisé, à révéler les modèles exemplaires de tout ce qui touche aux activités humaines significatives. Mais cependant, dans son apparition progressive, il est bien manifestation, au sens fort du terme, épiphanie, irruption du sacré dans un espace profane. D'autre part, il se situe bien toujours « au commencement », dans la mesure où la parole qu'il profère n'est pas reconnaissance mais connaissance, n'est pas identification mais création. Par voie de conséquence, il ne parle jamais que de ce qui arrive réellement, de ce qui se manifeste pleinement au moment où il s'écrit et parce qu'il s'écrit. Enfin, le rituel de

13. Cf. Mircea Eliade, *Aspects du mythe,* Paris, Gallimard, 1963, p. 14 *sq.*

réactualisation que constitue sa lecture fait bien sortir du temps profane et déboucher sur un temps différent, un temps à la fois primordial et indéfiniment récupérable, et qui, de ce fait, peut justement être dit sacré [14].

Mais peut-être faut-il aller plus loin encore. Car le mythe, quelles que soient les perspectives selon lesquelles on l'envisage, dans son souci d'apporter réponse aux grands problèmes que se pose l'homme, tant au sujet de ses origines et de sa destinée qu'au sujet du monde où il vit, apparaît toujours à quelque degré comme tentative sinon de maîtriser le temps du moins de délivrer de son emprise. Sans adopter entièrement les prémisses d'Eliade pour qui tout mythe se rapporterait aux origines mais donnerait aussi la certitude d'un nouveau commencement, et cela en fournissant symboliquement les possibilités d'un « retour en arrière » et d'une re-naissance éternelle, on peut cependant se ranger à ses conclusions selon lesquelles tout recours au mythe ou tout comportement mythique reviendrait à chercher à « se guérir de l'œuvre du Temps [15] ». Or, n'est-ce pas semblable guérison, selon les différentes modalités de structuration dictées par l'Imaginaire et qui apparaissent comme autant de réponses possibles à l'angoisse de l'homme devant le temps, que propose ou cherche à proposer la création poétique? Il ne s'agit plus seulement d'analogie entre fonction mythique et écriture poétique, quand c'est la même quête d'un sens cherché hors des limites chronologiques actuelles qui apparaît ici et là. Et l'on peut se demander comment s'explique pareil recoupement, quand mythe et poésie fondamentalement se tournent le dos, le discours mythique tendant à répéter à l'infini une situation initiale qu'il cherche tout à la fois à exprimer le plus complètement possible et à faire revivre au présent, tandis que l'écriture poétique, tout à l'inverse, inaugure une situation jamais vécue et jamais dite et s'ouvre à des possibles à venir.

La première explication qui vient à l'esprit est celle des psychanalystes et de ceux qui, à des degrés divers, s'inspirent de leurs travaux. Les contenus de l'image, et plus généralement les contenus de l'inconscient d'où elle sourd, seraient chargés de valeurs mythiques, liées pour l'essentiel à la première enfance, et, bien loin de s'estomper, tendraient au contraire à se manifester, dans leurs pouvoirs originels, en diverses circonstances.

14. Cf. *ibid.*, p. 30.
15. Cf. *ibid.*, p. 95 *sq.*

Ainsi Eliade, confrontant sa propre recherche avec celle des psychanalystes, après avoir montré quelle relation pouvait s'établir entre la valeur « existentielle » de la connaissance de l'origine dans les sociétés traditionnelles et le désir de connaître l'origine des choses dans notre civilisation occidentale, retient-il essentiellement du freudisme sa valorisation des « commencements », à l'encontre de toutes les sciences de la vie :

> Pour la psychanalyse, [...] le vrai primordial est le « primordial humain », la première enfance. L'enfant vit dans un temps mythique, paradisiaque. La psychanalyse a élaboré des techniques susceptibles de nous révéler les « commencements » de notre histoire personnelle et surtout d'identifier l'événement précis qui a mis fin à la béatitude de l'enfance et a décidé l'orientation future de notre existence. En traduisant en termes de pensée archaïque, on pourrait dire qu'il y a eu un « Paradis » (pour la psychanalyse, le stade prénatal ou la période s'étendant jusqu'au sevrage) et une « rupture », une « catastrophe » (le traumatisme infantile), et, quelle que soit l'attitude de l'adulte à l'égard de ces événements primordiaux, ils ne sont pas moins constitutifs de son être [16].

Aussi bien, dans son approche des mythes et de leur fonction primordiale de maîtrise du temps chronologique, garde-t-il de la psychanalyse freudienne deux idées qui vont dans le sens de sa recherche : d'une part, la béatitude de l'origine et des commencements de l'être humain, qui se trouve être aussi un thème assez fréquent dans les religions archaïques, d'autre part, l'idée que, par un retour en arrière, on peut réactualiser certains événements décisifs de la première enfance, et donc opérer un retour individuel au temps de l'origine, ce que réalisent aussi nombre de rituels initiatiques des sociétés archaïques. Or, dans une telle perspective, ce sont les contenus de l'inconscient, venant à se manifester dans la conscience soit fortuitement, soit de façon provoquée, qui vont aussi bien évoquer le Paradis primitif et son Temps achronique que permettre de revivre au présent la rupture

16. *Ibid.*, p. 97-98 et *Mythes, Rêves et Mystères,* Paris, Gallimard, 1957, p. 56. Dans la suite de ce dernier texte, Eliade prolonge ces remarques en évoquant Jung et l'inconscient collectif : « Les archétypes sont impersonnels et ne participent pas au Temps historique de l'individu, mais au Temps de l'espèce, voire de la vie organique » (p. 57). Mais il n'est pas sûr qu'Eliade ait dégagé toute la portée des archétypes jungiens.

avec ce temps primordial et la chute dans le temps vécu. Toute image susceptible de conduire à cette évocation et à cette restauration, en deçà de l'expérience individuelle ultérieure, et peut-être même en deçà de toute expérience individuelle, pourra être dite mythique dans la mesure où elle tiendra sa valeur, comme aussi sa fonction, d'un temps mythique, personnel ou collectif. Et retrouver ces images, les suivre en leurs regroupements et les actualiser, reviendra à mettre à jour une mythologie personnelle en puissance en chaque inconscient.

Le mythologue, cependant, n'est que partiellement séduit par cette hypothèse de la psychanalyse qui, pour être habile, n'en reste pas moins une hypothèse; et il la trouve bien étroite dans sa valorisation de seuls contenus anciens privilégiés qui ne s'effaceraient point d'une mémoire profonde. Et d'ailleurs, comment ces matériaux individuels s'organiseraient-ils en un discours cohérent, à l'intérieur de structures récurrentes et propres à énoncer un événement exemplaire et se répétant au présent de semblable façon à travers l'espace et le temps? Aussi va-t-il tenter de dépasser ces vues premières :

> On peut aller plus loin encore et affirmer non seulement que l'inconscient est « mythologique », mais aussi que certains de ses contenus sont chargés de valeurs cosmiques; autrement dit, qu'ils reflètent les modalités, les processus et les destinées de la vie et de la matière vivante. On peut même dire que le seul contact réel de l'homme moderne avec la sacralité cosmique s'effectue par l'inconscient, qu'il s'agisse de ses rêves et de sa vie imaginaire, ou des créations qui surgissent de l'inconscient (poésie, jeux, spectacles, etc.) [17].

Il apparaît déjà que, dans son souci d'élargir les sources du mythe et d'en rendre raison, sans négliger ni les apports intrinsèques, ni les apports extrinsèques à la conscience, Eliade livre les éléments d'une analyse dont le poéticien saurait déjà plus facilement se satisfaire que de celle du psychanalyste. D'une part, en effet, et revenant après ce détour par la psychanalyse aux principes de son *Traité d'histoire des religions,* il se propose d'ajouter aux valeurs individuelles des matériaux en présence des valeurs cosmiques, et se refuse du même coup à privilégier

17. *Ibid.,* p. 97 *sq.,* n. 1.

les données psychologiques et pulsionnelles par rapport aux données matérielles, culturelles, et sociales. Par là même il laisse entendre que les contenus symboliques que l'homme découvre au profond de lui-même, et dont vont se nourrir les mythes qui l'expriment, ne résultent pas de seules motivations libidinales ou compensatrices parvenant à se faire accepter au grand jour, mais plus encore de motivations extérieures au psychisme humain, du moins à la conscience imaginante, et imposées à l'inconscient par l'environnement cosmique et les hiérophanies qu'il suscite [18]. Hors de toute exclusive subjective ou objective, c'est déjà sur le terrain de l'Imaginaire que se situe ici le mythologue. Mais il ne s'en tient pas là et ouvre une voie plus importante encore aux yeux du poéticien lorsqu'il met en rapport, d'autre part, ces contenus ainsi définis avec « les modalités, les processus et les destinées de la vie et de la matière vivante » qu'ils seraient censés refléter. Car ce ne sont plus dès lors seulement des matériaux que mettraient en œuvre les mythes, des contenus indissolublement subjectifs et objectifs qui, en se manifestant de telle façon, rendraient compte entièrement de certains phénomènes actuels échappant à toute analyse rationnelle. En rattachant ces contenus à de grandes tendances vitales, le mythologue pressent que les matériaux symboliques n'ont pas de pleine signification en dehors de leurs modalités de fonctionnement, et que ces modalités ne leur appartiennent pas en propre mais sont étroitement solidaires des forces qui définissent le vivant. L'histoire exemplaire que relate le mythe va tenir de là son exemplarité, laquelle se manifestera par certaine ordonnance de ses diverses péripéties jusqu'à sa conclusion; mais tout rituel aussi tiendra de là son sens, puisque la répétition au niveau symbolique de l'événement initial sera rendue possible par l'actualisation de ses contenus jusque-là inconscients, actualisation inséparable de la prise en compte des forces sous-jacentes qui gouvernent toute action significative.

Les relations entre fonction mythique et écriture poétique s'éclairent alors beaucoup mieux : toutes deux sont pourvoyeuses

---

18. C'est dire déjà que, dans cet ouvrage où il cherche à montrer que la fonction du mythe est de donner signification au monde et à l'existence humaine conjointement, Mircea Eliade s'éloigne de ses premières classifications d'ordre essentiellement objectif pour développer les préoccupations qui se faisaient jour à la toute fin de son *Traité d'histoire des religions* – à savoir les modalités d'assimilation, d'intégration au psychisme profond et à la durée intime de ces images données par les hiérophanies cosmiques.

de sens à partir d'images communes dont les déterminations se précisent et deviennent vivantes en fonction des forces vitales particulières qui les régénèrent. Mais est-ce à dire que le texte poétique, dans le déroulement de son écriture, ne serait qu'une façon toute privilégiée de restaurer tout ou partie d'un mythe primitif, autrement dit un rite d'une espèce particulière, de par les moyens qu'il se donne, et permettant au créateur puis à son lecteur de retrouver le domaine de la sacralité et donc d'échapper au temps profane?

Raison mythique et raison poétique

C'est bien cependant ce que propose le mythologue lorsqu'il attend des productions de l'Imaginaire, plus particulièrement de toute création échappant pour l'essentiel à la vigilance de la conscience, une occasion inespérée de reprendre contact – le seul contact réel possible, pour l'homme moderne –, avec la sacralité cosmique. Mais alors il en vient bien vite à voir dans une telle création ou un simple « camouflage » du mythe [19], voire une de ses formes dégradées [20], ou du moins une survivance qui se manifeste tant dans la permanence de ses images symboliques que dans les forces vives qu'elle met en œuvre pour sortir du temps historique et personnel et plonger dans un temps sinon primordial du moins fabuleux :

On devine dans la littérature, d'une manière plus forte encore que dans les autres arts, une révolte contre le temps historique, le désir d'accéder à d'autres rythmes temporels que celui dans lequel on est obligé de vivre et de travailler. On se demande si ce désir de transcender son propre temps, personnel et historique, et de plonger dans un temps « étranger », qu'il soit extatique ou imaginaire, sera jamais extirpé. Tant que subsiste ce désir, on peut dire que l'homme moderne garde encore au moins certains résidus d'un « comportement mythologique ». Les traces d'un tel comportement mythologique se décèlent aussi dans le désir de retrouver l'intensité avec laquelle on a vécu, ou connu, une

---

19. Cf. *ibid.*, p. 197 *sq.*
20. Cf. *Traité d'histoire des religions,* Paris, Payot, 1949, p. 367 *sq.*

chose *pour la première fois;* de récupérer le passé lointain, l'époque béatifique des « commencements » [21].

Il est certain qu'Eliade met ici justement l'accent sur ce qui caractérise au mieux, dans la perspective qui est nôtre, l'écriture de l'Imaginaire, et dont le texte poétique offre l'image la plus constante : la recherche d'un temps autre. Mais, très curieusement, venant de quelqu'un qui a longtemps privilégié, dans son approche du symbolisme imaginaire, l'ontologie culturaliste et les grandes épiphanies cosmologiques, c'est en termes psychologiques et presque analytiques qu'il pose le problème d'un désir d'éternité inscrit dans les profondeurs de l'être et cherchant à se déguiser, tout en se dégradant, pour s'actualiser dans les productions de l'Imaginaire. Productions qui portent les traces d'un comportement mythique plus ou moins altéré et qui, en tant qu'expression de l'inconscient susceptible de toujours se manifester de semblable façon, mettent en relief la permanence de l'homme et du drame humain bien plutôt que ses facultés de renouvellement face à l'angoisse devant la temporalité ou que ses possibilités de création de réalité neuve.

C'est le langage de l'anthropologue que parle ici le mythologue, non celui du poéticien. Et pourtant, il est indéniable que l'écriture de l'Imaginaire répond à certain « comportement mythique », alors même qu'elle ne se contente pas de réactualiser des images primordiales inscrites en puissance dans l'inconscient et de revivifier les forces susceptibles de les organiser en un discours. Mais alors comment concilier ce « comportement mythique » – qui fait que « l'image signifie autre chose que ce qu'elle représente, de même que le récit mythique signifie autre chose que ce qu'il raconte [22] », mais qui fait aussi que les images en constellant tendent à répéter certains modes de structuration stéréotypés – avec le passage de l'actuel au virtuel, l'ouverture à des possibilités jusque-là inconcevables qui caractérise la poésie?

Parce que la poésie est d'abord affaire de langage, c'est peut-être en cessant d'envisager séparément les contenus et le fonctionnement du mythe pour se pencher sur le langage mythique qu'une réponse à ce problème pourrait être trouvée. Or, un tel langage, et qui en cela s'apparente étroitement au langage poétique, ne saurait prendre sens si l'on considère ses images et

21. *Aspects du mythe, op. cit.,* p. 232.
22. Jean Rudhardt, « Image et structure dans le langage mythique », art. cité, p. 94.

leurs regroupements en figures mythiques en dehors des contextes à l'intérieur desquels ils prennent signification; mais il ne saurait davantage prendre sens si, à l'inverse, on explore ces contextes et cherche à définir les principes de leur ordonnancement sans tenir compte des pouvoirs de résonance que détiennent les images mythiques indépendamment de toute structure. A distance et de la phénoménologie de Bachelard, et du structuralisme de Lévi-Strauss, telle est la position de Jean Rudhardt qui se propose d'« étudier l'articulation de l'image et de la structure, au niveau du signifié-signifiant, afin de préciser les rôles qu'elles jouent l'une et l'autre dans la détermination du sens mythologique [23] ». Or, examinant à cette fin une même image, celle de l'eau primordiale, dans deux systèmes mythiques différents, une cosmogonie orphique et la théogonie à laquelle se réfère l'Iliade, il en vient à cette conclusion qu'une même image peut revêtir des significations radicalement différentes :

> Lorsque nous l'envisageons dans son isolement, nous n'avons pas le droit de commencer même à l'interpréter. Sa signification se définit à l'intérieur d'un système singulier – dont, pour la déceler, nous devons considérer la totalité. De ce point de vue, l'image reçoit son sens de l'ensemble structuré à l'intérieur duquel elle remplit une fonction [24].

Et cependant, poursuivant ses investigations dans d'autres domaines culturels, dans d'autres systèmes mythiques, il s'aperçoit bientôt que si cette image reçoit plusieurs significations différentes, leur nombre pourtant n'est pas illimité : tout se passe comme si une même image « ne [pouvait] pas remplir n'importe quelle fonction ni revêtir n'importe quel sens ». Non seulement ce sont les mêmes significations qui réapparaissent avec une remarquable fréquence à l'intérieur de mythes différents, mais ces significations oscillent entre deux termes extrêmes et contradictoires [25]. D'où cette conclusion qui ne peut manquer de retenir toute l'attention du poéticien :

23. *Ibid.*, p. 94.
24. *Ibid.*, p. 96.
25. Jean Rudhardt, qui montre pourtant ce que « symbolise » chacun de ces pôles, ne met cependant pas en relation ce phénomène avec le caractère antithétique ou bipolarisant de tout symbole : « les deux termes du *Sumbolon,* écrit Gilbert Durand, sont infiniment ouverts. Le terme signifiant, le seul concrètement connu, renvoie en " extension ", si l'on peut dire, à toutes sortes de " qualités "

Capable d'induire de riches associations d'idées, l'image de l'eau possède ainsi par elle-même un pouvoir de signification; toutefois, bien qu'il ne soit pas indéfini, ce pouvoir demeure ouvert et virtuel. Pour cette raison, l'image s'offre à la pensée mythique comme un instrument commode, polyvalent, mais dont celle-ci ne peut cependant pas faire n'importe quel emploi. Elle l'utilise en l'intégrant dans le système qu'elle élabore et c'est à l'intérieur de celle-ci seulement que, son pouvoir de signifier s'actualisant, l'image reçoit son sens exact, en considération de la place qu'elle occupe dans la structure du système et de la fonction qu'elle y remplit [26].

C'est bien aussi ce qui apparaît dans le texte poétique, nous l'avons vu, où la même image peut revêtir des significations extrêmement diverses et remplir des fonctions tout à fait différentes selon les modes de structuration de l'écriture où elle prend place, sans toutefois remplir n'importe quelle fonction ni revêtir n'importe quelle signification. Encore reste-t-il à savoir comment ce pouvoir de signification de l'image, largement ouvert entre certaines bornes, peut être limité par le système dans lequel elle joue un rôle – comment cet instrument d'abord polyvalent qu'est l'image peut passer sous la dépendance d'une écriture.

A ce propos, Jean Rudhardt remarque d'abord que l'origine des images mythiques n'est pas sans importance; et il admet, sans trop s'y attarder, que cette origine puisse être recherchée dans l'expérience individuelle ou dans la vie sociale, dans l'inconscient ou dans l'histoire. Mais si cette origine peut éclairer certaines de leurs significations virtuelles – il faudrait même dire qu'elle l'éclaire à coup sûr –, il importe de ne pas confondre, nous dit-il, ces significations fragmentaires avec le sens que ces images revêtent dans un mythe singulier, à l'intérieur du système dont dépend ce mythe. Voilà déjà qui s'applique assez bien au déchiffrement de l'écriture de l'Imaginaire où il sera utile, toutes les fois du moins que la chose sera possible, de rechercher les sources, tant psychologiques que culturelles, des images en présence, afin de délimiter leurs significations virtuelles, mais sans

---

non figurables, et cela jusqu'à l'antinomie. C'est ainsi que le signe symbolique, " le feu ", agglutine les sens divergents et antinomiques du " feu purificateur ", du " feu sexuel ", du " feu démoniaque et infernal " » (l'Imagination symbolique, Paris, PUF, 1964, p. 9-10).
26. Ibid., p. 97.

que cela présage en rien le sens qu'elles prendront finalement, dans leurs corrélations et métamorphoses, à l'intérieur du texte, et qui se prolongera au-delà de lui. Et, ce sens à venir, c'est bien dans l'articulation de l'image et du système de structuration propre au texte qu'il faut en chercher le principe.

C'est ce que tente d'établir de son côté Jean Rudhardt en montrant que si le mythe se donne comme un instrument qui utilise les structures linguistiques communes auxquelles il se soumet dans son élaboration, ce qui conditionne son existence comme récit, les images mythiques, de par leur nature symbolique, leur diversité et leur alternance, ne cessent pour leur part de faire éclater ces structures[27]. Et cependant ces images, en se regroupant et en prenant fonction, constituent des ensembles parfaitement cohérents qu'il est possible d'étudier comme tels, hors de la cohérence du récit lui-même, et qui semblent répondre à certains principes d'organisation. Ces principes structurels assurant la cohérence spécifique du langage mythique, c'est-à-dire la cohérence du système à l'intérieur duquel les images prennent vraiment signification, seraient essentiellement de deux ordres : les uns, « schèmes structurels élémentaires », apparaissant à l'examen des liaisons qui unissent les différents éléments du mythe dans un ensemble complexe, résulteraient « du simple développement de celles des images qui jouent dans le récit mythique une fonction verbale »; les autres, ou « schémas généraux d'organisation », se révéleraient à l'issue de l'étude globale des ensembles mythiques[28]. Ainsi, et parce que les schèmes structurels, même s'ils ne sont jamais strictement articulés entre eux, selon Jean Rudhardt, finissent par se combiner de telle sorte que de nombreux récits se trouvent liés indirectement les uns aux autres, voit-on se dessiner des ensembles mythiques qui répondent chacun à un même schéma général d'organisation. Et c'est cela au bout du compte qui va permettre, dans une certaine mesure, de « classer les ensembles mythiques en plusieurs groupes, selon le type des schémas généraux qui président à l'organisation interne de chacun d'entre eux[29] ».

Certes, l'avons-nous assez montré, autre chose le récit mythique, autre chose l'écriture poétique. En dépit de contenus et de visées

---

27. C'est ainsi, nous dit-il, que « le fleuve engendre, la terre gémit, Zeus pleut; Ouranos est le ciel et n'est pas le ciel; Oceanos est eau et n'est pas eau; il est lointain et il est partout présent » (p. 98).
28. *Ibid.*, p. 98-99.
29. *Ibid.*, p. 99.

semblables, en dépit de leurs caractères hiérophaniques communs et de leur commune nostalgie des commencements, en dépit de leur même quête d'un temps sacré, il reste que l'un ne se propose que de réactualiser, en la répétant à l'infini, la même situation exemplaire initiale, alors que l'autre se propose au contraire d'inaugurer toujours des situations nouvelles; et si tous deux cherchent dans la parole un moyen de raccrocher le devenir à une norme logique qui apporterait un sens au drame humain, l'un s'en remet à la perpétuelle actualisation d'un récit virtuel tandis que l'autre travaille à la réalisation des possibilités qu'ouvre sans fin l'écriture. Néanmoins, et même s'ils œuvrent dans des directions opposées, le récit mythique et l'écriture poétique ont ceci en partage qui devrait permettre d'aborder leur lecture, rite dans les deux cas, de semblable façon : les images et constellations d'images ne cessent de briser les structures linguistiques communes, et cependant le mythe et le poème revêtent à leur tour une forme structurée.

Sans doute le mythologue prend-il bien soin de préciser que les structures qui définissent cette dernière forme « présentent des caractères distincts de celles qui conditionnent l'exercice de l'intelligence discursive; elles sont un instrument spécifique de la raison mythique [30] ». De la même façon, ce sont de telles structures spécifiques, ou plutôt de tels systèmes de structuration dépendant de la cohérence des schèmes, celle-ci entraînant elle-même la cohérence des images et répondant à quelques schémas d'organisation, au reste peu nombreux, que voudrait pour sa part mettre à jour, en une syntaxe originale, étroitement associée au sémantisme de ses contenus, le poéticien de l'Imaginaire. Car de même qu'il y a pour le mythologue une raison mythique, bien différente de celle qui préside à l'intelligence discursive, il y a pour lui une raison poétique. Cette même « raison poétique » à laquelle recourt un Éluard lorsqu'il définit le poème comme « ce qu'il est donné au poète de simuler, de reproduire, d'inventer, s'il croit que du monde qui lui est imposé naîtra l'univers qu'il rêve [31] ».

30. *Ibid.*, p. 100.
31. Paul Éluard, *Les Sentiers et les Routes de la poésie* (1952), in *Œuvres complètes,* Paris, Gallimard, 1968, t. II, p. 530.

*La syntaxe de l'Imaginaire – l'écriture de la révolte
et le régime antithétique*

C'est parce que cette raison poétique se voit à l'œuvre dans
l'émergence d'un sens dont ne sauraient rendre compte, isolément,
ni les contenus des images, ni les structures du langage commun,
contenus et structures ne signifiant ici que dans leurs rapports
réciproques à l'intérieur de schémas fonctionnels généraux, qu'il
va être possible, désormais, de parler de syntaxe de l'Imaginaire.
Entendons par là cette syntaxe toute spécifique qui gouverne les
rapports entre des formes pleines et enclines d'abord à signifier
par elles-mêmes; qui précise les déterminations des images-
symboles en leur donnant fonction et de ce fait les particularise;
qui fait apparaître des schèmes qui les guident en leurs regroupements et qu'elles nourrissent en retour; qui laisse découvrir
une convergence de ces schèmes, en dépit de l'hétérogénéité et
de la polyvalence des images qu'ils s'attachent; qui permet de
rapporter cette convergence à la permanence de grands schémas
organisateurs procédant directement de certaines tendances vitales
qui sont aussi tendances propres à l'imagination créatrice; qui
établit enfin la cohérence de l'écriture de l'Imaginaire.
La mise à jour de cette syntaxe de l'Imaginaire, ou plutôt de
ses différents types qui vont gouverner autant de régimes de
l'écriture, va donc reposer essentiellement sur l'étude de rapports
et de modes de relations – relation des images entre elles, relation
des images et constellations d'images avec les schèmes, relation
primordiale des schèmes entre eux comme de ces schèmes avec
le schéma organisateur. Mais ces modes de relation à aucun
moment ne seront envisagés comme premiers ni envisagés pour
eux-mêmes, en dehors des matériaux en présence; et moins encore
seront-ils donnés comme les éléments ultimes de l'analyse à partir
desquels se dégagerait le sens. Si les pièges des structuralismes
devraient être ainsi déjoués autant que les pièges de la psychanalyse et de la phénoménologie, c'est que la fin d'une telle
entreprise, beaucoup moins utopique qu'il ne pourrait le sembler
d'abord, n'est pas d'établir un catalogue des virtualités, actua-
lisables ou non, d'un langage, fût-il celui de l'Imaginaire. Aussi,
et tout en saluant sérieusement le non-sérieux, salutaire parce
que libérateur et donc créateur, des tentatives du groupe Ouli-

po [32], qui a su mettre l'accent sur le principe poétique fondamental – les potentialités contenues dans tout langage –, nous gardons-nous de lui emboîter le pas. Ce ne sont pas ces potentialités en elles-mêmes qui nous importent, ce n'est pas l'inventaire, grâce aux ressources de la pataphysique et de l'informatique conjuguées, des possibilités ouvertes par le fonctionnement actuel d'un langage, ni même les jeux verbaux si vertigineux qui peuvent résulter d'une telle pratique. Peut-être d'ailleurs y a-t-il mieux à faire qu'à tenter de formaliser le système, à supposer qu'il soit entièrement formalisable, si ce doit être seulement pour s'en féliciter et s'extasier sur les infinies ressources du langage, ou même pour se livrer à la « recherche de formes, de structures nouvelles, et qui pourront être utilisées par les écrivains de la façon qui leur plaira [33] ».

En ébauchant les principes d'une syntaxe de l'Imaginaire, dans le prolongement des voies ouvertes par Gilbert Durand et l'anthropologie structurale mais selon des perspectives inverses, il s'agit pour nous essentiellement de montrer qu'une cohérence intime, bien différente de la cohérence rationnelle et répondant à ses propres lois, préside à l'écriture du texte poétique – si peu cohérente que cette écriture paraisse d'abord – et ordonne son déroulement comme aussi la quête de son sens. Mais puisque ce sens appartient non pas à la langue elle-même mais à la parole qu'elle porte, et qui parle à quelqu'un et qui a besoin de quelqu'un pour se révéler, il s'agit plus encore de montrer comment le texte – comment tout texte – peut être parlé mais aussi révélé, peut être actualisé et vécu dans ses potentialités, quel que soit l'Imaginaire de son écriture, mais à condition d'en savoir déchiffrer la syntaxe.

Un premier type de cette syntaxe de l'Imaginaire paraît ainsi s'organiser autour de la première grande modalité de structuration dynamique que nous avons décelée à partir de l'examen des schèmes et de leurs fondements, celle de la conquête. Cette modalité de structuration, rappelons-le, est celle qui répond à une attitude de révolte devant le temps chronologique et la dégradation qu'il implique; révolte qui est à la fois manifestation d'une tendance organique profonde refusant toute finitude et

---

32. « Ouvroir de littérature potentielle », créé en novembre 1960 autour de François Le Lionnais et Raymond Queneau.

33. Oulipo, *La Littérature potentielle (Créations, Re-créations, Récréations)*, Paris, Gallimard, 1973, p. 38.

réponse apportée à l'angoisse liée à cette finitude. Ce sont les traces concrètes, vivantes, de cette réponse et des formes qu'elle revêt tour à tour qui vont organiser l'écriture autour d'un schéma directeur; et ce sont ces traces, comme autant de gestes prolongés, qu'il va falloir tenter de saisir et de suivre dans leurs relations et leurs imbrications réciproques.

Le schéma directeur de ce premier type de syntaxe est de remplissement, d'occupation, de prise de possession, à quelque niveau qu'on l'envisage. Tout se passe comme si, à travers le remplissement de l'espace du texte, l'espace entier pouvait être réellement occupé, possédé dans l'instant, ne laissant plus de place pour le moindre supplément d'espace à parcourir – à conquérir – et plus de place, du même fait, pour un supplément de temps à venir. Remplir tout l'espace, c'est occuper tout entier le présent, c'est arrêter le temps, le figer là où il est, là où nous sommes, l'empêcher d'aller plus loin, toujours plus loin, et de nous entraîner avec lui. L'écriture de la révolte, qui procède d'un tel schéma directeur, va donc être une écriture de l'espace plein ou en voie de l'être et une écriture cherchant à s'immobiliser dans le présent. Écriture de conquérant, mais de conquérant qui ne peut pas attendre et veut s'asseoir sans tarder, ici et maintenant, à la table des dieux. Écriture de qui ne sait pas fuir le temps, encore moins ruser avec lui, mais par tous les moyens cherche à l'arrêter. Aussi bien une telle écriture va-t-elle se révéler d'abord, mais assez mal, dans les contenus des matériaux qu'elle met en œuvre : images manifestant cette conquête dans toutes ses directions, avances et envols, dans toutes ses péripéties, attaques et contre-attaques, dans tous ses risques, chutes et châtiments, comme dans toutes ses victoires et les consolidations qu'elles appellent. Mais n'est-il pas aussi des conquêtes secrètes, en un espace intime, qui échappent au temps, comme il est des conquêtes triomphales, et plus sages, qui n'ont pas trop de tout le temps pour aboutir [34]? C'est bien davantage, en fait, dans les articulations de ces matériaux entre eux et dans les lignes de force qui les ordonnent que cette écriture va se révéler.

Ces lignes de force, schèmes moteurs ou structurels dont la diversité fait dire au mythologue qu'elle est irréductible et ne

---

34. Pour nous en tenir aux seuls exemples que nous analysons dans nos lectures de l'Imaginaire, il est certain qu'un tel matériel « héroïque » se rencontre, et de façon continue, aussi bien dans l'œuvre de Michaux que dans celle de Saint-John Perse, dont la syntaxe de l'Imaginaire est cependant toute différente.

permet pas de tirer des lois de formation [35], semblent à l'inverse étonnamment convergentes aux yeux du poéticien. Si elles proposent les modes d'occupation et de possession de l'espace les plus hétérogènes, elles ont en effet ceci en commun que toutes se définissent par opposition à des forces antagonistes contre lesquelles elles s'érigent; mieux encore, elles semblent ne jouer que par rapport à ces forces adverses et ne tenir leur puissance – leurs pouvoirs virtuels – que de l'équilibre qu'elles tirent de leur contraire. Ainsi les schèmes d'ascension ou d'expansion ne se séparent-ils point du danger de la chute ou de la menace d'envahissement progressif; les schèmes d'extension, d'agrandissement, d'accroissement, de grossissement, paraissent-ils toujours conjurer des périls imminents de rétrécissement, de rapetissement sinon d'effacement; les schèmes de multiplication prolifèrent-ils au contact de la solitude et de l'isolement. Ainsi est-ce toujours en fonction des risques encourus et des peines qui s'ensuivent que se renforcent les schèmes de rapt, de substitution, d'usurpation, et de toutes les actions susceptibles d'assurer au plus tôt, mais aussi d'affermir, possession et domination.

Le corollaire de cette constante confrontation des contraires, si caractéristique de l'écriture de la révolte et permettant assez vite de l'identifier, va se révéler, comme il fallait s'y attendre, dans les manifestations d'opposition qui éclatent à tous les niveaux. Une nouvelle classe de schèmes se précise ici, qui est de séparation, de distinction, de particularisation, de mise à distance. Mais, là encore, si les images manifestant directement, dans leur contenu, coupure et isolement, individualisation, parcellisation, voire mutilation et démembrement, ne laissent pas d'être révélatrices, les relations qui s'établissent entre les divers matériaux du texte le sont bien davantage. Ces matériaux, le plus souvent, vont se trouver juxtaposés, brutalement confrontés, les uns aux autres, sans qu'aucune transition, sans qu'aucun lien logique, relation causale ou même simple coordonnant, ne vienne établir la transition, adoucir ni même préparer le passage. Au contraire, le plus souvent, les frontières vont être renforcées, les barrières épaissies, les séparations soulignées, selon une nécessité qui prend bien vite l'allure d'une technique.

L'écriture de la révolte, qui réalise au niveau de l'Imaginaire une pleine possession de l'espace, se donne ainsi les moyens de

---

35. Cf. Jean Rudhardt, « Image et structure dans le langage mythique », art. cité, p. 101.

maîtriser le temps, de le retenir en un présent arrêté, en mettant en œuvre une syntaxe de l'antithèse dont les conséquences sont multiples [36]. La première de ces conséquences, c'est sans doute le fait qu'en une telle écriture rien ne se projette jamais que sur le fond de son contraire : écriture de la totalité qui, certes, fait ses choix, accentue les contrastes pour mieux valoriser ce qu'elle élit, mais qui a besoin de ce qu'elle rejette autant que de ce qu'elle retient pour subsister. Une seconde conséquence, et qui résulte de celle-ci, c'est qu'un constant parallélisme s'établit entre les contraires, au niveau thématique, qui engendre au niveau stylistique des jeux de symétrie répétés qui ne sauraient passer inaperçus. Une troisième conséquence paraît être, sur le plan du discours cette fois, le recours au principe d'exclusion, lequel refuse le secours de tout ce qui pourrait faire procéder un élément d'un autre, image ou schème, mais aussi de tout ce qui pourrait établir une relation d'analogie entre eux. De là une ultime conséquence et qui tient étroitement des précédentes : du fait qu'à tous les niveaux les éléments du texte, et même s'ils ne fonctionnent que les uns par rapport aux autres, apparaissent isolés, sans liens manifestes pour les faire se rejoindre, sans relations de contiguïté spatiale et sans relations de successivité temporelle, c'est une vision globale mais tout abstraite du monde et des choses que propose finalement une telle écriture; vision ironique qui jamais ne colle à la réalité sensible, du moins jamais longtemps, mais en donne une représentation à distance qui pourrait paraître figée tant les forces en présence ne cessent de s'équilibrer. C'est en définitive un régime tout manichéen de l'Imaginaire qu'ordonne cette syntaxe de l'antithèse où la révolte contre le temps ne conduit à son terme la conquête de l'espace que dans l'immobilité du mouvement de la page.

L'écriture du refus et le régime euphémique

C'est autour de la seconde des grandes modalités de structuration dynamique, qui est de repli et correspond, nous l'avons

---

36. Il ne convient pas d'envisager ici toutes ces conséquences, puisque les différentes lectures de l'Imaginaire qui suivront s'en chargeront très en détail et d'une façon beaucoup plus parlante que ne saurait le faire un exposé abstrait (cf. deuxième partie).

vu, à une tendance profonde de refus devant le temps chronologique, que s'ordonne un second type de syntaxe de l'Imaginaire.
La réponse à l'angoisse devant la temporalité, à la conscience de
toute finitude, n'est plus spontanément cherchée, cette fois, dans
la mainmise sur l'espace et son remplissement, mais au contraire
dans la délimitation d'espaces privilégiés où se mettre à l'abri
du temps. Ainsi le schéma directeur de cette syntaxe va-t-il être
d'approche, de construction, de renforcement de refuges toujours
menacés, toujours à restaurer en des espaces tendant à se réduire,
comme s'il devait finalement se trouver un lieu clos – oublié –
où échapper au temps. Délimiter un espace dans le texte, un
espace dans cet espace et un nouvel espace dans celui-ci, c'est
en effet vouloir faire en sorte de ne plus laisser entrer le temps.
L'écriture du refus, qui dans diverses voies s'organise à partir
de ce schéma directeur, va se trouver aussi écriture du refuge;
écriture de l'espace aménagé ou plutôt des espaces sans cesse
réaménagés et de plus en plus miniaturisés, écriture cherchant
à évacuer le temps. Nous voici loin de l'écriture glorieuse du
conquérant impatient de tout à l'heure, Icare ou Prométhée; c'est
l'écriture de l'anti-héros ou du héros à l'envers, que celle-ci.
Écriture de qui cherche à se faire oublier en ses « lointains
intérieurs », de qui ne voit de paradis que secrets et d'ailleurs,
tant il lui paraît aussi inutile d'affronter directement Chronos
que de prétendre composer avec lui. Et sans doute sont-ce les
matériaux les plus concrets, dans le prolongement de cette
attitude, les images elles-mêmes qui sembleraient devoir dénoncer
le mieux, dans leur substance comme dans leur fonction symbolique, une telle écriture. Images du repli manifestant, à n'en
pas douter, les deux valorisations du refuge : l'espace protégé
mais précaire vers lequel on s'achemine et duquel, on le sait, il
faudra repartir; l'espace protecteur, monde complet dans lequel
on s'installe et s'enfonce à l'écart du monde extérieur et de ses
intempéries de toute sorte. Lieu *vers* lequel on se replie – pour
se cacher, pour se reprendre ou se régénérer – mais où l'on ne
fera que passer, et lieu *dans* lequel on se replie, on se retrouve,
et que l'on ne voudrait jamais quitter : c'est autour de ces deux
pôles que vont cristalliser et consteller la plupart des images de
cette écriture. Mais, là encore, il serait bien imprudent de vouloir
tirer quelque conclusion définitive de la seule présence dans le
texte de telles images, moins encore de leur indice de fréquence;
et ce ne sont pas leurs connotations plus volontiers nocturnes ou
fréquemment heureuses qui permettront davantage d'identifier

cette écriture. Ce serait d'une part oublier la bipolarité du symbole, et jamais résonances paradisiaques et infernales ne se sont si bien confondues qu'ici; et ce serait négliger d'autre part le fait que de ces images intimes de refuges – ventre ou château, havre ou prison, île ou caverne, ville ou forêt – se rencontrent aussi dans des contextes où il ne s'agit pas d'échapper au temps mais de prendre possession *divinement* d'un espace présent arrêté ou de faire étape sur le chemin d'une conquête qui ne renie point le sens de l'histoire [37].

Là encore, pour mettre à jour les caractéristiques de cette écriture du refus, se donner les pouvoirs et d'en suivre les itinéraires et d'en prolonger la genèse, plutôt que s'attarder à l'inventaire d'images prétendument révélatrices, il sera plus utile de chercher quelle cohérence profonde fait converger les schèmes qui regroupent et guident non seulement certaines mais toutes les images du texte, et d'examiner les modes d'articulation des divers matériaux en présence. Dès la première analyse, il apparaît que le caractère commun de ces schèmes du repli est la régularité de leur progression et la parfaite continuité de leur intervention. La quête d'un espace-refuge et l'installation dans cet espace s'opèrent l'une et l'autre de façon progressive, sans que jamais les obstacles rencontrés soient affrontés vraiment ni même long-temps dénoncés comme obstacles. Ainsi la fuite sera-t-elle moti-vée par la destination invoquée bien plus que par les raisons qui l'ordonnent, et son moteur apparaîtra-t-il souvent comme ce vers quoi il est bon de s'enfuir plutôt que ce qu'il est impératif de fuir. Et l'on aperçoit déjà, dans ce renversement, la préfiguration d'un autre renversement, et qui sera caractéristique de cette écriture, celui des nécessités objectives ramenées bientôt à de simples décisions subjectives.

Ce renversement coïncide en effet avec un souci d'atténuation qui joue un rôle de régulateur et qui va, sous diverses formes, se retrouver à l'œuvre dans tous les schèmes du repli. Schème de progression vers un lieu plus secret, un espace plus intime à l'abri des importuns et des indiscrets; schème de descente en un

<hr>

37. Qu'il suffise de mentionner, pour le premier cas, la prise de possession de la totalité de l'espace et de la totalité du temps conjointement par le héros du conte d'Apollinaire descendu au fond de la caverne du Roi-Lune *(le Poète assassiné);* et, pour le second cas, l'inscription dans une perpétuelle temporalité, valorisant le drame humain, des héros de Saint-Pol Roux dans le château ou la forêt de *la Dame à la faulx.* Dans l'un et l'autre cas, le matériel « mystique », pour emprunter la terminologie de Gilbert Durand, est mis au service d'une syntaxe qui ne l'est guère.

domaine plus caché, espace privé et espace du dedans; schème d'enfoncement insensible, de pénétration d'un monde qui se laisse pénétrer. Tout se passe, en de tels cheminements, comme si les obstacles, en une perspective renversée, tendaient à s'amenuiser sinon à s'estomper au fur et à mesure que l'on s'approche d'eux; obstacles d'abord insurmontables et qui bientôt deviennent dérisoires : obstacles mous et inconsistants auxquels on ne peut pas même se heurter, comme les ennemis filants d'Henri Michaux [38], ou bien obstacles en rien dont il faut faire le tour, comme le faux mur des îles où accoster chez Max Jacob [39]. Mais tout se passe aussi comme si, s'effaçant par-devant, les obstacles se trouvaient rejetés par-derrière, de plus en plus menaçants, de plus en plus pressants, de l'autre côté du mur, de l'autre côté du monde, obligeant à fuir plus loin, à descendre plus avant, à s'enfoncer davantage, et finalement à se replier en un espace plus restreint et momentanément mieux protégé.

D'où un second groupe de schèmes où le repli ne se manifeste plus dans une progression linéaire continue, qui est aussi régression, mais dans une restriction spatiale continue, l'atténuation demeurant la même. Schème d'abord de l'enfermement – et la multiplication des actions verbales tendant à réaliser dans le texte la clôture, à assurer et vérifier la fermeture à tous les niveaux, est sans doute plus révélatrice que la rencontre de lieux clos. Schème du redoublement qui coïncide avec le renforcement des protections du côté de l'extérieur et l'enfermement dans un espace analogue mais plus restreint. Schème de l'emboîtement, surtout, et qui dérive du précédent, lié à un redoublement systématique où l'occupation successive d'espaces similaires mais de plus en plus réduits entraîne une hypertrophie des processus d'inversion et d'atténuation [40].

Hypertrophie telle que le troisième groupe des schèmes déterminant cette écriture va converger dans le sens du resserrement, de la minimisation, de la miniaturisation. Miniaturisation heureuse ou angoissante d'un univers « gullivérisé », microcosme à

---

38. Cf. « Persécution », *in* « Mes propriétés », *La nuit remue, op. cit.,* p. 108.
39. Cf. « Poème » (« Quand le bateau fut arrivé... »), *le Cornet à dés* (1917), Paris, Gallimard, 1967, p. 46.
40. Gilbert Durand a particulièrement bien étudié, à partir de P.-M. Schuhl (*Le Merveilleux,* Paris, Flammarion, 1942) et Bachelard (*La Poétique de l'espace,* chap. VII), ces thèmes et motifs du redoublement et de l'emboîtement qu'il fait dériver directement, sur le plan réflexologique, de la dominante digestive et des phantasmes d'avalage; aussi bien n'hésiterons-nous pas à en faire le meilleur usage dans notre lecture de Michaux.

qui rien ne manque dans sa perfection intemporelle ou prison
dont les murs ne cessent de se resserrer annonçant « la fin d'un
domaine ». Mais limitation progressive aussi de l'espace-refuge
aux mesures mêmes de qui est venu s'y réfugier, assimilation de
celui-ci à celui-là qui sera le thème de tant de métamorphoses
aussi bien dans les mythologies que dans les contes populaires.
Et, à l'extrémité de ce groupe de schèmes, espace du dehors et
espace du dedans venant à se confondre mais à se réduire aussi
de concert, c'est l'effacement même de tout espace, du moins la
menace de disparition, au terme d'encerclements de plus en plus
étroits, de cet ultime point [41].

Reste enfin un dernier groupe de schèmes, et qui n'est pas le
moins important, celui qui réunit les différents modes d'occupation et d'aménagement de ces espaces miniaturisés, heureux
et menacés, où contenant et contenu viennent à se fondre.
Schèmes de la possession non point dominatrice mais concilia-
trice, de la communion, de l'ensevelissement, de la fusion sous
diverses formes, où viennent s'agréger les images de l'intimité,
et qui tous réalisent, dans les mouvements mêmes qu'ils inau-
gurent et laissent à prolonger, cette atténuation, voire cette
abolition des contraires qui pourrait bien être le meilleur signe
d'identification d'une telle écriture.

Il apparaît en effet que les articulations de tous ordres, à
l'intérieur de cette écriture du refus, vont tout à fait dans ce
sens qui tendent, en se multipliant, à rassembler, à rapprocher,
à réunir jusqu'à confondre les différents éléments en présence.
Les matériaux vont ici se trouver liés et mêlés alors même
qu'aucune relation naturelle ne les rapprochait ou que tout tendait
au contraire à les séparer. Sans doute ne s'agit-il jamais d'une
mise à jour de relations logiques causales ou consécutives, il ne
faut pas s'y tromper; mais la multiplication des coordonnants et
de toutes les formes et formules susceptibles d'établir des similitudes manifeste un autre dessein : celui de minimiser les différences, de réduire les écarts, d'assouplir les barrières, d'estomper
les frontières et de faire que tout se confonde en un même tout.

L'écriture du refus, qui cherche à découvrir et habiter des
espaces de plus en plus réduits mais aussi de plus en plus intimes
et de moins en moins pénétrables, parvient ainsi, dans l'Imaginaire, à conjurer le temps, sinon à s'en défaire, à l'aide d'une
syntaxe de l'euphémisme dont on retiendra les caractéristiques

41. Cf. Henri Michaux, « Un point, c'est tout », *La nuit remue, op. cit.*, p. 30.

les plus manifestes. Tout d'abord cette écriture, à quelque niveau qu'on l'envisage, se veut de concilier les contraires et refuse toute forme d'opposition manichéenne, toute accentuation des contrastes, tout choix dans une réalité sans couture; mais la totalité, sans relief apparent mais non sans épaisseur, qui est sienne ne se présente jamais comme double de la réalité vécue mais comme microcosme autonome échappant ou s'efforçant d'échapper à la temporalité. De cela résulte, sur le plan thématique, une constante recherche d'homogénéisation d'images contradictoires et bientôt confondues, du moins pouvant se renverser et échanger leurs pouvoirs réciproques. Sur le plan stylistique, outre l'accumulation des coordonnants, cela entraîne l'abondance des processus d'assimilation et de métaphorisation mais surtout l'abondance des procédés répétitifs. La répétition sous toutes ses formes joue d'ailleurs un rôle de choix dans cette syntaxe, qui non seulement gouverne les structures d'emboîtement et de mise en abyme mais ordonne aussi les incantations génératrices du texte et les litanies qui le développent ou l'enroulent sur lui-même. Une autre caractéristique, qui touche alors au discours poétique, va être le constant recours au principe d'analogie [42], lequel justifie la progression du texte non selon des modalités d'exclusion ou de causalité mais selon des modalités d'assimilation. Et c'est cette assimilation qui, en dernier lieu, paraît résumer le mieux en les complétant toutes les caractéristiques de cette syntaxe : la contiguïté de tous les éléments, leur fusion toujours plus grande au cours de la minimisation et de la miniaturisation des espaces-refuges, et qui finit par englober le sujet lui-même, font qu'une telle écriture impose en définitive une vision très parcellaire, toute subjective et essentiellement concrète du monde et des choses; vision sympathique, selon l'acception bachelardienne, et qui adhère totalement à ce qu'elle donne à voir et à vivre sans jamais s'en mettre à distance vraiment. Aussi est-ce un régime moniste de l'Imaginaire que manifeste et contrôle cette syntaxe de l'euphémisme où le refus du temps qui passe, de repli en repli, est bien près d'entraîner, comme la descente d'Igitur en son tombeau, espace ultime, le seul blanc de la page.

---

42. Remarquons d'ailleurs que l'idée de répétition est contenue, étymologiquement, dans le terme même d'analogie.

L'écriture de la ruse et le régime dialectique

Un dernier type de syntaxe de l'Imaginaire [43] s'organise enfin, semble-t-il, autour de la troisième grande modalité de structuration dynamique, celle du progrès. Cette modalité de structuration correspond pour sa part à une attitude radicalement différente des deux précédentes, puisqu'elle ne dit pas non au temps et ne lui oppose ni révolte ni refus. Tout à l'inverse, elle est attitude positive qui est, ou plutôt semble être, acceptation de l'inéluctable déroulement chronologique. Si la sagesse est de « dire oui au temps, admettre le futur, accueillir le changement qu'il nous apporte », si ce sont là « les conditions premières de la réalisation de toute œuvre » comme l'affirme Ferdinand Alquié [44], une telle attitude est bien de sagesse qui s'insère dans le sens de la chronologie et n'oppose au temps nulle résistance. Est-ce à dire que la tendance organique profonde qui la sous-tend, contrairement aux précédentes, n'ait à répondre à aucune question de l'être-au-monde, échappe à l'angoisse devant la temporalité? Certainement non. Mais la réponse qu'elle apporte, et qui est pareillement geste de survie dont l'écriture va manifester les signes les plus vivants, transcende cette angoisse en feignant de se soumettre au devenir mais pour mieux le dépasser. Telle est l'écriture de la ruse, qui n'est aveuglement ni résignation mais réalise sa quête d'éternité en ne séparant point la conquête de l'Être de la marche du temps.

C'est cette acceptation première, la ruse qu'elle dissimule, qui va définir le schéma directeur de cette dernière syntaxe. Schéma dans lequel l'espace de l'Être – espace d'un monde total qui est aussi l'espace du poème – ne peut être parcouru, traversé plutôt qu'occupé, qu'au terme d'une progression dont le sens est dicté

---

43. Il s'agit bien entendu de types purs et que l'on ne rencontrera sans doute jamais sous tous leurs aspects, et sous ces seuls aspects, dans quelque texte poétique. Les œuvres retenues par nos lectures de l'Imaginaire pourraient cependant s'en rapprocher au mieux.
44. Ferdinand Alquié, *Le Désir d'éternité* (1943), « Sagesse de Descartes », Paris, PUF, 1947, p. 158.

par le temps. C'est en suivant la direction de sa flèche, en utilisant sa force vectorielle, que cette progression se fera progrès; mais c'est en découvrant l'énergie de sa roue, en mettant à profit la force issue de sa répétition cyclique, qu'elle aura toute chance d'aboutir. Ainsi la mainmise sur le temps va-t-elle s'opérer par la médiation de ce temps lui-même qui cesse d'être perçu, dans les changements irréversibles qu'il entraîne, comme facteur de dégradation, révélateur de néant, pour apparaître comme créateur d'un supplément d'être dans sa circularité et conducteur de sens dans sa vectorialité. L'écriture de la ruse, qui procède d'un tel schéma, va donc se révéler comme une écriture qui n'a pas besoin d'occuper, ou de délimiter, ou d'aménager un espace privilégié. Son espace est l'espace profane dont elle donne un double qui va être progressivement valorisé, et sacralisé, par la valorisation même du temps qui l'oriente et le plénifie; espace en mouvement où se multiplient les bornes et les repères, constamment balisé par un passé et un futur qui prennent les mesures : lieux où l'on évalue toute distance parcourue. Aussi est-ce là l'écriture de qui a tout son temps, de qui prend tout son temps, et sait regarder loin.

Les matériaux d'un tel cheminement indissolublement spatial et temporel sont multiples, on le devine sans peine; mais on peut émettre quelque doute sur l'utilité d'en établir l'inventaire quand on sait que seules leur place et leur fonction leur donneront vraiment signification. Du moins certaines indications seront-elles fournies tant par les images qui manifestent cette progression dans la succession même de ses états et de ses étapes, que par les images qui fournissent les instruments de cette progression, témoignent de sa réalisation effective ou la contiennent virtuellement. Images de l'étendue spatiale et de la ligne d'horizon, du chemin à parcourir et du regard captateur, de la mesure et de l'arpentage; images gravitant autour de la relation à établir, de la liaison à assurer, de l'obstacle à surmonter, de la limite à dépasser; images du chemin parcouru, recensions et constats, inventaires et bilans. Mais images aussi de l'ensemencement, de la germination, du mûrissement, de la fructification, du feu régénérateur, du recommencement et de l'éternel retour. Il est certain cependant que ces images n'appartiennent à une même écriture de l'Imaginaire, dont certaine syntaxe se fera pleinement révélatrice, et ne contribuent donc à l'élaboration d'un sens, qu'autant qu'elles se regroupent et s'enchaînent, s'articulent pour déjouer les pièges de la temporalité et opérer le passage

de la finitude à l'infinitude le long de schèmes convergents [45].
Ces schèmes, en effet, ne se contentent pas de recueillir les
forces latentes qui habitent les images et de les prolonger dans
le texte, voire au-delà de lui; ils « corrigent » les images en faisant
s'infléchir leurs forces dans le sens dicté par la tendance dont ils
dérivent, et par là même ne cessent de rectifier, jusqu'à le
renverser parfois, leur apport initial. Or, les schèmes de cette
écriture, si hétéroclites soient-ils, convergent tous dans une même
fonction de relation, de progression qui ne s'arrête à nul obstacle,
de liaison qui a besoin de s'affirmer comme telle. Qu'il s'agisse
des schèmes progressistes et linéaires, récupérant la force vectorielle du temps et se calquant sur une histoire qui tire son sens
de son déroulement même à sens unique; qu'il s'agisse des
schèmes générateurs et cycliques, puisant leur force dans la
répétition des cycles temporels et l'éternel recommencement
d'une histoire qui n'a nulle raison de s'arrêter; qu'il s'agisse des
schèmes rythmiques retenant essentiellement des schèmes linéaires
comme des schèmes cycliques l'alternance des temps forts et des
temps faibles qui assure équilibre et continuité à l'œuvre médiatrice entre le devenir et l'intemporel; qu'il s'agisse des schèmes
dramatiques, mettant en scène les péripéties de diverses histoires
et les organisant en une Histoire qui prend signification dans
la vision globale de ses événements; qu'il s'agisse enfin des
schèmes eschatologiques qui font déboucher l'Histoire sur une
non-Histoire, un terme ultime qui est aussi une fin des Temps :
dans tous les cas, c'est bien une continuité dans le temps et hors
de lui, une relation entre contraires et contradictoires qu'ils savent
découvrir et utiliser.

Si par là une telle écriture est plus proche de celle du repli
que de celle de la conquête, encore que son mouvement soit
inverse, il faut bien voir que les relations ont ici besoin de
s'asseoir sur des principes logiques et d'une cohérence autre que
subjective; bien voir surtout que les liaisons que la syntaxe à
tous les niveaux va tenter d'établir et de renforcer ne tendent
jamais à rapprocher les contraires, à estomper les différences,
mais cherchent à l'inverse à les maintenir dans leurs antagonismes
afin de se servir de la force même qui les oppose pour progresser

---

45. Qui ne voit en effet que les images du regard captateur ou du feu
régénérateur, par exemple, occupent une place de choix dans l'œuvre d'Apollinaire
(cf. notamment « Onirocritique » et « Le brasier »), ou que les inventaires et les
bilans, les retours et les reprises abondent dans la production de Michaux? Il
s'agit pourtant, ici et là, d'une tout autre écriture de l'Imaginaire.

au-delà d'eux. C'est ce que vont souligner tout particulièrement les diverses articulations entre les éléments du texte, qui assurent conjointement l'affrontement et le dépassement des antagonismes. Si donc les coordonnants restent privilégiés, qui tendent à assurer une liaison permanente mais aussi à identifier plus précisément et à valoriser dans leur singularité chacun des matériaux en présence, les subordonnants ou ce qui en tient lieu sont ici plus nombreux et beaucoup plus actifs que dans les autres modes d'écriture. Les oppositions, comme aussi les différentes procédures qui les renforcent, demeurent fondamentales, mais tout est mis en œuvre pour qu'une relation logique, causale ou finale, il n'importe, finisse par s'établir et vienne dépasser l'opposition première en garantissant à tout prix la progression par-delà tout obstacle.

Ainsi l'écriture de la ruse, qui d'obstacle en obstacle réalise dans le texte poétique un cheminement continu voulant dépasser toute finitude en se servant du temps lui-même, parvient-elle à ses fins en recourant à une syntaxe de la dialectique facilement identifiable. Tout d'abord une telle écriture, en cela plus complexe que les deux autres, spécule sur les oppositions pour mieux les surmonter et par là se révèle à la fois moniste et dualiste; mais, loin d'être synthèse des deux autres, elle leur est radicalement opposée et par son refus de privilégier l'espace, et par son souci d'assimiler le temps. Le monde de l'Imaginaire qu'elle entrouvre ressemblerait d'ailleurs beaucoup à notre monde le plus quotidien, si l'on ne découvrait soudain que le passage du devenir à l'intemporel s'est effectué, et que le drame a pris sens. Cette syntaxe de la dialectique va se reconnaître, sur le plan thématique, à l'évolution des images guidée par la coïncidence des contraires, et qui met en relief tout particulièrement la progression du texte et sa finalité profonde. Sur le plan stylistique, ou ce qu'il est convenu d'appeler ainsi, elle se reconnaîtra de deux façons : d'abord à sa domination du temps total et de l'Histoire, qui ne lui fera jamais bousculer la chronologie, comme on le voit dans la syntaxe de l'antithèse, encore moins l'oublier comme dans la syntaxe de l'euphémisme, mais lui en fera prendre au contraire une mesure globale, lui en permettra même volontiers l'appropriation au présent, qu'il s'agisse de faits passés ou de faits à venir; mais elle se reconnaîtra aussi à la mise en évidence, et ce jusqu'à la redondance, des antécédents et des conséquents, qui est encore reconnaissance à sa façon du sens de l'Histoire. C'est évidemment l'appel constant à la causalité ou au déterminisme qui la fera identifier sur le plan du discours : besoin de toujours expliquer, de trouver raison, souvent même de faire système; mais besoin aussi de tout faire servir, jusqu'au moindre détail, à la résolution du drame. Cette systématisation, cette explication généralisée, pourrait bien se révéler finalement comme la marque dominante de cette écriture de la ruse : une écriture qui donne du monde une vision rassurante parce qu'elle n'exclut rien et parvient coûte que coûte à donner sens à tout; mais rassurante aussi parce que, comme en notre quotidien, elle ne sépare point l'espace du temps et se contente de prolonger le fini dans l'infini. Ainsi apparaît-il que cette syntaxe de la dialectique gouverne un régime de l'Imaginaire où la ruse avec le temps, de progrès en progrès, réalise si bien l'éternité dans le devenir que sur la page, un jour, l'homme se réveille dieu.

Structuration du sens et tissage du texte

Cette détermination d'une syntaxe de l'Imaginaire et de ses différents types correspondant à des tendances vitales profondes serait cependant de bien peu d'intérêt, et de peu d'originalité, si elle ne devait servir qu'à établir des classes de poètes et à répartir les œuvres poétiques selon les trois écritures décelées et les trois régimes antithétique, euphémique et dialectique qui leur sont attachés. Sans doute permettra-t-elle essentiellement de fonder sérieusement et de guider toute lecture poétique qui ne sera plus désormais abandonnée aux seules rencontres de fortune et aux seuls élans imprévisibles de l'instant. Mais avant même d'en arriver là et de faire que cette lecture réalise au mieux les potentialités du texte poétique, cette détermination présente d'immédiats avantages. Elle permet en effet, en un premier temps, de récuser l'autonomie de l'image, quelle que soit sa charge archétypale, et de rejeter du même coup toute classification qui tendrait à répartir les images selon différentes familles de l'Imaginaire, ou à en faire les témoins irrécusables de structures privilégiées. D'une part, nous l'avons vu, les mêmes images, parfois leurs mêmes associations appelant les mêmes thèmes, se manifestent à l'intérieur d'écritures différentes. D'autre part, si ces images font éclater d'abord les structures linguistiques en place pour instaurer un autre ordre de structuration, ce nouveau principe d'organisation ou raison poétique n'est pas dicté par les contenus des images mais par la façon dont les schèmes utilisent ces contenus en fonction de la tendance à laquelle ils se rattachent et de l'attitude qu'ils manifestent.

Si les images, dans l'analyse, apparaissent dès lors inséparables des schèmes, lesquels sont bien davantage que le « simple développement de celles de ces images qui jouent [...] une fonction verbale [46] », ces schèmes pour leur part sortent valorisés de la détermination d'une syntaxe de l'Imaginaire. Ils cessent tout d'abord d'apparaître sous la seule dépendance des images, qui peuvent tout au plus les infléchir en fonction de leur charge propre, pour manifester directement, dans les moyens qu'ils mettent en œuvre comme dans leur finalité, la tendance profonde dont ils procèdent. Mais surtout, ce qui plus importe, bien que leur diversité soit grande et que leur intervention soit imprévisible qui ne répond à aucune nécessité causale, ces schèmes cessent d'apparaître incohérents dans l'ensemble structuré où ils prennent place et incapables de rendre compte des lois qui engendrent cet ensemble. A l'inverse de ce qui se voyait dans le système mythique, et sans doute parce que discours mythique et écriture poétique œuvrent dans des directions opposées, les schèmes en action dans le texte poétique, tant par leur convergence que par les modes de relation qu'ils imposent à tous les niveaux, non seulement dictent la cohérence vraie de ce texte mais ne séparent point, pour ce faire, l'actualisation de son devenir – son tissage –, de l'appréhension de quelque implication logique au travers de ses virtualités – son sens.

Faut-il se contenter d'en conclure que le langage poétique, pour novateur qu'il paraisse et prêt à bousculer les cadres traditionnels du discours, ne saurait échapper plus que tout autre langage à la cohérence intime qu'entraîne son seul fonctionnement structural [47]? Ce serait bien insuffisant, même si ce devait mieux mettre en relief la fonction structurante, d'ailleurs peu contestable, des schèmes. Il faut, semble-t-il, aller beaucoup plus loin dans les conclusions à tirer de la détermination d'une syntaxe de l'Imaginaire et du rôle de ses diverses composantes, et dégager ce qui fait sans doute l'essentiel de son prix : le constat qu'une telle syntaxe, inséparable des contenus sémantiques et qui ne saurait donc être analysée sans eux, à la différence de toute autre

---

46. Jean Rudhardt, « Image et structure dans le langage mythique », art. cité, p. 98.
47. Cf. notamment Delas et Filliolet, *Linguistique et Poétique, op. cit.*, « Propositions », chap. II et IV.

syntaxe est directement pourvoyeuse de sens; non d'un sens purement sémiologique lié aux seuls jeux d'organisation et de fonctionnement de formes vides, mais d'un sens tenant sa réalité des matériaux qu'elle véhicule et sa vérité de la structuration qu'elle opère, d'un sens à la recherche de sa plénitude.

C'est là que se précise l'originalité du langage poétique, mais c'est là aussi que se précise le rôle du schème dans ce langage. Car s'il apparaît que c'est sur lui que repose pour l'essentiel la cohérence du texte poétique, dont rend justice le mode syntaxique qui est le sien dans l'Imaginaire, c'est que deux fonctions lui sont dévolues. C'est lui, d'une part, qui assure les associations entre les images, qui organise les constellations autour d'un schème ou d'un son et conduit leurs métamorphoses à partir de la tendance qu'il manifeste et en fonction de la réponse qu'il tente de lui apporter; par là même, et sans neutraliser les pouvoirs de signifier propres aux diverses images, il détermine entièrement chacune d'elles en particulier et la fait coopérer à la réponse globale qu'il propose. Mais, d'autre part, c'est lui aussi qui dicte les relations ou plutôt les modalités de rapports entre les divers matériaux qu'il ordonne, et cela toujours en fonction de l'attitude profonde qu'il manifeste au grand jour, spontanément, sans la moindre tricherie du jugement; et il est vraisemblable que c'est de ces relations que dépend le contenu sémantique du texte, qui va trouver là bonne part de son unité. Dans l'une et l'autre de ses fonctions, le schème contribue donc bien, par la cohérence qu'il impose, à la structuration progressive du sens. Mais il y contribue d'autant mieux que les associations entre les images et les relations entre les divers éléments du texte, à tous les niveaux et pas seulement au niveau thématique, se trouvent ici multipliées du fait que le texte poétique met en œuvre moins un langage parlant, procédant au seul échange de sens, qu'un langage révélant, générateur de sens.

C'est cette génération progressive du sens, dans un langage qui est avant tout épiphanie, que montre l'analyse du schème. Mais si chaque schème, par la cohérence qu'il impose, réponse partielle à une question profonde, achemine vers un sens, si chaque itinéraire qu'il propose détient sa propre cohérence, il reste que chacun d'eux ne livre pas partie du sens, comme on pourrait le croire : le sens du texte poétique n'est en rien la somme des sens partiels que délivrerait individuellement chacun de ses schèmes. Cette vue simpliste, et qui a pu laisser croire parfois que la lecture la plus parfaite du texte poétique serait celle qui pourrait totaliser le plus grand nombre de lectures partielles, recourant s'il se peut à des herméneutiques différentes, méconnaît ce fait fondamental : la somme des éléments d'un texte et des composantes de chacun de ces éléments, même assortie de l'examen des relations internes et externes qui sont les leurs et de leurs motivations, pour exhaustive qu'elle se veuille ne saurait donner raison au texte dans sa réalité et la singularité de sa création. Or, cette réalité et cette singularité, exemplaires dans le cas du texte poétique, et dont aucune herméneutique ne peut rendre compte davantage que la seule analyse linguistique, il va être permis de s'en approcher grâce aux schèmes. Aux schèmes envisagés non plus séparément, cette fois, mais dans leur rapports réciproques qui dictent le tissage du texte auquel ils donnent sa signification actuelle, et dans leur convergence qui, par les virtualités qu'elle ouvre, engage son sens à venir.

Le tissage du texte à partir des schèmes dont l'analyse devrait permettre de saisir la réalité en devenir du texte dans ce qu'elle a de plus vivant, mais aussi la cohérence qui la gouverne, ne laisse pas de poser de sérieux problèmes au théoricien. De ce tissage, en effet, dépend un des caractères essentiels du langage poétique selon le linguiste, son équivocité; il s'agit du caractère qui veut qu'un texte, élaboré à partir d'une langue commune, devienne une réalisation particulière, un « modèle de performance », en actualisant le fait d'« utiliser des traits non combinables en une structure achevée univoque [48] ». D'un certain point de vue, en effet, les différents schèmes en action dans un même texte poétique ne sont pas combinables du fait que leurs rapports ne semblent pas formalisables en un système cohérent, à moins de chercher au-delà d'eux, ainsi que l'essaie, mais sans succès, le mythologue, quelque relation logique qu'ils signifieraient [49]. Une telle tentative est d'avance vouée à l'échec dans le domaine de la poétique de l'Imaginaire, puisque les fondements des schèmes sont de nature organique et relèvent de la tendance, et que les principes logiques, à l'intérieur de chacun des régimes syntaxiques de l'écriture, ne gouvernent pas ces schèmes mais sont mis au contraire au service de leur finalité dont ils restent tributaires. La raison poétique ne se laisse pas mener ainsi; et si les différents schèmes, hors de toute logique rationnelle, se combinent entre eux, c'est en vertu de principes symboliques qui

---

48. Cf. *ibid.*, p. 111.
49. Cf. Jean Rudhardt, « Image et structure dans le langage mythique », art. cité, p. 100.

ne répondent pas aux lois de l'entendement mais n'empêchent pas, cependant, de formaliser la signification. Du point de vue de la raison discursive, certes, et en dépit de leurs homologies qui permettent sans difficulté de justifier leur regroupement au sein des divers régimes syntaxiques, les schèmes apparaissent comme des éléments non combinables; mais ils se combinent pourtant si bien, en un ordre autre qui est celui du qualitatif et du symbolique, que certains modèles de signification naissent de leurs rencontres, lesquelles provoquent autant de conflits générateurs de formes [50]. C'est donc bien la réalité la plus vivante du texte en devenir qui permet d'appréhender, et de la façon la plus rigoureuse, le tissage du texte; et l'engendrement de formes nouvelles qui résulte de la confrontation et de la combinaison conflictuelle des différents schèmes en présence se révèle en définitive indissociable de la cohérence profonde qui habite le texte et répond à certaine régularité morphologique – une régularité qui ne contredit en rien l'originalité, l'unicité de la création.

Et déjà cette cohérence, qui relève, nous le verrons, d'un système discontinu et débouche sur la signification en acte du texte, fait porter l'attention sur la seconde caractéristique des schèmes, leur convergence, qui va permettre, au travers de sa structuration, de suivre l'émergence du sens. La convergence des schèmes, c'est au travers des schémas généraux d'organisation de chacun des régimes syntaxiques de l'écriture de l'Imaginaire qu'on la peut d'abord saisir : schémas, rappelons-le, qui voient se dessiner une topologie cohérente d'éléments de nature différente, occupant des fonctions différentes et intervenant aussi à des niveaux différents, et cela à partir des jeux compensatoires de l'espace et du temps. Or, ces schémas tiennent leur généralité de la permanence des conflits dont ils procèdent mais aussi du petit nombre de réponses qu'on leur peut apporter; ainsi fournissent-ils des modèles généraux d'organisation statique de l'Imaginaire, modèles délivrés par les grandes tendances vitales qui refusent toute limitation temporelle et inventent en quelque sorte des modes de survie. Les schèmes, avec les images qu'ils entraînent, viennent remplir et dynamiser ces modèles, mais surtout les singulariser par le sens particulier qui peut être donné à une réponse générale, la création d'une réalité neuve échappant à toute finitude. Aussi l'examen de la convergence des schèmes

---

50. De ces conflits générateurs de formes, et plus généralement de l'application qui peut être faite de la Théorie des catastrophes au domaine poétique, il sera plus longuement question au cinquième chapitre.

va-t-il obliger à sortir des seules significations qui se dégagent du texte saisi dans son devenir de texte, dans sa réalité, pour aborder le problème de sa vérité; une vérité que dicterait, au-delà de l'écriture, quelque nécessité subsumant toutes les virtualités ouvertes par le texte. Il est certain que la convergence des schèmes vers un au-delà de l'écriture, et qui suppose d'envisager le texte non plus dans son archéologie mais dans son eschatologie, empêche la poétique de l'Imaginaire de croupir à l'étroit dans les eaux de la linguistique. Mais, en ouvrant le domaine des possibles engendrés par la réalité en devenir du texte, cette convergence fait mieux que montrer comment s'articulent processus génétiques et vérité logique : elle prouve que la structuration du sens, qui dégage le lien qui unit entre eux ces divers possibles et le resserre peu à peu jusqu'à en faire ou presque une implication logique, participe aussi de la quête de l'intemporel.

5

Poésie et morphogenèse

L'écriture des forces et ses paradoxes

Telle qu'elle se présente désormais, la poétique de l'Imaginaire semble appeler le paradoxe de quelque côté qu'on l'envisage. D'une part, nous l'avons vu, elle récuse l'approche de ceux qui ne cherchent dans l'œuvre que le reflet du monde extérieur à un moment donné et ne veulent y lire que le seul produit d'impératifs matériels, sociaux, historiques, économiques ou idéologiques, aussi bien que l'approche de ceux qui ne cherchent que la projection d'un psychisme créateur et ne veulent y trouver que le seul produit d'impératifs bio-psychiques, psychologiques, sinon pathologiques. Et si elle se refuse ainsi à suivre ceux qui se proposent d'expliquer le texte poétique, de le tirer au clair à partir de conditions extérieures ou de motifs profonds qui viendraient se manifester dans son écriture, c'est parce qu'ils se servent du texte, dont ils ne considèrent jamais que les contenus, comme d'un prétexte, intéressés qu'ils sont non par l'œuvre en tant que telle mais bien par ses raisons d'être ce qu'elle est, et donc par des préoccupations qui lui sont étrangères. Mais, d'autre part, elle récuse pareillement l'approche de ceux qui, à l'inverse, et précisément pour éviter ce danger, s'enferment dans l'œuvre qu'ils ne veulent examiner que comme un champ clos, un monde isolé dans lequel une détermination lexicale et une organisation syntaxique, le fonctionnement d'un langage, engendreraient seuls une réalité appelée texte selon des modalités particulières dont l'étude constituerait la poétique. Et si alors elle ne veut pas suivre ceux qui n'envisagent le texte que comme une production autonome, coupée de toute autre réalité qu'elle-même, et donc manifestement d'une structure abstraite dont elle ne serait qu'une des réalisations concrètes possibles, c'est que, par souci de ne point sortir de ce texte, ils se font un devoir de ne tenir nul compte ni des données biologiques et psychologiques ni des référents culturels et sociaux qui seuls pourtant pourraient garantir la réalité de son langage. Premier paradoxe, donc, et qui la met à distance de ceux qui pensent qu'analyser une œuvre consiste à remonter à des antécédents, déceler des causes ou mettre à jour des motivations, parce qu'ils sortent du texte et laissent de côté sa spécificité créatrice; mais qui la met également à distance de ceux qui s'efforcent de dégager la création qui s'opère à l'intérieur de l'œuvre de par les seuls jeux de l'écriture, parce qu'en s'interdisant de sortir du texte ils s'attachent vainement à dégager un sens de l'organisation et du fonctionnement de formes vides, privées de sens.

Un second paradoxe découle de celui-ci : la poétique de l'Imaginaire, dans son analyse qui renvoie dos à dos et ceux qui ne veulent voir dans l'œuvre que le produit de causes qui lui sont extérieures et ceux qui ne veulent y voir que la seule production du langage par lui-même, découvre que l'écriture poétique répond à une syntaxe qui lui est propre; une syntaxe qui échappe aux structures linguistiques communes que les images n'ont de cesse de faire éclater en une désorganisation continue, et qui met en place des structures résolument différentes de celles qui régissent l'exercice de l'intelligence discursive. Ainsi les processus génétiques en œuvre dans le texte, quelle que soit leur cohérence interne, débouchent-ils sur des significations ou des ébauches de significations dont ne saurait rendre compte aucune herméneutique particulière précisément parce qu'elles échappent à la logique du discours. Et cependant, à l'intérieur même de cette syntaxe de l'Imaginaire, les possibilités ouvertes par la restructuration continuelle et l'agencement des matériaux entre eux, mais surtout par la convergence des schèmes, entraînent l'acheminement vers un sens qui sort de l'écriture et tend à retrouver, au-delà de l'actuel, un univers logique qui fonderait la vérité du texte poétique.

Mais cette syntaxe elle-même est paradoxe : elle repose sur des jeux de forces émanant de grandes tendances organiques qui imposent des schémas d'organisation d'une part, des modalités de fonctionnement d'autre part, et déterminent les contenus des matériaux mis en œuvre. Mais ce sont ces contenus eux-mêmes, il ne faut pas l'oublier, qui déclenchent et réactualisent à chaque instant ces forces, et mieux encore inventent des structures nouvelles, proprement poétiques, qui font infléchir les schèmes en dictant finalement le sens à venir. D'où l'impossibilité de

séparer, dans la poétique de l'Imaginaire, jeux formels et matériaux symboliques, qui ne cessent de s'informer, de s'attirer et
de se conditionner mutuellement; au point que la syntaxe de
l'écriture de l'Imaginaire n'appelle pas une sémantique qui serait
son indispensable complément, mais est elle-même une sémantique : dynamique qui opère le passage de l'actuel au virtuel, du
réel au possible, dans la structuration d'un sens.

Et c'est un quatrième paradoxe, non des moindres, qui apparaît
ici. Une telle syntaxe signifiante, dont l'organisation finale résulte
de désorganisations partielles – lesquelles décidément paraissent
bien définir la fonction imaginante [1] –, s'attache non pas à un
monde en place, entièrement déterminé, et dont le recensement
exhaustif pourrait être entrepris une fois pour toutes, mais à un
monde en devenir et qui, ayant commencé d'actualiser des
possibles dans une écriture, n'en finit pas de dépasser cette
actualisation en créant des possibles nouveaux. Le texte poétique,
comme tel, ne saurait donc être l'objet de déterminations quantitatives, et toute tentative de délimitation de ses éléments ou de
mesure de ses procédés de production, d'ailleurs vouée d'avance
à l'échec, est négation du fait poétique. Parce que sa création
propre, son irremplaçable spécificité, tient moins à ce qu'il est
qu'à ce qu'il devient, moins à ce qu'il contient et à ce qu'il
dénombre qu'à ce qu'il appelle et ce qu'il découvre, le texte
poétique relève du domaine qualitatif. Et pourtant, la désorganisation qui préside à sa genèse est organisation d'un monde
nouveau, avec ses principes récurrents et ses modalités propres
dont peut rendre compte une analyse rigoureuse; les forces en
action dans l'écriture sont conditionnées par une réalité sinon
entièrement déterminable, du moins partiellement identifiable;
les possibilités multiples ouvertes par cette réalité, enfin, tendent
à se nouer entre elles par des liens de virtualité qui ne sont pas
improvisés et ne contreviennent donc pas à toute investigation
méthodique : d'où il ressort que, du point de vue de l'Imaginaire,
l'approche du texte poétique, pour partie au moins de ses
démarches, peut légitimement s'ériger en science.

C'est en fait une science du qualitatif qu'elle appelle, une
science dont l'objet est la création de formes nouvelles qui, de
par leur remplissement et leur finalité, échappent en fin de compte

---

1. Se retrouve ici de quelque façon, dans un contexte pourtant radicalement
différent de celui de la phénoménologie bachelardienne, la « faculté de déformer
les images » par laquelle Bachelard entend définir l'action imaginante (cf. *l'Air
et les Songes, op. cit.*, p. 7).

à la réalité purement langagière dans laquelle on avait cru pouvoir l'enfermer d'abord. Faut-il dire qu'elle est science *en dépit* de tous ces paradoxes qu'elle arriverait tant bien que mal à surmonter? Absolument pas. Car loin d'être des obstacles à sa mise en place et à son bon fonctionnement, ces paradoxes au contraire la nourrissent qui lui donnent son statut particulier, qui est d'ambivalence, en l'empêchant aussi bien de sombrer dans les seules prospections quantitatives que de se contenter des approximations subjectives, et donc de perdre ou bien sa spécificité qualitative, ou bien sa rigueur de science. A n'en pas douter, l'ambivalence d'une telle approche et qui au demeurant coïncide assez bien avec l'ambiguïté du langage poétique chère à Valéry, va entraîner la suspicion de ceux qui ne peuvent concevoir de science que de la mesure comme de ceux pour qui le domaine poétique échappe par définition à toute démarche scientifique. Et cependant, ce que nous a appris à coup sûr le déchiffrement de l'écriture de l'Imaginaire, et dont on ne pourra pas ne pas tenir le plus grand compte dans les lectures entreprises à partir de là, c'est que l'Imaginaire du texte demande à être approché, pour que s'opèrent conjointement réactualisation et mise en œuvre des potentialités, de la façon la plus totalement objective et la plus totalement subjective aussi.

Au relevé de ces paradoxes qui tiennent à la réalité du texte poétique autant qu'à la recherche de sa vérité, à la finalité qu'il poursuit autant qu'au mode de lecture qu'il appelle, comment ne pas penser que le poéticien se voit dans l'obligation de revendiquer le même droit à la contradiction qu'un Baudelaire revendiquait pour le poète? Car il ne s'agit pas de calquer l'instrument sur la matière qu'il travaille et de confondre, comme tant de nos contemporains, la méthode d'approche et la chose approchée [2], il reste que le caractère essentiellement paradoxal du fait poétique entraîne nécessairement chez celui qui veut non l'expliquer mais le comprendre, c'est-à-dire aller dans le sens même qui est le sien, une attitude qu'il faut bien qualifier de poétique. Attitude non de qui se propose à tout prix d'étonner pour dérouter et donc entraîner sur une voie nouvelle, mais de qui se doit d'assumer à son tour des contradictions sans lesquelles aucune prise en compte vraie de la création qu'opère l'écriture

---

2. Sans doute serait-il temps de rappeler, à ce propos, que la critique est science au service d'une œuvre créatrice et non pas création elle-même : humilité qui tend à se perdre, peut-être, depuis que Joseph Delorme eut quelque revanche à prendre...

des forces, et donc aucune lecture créatrice du texte poétique, ne saurait être menée à bien [3].

La combinatoire des possibles ou la fabrique du poème

Mais cette création entendue non dans ses motivations ni dans ses prétextes, pas même dans ses résultats, mais dans ses facultés de faire surgir de la réalité du langage tenant au monde en place une réalité extra-langagière inaugurant un monde nouveau, cette fabrique du poème qui est agencement à la fois d'un sens et d'une réalité différente, ne soulève-t-elle pas à son tour un ultime paradoxe? Car enfin, alors que l'analyse de l'écriture de l'Imaginaire, dans la dynamique de l'image comme dans l'organisation de l'espace du texte, dans les itinéraires imposés comme dans les divers régimes de sa syntaxe et la structuration progressive de son sens, ne cesse de montrer quelle continuité guide son élaboration et donne raison de cela même qui échappe à la logique discursive, comment rendre compte d'une production qui est changement d'être et donc brisure? Comment concevoir le passage de processus génétiques qu'on peut saisir dans leur devenir à des relations logiques qui ne s'inscrivent plus dans le temps; le passage de significations en acte dans l'écriture, et qu'on peut en partie du moins appréhender, à une vérité qu'on devra tout au plus essayer d'approcher; le passage finalement du réel au possible dont dépend le fait poétique?

Il se pourrait que cette brisure définisse l'essence du poétique. En tout cas, elle montre la ligne de partage entre littérature et poésie. Depuis plus d'un siècle, depuis l'avènement de ce qu'il est convenu d'appeler la poésie moderne, les poètes pour la plupart n'ont cessé de proclamer que leur aventure n'avait rien à voir avec l'entreprise littéraire, qu'elle lui était même opposée; mais qui donc s'est avisé de les prendre au sérieux? Et pourtant, n'ont-ils pas pris soin de nous répéter que ce n'était pas le lyrisme qui était en question, ni tel arrangement syntaxique ni telle recherche rythmique ou euphonique, mais bien la destination d'un langage qui se détournait d'un certain usage et se coupait

---

3. Peut-être faut-il expliquer par là le fait que la plupart des grands poètes soient aussi de grands critiques, qui n'essaient ni de défaire ni d'esquiver les contradictions essentielles qu'ils vivent dans leur création.

d'une certaine réalité pour en contempler, sinon en rejoindre une autre? Lorsque Baudelaire dénonce, en matière de poésie, « l'hérésie de l'*enseignement,* laquelle comprend comme corollaires inévitables les hérésies de la *passion,* de la *vérité* et de la *morale* » pour lui opposer « l'aspiration humaine vers une Beauté supérieure [4] », la poésie pure qu'il s'essaie à définir est beaucoup moins pure qu'il ne le prétend d'abord en affirmant qu'elle n'a « pas d'autre but qu'elle-même » : ne lui accorde-t-il pas, sitôt après, le pouvoir de faire « entrevoir les splendeurs situées derrière le tombeau »? Et d'ailleurs, lorsqu'il reprend ce texte, deux ans plus tard, en se citant lui-même, dans l'article consacré à Théophile Gautier, c'est moins pour faire l'éloge d'une poésie désintéressée que pour faire le départ entre littérature et poésie, à propos de *Mademoiselle de Maupin* dont il célèbre pourtant les vertus poétiques; car, ajoute-t-il, « comme les différents métiers réclament différents outils, les différents objets de recherche spirituelle exigent leurs facultés correspondantes [5] ». Sans doute observera-t-on que Valéry, pour sa part, dans ses réflexions sur la poésie groupées sous le titre de *Littérature,* note que « la poésie n'est que la littérature réduite à l'essentiel de son principe actif »; mais la suite même de sa définition – « On l'a purgée des *idoles* de toute espèce et des illusions réalistes; de l'équivoque possible entre le langage de la " vérité " et le langage de la " création ", etc. [6] » – et de façon beaucoup plus manifeste, dix ans plus tard, sa conférence d'Oxford [7], si elles ne contredisent pas l'affirmation première font plus que la nuancer et montrent à l'évidence que les deux voies sont divergentes. Aussi Eluard et Breton auront-ils beau jeu, dans leurs *Notes sur la poésie* qui prennent le contre-pied systématique des trente-neuf premières réflexions de *Littérature,* de renverser la proposition de Valéry :

La poésie est le contraire de la littérature. Elle règne sur les idoles de toute espèce et les illusions réalistes; elle entretient

4. *Notes nouvelles sur Edgar Poe,* in E. A. Poe, *Œuvres en prose,* trad. Baudelaire, Paris, Gallimard, 1956, p. 1071-1072. Ce texte de 1857 devait être partiellement repris dans l'article de 1859 consacré à Théophile Gautier, puis en 1864 dans la Conférence de Bruxelles.
5. « Théophile Gautier », *l'Art romantique,* in *Œuvres complètes,* t. III, Paris, Gallimard, 1976, p. 112.
6. *Littérature (Commerce XX,* 1929), *Tel Quel,* in *Œuvres, op. cit.,* t. II, p. 548.
7. « Poésie et pensée abstraite », art. cité, p. 1314 *sq.*

heureusement l'équivoque entre le langage de la « vérité » et le langage de la « création »[8].

Mais en insistant, fût-ce de façon systématique, sur le « rôle créateur, réel du langage », en soulignant que « jamais, jamais, jamais la voix humaine ne fut base et condition de la littérature », en faisant du poète « celui qui cherche le système inintelligible et inimaginable », en fondant la poésie sur « la discontinuité du beau son[9] », Eluard et Breton font mieux que parodier Valéry : ils mettent en lumière une coupure, celle qui sépare un langage qui reflète et réfléchit, prolonge « fictivement[10] » une réalité qu'il s'agit tout au plus de condenser et d'épurer, d'un langage « torpillage, état d'ivresse de l'idée » et qui provoque « les choses que l'on ne voit pas et dont on éprouve l'absence[11] ».

Ainsi, plus près de nous, et si grand que soit son souci de confier au poète « une entreprise dont la poursuite intéresse la pleine intégration de l'homme », Saint-John Perse, dans son discours de Stockholm, va-t-il affirmer à son tour que, loin d'être le seul « développement d'une exclamation[12] », la poésie est franchissement d'un seuil, « novation toujours qui déplace les bornes » :

Par la pensée analogique et symbolique, par l'illumination lointaine de l'image médiatrice, et par le jeu de ses correspondances, sur mille chaînes de réactions et d'associations étrangères, par la grâce enfin d'un langage où se transmet le mouvement même de l'Être, le poète s'investit d'une surréalité qui ne peut être celle de la science. Est-il chez l'homme plus saisissante dialectique et qui de l'homme engage plus? Lorsque les philosophes eux-mêmes désertent le seuil métaphysique, il advient au poète de relever là le métaphysicien; et c'est la poésie alors, non la philosophie, qui se révèle la vraie « fille de l'étonnement », selon l'ex-

8. *Notes sur la poésie* (1936), in Paul Eluard, *Œuvres complètes, op. cit.,* t. I, p. 475-476.
9. *Ibid.,* p. 476-477.
10. Valéry parle du rôle « quasi créateur, fictif du langage » (*Littérature, op. cit.,* p. 548).
11. *Notes sur la poésie, op. cit.,* p. 477.
12. Valéry, *Littérature, op. cit.,* p. 549. La rupture, à l'inverse, va être bien marquée dans le renversement de cette maxime qu'expriment Eluard et Breton : « Le lyrisme est le développement d'une protestation » (*Notes sur la poésie, op. cit.,* p. 477).

pression du philosophe antique à qui elle fut le plus suspecte [13].

Qu'il s'agisse de l'« irrégularité » baudelairienne, de la « surprise » apollinarienne ou de l'« étonnement » persien, dans tous les cas c'est un arrachement à un certain regard [14], à une certaine résignation temporelle, à une certaine clôture de l'être que vient proposer la poésie.

Cet arrachement, cette coupure qui contredit le sens d'une genèse mécaniste du poème et le continuum qui s'y attache dont s'efforcent de rendre compte les systèmes explicatifs de toute sorte [15], il est peu de poètes qui, de telle ou d'autre sorte, n'en aient eu le pressentiment :

> L'esclave tient une épée nue
> Semblable aux sources et aux fleuves
> Et chaque fois qu'elle s'abaisse
> Un univers est éventré
> Dont il sort des mondes nouveaux [16].

Se refusant à toute interprétation réductrice, qui tendrait à ramener cette coupure à certains processus génétiques ou causals et à expliquer le nouveau par le connu, mais se refusant pareillement à en revenir au miracle ou au mystère poétique qu'il faudrait accepter comme tel et bien se garder d'analyser, la poétique de l'Imaginaire ne reste pas ici sans réponse.

Une fois encore, au lieu de récuser le paradoxe c'est sur lui qu'elle va se fonder. Car il ne s'agit pas, pour elle, de renier la continuité symbolique qu'elle a découverte à tous les niveaux, et cette cohérence qui finit par mettre en place une sorte de logique de l'Imaginaire qui échappe à toute autre analyse mais rend bien compte de l'organisation et du fonctionnement de l'écriture poétique. Mais pourquoi cette continuité exclurait-elle une discontinuité non moins fondamentale et qui viendrait non pas prendre la relève des processus de création poétique, à partir d'un certain seuil, mais y adjoindre un autre système? Un système

13. *Poésie*, in *Œuvres complètes, op. cit.*, p. 444.
14. Qu'on songe à l'aphorisme de René Char : « Si l'homme parfois ne fermait pas *souverainement* les yeux, il finirait par ne plus voir ce qui vaut d'être regardé » (*Feuillets d'Hypnos*, 39).
15. Fussent-ils de mauvaise foi, comme celui que propose Poe pour son *Corbeau*.
16. Apollinaire, « Les collines », *Calligrammes*.

indissociable de celui qui assure un certain déterminisme de l'Imaginaire, et qui permettrait de rendre compte du saut du devenir du texte à ses implications intemporelles, du hiatus entre l'actualité inscrite dans l'écriture et les virtualités ouvertes par cette écriture, et finalement du passage du réel au possible, sans renier en rien la structuration progressive du sens.

Un tel système, qui va faire de la poésie un langage de la discontinuité, peut effectivement se saisir à deux niveaux, situés d'ailleurs dans le prolongement l'un de l'autre : d'une part au niveau de la combinatoire des possibles, que l'on peut appréhender au travers de la syntaxe de l'écriture de l'Imaginaire; d'autre part au niveau des mécanismes d'amplification du sens, qui vont dicter l'orientation générale du déchiffrement de cette écriture et par là ordonner la démarche des lectures de l'Imaginaire. Pour ce qui est de la combinatoire des possibles, il ne s'agit pas ici de suivre la trace de Leibniz et des mathématiciens qui, après lui, ont tenté de codifier tous les types de combinaisons qui se puissent concevoir, afin de programmer les créations possibles ainsi que s'y amusent nos informaticiens et les zélés dévots de la littérature et des arts aléatoires [17]. Mais il ne s'agit pas davantage, pour s'en tenir au seul domaine du verbal, de s'engager avec les Oulipiens dans l'un quelconque des trois courants de littérature combinatoire : celui qui s'attache à la recherche de structures nouvelles qui pourront être utilisées à volonté par d'autres, celui qui s'attache à la recherche de méthodes de transformations automatiques des textes, ou celui qui s'attache à la transposition dans le domaine des mots de concepts en usage dans les diverses branches des mathématiques [18]. Beaucoup plus modestement, mais de façon beaucoup plus précise aussi, il s'agit essentiellement de repérer dans le texte poétique, à partir des schémas d'organisation décelés à l'intérieur des différents régimes syntaxiques de l'écriture de l'Imaginaire, les diverses possibilités de manifestation, à quelque niveau que ce soit, des jeux compensatoires de l'espace et du temps. Il n'appartient donc pas au poéticien de chercher quelles autres possibilités auraient pu

---

17. Dans l'article qu'il consacre à ce sujet – « Pour une analyse potentielle de la littérature combinatoire » – Claude Berge cite la *Dissertatio de Arte Combinatoria* que Leibniz aurait publiée en 1666 et les *Lettres à une princesse d'Allemagne sur divers sujets de physique et de philosophie* (1770-1774) de Leonhard Euler (Oulipo, *La Littérature potentielle, op. cit.*, p. 47).

18. Cf. Claude Berge, « Pour une analyse potentielle de la littérature combinatoire », art. cité, p. 49-50.

s'offrir ou de transformer à loisir les possibilités en place – ce qui serait partir en quête d'autres poètes ou d'autres poèmes. Mais en prenant en considération le seul texte *actuel*, il lui appartient de faire émerger peu à peu les possibles qu'il recèle, de suivre la façon dont ils viennent à se combiner, à s'engendrer, à se multiplier, jusqu'à faire apparaître dans l'écriture, à partir de ses virtualités créatrices, une densité poétique qui n'apparaissait pas d'abord et qui ira toujours s'accroissant. Bien au-delà de la seule identification primaire des schèmes et des images qui s'y inscrivent, au-delà de la mise en relief de la cohérence des réseaux d'images et de la convergence des schèmes, se dessinent en effet et se précisent progressivement, si l'on y prête garde, de nouveaux rapports possibles et qui vont bientôt s'actualiser. Non plus seulement rapports d'image à image et d'image à schème propres à consolider la chaîne du texte; mais rapports entre images appartenant à des réseaux différents ou entre une même image et différents schèmes, et qui donnent au texte sa véritable trame. Une trame qui va révéler peu à peu de nouvelles lignes de force, de nouveaux schèmes non plus dictés par la tendance génératrice et orientés vers le sens à venir, mais organisant des sortes de lignes de résistance à cette tendance et à ce sens, contrepoint de l'harmonie première à laquelle il donne toute sa résonance. Mais de nouveaux rapports à leur tour vont surgir de ceux-ci, nuançant chaque fois davantage le régime syntaxique de l'écriture de l'Imaginaire en s'écartant de plus en plus du schéma général d'organisation jusqu'à lui donner une singularité qui fera de chaque texte poétique un texte unique.

Et ce n'est pas là sans doute le moindre mérite de cette combinatoire des possibles, qui spécule non pas sur l'extension du texte, à la façon des Oulipiens, mais sur sa compréhension et donc sur ses qualités singulières [19]. Car, en révélant une texture de plus en plus serrée, de plus en plus fine, elle montre à l'évidence que le déchiffrement d'une écriture poétique ne connaît pas de terme et que toute lecture est toujours à poursuivre; mais elle montre surtout que la démarche du poéticien de l'Imaginaire, en cela inverse de celle de l'anthropologue, ne saurait aller du

---

19. On notera, non sans satisfaction, avec Jean Piaget, que « les formes les plus élémentaires de la qualité et de la quantité se confondent précisément avec la compréhension et l'expression logique », et que dans le domaine des relations comme celui des classes, « les extensions [...] déterminent des quantités tandis que la qualité correspond à la compréhension de la relation comme telle » (*Épistémologie génétique, op. cit.*, t. I, p. 75-76).

particulier au général, sinon en un tout premier temps où mettre en relief les liaisons harmoniques du texte et son schéma général d'organisation; car c'est en allant, sitôt après, du général au particulier qu'elle va se spécifier vraiment, mettant en route des processus de résonance et de composition multiple à jamais inachevés qui contredisent d'une certaine façon le schéma initial en le rectifiant sans cesse au point de le faire oublier. Ainsi la combinatoire des possibles, jouant à plein des ressources d'une science du qualitatif, va-t-elle éviter de tomber dans le piège des classifications et bocalisations en tout genre, quand ce n'est pas une typologie que la poétique de l'Imaginaire se propose pour fin. Mais elle va surtout, de ce fait et du fait des relations connexes et transverses qu'elle propose, relations imprévisibles et qui viennent briser dans leur agencement et leur rebondissement les structures premières, rendre compte d'une discontinuité qui d'abord pouvait paraître scandale.

Les mécanismes d'amplification du sens

Cette discontinuité, que l'on peut ainsi saisir dans l'actualisation du texte poétique, au sein même d'une écriture gouvernée par une syntaxe de l'Imaginaire qui se voit constamment remise en cause, sans doute peut-on mieux encore l'appréhender dans la structuration du sens qui se prépare, nous l'avons vu, dans l'écriture en devenir du texte, mais cherche sa résolution au-delà d'elle, à partir justement des possibilités qu'elle ouvre. C'est dire que l'analyse, propre à déboucher directement sur une lecture de l'Imaginaire, se situe ici dans le prolongement de la combinatoire des possibles, mais là où tous les possibles tendent à s'harmoniser en une implication logique qui pourrait définir le sens. De ce passage des processus génétiques, qui sont à déchiffrer dans la réalité du texte, aux corrélations logiques qu'appelle le monde intemporel du sens, les jeux compensatoires de l'espace et du temps en œuvre dans la syntaxe de l'écriture de l'Imaginaire peuvent tout au plus donner le signal du départ et montrer la direction à suivre, fournir un indicateur de tendance, mais comment en rendraient-ils compte?
Si l'on s'en tient en effet à la seule réalisation du texte, telle que nous l'avons définie, si l'on se refuse à sortir de l'écriture qui l'actualise, on ne tarde pas à découvrir une pluralité de

significations que chacun des systèmes explicatifs auquel on aura recours pourra aisément justifier. Mais si tant est que ces « explications » – qui reposent sur des données différentes, utilisant des hypothèses de travail différentes, se plaçant surtout à des niveaux d'étude différents – puissent se comparer, laquelle d'entre elles sera la bonne? De deux choses l'une : ou bien les différentes herméneutiques entrent effectivement en conflit, et il faudra adopter devant le texte soit l'attitude sceptique de qui admet *a priori* qu'un texte puisse tout signifier, soit l'attitude terroriste si souvent de mise aujourd'hui et qui n'admet de signification que celle qu'on tient à lui donner; ou bien les différentes herméneutiques paraissent devoir converger vers quelque signification plus générale englobant toutes les significations partielles dont elle serait la somme, mais alors il ne sera pas possible de tirer conclusion sérieuse avant d'avoir épuisé toutes les démarches d'approche possibles, ce qui n'est guère concevable [20]. Dans l'un et l'autre cas, si précis que l'on soit dans son analyse, si soucieux de ne rien laisser à l'écart, il sera impossible de parler de sens du texte.

Car la recherche du sens implique, dans le domaine poétique, que l'on accepte de faire le saut de l'actuel au virtuel, c'est-à-dire que l'on accepte de renverser la direction habituelle du travail de toute démarche explicative. La raison en est simple, qui tient au fait déjà noté que le langage poétique ne procède pas à un échange de sens, comme le langage économique, mais se fait générateur de sens. Aussi convient-il de procéder non pas au dévidement de sa ou de ses significations à l'aide de telle interprétation privilégiée ou du plus grand nombre de systèmes explicatifs, mais au contraire à la construction et la reconstruction de son sens, à son amplification au-delà même de la réalité du texte. Or, cela ne peut se faire que si l'on prend en considération, d'une part, les formes qui, dans l'écriture, participent à la structuration progressive du sens et contraignent en quelque sorte à forcer le passage d'une réalité s'organisant selon des processus génétiques à un univers des possibles tendant à s'organiser selon des modalités logiques; mais, d'autre part, certaine dialectique de l'actuel et du virtuel régénératrice et amplificatrice du sens.

---

20. Laissons de côté les deux premières attitudes, évidemment peu scientifiques. Il apparaît cependant que cette dernière ne l'est pas davantage, qui laisse croire à certains de nos contemporains que de la superposition de lectures différentes résulterait une connaissance plus grande du texte; comme si l'on pouvait additionner des grandeurs de nature différente...

D'un côté, une dynamique de la continuité, de l'autre une dynamique de la discontinuité : nous retrouvons ici les deux sources créatrices et simultanées que nous avons décelées déjà dans la combinatoire des possibles. Car si la première dynamique, à travers la génération progressive du sens, met en lumière le fait que le langage poétique est toujours plus que ce qu'il contient, la seconde pour sa part, à travers l'éclatement de toute signification codée et l'amplification continue du sens, révèle qu'un tel langage est toujours plus que ce qu'il dit.

Pour ce qui est de la première dynamique, dont il a déjà été souvent question, et qui de façon continue achemine vers un sens, tout au plus faut-il rappeler que, si elle n'est pas la somme de forces qui viennent converger au carrefour de l'Imaginaire, elle en est du moins d'abord la résultante. Aussi, quelle que soit la forme que prenne cet échange à un moment donné, quel que soit le régime syntaxique auquel il doive être soumis, quelles que soient les distorsions qu'il subisse tour à tour, ne saurait-on mésestimer ses origines : le déchiffrement de l'écriture des forces qu'appelle une poétique de l'Imaginaire se doit de tenir compte de la matérialité, de la concrétude tant sociale et cosmique que bio-psychique des matériaux qui se trouvent dynamisés par l'agencement du langage poétique. Car cette concrétude n'impose pas telle ou telle signification particulière à laquelle on serait nécessairement renvoyé, mais en remplissant le texte qui, sans elle, serait à jamais organisation vide, un dire privé de tout être, elle l'achemine néanmoins vers un sens.

Il reste que c'est la seconde dynamique qui va opérer le saut dans cet univers du sens, en établissant une dialectique de l'actuel et du virtuel qui fait éclater les significations particulières que l'on aurait été tenté d'accepter d'abord et, dépassant toutes les interprétations en présence, met en branle les processus d'amplification du sens. Les mécanismes assurant une telle amplification, il ne faut pas les chercher dans les forces qui sous-tendent le texte et qui, émanant des idéologies en place selon Marx, des arrière-mondes mensongers selon Nietzsche ou des pulsions subliminales selon Freud, renvoient à des critiques sans doute fondées des matériaux en œuvre dans le texte, mais en empruntant des démarches qui toutes sont réductrices parce que démythifiantes [21]. C'est bien dans le texte lui-même qu'il faut plutôt les

21. Cf. Paul Ricœur, « Le conflit des herméneutiques : épistémologie des interprétations », *Cahiers internationaux de symbolisme,* n° 1, Genève, 1963, p. 169 *sq.*

chercher; et parce que toute réflexion sur le sens, en poésie, passe par une réflexion sur l'image et le rôle du langage qu'elle anime, c'est tout naturellement dans les forces inhérentes aux images et aux schèmes qui les ordonnent qu'on va les trouver. Ce sont là, en effet, les forces qui manifestent l'intentionnalité d'un langage orienté vers un plus dire qui est aussi un plus être : « plus qu'un mode de connaissance, la poésie est d'abord mode de vie – et de vie intégrale », affirme le poète [22]; forces qui révèlent aussi une plénitude de sens qui efface toutes les interprétations fragmentaires et assure le plein remplissement du langage par la présence de l'être au dire. C'est parce que l'image, dans sa présence même au texte, appelle, de par sa fonction symbolique, une réalité absente à sans cesse approcher mieux, son complément qu'il faut tenter d'appréhender, que va s'instaurer une dialectique du manifeste et du caché, du signe et de son appartenance, qui va se découvrir seconde source génératrice du sens, selon des processus discontinus, mais d'un sens toujours amplifié. Car, envisagés sous cet angle, les pouvoirs de métamorphose de l'image ne procèdent sans doute que des réajustements successifs imposés au symbolisant par le symbole; mais ces réajustements, se multipliant à l'infini pour tisser toujours plus serrée la toile du texte, amplifient aussi les résonances du sens, à la façon des vases de cuivre que les prêtresses de Dodone suspendaient dans les chênes sacrés pour mieux entendre la voix du dieu, même en l'absence de grand vent.

Cette discontinuité, régénératrice et amplificatrice du sens, et peut-être parce qu'elle tient à l'aspect symbolique d'un langage qui semble appeler une interprétation, ne laisse pas cependant de poser des problèmes délicats concernant la lecture du texte. Car enfin, cette dialectique de l'actuel et du virtuel ne va-t-elle pas déboucher sur une harmonisation des possibles, et donc sur la cohérence d'un sens, parce qu'un lecteur va la nourrir et l'entretenir avec son propre imaginaire? Parmi toutes les possibilités ouvertes dans l'écriture et se prolongeant au-delà d'elles en de nouvelles formes [23], le lecteur ne va-t-il pas nécessairement opérer un choix, malgré lui, en fonction de l'imaginaire qui est sien, et interpréter le texte – lui imposer *un* sens – en pensant découvrir *son* sens? Car il est certain que la structuration sym-

---

22. Saint-John Perse, « Poésie », in *Œuvres complètes, op. cit.,* p. 444.
23. Cette création de formes nouvelles – cette morphogenèse – peut sembler *a priori* illimitée, par cela même que la richesse du répondant symbolique de l'image est illimitée. Nous verrons cependant à l'analyse qu'il n'en est rien.

bolique du langage poétique, à tous ses niveaux, sollicite de sa part une interprétation qui sera toujours explication univoque et donc simplificatrice; or, en l'interprétant, il va s'approprier *un* sens et nier par là même la coexistence des possibles, le caractère équivoque qui définit la spécificité du langage poétique. Tout lecteur, de ce fait, s'il n'y prend garde, risque bien d'imposer au texte son propre système d'interprétation : or, toute interprétation est dévidement du sens, quel que soit son cheminement, qui revient à chercher le bon fil et à le tirer jusqu'à disparition de la toile du texte. Tant et si bien que la recherche instinctive du sens, loin d'aboutir à la découverte de cette plénitude du langage poétique qui appelle un remplissement toujours plus grand, conduira au contraire à son évacuation progressive et à la néantisation du texte.

Création et ruptures

Il n'en faudrait pas conclure aussitôt que l'émergence d'un sens au-delà de l'écriture, si elle est analysable théoriquement, échappe cependant à toute lecture. Ce sens, inséparable d'une création continuée et qui oblitère toute signification partielle comme toute interprétation singulière du texte, n'est pas une vue de l'esprit. Sans qu'il y ait obligation de choisir entre les possibles, et même si la totalité de ces possibles ne saurait être embrassée, il est permis non seulement de l'approcher mais encore de participer à sa régénération et à son amplification. Encore faut-il pour cela savoir renverser la direction de la démarche cartésienne qui va du complexe au simple, quand il s'agit non d'amenuiser progressivement le texte en divisant chacune de ses difficultés en autant de parcelles qu'il serait requis pour les mieux résoudre, mais au contraire de l'augmenter, de l'amplifier, ou plutôt de se mettre en mesure de le laisser s'amplifier. Car, contrairement à ce qu'affirme un peu trop vite Valéry [24], et bien que leurs ressorts soient différents, il n'y a pas de coupure entre écriture et lecture, mais l'une et l'autre s'appellent et s'interpénètrent parfois, quand le poète se trouve être le premier lecteur de son poème en train de se faire et quand le lecteur, de son côté, n'en finit pas de reprendre les choses au commencement et de susciter les virtualités en attente dans le texte.

24. Cf. « Première leçon du cours de poétique », art. cité, p. 1346 *sq.*

Mais avant d'envisager les conditions et les modalités d'une telle lecture poétique, qui sera lecture de l'Imaginaire, encore faut-il aller un peu plus loin dans l'analyse de l'écriture de l'Imaginaire et tenter de trouver, au-delà des paradoxes qu'elle rencontre et qui ne sont point à résoudre, les relations qui unissent les mécanismes continus d'engendrement du texte, les processus discontinus qui viennent les entraver et la création de formes nouvelles. Car ces relations pourraient bien rendre raison de la tendance des possibles à s'harmoniser en un sens, et par là même justifier la faculté, pour une lecture de l'Imaginaire, non d'élire *un* sens mais de s'approcher du sens plein qu'appelle l'écriture.

Une telle démarche devrait écarter d'emblée le danger, soigneusement entretenu il est vrai par les herméneutes de toute obédience – philologues ou sociologues, historiens ou psychanalystes –, et qui consiste à se servir d'une clé, toujours la même, pour vider le texte de son prétendu sens caché, sans prendre garde au fait qu'à ce compte le bébé se voit évacué avec l'eau du bain. Sans doute objectera-t-on qu'après avoir dévidé ou découvert le texte en l'expliquant, l'herméneute n'en reste généralement pas là et s'efforce de remettre les choses en place et le texte en ordre. Mais quand cela serait, ne va-t-il pas, bien malgré lui peut-être, remplacer dans sa reconstruction le texte par ce qu'il était censé signifier? Ne va-t-il pas substituer les choses aux mots ou du moins renvoyer implicitement à un en-deçà des mots, un en-deçà du langage dont les matériaux ne seront plus alors que signes des choses? C'est évidemment là se couper du langage symbolique qui renvoie toujours à un autre sens, à un autre dire, et non pas à telle ou telle autre chose; mais c'est surtout aller à contre-courant du mouvement même d'un langage qui est celui de la poésie et qui appelle un surcroît de sens sur lequel aucune herméneutique, démythifiante et simplifiante, ne saurait déboucher. C'est bien en effet de ce surcroît de sens, de cet autre dire qu'il faut partir pour entrer en poésie. Un autre dire qui n'est pas un autrement dire, comme on le croit souvent, une autre façon de parler mais qui ne dirait pas davantage; et, de ce point de vue, les longues chaînes d'analogies, qui ne font que remplacer les longues chaînes de raisons lorsque la raison vient à manquer, ne nous écartent guère des chemins cartésiens : chemins faussement novateurs de la métaphore et qui poursuivent le même cheminement horizontal, avec des ponts coupés, des passages non aménagés sans doute, mais sachant bien déjà où aboutir, un peu plus loin. Tout différent, l'autre dire, qui est dire autre chose et non dire autrement; plus de chemin tracé d'avance, plus de progression plane et de continuum en pointillés, plus de déguisement d'un même paysage; d'autres chemins à improviser, d'autres espaces à habiter, d'autres façons aussi d'habiter ces espaces. Une parole qui cesse d'être sage et se refuse à donner plus longtemps la main aux grandes paroles qui savent. Une parole qui se sépare, qui se détache, qui va, sans savoir où elle va, et qui plus tard seulement saura ce qu'elle cherchait : poésie.

A n'en pas douter, c'est un principe de rupture qui gouverne un tel dire et, assurant cette « novation toujours qui déplace les bornes » dont parle Saint-John Perse, garantit vraiment la spécificité du langage poétique. Rupture qui ne se contente pas de procurer ce dépaysement – ce dépaysagement – sans lequel il ne saurait y avoir ouverture à une réalité neuve, mais qui crée de toutes pièces cette réalité supplémentaire; qui la rend possible et la fait surgir tout à la fois, qui la manifeste mais plus encore l'impose et lui accorde pleins pouvoirs. Rupture qui seule se révèle capable de création vraie, dans la mesure où elle vient déjouer les mécanismes en place, qui ne peuvent que répéter du déjà-vu, remodeler du déjà-su, moudre au moulin du Même; mais rupture qui est aussi création propre par les abîmes qu'elle creuse et qu'un seul mot pourra combler :

Je dis : une fleur! et, hors de l'oubli où ma voix relègue aucun contour, en tant que quelque chose d'autre que les calices sus, musicalement se lève, idée même et suave, l'absente de tous bouquets [25].

Encore ne suffit-il pas de constater qu'il n'est de création que de la rupture, s'appuyant en cela sur l'embryologie [26] ou sur l'évolution des espèces ou sur l'histoire des civilisations : il faut aussi pouvoir montrer cette rupture à l'œuvre et l'œuvre de cette rupture dans les terres poétiques. Et c'est là, sans doute, que nous rencontrons les problèmes les plus brûlants et trop souvent laissés pour compte, auxquels la poétique de l'Imaginaire va pouvoir peut-être sinon donner réponse du moins apporter ses lumières. En effet, comment concevoir qu'un texte aussi déterminé qu'un texte poétique, et qui se caractérise, l'avons-nous

25. Mallarmé, *Avant-dire au « Traité du Verbe » de René Ghil* (1886), in *Œuvres complètes*, Paris, Gallimard, 1970, p. 857.
26. Cf. notamment René Thom, « Les racines biologiques du symbolique », in *Morphogenèse et Imaginaire, Circé* n°s 8-9, Paris, Lettres modernes, 1978.

assez souligné, par sa double qualité de produit de réalités qui lui sont extérieures et de production d'un langage par lui-même, puisse laisser place à des failles contrevenant à ces déterminismes multiples et s'ouvrant toutes grandes sur d'autres espaces que ceux qui allaient être aménagés? Comment concevoir qu'une écriture si continûment tirée par les finalités inscrites dans sa syntaxe, dont tous les éléments apparaissent comme autant de gestes apportant peu à peu réponse à certaines questions profondes, puisse cependant laisser des trous dans sa texture, des blancs qui viendraient interrompre la transmission de cette réponse? Comment concevoir surtout que ce sens vers lequel tout converge, à quelque niveau qu'on se situe, qui se construit progressivement et jusqu'à dépasser les limites mêmes de l'écriture, puisse survivre à des éclatements de tout instant qui échappent, semble-t-il, à toute régulation et ne peuvent entraîner que son émiettement?

Déjà, l'analyse de l'écriture de l'Imaginaire nous a montré que le langage poétique fonctionne de façon à la fois continue et discontinue : ou plutôt que les processus continus d'engendrement du texte poétique, tant en raison du contrepoint dessiné par la combinatoire des possibles qu'en raison de la dialectique de l'actuel et du virtuel travaillant à l'amplification du sens, se trouvaient constamment dénoncés par des processus discontinus de résistance à la force tendancielle générale et de réajustements symboliques partiels. Mais faut-il en conclure qu'il y aurait deux sources radicalement distinctes de la production poétique, qu'une analyse très fine serait en mesure de singulariser et de suivre en action dans l'écriture? Dans ce cas, seule la seconde source étant véritablement novatrice de par les ruptures qui la caractérisent, c'est elle seule qui devrait être dite poétique au sens le plus précis du terme : tandis que la première source, engageant des mécanismes répétitifs et totalement déterminés, orientés vers un sens, ne serait que production langagière et fausse création, la seconde au contraire serait proprement créatrice en tant que résistance au sens, déviance perpétuelle et pouvoir de toujours dire autre chose. Et la poésie, langage dans un langage, serait alors une sorte de contre-langage au cœur de l'autre, et auquel il serait vain de vouloir chercher un statut positif au sein de l'Imaginaire.

Une telle position, outre qu'elle conduit à n'analyser dans le texte poétique que ce qui n'est pas spécifiquement poétique, ne tient cependant pas compte de toutes les données de l'Imaginaire.

D'une part, en effet, les processus continus d'engendrement du texte poétique ne répondent pas, nous l'avons vu, à des déterminismes d'ordre purement causal; la finalité qui les gouverne impose elle-même des rectifications successives qui sont facteurs d'authentique création, d'autant que le matériel qu'ils mettent en œuvre reste un matériel symbolique qui ne se laisse guère gouverner par les impératifs de la raison. Mais, de leur côté, les processus de rupture, et ce n'est pas minimiser leur portée que le reconnaître, pourraient bien ne pas procéder de façon anarchique et incontrôlable à la production de formes nouvelles. Sous prétexte qu'ils viennent interrompre les mécanismes en place en ouvrant soudain l'éventail des possibles, pourquoi devraient-ils empêcher l'acheminement vers un sens, en œuvrant pour son émiettement, alors que ce sont eux, nous apprend l'analyse, qui ne cessent de régénérer et d'amplifier ce sens? Et l'on est en droit de se demander alors si toute morphogenèse, si toute création de formes en dynamique n'échapperait pas nécessairement au principe de continuité mais sans pour autant échapper à toute stabilité structurelle et à toute modélisation, et donc sans contrevenir, du point de vue de l'Imaginaire, à l'élaboration et à la structuration progressive d'un sens.

La poésie comme langage des catastrophes

Parce que la dynamique continue en œuvre dans le texte poétique n'exclut pas toute production nouvelle, et parce que la dynamique discontinue semble bien voir ses productions répondre à certaine régulation, tout laisse à penser que les deux processus ne correspondent pas à deux sources distinctes mais à deux modes complémentaires de création du texte poétique. Déjà l'épistémologie génétique, on s'en souvient, nous avait appris que « toute action formatrice d'une opération engendre, par son exécution même, deux sortes de virtualités, [...] ouvre deux catégories de possibilités nouvelles : d'une part une possibilité de répétition effective, ou de reproduction en pensée [...], d'autre part, une possibilité de compositions nouvelles, virtuellement entraînées par l'exécution de l'action initiale [27] ». Or, appliquant ces principes au champ de la poésie, nous en étions arrivés à ce paradoxe

27. Jean Piaget, *Épistémologie génétique, op. cit.*, t. I, p. 34-35.

que la « possibilité de répétition effective » entraînait une discontinuité dans la génération de l'écriture, tandis que la « possibilité de compositions nouvelles », au contraire, garantissait par-delà ces ruptures la parfaite continuité de la création. Voilà qui déjà non seulement empêche de distinguer deux sources de la création, mais qui rapproche aussi singulièrement les deux modes de création, dès lors que la discontinuité s'installe dans les processus de répétition qui caractérisent la production du langage par lui-même, et que la continuité, en retour, s'instaure au sein des processus de création effective qui assurent son renouvellement.

Mais alors, s'il se confirmait que ces processus ne sont pas incompatibles entre eux, comme il pouvait le sembler d'abord, au point d'incorporer tous deux cette propriété de rupture qui se révèle désormais indispensable à toute création, il pourrait apparaître aussi que la création poétique proprement dite, entendue comme production et structuration de formes nouvelles, n'échappe pas, pour sa part, à certains modes de figuration qu'il serait possible de repérer et de dénombrer, pour ouverte qu'elle soit à l'infinité des virtualités. Ce qui signifierait, on le voit déjà, qu'une poétique de l'Imaginaire serait à même de rendre raison de la tendance des possibles illimités à s'harmoniser en un sens au travers d'un nombre limité de figurations imposées.

Cette hypothèse ultime permettrait, si elle se vérifiait, et de conduire à son terme l'analyse de l'écriture de l'Imaginaire, en la spécifiant plus encore, et de fonder en vérité une lecture de l'Imaginaire, en légitimant son pouvoir de s'approcher *du* sens. Or, il se trouve que cette hypothèse rejoint à plus d'un titre celle que formule et tend à vérifier dans de nombreux domaines la Théorie des catastrophes. Il serait périlleux d'exposer en quelques lignes cette théorie, bien neuve encore pour qu'on en puisse saisir la portée et les limites, mais promise semble-t-il au plus vaste développement; pour ne pas donner de nouvelles armes à tous ceux, nombreux, qu'elle dérange, il faudrait surtout se garder, de simplification en simplification, d'en faire un nouveau Sésame parmi tous ceux dont notre temps est si friand. Cette Théorie des catastrophes ne vient d'ailleurs pas proposer de solutions miraculeuses, qu'on ne s'y méprenne pas : il ne s'agit pas ici d'en risquer une nouvelle application et de mettre la poétique de l'Imaginaire à son service, de quelque façon que ce soit. Mais à ce point où nous a conduit l'analyse, il se découvre une étrange convergence entre cette théorie et notre poétique.

René Thom, en effet, définit la Théorie des catastrophes, dont il est le père, comme une théorie « qui ne se réfère à aucune branche spécifique de l'expérience scientifique, et n'en exclut aucune *a priori;* [...] elle ne peut être ni confirmée ni infirmée par l'expérience [28] ». A la fois méthode et langage, elle sert à décrire la réalité et plus précisément à « donner des critères précis spécifiant le caractère surprenant d'une morphologie [29] ». Partant du principe que le monde se présente à nous comme un mélange de déterminisme et d'indéterminisme – ce qui dépend de nous et ce qui ne dépend pas de nous, selon le *Manuel* d'Épictète –, René Thom, à partir des notions de fonction et de système dynamique, en vient à montrer que toute morphogenèse, à l'intérieur d'un système quelconque dans lequel interviennent des variables, loin d'évoluer de façon continue, rencontre des points critiques au-delà desquels, sauf à voir détruire le système, doit s'opérer un saut en un autre lieu de l'ensemble. Ce saut, indispensable pour que le processus puisse se poursuivre ou recommencer, est proprement ce que René Thom appelle catastrophe :

> Les périodes de saut d'une branche à l'autre [...] sont typiquement des « catastrophes » au sens de la Théorie des catastrophes. Par opposition avec le sens courant du mot, ces catastrophes n'entraînent pas la destruction du système [30].

Allant plus loin encore, René Thom envisage des caractéristiques plus complètes où le système peut faire un choix parmi les sauts qui maintiennent son existence; il en vient alors à penser que ces « sauts catastrophiques » sont nécessairement régis par les trajectoires d'un dynamisme interne dans l'espace considéré. Il suffirait dès lors d'analyser de façon très fine cette dynamique pour lever ce qui jusque-là ne paraissait qu'indétermination. D'où sa conclusion, et qui forme le postulat de base de la Théorie des catastrophes élémentaires, selon laquelle la « caractéristique » d'un système dont il semblait qu'on ne puisse pas rendre compte n'est jamais que la projection d'un ensemble d'états d'« équilibre » du système en question, à l'intérieur d'un espace donné, en quête d'unité.

Ainsi apparaît-il que la Théorie des catastrophes est une théorie

28. René Thom, « Le statut épistémologique de la Théorie des catastrophes », in *Morphogenèse et Imaginaire, op. cit.*, p. 7.
29. *Ibid.*, p. 10.
30. *Ibid.*, p. 14.

de la discontinuité, que René Thom, en la précisant pour notre plus grand profit, résume de la façon suivante :

> Toute forme se définit comme une discontinuité dans les propriétés observables d'un espace substrat. Un « point catastrophique », c'est un point au voisinage duquel il y a discontinuité dans l'apparence du substrat. Cet accident morphologique est ensuite interprété par la présence d'une dynamique qui l'engendre [31].

Dans l'espace substrat du texte poétique, c'est bien ainsi que l'analyse de l'écriture de l'Imaginaire nous a montré l'organisation et le fonctionnement d'un langage qui se fait dans ses ruptures mêmes, et dont la discontinuité n'est point dissociable des forces continues qui l'engendrent. Et, de ce point de vue, il ressort que les catastrophes, ces conflits générateurs de formes qui sont ruptures d'un continuum et du langage rationnel qui le reflète, mais aussi germes d'une création qui est toujours passage de l'identique au différent, qualifient si bien la genèse poétique qu'on ne saurait mieux définir la poésie que comme langage catastrophique.

Mais cette Théorie des catastrophes se révèle aussi, par contrecoup, théorie de la logique des possibles ou de la régulation de l'indétermination, puisque les trajectoires de la dynamique interne, dans l'espace considéré, rendent compte des « sauts catastrophiques » en mettant à jour les états d'équilibre du système en question dont toute caractéristique est la projection, et plus encore en montrant que toute évolution discontinue se fait en fonction d'une continuité à restaurer. Ainsi René Thom est-il amené à constater que « le fermé des catastrophes présente une certaine régularité morphologique; très souvent, ces singularités sont " structurellement stables " en ce sens que leur topologie résiste à une petite perturbation du processus [32] »; ce qui laisse la possibilité d'établir un catalogue de ces accidents morphologiques stables affectant peu l'évolution temporelle du processus et de les expliquer en faisant appel à la dynamique interne [33].

31. René Thom, Conférence prononcée à Grenoble le 10 janvier 1978.
32. « Le statut épistémologique de la Théorie des catastrophes », art. cité, p. 17.
33. René Thom établit d'ailleurs la liste des applications *rigoureuses,* à son dire, de la Théorie des catastrophes, tant en mathématique pure qu'en optique géométrique, en mécanique appliquée ou en économie mathématique (cf. *ibid.,* p. 19-20).

Mais encore ne s'en tient-il pas là, puisqu'il parvient à dégager des modèles où des discontinuités ont un pouvoir effectif sur l'évolution du processus qui s'en trouve vraiment affecté; c'est ce qu'il fait en biologie, notamment, où l'espace substrat se trouve être l'espace-temps usuel et où les accidents morphologiques stables sont métriquement contrôlés. Dans tous les cas se fait jour un mécanisme de régulation, mécanisme que la Théorie des catastrophes ne prétend pas expliquer et qu'elle fait reposer sur l'idée mathématique des « approximations successives [34] ». Cette régulation, il n'importe pas d'examiner ici la généralisation qu'en fait René Thom dans la détermination de l'ensemble des catastrophes au sein de l'espace de déploiement universel [35]; mais elle ne laisse pas d'intéresser tout particulièrement la poétique de l'Imaginaire lorsqu'elle débouche sur la possibilité de modéliser les formes en dynamique selon des figures repérables et géométrisables, d'ailleurs peu nombreuses. René Thom n'est-il pas parvenu à limiter à sept seulement le nombre des catastrophes élémentaires, et donc des formes primitives dont toute morphogenèse nécessairement procéderait? Ainsi que l'écrit l'un de ses récents exégètes :

> Les sept catastrophes élémentaires sont des invariants géométriques très stables, orthogonaux, et à ce titre pleinement différenciés; elles sont les sept symboles littéraux, phénomènes émergeant du réel, et nous devons apprendre la science ou l'art de les composer, de les combiner, en un mot de les faire vivre ensemble pour notre plus grand plaisir [36].

Dépassant une formalisation qui est le fait, selon René Thom, « d'une pensée qui repose uniquement sur l'agrégation *locale* de

---

34. Cf. René Thom, « La notion d'archétype en biologie et ses avatars modernes », in *Morphogenèse et Imaginaire, op. cit.*, p. 32 *sq.*

35. Dans la définition que donne René Thom de ce déploiement universel, on notera cette convergence exemplaire avec notre propre analyse : « Cette notion de déploiement universel recoupe la vieille notion aristotélicienne de l'" actuel " opposé au " virtuel ". Toute situation instable est source d'indétermination; si on veut paramétrer toutes les " actualisations " possibles de virtualités contenues dans une instabilité (symbolisée mathématiquement par une singularité S), alors toute actualisation correspond à un chemin issu de 0 dans l'espace U du déploiement de S » (« Le statut épistémologique de la Théorie des catastrophes », art. cité, p. 19).

36. Jean-Pierre Duport, « Géométriser la signification », in *Morphogenèse et Imaginaire, op. cit.*, p. 131; cf. aussi *ibid.*, p. 130, *fig. 7*.

formes [37] » et qui est déperdition de signification, pour déboucher, de façon « translogique », sur une compréhension du réel, une telle modélisation des phénomènes discontinus par des fonctions continues a l'immense mérite de montrer, ainsi que le fait judicieusement remarquer Jean-Pierre Duport, que la mutation du génétique au conceptuel qu'opèrent les catastrophes s'ouvre, par une transgression plus radicale encore de l'identité, sur une « vision unitaire des choses [38] ». Or, c'est là répondre au problème laissé en suspens par l'écriture de l'Imaginaire, celui du passage de la réalité du texte envisagé dans son devenir génétique à son sens déterminé par une convergence des possibles vers quelque unité logique. Car dès lors que la signification est entendue comme « fruit de la dualité identité-différence à la fois formatrice et informatrice à l'œuvre dans le réel [39] », et que cette dualité peut non seulement se conceptualiser mais encore se géométriser en certaines figures simples qui tendent à restaurer une vision unitaire directe, il n'est plus impossible de voir s'orienter le langage catastrophique du texte poétique, au travers de ses ruptures, de ses déviances, de ses différences, vers un sens dicté par l'écriture mais à chercher au-delà d'elle, et dont pourra légitimement s'approcher une lecture s'ordonnant selon cette même vision. Si « le triomphe de l'Homme, qui a choisi l'intelligence, est le retour au continu de l'unité primitive par une véritable capture psychique de la différence [40] », comme le donne à penser la Théorie des catastrophes, à n'en pas douter la poésie assure ce triomphe.

La poésie à faire et la quête d'éternité

Cette vision unitaire n'est-elle pas en effet celle que le poète a toujours plus ou moins cherché à retrouver et à redonner au moyen de la poésie? Qu'on songe à la plus exemplaire, sans doute, de toutes les démarches tendant à restaurer, au travers du verbe, l'unité première, celle de Baudelaire. Il n'est rien, dans la poésie baudelairienne, qui ne tende inlassablement à retrouver cette unité que tout dément dans la réalité quotidienne, des

37. René Thom, « La notion d'archétype en biologie et ses avatars modernes », art. cité, p. 38.
38. « Géométriser la signification », art. cité, p. 131.
39. *Ibid.*, p. 122. – 40. *Ibid.*, p. 132.

formules bipolaires et de l'oxymore généralisé à l'universelle analogie, en passant par la théorie des correspondances, le culte du Beau, la recherche de l'extase, les expériences de purification du langage et le recours à la sorcellerie évocatoire [41]. Et toute l'entreprise poétique se fait anti-Création, qui s'efforce de remonter à l'unité primitive perdue avec la Création, cette « chute de Dieu [42] ». Or, cette vision – qui permet d'*emporter le paradis d'un seul coup* [43], authentique ravissement et que la poésie peut effectivement provoquer – est saisie globale d'une signification contemporaine d'une révélation, celle de l'« infini dans le fini », selon la formule du poète [44]. Et c'est bien le retour au continu de l'unité primitive, par-delà toutes les ruptures de la « spiritualité » et de l'« animalité », du « désir de monter en grade » et de la « joie de descendre [45] », qu'attend Baudelaire de la poésie. Mais cette restauration unitaire, qu'est-elle au juste? Celle d'un langage qui sans cesse transgresse l'identité liée à la finitude dans le champ clos de l'être où s'affrontent les deux postulations simultanées vers Dieu et vers Satan, pour rejoindre, dans une écriture, par une écriture qui est toujours lieu de la différence, un monde intemporel directement pourvoyeur de sens. Ainsi la définition baudelairienne de la fonction poétique, si souvent entendue de façon métaphorique, devra-t-elle être prise à la lettre, quand bien même son énonciation ferait d'abord sourire, qui pose le problème de la poésie et de la création poétique sur son véritable terrain :

C'est à la fois par la poésie et *à travers* la poésie, par et *à travers* la musique, que l'âme entrevoit les splendeurs situées derrière le tombeau; et, quand un poème exquis amène les larmes au bord des yeux, ces larmes ne sont pas la preuve d'un excès de jouissance, elles sont bien plutôt le témoignage d'une mélancolie irritée, d'une postulation des nerfs, d'une nature exilée dans l'imparfait et qui voudrait s'emparer immédiatement, sur cette terre même, d'un paradis révélé [46].

41. Cf. notamment Léon Cellier, « D'une rhétorique profonde : Baudelaire et l'oxymoron », *Cahiers internationaux de symbolisme* n° 8, 1965, p. 3-14; et Arnolds Grava, « L'intuition baudelairienne de la réalité bipolaire », *Revue des sciences humaines,* juillet-septembre 1967, p. 317-415.
42. *Mon cœur mis à nu,* XX.
43. *Les Paradis artificiels, le Poème du haschisch I,* « Le goût de l'infini ».
44. *Salon de 1859,* V, « Religion, Histoire, Fantaisie ».
45. *Mon cœur mis à nu,* XI.
46. *Notes nouvelles sur Edgar Poe, in* E. A. Poe, *Œuvres en prose, op. cit.,* p. 1072.

C'est bien sur une vision nouvelle, qui est conjointement nouveau mode de connaissance et nouveau mode de vie, que Baudelaire fait ainsi reposer le principe de la poésie lorsqu'il veut ramener celui-ci « strictement et simplement » à « l'aspiration humaine vers une beauté supérieure ». Cette vision, c'est la révélation d'une distance, celle de l'exil, et d'une différence, celle de l'imperfection, mais la révélation en même temps de la possibilité de combler *immédiatement* cette distance, d'abolir *immédiatement* cette différence. C'est la découverte, dans cette différence même, dans cette altérité qui est conscience de sa propre finitude, des moyens de connaître et de vivre ici et maintenant l'infinitude. Ce qu'il y a de remarquable dans *les Fleurs du Mal* ou dans *le Spleen de Paris,* ce n'est pas la dialectique du spleen et de l'idéal que l'on a cru parfois y rencontrer, c'est l'incessante quête d'un passage : passage d'une réalité quotidienne toujours identique à elle-même, parfaitement continue et absurde dans sa similitude et donc source de spleen au plus haut degré, à un réel non moins continu dans sa perfection mais pleinement signifiant et différencié dans ses implications mêmes de l'idéal. Or, ce passage ne peut se faire qu'*à travers* la poésie, *à travers* la musique et l'art en général, c'est-à-dire à travers des langages qui font émerger l'altérité, qui font jaillir la différence et prennent forme et signification dans les conflits qui les nourrissent et les ordonnent. C'est donc l'acte poétique qui, en dénonçant l'identité et en attisant à tous les niveaux les conflits du Même et de l'Autre, réalise les contradictions, les ruptures, les chutes, les dégradations d'énergie, toutes ces « catastrophes » du monde et de l'être qui vont permettre de remonter à l'unité du sens : c'est sur l'acte poétique ainsi entendu que repose le passage de la réalité au réel.

Dès lors, ce que pourrait déceler une analyse de l'écriture de l'Imaginaire, et tout laisse à penser désormais qu'elle doive y parvenir, c'est justement la façon dont s'opère, dans le texte poétique, le passage de l'identité première, qui tient à la langue autant qu'aux référents mis en œuvre, à la différence attachée aux processus mêmes de la création; mais la façon aussi dont cette singularité qu'est le texte, envisagé dans ses ruptures et les jeux de ses virtualités, achemine progressivement vers l'unité et le réel du sens. Difficile programme, sans doute, mais qui devrait donner pleine signification et pleine valeur surtout au déchiffrement du texte poétique, écartant à jamais le double danger de sa déréalisation – sa réduction aux jeux formels – et de sa dénaturation – le dévidement de son sens. Mais programme ambitieux, aux mesures mêmes de cette poésie à laquelle se mesurer, et qui ne saurait se contenter de rendre compte, fût-ce le plus parfaitement possible, de processus et de mécanismes en action dans un langage qui se veut celui de la différence.

Il ne suffit pas au poéticien de l'Imaginaire, en effet, de constater qu'« un " logos " est essentiellement une situation dynamique de conflit entre actants qui ont à se partager un espace substrat qu'ils se disputent [47] » et que le texte poétique, envisagé sous cet aspect, est la preuve vivante et le résultat de ce conflit. Encore moins lui suffit-il de savoir, et même si telle assertion suit d'abord la direction de sa propre démarche, que les structures syntaxiques du langage donnent « une image appauvrie et simplifiée des interactions dynamiques les plus banales sur l'espace-temps ». Car, ce conflit, il veut pouvoir l'actualiser afin d'en retrouver et revivre le sens; et plus encore veut-il mettre à jour, au-delà de la banalité première des solutions trouvées, ce qu'il y a d'unique et d'irremplaçable dans la réponse donnée par l'espace du texte aux angoisses du temps. Sans doute le poéticien se trouvera-t-il aussi en plein accord avec le théoricien des Catastrophes pour voir dans le langage dont il s'occupe « le résultat d'une intrusion dans le Microcosme, à travers un miroir filtre simplificateur, des conflits les plus ordinaires surgissant dans le monde [48] »; d'autant que l'analogie du macrocosme et du microcosme sur laquelle repose cette affirmation, et qui lui fait encore retrouver l'univers baudelairien, il la pousse encore plus loin jusqu'à faire du texte poétique un nouveau microcosme dans le microcosme de l'homme, et en non moins parfaite analogie avec lui. Mais sous prétexte que cette intrusion se fait à travers un miroir filtre simplificateur, il n'en va pas conclure pour sa part à la nécessité de « classifier [...] tous les " logoi ", c'est-à-dire tous les types possibles de situations analogiques [49] ». Sans doute, les jeux compensatoires de l'espace et du temps dans l'espace substrat du texte où se déroule le processus temporel du poème sont-ils en nombre limité; et à partir des tendances organiques déterminant les trois grands régimes syntaxiques de l'écriture de l'Imaginaire, peut-être serait-il possible d'établir une typologie plus fine des diverses singularités qui se peuvent rencontrer. Une

---

47. René Thom, « Les archétypes entre l'homme et la nature », in *Morphogenèse et Imaginaire, op. cit.*, p. 58.
48. *Ibid.*, p. 58-59.
49. *Ibid.*, p. 59.

telle typologie déboucherait sur une classification de situations archétypales, à partir des particularisations des différents schémas généraux d'organisation, et non pas bien évidemment sur des archétypes concrets qui ne sauraient définir, faut-il encore le redire, des situations simples; par là même, elle ne serait certes pas dépourvue d'intérêt. Mais si fine fût-elle, parviendrait-elle à rendre compte, à partir de la structuration d'un sens indissociable de processus discontinus, de cette surprenante émergence de l'image et de son instabilité symbolique qui rendent toujours la parole poétique imprévisible, d'une « imprévisibilité qui, précisément, dérange les plans de l'explication psychologique habituelle », selon la formule de Bachelard [50]? Certainement non. Car ou bien, malgré toutes ses différenciations, il lui faudra s'arrêter à certains « logoi archétypes » qui permettront il est vrai de s'y retrouver plus facilement dans l'approche du texte, mais en se limitant au seul passage de l'identité à la différence – de la réalité première aux catastrophes inscrites dans l'écriture; et elle devra donc s'interdire de répondre du second passage, celui de la différence à l'unité du sens, qui ne saurait être qu'unique. Ou bien alors elle ne donnera nulle limite à son champ d'action mais, en découvrant autant de singularités que de textes singuliers, elle se niera elle-même en niant toute catégorisation finale.

Ainsi la poétique de l'Imaginaire, en dernier ressort, pourra-t-elle faire l'économie de cette typologie qui se révèle ou insuffisante ou inutile, et s'en tenir à l'aphorisme du poète pour lequel « il n'y a de connaissance que du particulier [51] ». Une économie qui lui évitera de tomber dans les ornières de la quantification et de l'étiquetage qu'elle dénonce mais qui surtout, la libérant d'une formalisation contraignante, lui laissera loisir d'aller dans le sens même de cette écriture sur laquelle elle se penche : le sens de l'intemporel. Et ce n'est peut-être pas un de ses moindres mérites que de retrouver au grand jour, à l'extrémité de ses tâtonnantes démarches, le même optimisme qu'elle croyait découvrir au départ dans l'obscurité des tendances présidant à la genèse du texte poétique : c'est la même quête d'éternité ici et là qui se profile. D'un côté, une écriture qui répond à l'angoisse de la finitude par une attitude de révolte, de refus ou de ruse, imposant des schémas de conquête, de repli ou de progrès, lesquels déterminent des régimes syntaxiques qui, de façon antithétique, euphé-

50. *La Poétique de l'espace, op. cit.,* p. 13.
51. Aragon, *Le Paysan de Paris, op. cit.,* p. 247.

mique ou dialectique, réalisent, de telle ou d'autre sorte, la manifestation de l'infini dans le fini. De l'autre, une écriture qui, par les ruptures temporelles qu'elle suscite et révèle, débouche, et par d'autres voies que celles de la logique, sur une ontologie qui est plénitude du sens et appréhension de l'intemporel. Une quête d'éternité toujours à reprendre, toujours à redire : celle d'une poésie toujours à faire et qui, parce qu'elle est pleine intégration des différences et de tout « ce qui rompt pour nous l'accoutumance », assure la liaison de l'homme « avec la permanence et l'unité de l'Être » :

> Ainsi, par son adhésion totale à ce qui est, le poète tient pour nous liaison avec la permanence et l'unité de l'Être. Et sa leçon est d'optimisme. Une même loi d'harmonie régit pour lui le monde entier des choses. Rien n'y peut advenir qui par nature excède la mesure de l'homme. Les pires bouleversements de l'histoire ne sont que rythmes saisonniers dans un plus vaste cycle d'enchaînements et de renouvellements. Et les Furies qui traversent la scène, torche haute, n'éclairent qu'un instant du très long thème en cours. Les civilisations mûrissantes ne meurent point des affres d'un automne, elles ne font que muer. L'inertie seule est menaçante. Poète est celui-là qui rompt pour nous l'accoutumance [52].

Prolégomènes à une lecture de l'Imaginaire

Cet optimisme, c'est celui sans doute qui tient à la découverte de la possibilité de relier « l'homme temporel et l'homme intemporel », et l'enjeu de la poésie pourrait bien être ainsi de réduire l'écart qui les sépare et par là d'attester « la double vocation de l'homme [53] ». C'est en tout cas, hors de toutes les interprétations réductrices et toutes les gloses narcissiques, ce que découvre une analyse de l'écriture de l'Imaginaire qui ne veut s'enfermer dans aucun système mais seulement suivre au plus près, sans en changer le cours ni s'en approprier les mérites, l'émergence d'un

---

52. Saint-John Perse, « Poésie », in *Œuvres complètes, op. cit.,* p. 446.
53. *Ibid.,* p. 446-447.

peu plus de réalité, la manifestation d'un peu plus d'Être. Et c'est vrai que « l'image poétique est sous le signe d'un être nouveau », et c'est vrai qu'il est un « bonheur de parole qui domine le drame même [54] » : mais pourquoi faudrait-il en conclure que ce bonheur qui est propre à la poésie, « quelque drame qu'elle soit amenée à illustrer », tienne à la sublimation qui, dans la poésie, « surplombe la psychologie de l'âme terrestrement malheureuse »? Sans doute comprend-on les réticences de l'auteur du *Matérialisme dialectique* et du *Rationalisme appliqué,* soucieux de ne point franchir les barrières de la phénoménologie et de s'en tenir à une « métaphysique concrète [55] », à s'aventurer trop avant sur les voies de l'ontologie [56]. Mais cette sublimation, même dégagée de ses implications psychanalytiques, est bien peu capable de justifier le « bonheur de parole », entendu en son sens le plus plein, si ses pouvoirs se limitent à ceux que lui accorde le phénoménologue :

> [...] il s'agit de passer, phénoménologiquement, à des images invécues, à des images que la vie ne prépare pas et que le poète crée. Il s'agit de vivre l'invécu et de s'ouvrir à une ouverture du langage [57].

Passer à des images invécues, oui, sans doute; mais comment opérer ce passage en demeurant sur les terres de la phénoménologie? Et s'il ne s'agit que de s'ouvrir à une ouverture de langage, c'est un bonheur bien étriqué que celui qui nous est promis.

La poésie, et précisément parce qu'elle est « engagement de l'âme [58] », promet un bonheur plus complet : celui d'être « en avant ». Bonheur non de prévoir seulement ou de prédire ce qui effectivement sera parce qu'un poète l'aura un jour imaginé [59];

54. *La Poétique de l'espace, op. cit.,* p. 12-13.
55. *Ibid.,* p. 214 *(in fine).*
56. Après avoir énoncé que « l'expression crée de l'être » et dégagé sa thèse selon laquelle tout ce qui est spécifiquement humain dans l'homme est *logos,* Bachelard reconnaît d'ailleurs le peu de « profondeur ontologique » de sa position *(ibid.,* p. 7).
57. *Ibid.,* p. 13.
58. *Ibid.,* p. 5. Et plus loin : « En une image poétique l'âme dit sa présence » (p. 6).
59. Cf. Apollinaire, *L'Esprit nouveau et les Poètes* (Conférence du 25 novembre 1917) ou « Les collines » *(Calligrammes).*

car, s'il est vrai que toute entreprise poétique est prophétique [60], là n'est pas le secret de sa félicité. Mais bonheur d'être à la veille d'entrer « aux splendides villes » et de « posséder la vérité dans une âme et un corps [61] »; bonheur de dépasser les bornes de la finitude « par la grâce [...] d'un langage où se transmet le mouvement même de l'Être [62] »; bonheur enfin de buter sur l'invisible au point que « toujours restent les yeux chargés d'un autre monde [63] ».

Une poétique de l'Imaginaire bien entendue, et qui ne proposerait pas seulement de voir et de faire voir comment tout s'organise, dans une écriture poétique, en fonction d'un surcroît de réalité qui dépasse les limites du temps et du texte, mais qui voudrait encore donner à vivre ce supplément d'âme, ne saurait négliger ce bonheur-là. Aussi une lecture de l'Imaginaire s'impose-t-elle, qui va devoir tenir le plus grand compte des processus continus engagés dans l'écriture, mais sans dissocier un instant ces processus, jusque dans le détail de leur fonctionnement et des potentialités qu'il libère, du « mouvement même de l'Être » qu'ils transmettent. C'est dire déjà que, se plaçant délibérément dans la perspective de son objet, une telle lecture va tenter de participer à l'élaboration progressive du sens, à la reconquête de l'unité ontologique au travers de la diversité des accidents temporels qui rompent et font sans cesse dévier l'écriture, mais en s'emparant à mesure de ce bonheur du poème. Lire un texte poétique, dès lors, va consister à déceler toutes les forces qui l'habitent, à suivre les formes qu'il appelle dans leurs déroulements singuliers comme dans leurs jeux communs, dans leurs déformations comme dans leurs brisures, dans leurs résonances comme dans leur convergence. Mais parce que « la poésie est contagieuse [64] », lire sera non seulement saisir l'organisation mouvante du texte mais encore vivre à mesure ses passages, non

---

60. Bachelard lui-même, d'ailleurs, admet l'étroitesse d'une telle prophétie, qui procède, dit-il, d'une causalité formelle et guère d'un esprit pythien : « Les secrets sont plutôt formels, mathématiques, projetés comme des signes bien cohérents dans un avenir bien fait » (*Lautréamont*, Paris, Corti, 1968, p. 150). On sait que, pour Saint-John Perse, l'entreprise de la poésie moderne, « dont la poursuite intéresse la pleine intégration de l'homme », se reconnaît justement à ce qu'« il n'est rien de pythique » en elle (« Poésie », in *Œuvres complètes, op. cit.*, p. 445).
61. Rimbaud, *Une saison en enfer*, « Adieu ».
62. Saint-John Perse, « Poésie », in *Œuvres complètes, op. cit.*, p. 444.
63. Henri Michaux, *Émergences-Résurgences, op. cit.*, p. 116.
64. Paul Eluard, *Les Sentiers et les Routes de la poésie, op. cit.*, p. 531.

seulement mettre à jour la structuration progressive de son sens mais encore contribuer à son amplification, non seulement actualiser les virtualités qui l'emplissent mais encore réaliser son bonheur. S'immerger dans le texte et s'en mettre à distance, sympathiser et ironiser tout à la fois : c'est une lecture totale que celle de l'Imaginaire, et qui voudrait ne rien perdre de ce que le texte découvre, mais ne rien perdre aussi de son propre plaisir.

Car c'est bien ce plaisir, en définitive, qui le plus importe ou devrait importer. Et ce plaisir, s'il veut être vrai, ne saurait être celui d'en savoir davantage sur les mécanismes du texte, ni celui de se croire de connivence avec le poète, ni celui de pouvoir prendre à son gré des nouvelles du monde qui est le sien. Répondant au bonheur du poème, ce plaisir est bien plutôt celui d'être davantage et d'aller « en avant ». Car la lecture du texte poétique, si elle implique, à partir des constellations d'images et de leur mode d'installation, selon certains schémas directeurs, sur les différents schèmes moteurs, le parcours de tous les itinéraires que ce texte propose, avec leurs bifurcations et leurs déviations à tous les niveaux – phonique, rythmique, lexical, syntaxique, rhétorique, logique même; si elle requiert l'occupation de l'espace qu'il délimite et aménage, l'assimilation du temps qu'il impose à la place du temps qu'il annule; si elle appelle la saisie globale de l'événement qu'il provoque à force de ruptures, de l'avènement qu'il célèbre en une vision unitaire retrouvée – une telle lecture est nécessairement compromettante. Compromettante pour le texte poétique, sans doute, qui ne va cesser de se révéler au lecteur sous un jour nouveau; mais compromettante aussi pour le lecteur qui ne va cesser de se révéler différent devant lui. C'est de cette double révélation que naît le plaisir qui se trouve donc lié à la fois au texte poétique, qu'il s'agit de rendre habitable, et à la façon d'habiter non la « maison du mot » mais la maison du texte, le volume de l'œuvre poétique.

Ce plaisir, même s'il ne l'exclut point, n'est pas celui de Bachelard rêvant sur les mots et savourant les seuls délices de sa propre rêverie [65]; ce n'est pas non plus celui de Barthes rêvant sur les formes du langage et savourant les jeux de ce qu'il sait plutôt que les joies de ce qu'il sent [66]. Déjà s'en rapproche davantage, et parce qu'il va dans le sens de la création poétique

---

65. Cf. *la Poétique de la rêverie, op. cit., passim.*
66. Cf. *le Plaisir du texte,* Paris, Éd. du Seuil, 1973.

et parce qu'il est créateur lui aussi à sa façon, celui que Valéry s'attarde à définir dans son *Discours sur l'Esthétique* :

> [...] un plaisir qui peut irriter l'étrange besoin de produire, ou de reproduire la chose, l'événement ou l'objet ou l'état, auquel il semble attaché, et qui devient par là une source d'activité *sans terme certain,* capable d'imposer une discipline, un zèle, des tourments à toute une vie, et de la remplir, si ce n'est d'en déborder, – propose à la pensée une énigme singulièrement spécieuse qui ne pouvait échapper au désir et à l'étreinte de l'hydre métaphysique [67].

C'est en fonction d'un plaisir bien proche de celui-ci, et qu'elle se garde pour sa part de disséquer mais cherche seulement à prolonger et amplifier « *sans terme certain* », qu'une lecture de l'Imaginaire peut s'attacher conjointement à rendre le texte mieux habitable et à rendre le lecteur mieux apte à l'habiter.

Rendre le texte mieux habitable, ce n'est faire autre chose que parcourir l'écriture de ses forces et de ses formes pleines selon les voies de l'Imaginaire, sans négliger aucun des matériaux substantifs en présence, ni dans leurs fonctions référentielles, ni dans leurs fonctions génératrices, mais sans perdre de vue la chaîne ni la trame d'une texture complexe qui ne trouve son unité qu'un peu au-delà d'elle. Mais il ne suffit pas, cependant, d'entreprendre tous les parcours, de recenser tous les recoins, de prolonger tous les possibles du texte : encore faut-il savoir mieux l'habiter. Or, quel que soit l'inconfort intellectuel qui en puisse résulter, cela implique de refuser le dévidement de sens auquel procèdent, chacune à sa façon, les herméneutiques démythisantes et démythifiantes, toutes réductrices et donc destructrices du texte. Car l'irremplaçable privilège accordé à la poésie, par le lieu de son écriture et la fonction symbolique de ses matériaux comme par ses modalités de structuration et la discontinuité de ses cheminements, rend nécessaire le renversement de la démarche qui nous est par trop familière, quand il s'agit d'aller du simple au complexe, de l'unité à la pluralité, de l'univocité à l'équivocité. Aussi bien, mieux habiter le texte va consister à remplacer la lecture simplificatrice par une approche amplificatrice du sens, toujours à parfaire, une approche reconstructrice du texte et qui,

---

67. « Discours sur l'Esthétique » (1937) *(Variété),* in *Œuvres, op. cit.,* t. I, p. 1299.

en le remythisant et le remythifiant, va tout en même temps lui redonner sa plénitude et le rendre à sa véritable destination. Une destination qui, sans le détacher de ses racines ni le distraire complètement de son archéologie avec ses significations multiples, oriente ce texte vers un sens auquel il n'est rien, en lui, qui ne l'achemine : un sens qui n'en finit pas d'émerger et qui cesse enfin d'être la seule clé capable au mieux d'ouvrir le texte pour devenir une façon supplémentaire d'être au monde par la médiation d'un langage dans lequel Saint-John Perse, en connaisseur, voyait moyen de « mieux vivre, et plus loin [68]! ».

68. « D'une interview de Pierre Mazars (1er novembre 1960) », in *Œuvres complètes, op. cit.*, p. 576.

II

LECTURES
DE L'IMAGINAIRE

*Sentiers, sentiers nouveaux dans l'imagina-
tion : instants transformés, qui vont dans leur
sillage en entraîner des milliers et des milliers
d'autres, induits, pareillement impressionnés,
des jours durant, à perte de vue.*

Henri Michaux

6
Michaux
ou le plaisir du signe

Sur l'espace partagé
du poète et du peintre

L'espace du texte poétique, celui qu'organise et remplit une écriture qui tout en même temps manifeste une réalité en perpétuel devenir et répond à certains principes intemporels légiférant ses divers possibles, c'est bien celui aussi qu'affronte le lecteur. Dès lors, la lecture de l'Imaginaire du texte va impliquer nécessairement l'exploration de son espace à la fois perçu dans son actualité et saisi dans ses virtualités. Ce qui signifie que le lecteur, s'il veut réactualiser les forces en présence, appréhender dans ses ruptures mêmes la création continue du poème, devra tenter conjointement de vivre sympathiquement son devenir réel et de considérer à distance sa vérité supposée.

On voit déjà par là qu'une telle lecture, sans laquelle une poétique de l'Imaginaire reste lettre morte, se devra de déchiffrer dans l'espace du texte, lieu à la fois du réel et du possible, et un processus génétique et un univers logique. Tâche qui ne laisse pas d'être malaisée, surtout lorsque cet espace n'est pas celui d'un texte isolé – dont on ne saurait d'ailleurs rien conclure – ni celui d'un ouvrage trouvant signification dans sa propre unité, d'autant plus à même de se laisser pénétrer et dominer que plus ramassé dans le temps. Mais si l'écriture de l'Imaginaire, sous peine d'être envisagée de trop haut et de livrer mieux la logique de ses possibles que les processus de son devenir, se laisse moins bien définir dans ses particularités lorsqu'il s'agit d'une production globale, s'étendant sur un long temps et occupant un plus vaste espace, que dire d'une œuvre qui recourt à une écriture double, à deux modes différents d'occupation de l'espace, comme il en va d'Henri Michaux?

Certes, pour poser et éliminer en même temps le problème de la double écriture du peintre et du poète, il suffirait, semble-t-il, de s'arrêter au seuil d'*Émergences-Résurgences* où Michaux ne craint point d'affirmer : « Né, élevé, instruit dans un milieu et

une culture uniquement du " verbal ", je peins pour me déconditionner [1]. » Mais la prudence nous enseigne désormais non,
certes, à nous méfier de ce que le créateur cherche à dire de lui-
même et de sa production, mais à voir là un discours qui, pour
n'être pas œuvre à proprement parler, n'est cependant pas essentiellement différent de l'œuvre réalisée et vaut d'être traité par
la critique avec la même attention qu'il accorde à celle-ci. Ce
discours qu'entretient Michaux sur sa poésie et sa peinture en
train d'« émerger », de venir à l'existence sous ses yeux, il convient
donc d'en faire non point la mesure de son œuvre, mais bien
plutôt le lieu où mettre à jour ce qui en profondeur unit l'une à
l'autre, en leur développement parallèle, deux écritures, ou plutôt
deux systèmes d'écriture différents.

Il serait en effet peu sérieux de confronter les deux visages du
peintre et du poète, de chercher ce que celui-ci a pu apporter à
celui-là, en se référant à ce qui ne serait que pure réflexion
théorique énoncée par un moi supérieur au peintre et au poète,
capable au demeurant de porter un regard serein et décisif sur
l'œuvre double. Mais, en revanche, il est d'un intérêt peu contestable, s'appuyant sur un discours critique qui s'organise à coup
sûr selon des modes de structuration identiques à ceux de cette
œuvre et manifeste les mêmes angoisses, esquisse les mêmes
réponses sur un registre différent, de tenter, à partir de l'analyse
des signes verbaux et des signes plastiques, de leur organisation
comme de leur fonctionnement, la confrontation de deux écritures
qui s'éclairent l'une par l'autre et pourraient dire même chose
ou, mieux encore, le dire de semblable façon sur deux instruments
dissemblables.

*

Écriture, en effet, que le dessin ou le tableau pour Michaux,
écriture qui se déroule dans le seul espace et non plus dans le
temps, qui délivre du sens unique du discours et se ramasse
entière dans l'instant, mais écriture cependant puisque, si tout
est donné d'un coup sur la toile, rien n'est connu tant qu'on n'a
pas « commencé à lire ». Écoutons plutôt sa préface aux lithographies de Zao Wou Ki intitulée *Lecture* :

Les livres sont ennuyeux à lire. Pas de libre circulation.

1. *Émergences-Résurgences, op. cit.,* p. 9.

On est invité à suivre. Le chemin est tracé, unique.
Tout différent le tableau : immédiat, total. A gauche, aussi,
à droite, en profondeur, à volonté.
Pas de trajet, mille trajets, et les pauses ne sont pas indiquées.
Dès qu'on le désire, le tableau à nouveau, entier. Dans un
instant, tout est là.
Tout, mais rien n'est connu encore. C'est ici qu'il faut
vraiment commencer à LIRE.
Aventure peu recherchée, quoique pour tous [2].

C'est donc entre le donné et le connu que se situe l'aventure
pour Michaux : « aventure d'être en vie » qui est la même, semble-
t-il, pour le lecteur que pour le créateur [3], puisque c'est manière
pour l'un comme pour l'autre de se parcourir, d'occuper davantage son espace du dedans :

J'écris pour me parcourir. Peindre, composer, écrire : me
parcourir. Là est l'aventure d'être en vie.
En somme, depuis plus de dix ans, je fais surtout de l'occupation progressive [4].

Cette occupation, ce remplissement de son espace intérieur se
retrouvent pareillement dans les thèmes des poèmes et dans la
facture de la plupart des dessins et toiles de la première période.
Dans l'un et l'autre cas se révèle le même souci de combler les
vides, de noircir les blancs, de rendre les silences habitables; le
même désir de faire apparaître tout ce qui est caché au fond de
soi, de réveiller ce qui semblait endormi, de saisir dans toute
leur force les mouvements qui nous parcourent; le même besoin
de concrétiser ces forces obscures, de manifester leur continuité
autant que leur dynamisme, et finalement d'appréhender dans sa
réalité vécue la conscience même d'exister. Le même souci, le
même désir, le même besoin, ici et là, mais aussi la même peur
de n'y pas parvenir, d'être écrasé par les obstacles, d'être englouti
dans sa propre nuit intérieure :

Sous le plafond bas de ma petite chambre, est ma nuit,
gouffre profond.

2. *Lecture de 8 lithographies de Zao Wou Ki, op. cit.*, p. 1.
3. Cf. « Postface », *Plume, op. cit.*, p. 216.
4. « Observations », *Passages, op. cit.*, p. 142.

> Précipité constamment à des milliers de mètres de profondeur, avec un abîme plusieurs fois aussi immense sous moi, je me retiens avec la plus grande difficulté aux aspérités, fourbu, machinal, sans contrôle, hésitant entre le dégoût et l'opiniâtreté; l'ascension-fourmi se poursuit avec une lenteur interminable. Les aspérités, de plus en plus infimes, se lisent à peine sur la paroi perpendiculaire. Le gouffre, la nuit, la terreur s'unissent de plus en plus indissolublement [5].

Ce n'est sans doute pas un autre gouffre, une autre nuit, une autre terreur, qui se découvrent dans les peintures à l'encre de Chine, plus particulièrement celles de 1960 à 1965 [6]; et c'est la même angoisse, attachée à cette chute que suivra une interminable ascension-reconquête, qui se lit dans les poèmes et dans les tableaux. De ces derniers, qui correspondent, nous dit-il, à une période où il cesse de dessiner au pinceau pour se servir de l'encre directement, Michaux fait ce commentaire :

> Noir de mécontent. Noir sans gêne. Sans compromis. Noir, qui va avec l'humeur coléreuse.
> Noir qui fait flaque, qui heurte, qui passe sur le corps de..., qui franchit tout obstacle, qui dévale, qui éteint les lumières, noir dévorant.
> L'emportement ici, décidément plus grand que l'abandon, devient de plus en plus nécessaire, plus impérieux, plus à sa place.
> Noir mauvais du refuseur, du négateur. De l'envahisseur qui va franchir les frontières.
> PEINDRE POUR REPOUSSER!

> Ce sale flot noir, qui se vautre, démolissant la page et son horizon, qu'il traverse aveuglément, stupidement, insupportablement, m'oblige à intervenir [7].

Ses interventions, comme il les nomme, vont être d'incessantes tentatives pour rejeter, éparpiller la nuit – tache « naturellement baveuse » qui se répand et menace de tout envahir –, pour repousser son assaut. Et c'est cette même tentative pour échapper

5. « La nuit remue », 2, *La nuit remue, op. cit.,* p. 10.
6. Cf. *Émergences-Résurgences, op. cit.,* p. 65-70.
7. *Ibid.,* p. 56-60.

à sa nuit intérieure, pour remonter vers la lumière, que le peintre, comme le poète, essaie de fixer :

> [...] repousser c'est également se dégager, briser les chaînes, recouvrer sa liberté, c'est l'envol [8].

Mêmes phantasmes et mêmes efforts pour les exorciser, attaques et contre-attaques, sur la page et sur la toile : pourquoi faut-il alors que si souvent Michaux parle de la peinture comme d'une délivrance des angoisses liées au monde verbal? Car ce sont en fait de semblables images qui apparaissent ici et là; et, sur deux modes différents, il essaie pareillement de donner forme à ce qui en lui est informe, d'affronter ce qu'il refuse, d'apprivoiser ce qu'il redoute, et finalement de s'aménager un espace à l'abri de toutes les épreuves. On s'explique mal, de prime abord, une déclaration comme celle-ci, dans la postface de *Mouvements :*

> C'est [...] pour m'avoir libéré des mots, ces collants partenaires, que les dessins sont élancés et presque joyeux [...]. Aussi vois-je en eux, nouveau langage, tournant le dos au verbal, des libérateurs [9].

Bel exemple de cette impossible réflexion sur sa propre création dans laquelle Michaux est englué, et bel exemple aussi de cette poétique tendant à se faire poème dont il est coutumier. Tel texte commençant comme un essai sur le bruit et le silence, le plaisir de jouer avec les sons, les pouvoirs pour lui de la musique – « ce que je voudrais [...] c'est musique pour questionner, pour ausculter, pour approcher le problème d'être » – ne s'achève-t-il pas comme un véritable poème à la gloire de son propre « tam-tam », puisque « le mal, c'est le rythme des autres [10] »? De la même façon, lorsqu'il s'interroge sur la peinture et ce qu'il en attend, le poème qu'il en vient à écrire lui fait accorder à celle-ci d'étonnants privilèges qu'une analyse des toiles aurait sans doute beaucoup de mal à confirmer :

> Ne voit-on pas que je peins pour laisser là les mots, pour arrêter la démangeaison du comment et du pourquoi?...

---

8. *Ibid.*, p. 62.
9. « Postface », *Mouvements, op. cit.*, n.p.
10. « Premières impressions », *Passages, op. cit.*, p. 117-137.

Ce n'est pas ce que je veux qui doit m'arrêter, mais ce qui tente d'arriver malgré moi... Je secoue ce qui n'est pas définitivement stable en moi et qui ainsi va pouvoir – qui sait? – partir d'un mouvement soudain, soudain neuf et vivant [11].

Encore reste-t-il à savoir si vraiment, comme l'affirme Michaux, lignes, formes et couleurs mieux que les mots parviennent à exprimer ce qui tente d'arriver malgré lui [12], ou expriment autre chose; et si, dans l'exploration de son espace intérieur, elles permettent d'aller plus avant dans la reconquête de l'être mais aussi d'« arrêter la démangeaison du comment et du pourquoi ».

*

Peut-être n'est-il pas inutile de rappeler ici que Michaux n'est pas un poète qui serait venu à la peinture, mais qu'il est conjointement peintre et poète : cinq années à peine séparent les débuts de l'une et l'autre de ses productions : les premières pages, déterminées peut-être par la lecture des *Chants de Maldoror,* datent de 1922, les premiers essais plastiques, à la fois taches et alphabets, de 1925, avec la découverte d'Ernst, de Chirico et surtout de Klee. Les deux œuvres poétique et plastique vont être menées parallèlement, sans que l'une porte ombrage à l'autre, mais chacune profitant, semble-t-il, des limites mêmes du langage de l'autre, en tout cas indépendantes l'une de l'autre, si l'on en croit Michaux. Dans *Ecuador,* journal de son voyage de 1928, ne note-t-il pas déjà :

[...] sur la toile sont apparus mes larves et fantômes fidèles, qui ne sont de nulle part, ne connaissant rien de l'Équateur, ne se laisseraient pas faire. Allons, tout' n'a point encore succombé [13].

Œuvres indépendantes, mais certainement pas étrangères l'une

11. « Passages », catalogue de l'exposition Henri Michaux, Musée national d'Art Moderne, Paris (14 février-4 avril 1965), p. 25.
12. « Au moins je fais éclater un des couvercles qui me retenaient. [...] Une fois de plus je peux être spontané, totalement, sans corrections, sans deuxième état, sans avoir à y revenir, à retoucher. D'emblée, là » (*Émergences-Résurgences, op. cit.,* p. 70-71).
13. *Ecuador,* Paris, Gallimard, 1929, p. 76.

à l'autre, il s'en faut de beaucoup. Et ce sont mêmes signes qui se font jour sur la page et sur la toile, quand l'écriture ici et là pourrait bien avoir semblable fonction qui n'est pas de traduire mais de rendre sensibles certains échanges de forces, de rendre possibles certains « passages ».

De ces signes qu'il veut faire par ses mots, Michaux nous parle souvent dans ses textes, et ses poèmes, qu'il laisse naître et se développer à leur gré à partir d'une sensation ou d'une image, d'une angoisse ou d'un rythme, ne sont jamais organisés autour d'un projet ou d'une vision antérieure qu'il se proposerait de transcrire ou de faire revivre : on assiste à leur bourgeonnement progressif, comme autant de gestes émergeant peu à peu des profondeurs et venant éclater à la surface, selon le précepte même auquel le poète restera constamment fidèle : « au jour le jour, suivant mes besoins, comme ça venait, sans " pousser ", en suivant la vague, au plus pressé toujours [...] [14] »; des gestes qui ne prétendent copier aucune réalité ni renvoyer à aucun dictionnaire, mais seulement être fidèles à ce que Michaux nomme son « transitoire », cette part de lui-même où se jouent des combats jamais achevés et où se parle sa vraie langue. Tel est du moins l'aveu final de « Mouvements », ce poème dans lequel, mieux que nulle part ailleurs, les signes qui particularisent l'écriture de Michaux sont raccrochés aux mouvements et aux gestes dont ils procèdent, gammes de la solitude que le désert multiplie, « arabesques indéfiniment réitérées » :

Signes
non de toit, de tunique ou de palais
non d'archives et de dictionnaire du savoir
mais de torsion, de violence, de bousculement
mais d'envie cinétique

Signes de la débandade, de la poursuite et de l'emportement
des poussées antagonistes, aberrantes, dissymétriques
signes non critiques, mais déviation avec la déviation et
course avec la course
signes non pour une zoologie
mais pour la figure des démons effrénés
accompagnateurs de nos actes et contradicteurs de notre
retenue

14. « Postface », *La nuit remue, op. cit.,* p. 194.

Signes des dix mille façons d'être en équilibre dans ce monde
mouvant qui se rit de l'adaptation
Signes surtout pour retirer son être du piège de la langue
des autres
faite pour gagner contre vous, comme une roulette bien
réglée
qui ne vous laisse que quelques coups heureux
et la ruine et la défaite pour finir
qui y étaient inscrites
pour vous, comme pour tous, à l'avance.

Signes non pour retour en arrière
mais pour mieux « passer la ligne » à chaque instant
signes non comme on copie
mais comme on pilote
ou, fonçant inconscient, comme on est piloté

Signes, non pour être complet, non pour conjuguer
mais pour être fidèle à son « transitoire »
Signes pour retrouver le don des langues
la sienne au moins, que, sinon soi, qui la parlera?
Écriture directe enfin pour le dévidement des formes
pour le soulagement, le désencombrement des images
dont la place publique-cerveau est, en ces temps, particulièrement engorgée

Faute d'aura, au moins éparpillons nos effluves [15]

Sans doute objectera-t-on qu'il s'agit là d'un poème écrit sur
des dessins à l'encre représentant précisément une suite de
mouvements : mais quel poème de *La nuit remue* ou de *la Vie
dans les plis,* dans son souci de retrouver la langue des profondeurs, ne recourt à cette « écriture directe [...] pour le dévidement
des formes, pour le soulagement, le désencombrement des
images »? L'analyse de cette écriture, dès lors, pourrait bien
révéler certaine permanence de l'organisation comme du fonctionnement de tels signes dans l'œuvre poétique de Michaux. Et
comment ne pas remarquer d'abord que c'est à une semblable
émergence des signes que nous font assister dessins et tableaux?
Déjà les tout premiers dessins, par lesquels Michaux se proposait de « participer au monde par des lignes », et où il laissait

15. « Mouvements », *Face aux verrous,* Gallimard, 1954, p. 19-21.

courir, nous dit-il, le crayon ou la plume sur le papier « jusqu'à ce qu'à force d'errer sans se fixer dans cet espace réduit, il y ait obligatoirement arrêt [16] », ne se présentent pas autrement que comme des pages d'écriture. Il est symptomatique, d'ailleurs, que tel dessin à la plume, d'octobre 1927, soit intitulé précisément « Narration [17] » (pl. I); narration non de ce qui est arrivé, de ce qui a déjà été vu ou trouvé, mais narration de ce qui est en train de se passer et ne veut rien révéler que le mouvement même de ce qui le pousse à ne pas s'arrêter :

> Comme moi la ligne cherche sans savoir ce qu'elle cherche, refuse les immédiates trouvailles, les solutions qui s'offrent, les tentations premières. Se gardant d'« arriver », ligne d'aveugle investigation.
> Sans conduire à rien, pas pour faire beau ou intéressant, se traversant elle-même sans broncher, sans se détourner, sans se nouer, sans à rien se nouer, sans apercevoir d'objet, de paysage, de figure.
> A rien ne se heurtant, ligne somnambule.
> Par endroits courbe, toutefois non enlaçante.
> Sans rien cerner, jamais cernée [18].

Cette écriture de la « ligne qui n'a pas encore fait son choix, pas prête pour une mise au point », et qui bientôt va revêtir d'autres formes, jamais Michaux ne l'abandonnera tout à fait. Au fur et à mesure qu'il se fera plus entreprenant, laissant la plume pour le pinceau, épaississant d'abord son trait, puis partant des taches mêmes de l'encre directement versée, remplaçant ensuite l'encre par la gouache et enfin la peinture à l'huile, il découvrira la possibilité d'avoir des nouvelles de son espace du dedans, la possibilité de défendre du même coup cet espace contre tout ce qui le menace; mais il ne cessera de regretter cependant cette écriture linéaire sans cassures et qui seule pouvait répondre à son désir profond de rendre compte de ce qu'il appellera « l'écoulement du temps [19] » : « Continuum comme un murmure, qui ne finit pas, semblable à la vie, qui est ce qui nous continue, plus important que toute qualité [20]. » De cette nostalgie

16. *Émergences-Résurgences, op. cit.*, p. 11.
17. Cf. *ibid.*, p. 10.
18. *Ibid.*, p. 12.
19. Cf. « Dessiner l'écoulement du temps », *Passages, op. cit.*, p. 197-205.
20. *Émergences-Résurgences, op. cit.*, p. 13.

PLANCHE I

d'une écriture proprement linéaire témoignera ce chant à la gloire des lignes qu'il entonne en hommage à Paul Klee [21]; lignes qui lui permettent, affirme-t-il, d'accéder au musical (a-t-on remarqué, d'ailleurs, combien d'aquarelles et d'encres de Michaux ressemblent à des partitions de musique [22]?); lignes qui ne délimitent pas des objets mais proposent des parcours, et comme le poème s'inscrivent dans le temps :

> Une ligne renonce. Une ligne repose. Halte. Une halte à trois crampons : un habitat.
> Une ligne s'enferme. Méditation. Des fils en partent encore, lentement.
> Une ligne de partage là, une ligne de faîte, plus loin la ligne-observatoire.
> Temps, Temps...
> Une ligne de conscience s'est reformée [23].

*

C'est bien ce passage d'une écriture essentiellement temporelle à une écriture d'abord spatiale que marque le passage de la ligne au signe. Passage difficile, car « un signe, c'est aussi un signal d'arrêt », et le continu ne peut être rendu; passage qui lui fait tracer d'abord « des sortes de pictogrammes, plutôt de trajets pictographiés », qui voudraient suivre encore « le phrasé même de la vie ». Et, après un détour par la peinture sur fond noir où les couleurs à peine posées deviennent apparitions qui sortent de la nuit, puis par l'aquarelle où, nous dit-il, « la spontanéité, qui dans l'écriture n'est plus, s'est totalement reportée [24] », c'est le retour aux signes. Mais il s'agit cette fois de signes d'un type nouveau, qui lui restituent, avec « l'homme inoubliable » soumis à toutes ses torsions profondes et tour à tour énuméré dans ses étirements et ses interminables expansions, son espace reconquis et son temps continu (pl. II) :

> Signes revenus, pas les mêmes, plus du tout ce que je voulais faire et pas non plus en vue d'une langue – sortant

21. « Aventures de lignes », préface à l'ouvrage de W. Grohmann, *Paul Klee*, Paris, Flinker, 1954.
22. Cf. notamment *Parcours*, Paris, Le Point cardinal, 1965.
23. « Aventures de lignes », *Passages, op. cit.*, p. 178-179.
24. *Émergences-Résurgences, op. cit.*, p. 44-45.

PLANCHE II

tous du type homme où jambes ou bras et buste peuvent manquer, mais homme par sa dynamique intérieure, tordu, explosé, que je soumets (ou ressens soumis) à des torsions et des étirements, à des expansions en tous sens.

En forme de racine? Homme tout de même, un homme qui compte sur l'aveugle souterrain pour plus tard aller au grand jour.

Dans des centaines de pages, un à un comme énuméré (quatre ou cinq par feuille, chacun à part dans une invisible niche, sans communiquer l'un avec l'autre), l'homme m'arrive, me revient, l'homme inoubliable [25].

Maintenant, ce n'est plus descente à tâtons dans la nuit du dedans où les couleurs du jour deviennent inquiétantes, mais résurgence des mouvements profonds, émergence vers la lumière de tous ces hommes cachés ou secrets qui font l'homme : sur la page à nouveau blanche, les signes qui affleurent nous parlent d'un monde en soi plus réel que l'autre, mais ébauchent en même temps un « catalogue d'attitudes intérieures, une encyclopédie des gestes invisibles, des métamorphoses spontanées, dont l'homme à longueur de journée a besoin pour survivre... [26] ». Dessinant les choses dont ils parlent, racontant l'histoire qu'ils miment [27], ces signes deviennent alors à leur façon des idéogrammes et permettent à Michaux « une autre façon d'être chinois [28] ». On sait le choc qu'avait été pour lui la découverte, au Japon et en Chine, des signes graphiques qui laissent infirme « celui qui ne sait pas avec les signes signifier [29] ». Et il devait rester toute sa vie fasciné par les idéogrammes qu'il allait célébrer encore, et d'une façon telle qu'on le croirait décrire une de ses encres, dans sa préface à la *Calligraphie chinoise* de L. Y. Chang :

Les caractères ressuscités en leur image première revivaient.

---

25. *Ibid.*, p. 50.

26. *Ibid.*, p. 53.

27. Michaux nous en donne lui-même le meilleur exemple lorsque, dans ses expériences mescaliniennes, il voit certains jambages, dans leur graphie démesurée, sortir des mots, « emportés à part par leur élan propre, et aussi par l'appel pressant à la représentation et à la figuration de ce dont il était question [...] » (*Émergences-Résurgences, op. cit.*, p. 97).

28. « Idéogrammes en Chine », préface à l'ouvrage de Léon L. Y. Chang : *La Calligraphie chinoise, un art à quatre dimensions*, Paris, Club français du Livre, 1971.

29. *Émergences-Résurgences, op. cit.*, p. 16.

A cette lumière, toute page écrite, toute surface couverte de
caractères, devient grouillante et regorgeante... pleine de
choses, de vies, de tout ce qu'il y a au monde... au monde
de la Chine
pleine de lunes, pleine de cœurs, pleine de portes
pleine d'hommes qui s'inclinent
qui se retirent, qui s'en veulent, qui font la paix
pleine d'obstacles
pleine de mains droites, de mains gauches
de mains qui s'étreignent, qui se répondent, qui se lient à
jamais
[...]
et pleine de dragons
et pleine de démons errant dans la campagne
et pleine de tout ce qu'il y a dans ce monde
tel quel ou autrement assemblé
choisi à dessein par l'inventeur de signes pour être ensemble
scènes pour faire réfléchir
scènes de toute sorte
scènes pour offrir un sens, pour en offrir plusieurs,
pour les proposer à l'esprit
pour les laisser émaner
groupes pour résulter en idées
groupes pour vivre
en poésie [30]

Outre cette parenté avec ses propres dessins, dont Michaux lui-
même ne peut pas ne pas être conscient, il importe de remarquer
que cette vie en poésie, qu'il découvre à travers la lecture formelle
de pages d'idéogrammes, ressemble certes à son espace du
dedans, d'où il peut « montrer du monde concret son peu de
réalité [31] », mais permet aussi de façon plus précise de situer
l'écriture de l'artiste : à mi-chemin d'un monde des mots qui
fuient la réalité en cherchant à l'abstraire et d'un monde des
formes qui tuent la réalité en voulant la cerner.
    Cette écriture idéographique, qui achemine le poète vers la
peinture et le peintre vers la poésie, par les signes qu'elle laisse
émerger, toujours nouveaux, nous fait ainsi rejoindre telle définition du langage poétique contenue en filigrane dans cette
appréciation qu'il donne des premiers dessins de l'enfant :

30. « Idéogrammes en Chine », art. cité, p. VII-IX.
31. *Émergences-Résurgences, op. cit.,* p. 116.

[...] c'est la tentative la plus jeune et la plus vieille de l'humanité, celle d'une langue idéographique, la seule langue vraiment universelle que chaque enfant partout réinvente [32].

*

Semblable écriture, donc, en poésie et en peinture, si l'on en croit ce commun recours aux signes; une écriture qu'il convient désormais d'analyser comme telle, dans ses caractéristiques indissolublement formelles et figuratives, afin d'en dégager les diverses constantes.

La première de ces caractéristiques pourrait se trouver dans la persévération de l'image ou du signe, son continuel redoublement, dont les manifestations sont multiples. Persévération du signe idéographique « dans des centaines de pages, *un à un,* comme énuméré », mais persévération aussi des taches d'encre dans le remplissement de l'espace de la feuille et des motifs dans les récentes peintures à l'huile [33] (pl. III). C'est bien là ce qui frappe d'abord celui qui regarde les toiles ou les cartons de Michaux, ce développement ininterrompu de formes à peine modifiées dont l'artiste semble ne pas pouvoir se détacher. Redoublement qui n'est pas simple répétition, puisque des séries de mouvements, d'insensibles « passages », progressivement se précisent et s'entrecroisent; mais redoublement qui n'est pas sans rappeler celui de nombreux poèmes parmi les plus connus.

Dès *Ecuador* (1929), un texte comme « Souvenirs » montre cet interminable cheminement :

Semblable à la nature, semblable à la nature, semblable à la nature
A la nature, à la nature, à la nature,
Semblable au duvet,
Semblable à la pensée,
Et semblable aussi en quelque manière au Globe de la terre
Semblable à l'erreur, à la douceur et à la cruauté [...] [34].

Ou bien dans *Plume* (1930) :

32. « Enfants », *Passages, op. cit.,* p. 52.
33. Cf. notamment *Émergences-Résurgences, op. cit.,* p. 123.
34. « Souvenirs », *Ecuador, op. cit.,* p. 127.

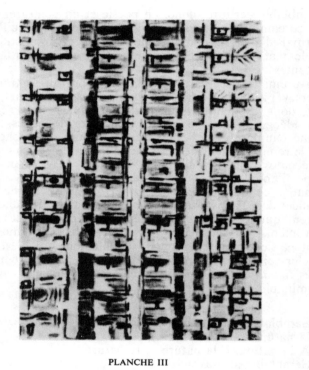

PLANCHE III

Dans la nuit
Dans la nuit
Je me suis uni à la nuit
A la nuit sans limites
A la nuit

Mienne, belle, mienne.

Nuit
Nuit de naissance
Qui m'emplit de mon cri
De mes épis
Toi qui m'envahis
Qui fais houle houle
Qui fais houle tout autour [...] [35].

Et jusqu'aux méditations promues poèmes de *Passages* (1950) :

Qu'est-ce que je fais ici?
J'appelle
J'appelle.
J'appelle.
Je ne sais qui j'appelle.
Qui j'appelle ne sait pas.
J'appelle quelqu'un de faible,
quelqu'un de brisé,
quelqu'un de fier que rien n'a pu briser.
J'appelle.
J'appelle quelqu'un de là-bas,
quelqu'un au loin perdu,
quelqu'un d'un autre monde [36].

De là ce thème du labyrinthe qui ne débouche nulle part, où tout se répète, où tout se ressemble, où rien ne finit :

La prison ouvre sur une prison
Le couloir ouvre un autre couloir [37].

Un premier mode de structuration de l'écriture de l'Imaginaire

35. « Dans la nuit », *Plume, op. cit.,* p. 92.
36. « Premières impressions », *Passages, op. cit.,* p. 120-121.
37. « Labyrinthe », *Épreuves, Exorcismes,* Paris, Gallimard, 1967, p. 57.

de Michaux se précise ici, qui est de persévération et de redoublement en écho, dont les manifestations, tant dans le domaine verbal que dans le domaine plastique, vont se trouver grossies, considérablement amplifiées lors des expériences mescaliniennes. Chacune de ces manifestations mériterait une étude particulière, étude rendue possible par ces expériences mêmes que l'on aurait tort de tenir pour négligeables dans l'approche de la poétique en question. Il est bien difficile, en effet, de ne pas être frappé d'emblée par la constance de ces réitérations formelles dans les dessins réalisés sous l'effet de la mescaline entre 1955 et 1959 : texture cellulaire du décor [38], symétrie des motifs « en arbre [39] » (pl. IV) et « en personnage [40] », figures doubles [41], graphisme en électrocardiogramme [42], formes en étoiles ou en fleurs [43]. Or, dans les textes relatant ses expériences hallucinogènes ou même écrits au cours de celles-ci, non seulement Michaux privilégie cette persévération de l'image visuelle ou sonore [44], mais encore il la manifeste aussi bien dans le ressassement des mots que dans les thèmes. Ainsi, dans *Paix dans les brisements* (1959) :

> [...] il naît
> il naît des commencements
> trop
> trop
> trop vite
> qui se répètent
> et incessamment répètent
> que je répète que « ça se répète »
> et que je répète que je répète
> que je répète que « ça se répète »
> écho de l'écho de l'écho jamais éteint [45].

*

38. Cf. *Émergences-Résurgences, op. cit.*, p. 86 et 98.
39. Cf. *ibid.*, p. 77.
40. Cf. *l'Infini turbulent*, Paris, Mercure de France, 1971, p. 48, pl. VIII. Sur la « régularité inflexible et indéfiniment répétée » et cette symétrie, cf. *Émergences-Résurgences, op. cit.*, p. 93.
41. Cf. *ibid.*, p. 83 et 91.
42. Cf. *l'Infini turbulent, op. cit.*, p. 48, pl. II.
43. Cf. *ibid.*, p. 48, pl. I et III.
44. Cf. *Émergences-Résurgences, op. cit.* : « Phénomène de la répétition – atténuée, incoercible – comme celui qui s'observe chez des malades, des personnes très âgées, ici pareillement présent, mais au mouvement précipité » (p. 89).
45. *Paix dans les brisements*, Paris, Flinker, 1959, p. 43.

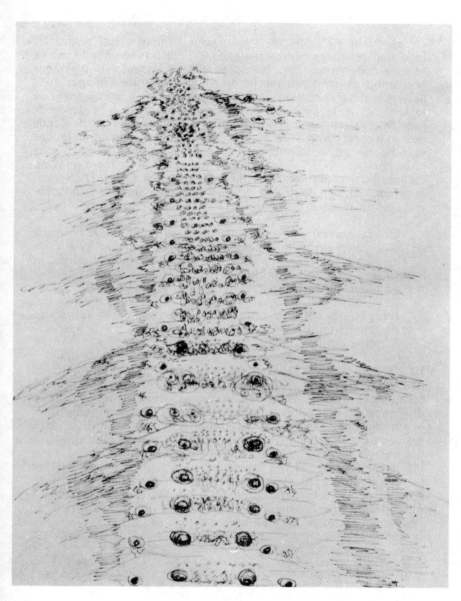

PLANCHE IV

Cet « écho de l'écho de l'écho jamais éteint », qui résume si bien une première caractéristique de l'écriture de Michaux, va se manifester aussi parfois non plus dans le seul prolongement horizontal du trait, du motif, du phonème ou de l'image, mais dans son développement intérieur, son approfondissement. D'où le schème de la descente et de l'enfoncement – « Je descends sans faire attention à rien, en enjambées de géant, je descends des marches comme celles des siècles – et enfin au-delà des marches je me précipite dans le gouffre de mes fouilles, plus vite, plus vite [...] [46] »; un schème qui reste permanent tout au long de l'œuvre du poète, Orphée qui jamais n'arrive. D'où aussi le schème de l'engloutissement, l'image obsédante de la bouche-gouffre, du monstre avaleur :

> Une créature d'une espèce inconnue, tout, tout près, à l'énorme et béante effrayante ouverture propre à engloutir, à faire disparaître le regardeur, bientôt hypnotisé, bientôt perdu, et surtout perdue toute idée de retour. Chute dans l'enceinte de chair. Quelqu'un certainement en a la tentation.
> [...] Le fond du palais caverneux, à l'intérieur on dirait des franges, des poils, un rang de lamelles souples, noires, sortes de fanons sombres.
> Étrange entrée [...] [47].

Et c'est un second mode de structuration qui se fait jour ici, découlant du premier, celui de l'emboîtement, qui n'est qu'une forme intériorisée de la redondance; emboîtement peut-être moins directement perceptible dans les huiles que dans les aquarelles [48] et les encres [49], sans doute parce que la technique utilisée dans ces deux cas se prête mieux à la condensation et à l'intériorisation progressive des formes dont l'expansion est donnée d'abord, mais qui ne s'en manifeste pas moins de façon régulière (pl. v). Dans les textes qu'il écrit sur des dessins d'aliénés, et où il est bien difficile de faire la part de ce qu'il découvre et la part de ce qu'il projette, se retrouve d'ailleurs cette même obsession de l'enfoncement et de l'emboîtement :

---

46. « Les travaux de Sisyphe », *la Vie dans les plis,* Paris, Gallimard, 1972, p. 65.
47. *Les Ravagés,* Montpellier, Fata Morgana, 1976, p. 53-54.
48. Cf. *Émergences-Résurgences,* p. 46-47, 118, 120.
49. Cf. *ibid.,* p. 119.

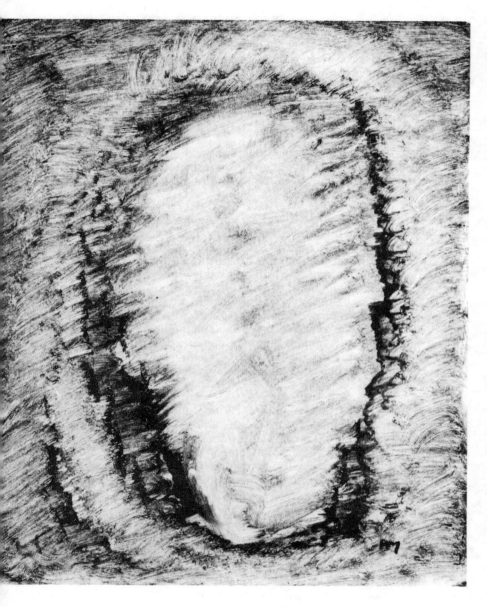

PLANCHE V

Visages enfoncés, engoncés les uns dans les autres [...]. Amas de visages, visages dans le vague comme fœtus dans l'amnios. Mangé par un visage est un autre visage. Irrésistiblement l'un s'agrège à l'autre, qui le subit, y tombe et périt doucement. Visages absorbants à la longue langue d'herbivores, l'air liquoreux, gênant, mols aux baveux désirs, qui sans se presser s'entremangent [50].

Cependant, dans ses expériences mescaliniennes, le peintre avoue lui-même qu'il rejoint les visions psychédéliques et les dessins en forme de mandala qui font « ressentir » au sujet une connaissance totale du monde :

Si une certaine vision l'accompagnait dans ces moments, elle montrait quelque chose comme ceci : un cercle, dedans un carré, un carré devenu magique, comprenant tout, comprenant un cercle, lequel contenait un autre carré, qui lui-même contenait un cercle, qui contenait un carré, lequel contenait un cercle, lequel contenait un carré et ainsi sans jamais finir, avec à chaque plan un ou plusieurs attributs de significations premières ou secondes, à lire, à déchiffrer sans jamais perdre de vue la vérité ultime, dans laquelle on s'enfonçait, on s'enfonçait, hypnotiquement engagé, drainé, entraîné, vers le fond toujours reculant de l'indéfiniment différencié, mais toujours dans l'unité, par la répétition régulière, rythme unique [51].

Cette « répétition régulière, rythme unique » opérant un enfoncement progressif vers un Centre qui est aussi le lieu ultime de toute méditation dans la mystique orientale, comme le poète nous le rappelle, ce rétrécissement de la conscience d'être par emboîtements successifs, nous les retrouvons aussi, mais sur des tonalités différentes, dans les images de plus d'un poème. Ainsi, dans *La nuit remue* :

Dans le chant de ma colère il y a un œuf,
Et dans cet œuf il y a ma mère, mon père et mes enfants,
Et dans ce tout il y a joie et tristesse mêlées, et vie [52].

50. *Les Ravagés, op. cit.,* p. 33.
51. *Émergences-Résurgences, op. cit.,* p. 102.
52. « Je suis gong », *La nuit remue, op. cit.,* p. 177.

Et bien plus tard, dans *la Vie dans les plis,* sur un ton faussement enjoué :

> Voici le lieu du morne et de l'enroulé et de la reprise indéfinie. Une femme retire une chemise, qui laisse voir une autre chemise, qu'elle retire, qui laisse voir une autre chemise qu'elle retire, qui laisse voir une autre chemise qu'elle retire, qui laisse voir une autre chemise, et le repos de la nudité n'arrive jamais [53].

Cet emboîtement d'images semblables trouve d'ailleurs parfois son homologue jusque dans l'organisation par Michaux de ses textes poétiques : ainsi du recueil *La nuit remue,* dans lequel la première section « La nuit remue » commence par une suite de six poèmes intitulée « La nuit remue » dont le premier texte nous montre vraiment cette nuit qui remue. Mais cette structure gigogne est plus manifeste encore sur le plan de l'écriture où des poèmes entiers se développent ainsi, dans l'un ou l'autre sens, à partir d'une cellule phonique génératrice qui tient lieu de Centre :

> Quand les mah,
> Quand les mah,
> Les marécages,
> Les malédictions
> Quand les mahahahahas,
> Les mahahaborras,
> Les mahahamaladihahas,
> Les matratrimatratrihahas [...] [54]

*

Mais déjà, avec ce dernier poème, apparaît une autre caractéristique de l'écriture tant verbale que plastique de Michaux, et qui est d'agglutination. Celle-ci se manifeste d'abord par le fait que tout a tendance à coller et à se coller sous la plume ou le pinceau de celui qui écrit ou qui peint – les sons, les signes, les couleurs, les motifs dont il ne paraît plus pouvoir se défaire sitôt que rencontrés. Cela nous vaut, dans les poèmes, ces répé-

53. « Lieux inexprimables », *la Vie dans les plis, op. cit.,* p. 177.
54. « Mes propriétés » : « L'Avenir », *La nuit remue, op. cit.,* p. 189.

titions lancinantes de phonèmes mais aussi d'images, comme les baobabs du « Télégramme de Dakar [55] », ou des énumérations interminables [56], ou bien encore de longues suites d'invectives guidées par l'agglutination mécanique du langage :

> Pour casser
> Pour contrer
> Pour contrecarrer
> Pour pilonner
> Pour accélérer
> Pour précipiter [...]
> Pour dévaler
> Pour dévaler
> Contre la harpe
> Contre les sœurs de la harpe
> Contre les draperies
> Pour dévaler
> Pour dévaler
>
> Pour dévaler
> Pour dévaler

Contre le nombre d'Or [57].

Sur le plan syntaxique, et ce poème en est un bel exemple, cette agglutination se marque essentiellement par une surabondance de verbes juxtaposés qui viennent sans cesse préciser, rectifier, confronter, totaliser, souligner des similitudes, dégager des analogies et finalement tout rapprocher sinon tout confondre. Sans doute, cela pourrait-il paraître entrer en contradiction avec ce que le narrateur nous dit de ses « occupations », de ses façons d'intervenir pour s'affirmer, se redonner consistance en face de l'Autre :

> En voici un,
> Je te l'agrippe, toc.
> Je te le ragrippe, toc.
> Je le pends au porte-manteau.

55. « Télégramme de Dakar », *Plume, op. cit.*, p. 94-96.
56. Cf. « Mouvements », *Face aux verrous, op. cit.*
57. « Premières impressions », *Passages, op. cit.*, p. 136-137.

Je le décroche.
Je le repends.
Je le redécroche.
Je le mets sur la table, je le tasse et l'étouffe.
Je le salis, je l'inonde.
Il revit.
Je le rince, je l'étire (je commence à m'énerver,
il faut en finir), je le masse, je le serre, je le
résume et l'introduis dans mon verre [...] [58].

Mais n'est-ce pas pour tenter de lutter contre cet envahissement
progressif des êtres et des choses, et aussi contre la tentation
continuelle de se laisser couler en lui-même, de se laisser absorber
ou de se répandre hors de ses frontières, que le *Je* intervient?
Comme toutes ces « Têtes du passé, qui savent la nuit de la vie,
le Secret, l'Innommable horrible sur quoi l'être s'est appuyé »,
il entre « en lutte contre le flou, masses qui vainement essaient
de se refaire, luttant contre le pâteux qui envahit [59] ». Cette
viscosité, de fait, ne va cesser de se manifester, sur le plan
thématique : si elle est hautement reconnue et défendue dans les
écrits théoriques — « une image peut aller loin. Si l'on y tient.
La persévérance fait le principal [60] » —, en revanche elle apparaît
presque toujours marquée d'angoisse dans les textes poétiques.
Là, tantôt la peur s'empare du rêveur qui ne peut s'arrêter de
« circuler en angoisse dans son corps », découvrant la mort qui
l'attend en chaque lieu de ce voyage et le contraint de déclarer
« sa » guerre [61]; tantôt le rêveur n'arrive plus à se contenir en
lui-même et devient tour à tour ce qu'il rencontre sur son passage,
se diluant à l'extérieur après s'être dilué à l'intérieur : « A force
de souffrir, je perdis les limites de mon corps et me démesurai
irrésistiblement. / Je fus toutes choses [62] »; tantôt enfin, pour se
délimiter et s'identifier, il cherche à affronter ses ennemis, mais
ceux-ci deviennent inconsistants, et c'est le monde extérieur qui
devient mou et fuyant :

Autrefois mes ennemis avaient encore quelque épaisseur;
mais maintenant ils deviennent filants. [...]

58. « Mes propriétés » : « Mes occupations », *La nuit remue, op. cit.,* p. 106.
59. *Les Ravagés, op. cit.,* p. 19.
60. *Façons d'endormi, Façons d'éveillé,* Paris, Gallimard, 1969, p. 224.
61. « En circulant dans mon corps », *la Vie dans les plis, op. cit.,* p. 41-42.
62. « Encore des changements », *La nuit remue, op. cit.,* p. 123.

Depuis trois mois, je subis une défaite continue : ennemis sans visage; de la racine, de la véritable racine d'ennemis [63].

Sans doute, nombreux sont les textes où nous le voyons à l'inverse agresser tous ceux qui entravent sa « liberté d'action » et menacent son espace intérieur; les titres des poèmes de la première section de *la Vie dans les plis* parlent par eux-mêmes : « La séance de sac », « Les envies satisfaites », « La fronde à hommes », « A la broche », « La mitrailleuse à gifles », « La philosophie par le meurtre », « Homme-bombe » [64]. Mais c'est toujours d'agression jouée, rêve dans le rêve, dont il est question; et pour sortir de soi, fût-ce un instant, le narrateur s'invente un rôle héroïque, se met un masque conquérant. Bien vite, cependant, réapparaît sa vraie nature qui n'est pas celle de Prométhée, mais celle de Plume : nature qui ne s'oppose pas mais compose, qui ne sépare pas mais concilie, qui ne se détache pas mais adhère [65]. Aussi convient-il de prendre au sérieux cet aveu qui ouvre « La cave aux saucissons » : « J'adore malaxer. »

Ce même malaxage, cette adhérence à la chose, cette adhésion au donné, au senti comme au perçu, se retrouvent sous des formes tout à fait similaires dans l'écriture du peintre Michaux. La viscosité, ici, se manifeste d'abord dans l'organisation formelle de la toile ou de la feuille, surtout lorsqu'il s'agit d'encres de Chine, où jamais ne s'affrontent des motifs différents mais où un même signe initial, générateur ou démarreur du texte pictural, ordonne une infinité de variations. On ne connaît pas la musique de Michaux – il s'est toujours refusé à se laisser enregistrer, tout comme il a longtemps refusé de se laisser photographier –, mais il ne fait guère de doute qu'il doit naturellement improviser des variations plutôt que des sonates ou des mouvements concertants. Sur la toile, ces variations impliquent d'insensibles métamorphoses, des changements souvent imperceptibles, et donc une multiplication de détails que l'œil d'abord ne saisit pas ou dont il ne mesure que peu à peu les différences alors même qu'il en

---

63. « Persécution », *ibid.,* p. 108.
64. « Liberté d'action », *la Vie dans les plis, op. cit.,* p. 9-36.
65. Ainsi dans ces mêmes poèmes de « Liberté d'action » relève-t-on ceci : « sagement gardée », « merveilleuse patience » (p. 9-10); « je ne fais de mal à personne » (p. 11); « mon cœur s'ouvre à la bonté » (p. 12); « quand on se croyait enfin tranquille » (p. 15); « happés avec douceur » (p. 16); « la tolérance à l'intérieur de la famille », « vous pourriez même [...] être bienveillant » (p. 24); « après tuer, les caresses », « je ne tue plus. [...] Maintenant, je vais peindre » (p. 36).

perçoit d'emblée le mouvement [66]. Aussi ne saurait-on s'étonner de voir Michaux fasciné par de tels phénomènes, lorsqu'il lui arrive de se reconnaître dans des peintures qui ne sont pas les siennes :

> Une figure-amante agglutine tout un rang de figures proches, qu'elle s'emploie à rendre tendres, puis plus tendres encore (l'humain et la pâte si pareils, si remarquablement pareils) et la visagophagie s'étend et augmente dans la petite butte aux fades faces inexpressives qui s'engluent, se mangent et ne peuvent s'en empêcher, nostalgiquement emportées dans une irréversible dérive. Limbes d'ici-bas, de ceux qui ont perdu le pouvoir d'écarter [67].

Car c'est bien cette dérive qui d'abord importe, et d'ailleurs le peintre lui-même prend soin de nous dire, dans sa réflexion sur le phénomène de la peinture, que ce sont les « passages » et non les sujets qui l'intéressent en fait :

> Le « flash », les couleurs qui filent comme des poissons sur la nappe d'eau où je les mets, voilà ce que j'aime dans l'aquarelle.
> Le petit tas colorant qui se désamoncelle en infimes particules, ces passages et non l'arrêt final, le tableau. En somme, c'est le cinéma que j'apprécie le plus dans la peinture [68].

Si on l'en croit, son faible pour l'aquarelle viendrait de ce que, d'une certaine façon, elle permet au tableau de se faire sous les yeux du peintre qui assiste à sa naissance, le découvre à mesure que le papier boit, que la couleur se répand. Mais il y a là plus qu'un jeu d'enfant, et même si c'est l'œuvre en tant qu'événement échappant aux intentions de son auteur qu'une telle technique lui permet effectivement de saisir. Il l'avouera d'ailleurs un peu plus loin : dans cette diffusion de la peinture, dans cette incessante infiltration, cette dissolution progressive, il se découvre et se

---

66. Ces insensibles métamorphoses, et la viscosité qu'elles manifestent, se trouvent là encore hypertrophiées dans les expériences mescaliniennes où Michaux note, à propos des images : « Le passage de l'une à l'autre, la disparition de l'une dans l'autre (où elle s'achève), ici (souvent) on pouvait le voir, on l'avait en spectacle » (*Émergences-Résurgences, op. cit.*, p. 84).
67. *Les Ravagés, op. cit.*, p. 33-34.
68. « En pensant au phénomène de la peinture », *Passages, op. cit.*, p. 108.

reconnaît au point de rester fasciné par l'image de lui-même qu'il se renvoie :

> Eau de l'aquarelle, aussi immense qu'un lac, eau, démon-omnivore, rafleur d'îlots, faiseur de mirages, briseur de digues, débordeur de mondes...
> Je vois avec une joie secrète d'abord, mais de plus en plus évidente, cette dérivation de la ligne de mon dessin, dans l'eau et l'infiltration qui gagne partout.
> Cette soustraction qui ressemble si bien à la conduite de ma vie, cette trahison instantanée, ce lâchage qui ne fait que s'accentuer et me désemparer, ici me fascine au contraire et me ressuscite à moi-même, par cette réussite de l'instantané et progressif quiproquo, embrouillant absurdement mes traits d'abord sûrs, qui partent à la nage de tous côtés, entraînant mon sujet vers un flou qui ne cesse de se dilater, ou de déraper, surface de dissolution, de divergence et de distorsion, en route vers une re-absurdité qui me laisse béant sur la rive [69].

Nous découvrons ici les vrais rapports du créateur avec sa création, qui attend pour lui quelque révélation de son écriture à qui il fait confiance, et qui légitime ainsi d'avance toute analyse de cette écriture pour elle-même. Car il entend que l'œuvre se fasse plutôt qu'elle ne soit faite [70], d'où ses réticences à l'égard de la gouache :

> La gouache résiste davantage à l'eau. Elle fait son petit mortier contre les évanescences qui la guettent. Elle tente de respecter les intentions de l'auteur, du respectable auteur! Ne me convient pas [71].

C'est cette même agglutination qui va pousser Michaux à essayer la peinture à l'huile, après de longues hésitations et des réserves bien révélatrices d'une phobie qui est refus de soi-même :

---

69. *Ibid.*, p. 110-111.
70. « Je travaille dans l'instantané. Ce dont j'ai besoin vient, et doit venir à l'instant » (*Façons d'endormi, Façons d'éveillé, op. cit.*, p. 236).
71. « En pensant au phénomène de la peinture », *Passages, op. cit.*, p. 111.

Cet élément pâteux, collant (tout ce que je déteste dans les choses et les hommes et les femmes : la colle), eh bien cette fois, je sais que je vais en tirer quelque chose. [...] *On s'attend...* [72].

L'expérience, en fait, ne sera guère concluante : Michaux préférera toujours l'encre qu'il laisse s'étendre d'elle-même ou la couleur qui se laisse diluer par l'eau, se répand à son gré ou presque sur la feuille, et la technique du lavis conservera ses faveurs. Non seulement parce que là rien ne s'oppose à rien, que tout s'y fond ou s'y confond, mais aussi parce que tout s'y atténue. Et nous touchons ici un dernier aspect de cette modalité de structuration, qui rapproche encore écriture verbale et écriture plastique dans un même procédé stylistique, celui de l'euphémisme ou de l'euphémisation.

Cette atténuation, qui procède de la viscosité et des techniques qui la favorisent, va se lire de diverses façons dans bon nombre de tableaux de Michaux : estompe des contours et notamment dans les portraits [73], remplacement du trait par des hachures, aussi bien dans les aquarelles et encres que dans les peintures acryliques [74], prudent dosage des masses claires et des masses sombres [75], régularité des mouvements dans l'espace de la toile (et tout particulièrement dans les œuvres mescaliniennes), limitation du nombre des couleurs, atténuation des contrastes et modération des effets [76] (pl. VI).

N'est-ce pas semblable recours à l'euphémisme qui se rencontre tout au long de l'œuvre poétique du poète? Le recueil consacré à Plume – le seul personnage individualisé de Michaux, et dont le nom est lui-même euphémisme – est pour sa part un véritable manifeste de ce procédé : le héros, sans cesse entraîné dans des aventures extraordinaires qu'il n'a pas cherchées, n'en finit pas de s'excuser, de s'effacer, de consoler, de concilier, de minimiser, le drame devenant simple ennui, la folie mesure quotidienne, et la catastrophe incident de parcours dont on se souviendra.

*

72. *Ibid.*, p. 113.
73. Cf. *Émergences-Résurgences, op. cit.*, p. 34-44.
74. *Ibid.*, p. 72-73 et 117.
75. *Ibid.*, p. 60-70.
76. Cf. notamment les deux dessins de réagrégation, *ibid.*, p. 108-109.

PLANCHE VI

Cette minimisation, qui est refus de l'antithèse mais fait de l'euphémisme son procédé d'écriture le plus commun [77], entraîne au niveau thématique une miniaturisation qui définit un quatrième mode de structuration de l'écriture de Michaux. Sans doute est-ce encore là un corollaire des modalités précédentes, et plus spécialement de la structuration d'emboîtement, qui est d'intériorisation; on connaît le début de « Magie » :

> J'étais autrefois bien nerveux. Me voici sur une nouvelle voie :
> Je mets une pomme sur ma table. Puis je me mets dans cette pomme. Quelle tranquillité [78].

C'est là prendre au pied de la lettre, dira-t-on, la concentration recherchée par celui qui se cherche et veut s'isoler; c'est vrai, mais, derrière le jeu, c'est toute une technique psychologique et mystique qui transparaît, et qui nous ramène encore à l'Extrême-Orient et à son symbolisme graphique si bien fait pour séduire Michaux. L'idéogramme, qui montre ce qu'il énonce, n'opère-t-il pas une réduction du réel qui met le monde « grouillant et regorgeant » tout entier sur la page? C'est bien cela que retient Michaux [79], comme aussi ce retour au concret qu'il permet et qui le fait se retrouver, tant en poésie qu'en peinture, dans l'écriture des signes :

> Le signe présente, sans forcer, une occasion de revenir à la chose, à l'être qui n'a plus qu'à se glisser dedans, au passage, expression réellement exprimante. [...]
> Tels qu'ils sont actuellement, éloignés de leur mimétisme d'autrefois, les signes chinois ont la grâce de l'impatience, l'envol de la nature, sa diversité, sa façon inégale de savoir se ployer, rebondir, se redresser.
> Comme la nature, la langue en Chine propose à la vue, et ne décide pas. Son peu de syntaxe qui laisse à deviner, à recréer, qui laisse place à la poésie. Du multiple sort l'idée.

---

77. Un bon exemple de ce refus de l'antithèse et de cette résorption des contraires dans l'euphémisme nous est fourni par « Mon Roi », où le combat premier contre son double se révèle de plus en plus vain, et où tout s'achève en « petits ébats de feuilles mortes, ces gouttes peu nombreuses qui tombent graves et désolées dans le silence » (*La nuit remue, op. cit.,* p. 19).

78. « Entre Centre et Absence », « Magie », I, *Plume, op. cit.,* p. 9.

79. « Des *signes,* ma première recherche. C'est le monde *réduit,* au maximum » (*Émergences-Résurgences, op. cit.,* p. 114).

Caractères ouverts sur plusieurs directions.
Équilibration [80].

Là encore, ce sont ses toiles et ses cartons que Michaux semble décrire et exalter; tant ce grouillement qu'il célèbre correspond à plaisir à ces batailles, ces courses, ces joutes, ces régates, ces danses, ces paniques miniaturisées dans ses dessins et peintures.

Miniaturisation liée à une minutie et à une méticulosité bien caractéristiques de cette modalité de l'Imaginaire : tout est improvisé mais ordonné cependant dans les moindres détails, symboliquement exemplaires. Et, finalement, cette concentration qui pouvait passer pour procédé ultime d'euphémisation et de défense, fuite du faible dans un monde réduit à la mesure même de son corps [81], s'affirme tout autre : ce monde réduit devient image du monde, microcosme que l'on peut envelopper tout entier du regard et dont on peut ainsi se rendre maître [82]. Tel est bien le sens de ces mandalas, auxquels nous renvoyaient déjà les processus d'emboîtement, que Michaux découvre dans ses expériences mescaliniennes et qu'il s'empresse de mettre en parallèle avec les mandalas orientaux – ces représentations symboliques de l'intégration du moi au monde au travers de projections géométriques du monde réduit à son schéma essentiel – et avec la mystique qui s'y rattache :

> Un type de dessins, en forme de mandala celui-ci, fut exposé, qui semblait n'avoir rien de commun avec les précédents, et pourtant avait la même origine.
> Il rappelait et rendait le niveau plus profond, quand toute variation, toute hiérarchie, tout problème mineur ayant disparu, l'être embrassait d'un coup un extrêmement grand ensemble.
> Le sujet avait, alors, ou plutôt « ressentait » une connaissance du monde totale [83].

Nous retrouvons ici, tout jeu de mots effacé, la confusion des

80. « Idéogrammes en Chine », art. cité, p. IX et p. XII.
81. Cf. « Le lobe à monstres », *Épreuves, Exorcismes, op. cit.,* p. 92-93.
82. Si nous nous reportons à sa préface aux lithographies de Zao Wou Ki, c'est bien en effet cette prise de possession totale, immédiate – « dans un instant, tout est là » – qui lui fait préférer le tableau au livre (« Lecture », *Passages, op. cit.,* p. 115).
83. *Émergences-Résurgences, op. cit.,* p. 100. Cf. la peinture d'environnement et les deux mandalas psychédéliques retenus par Michaux, p. 101, 103 et 104.

deux modes de concentration : concentration du monde dans sa représentation graphique et concentration du sujet grâce au symbolisme de cette représentation. Cette même confusion apparaît, selon les mêmes processus, dans les textes poétiques où d'abord nous assistons à semblable réduction des êtres et des choses :

> Déjà dans l'escalier elle commença à n'être plus bien grande. Enfin arrivée au 3e, au moment de franchir le seuil de ma chambre, elle n'était guère plus haute qu'une perdrix [84].

Et ailleurs, dans cette genèse miniaturisée :

> Une nouvelle goutte se forma, matrice luisante quoique obscure, et tomba. C'était une femme [85].

Ou bien encore dans cette lecture d'un tableau d'aliéné où la peur, liée à cette réduction, se trouve objectivée par le regard de l'Autre :

> L'ange mauvais, l'ange de vice et de mort, l'ange aux rayons roux tient sous lui le dormeur qui se réveille, le dormeur affolé, qui se fait petit, se rétrécit, n'est déjà plus grand-chose... sous le surplomb menaçant d'un grand œil sans ardeur comme l'œil d'une hyène, et qui fait peur [86].

Mais une telle réduction, le narrateur le plus souvent l'opère tout naturellement afin de « se résumer » lui-même, quand l'univers se trouve réduit à la mesure de sa représentation graphique et qu'il doit y trouver ses justes proportions :

> Quand vous me verrez,
> Allez,
> Ce n'est pas moi.

> Dans les grains de sable,
> Dans les grains des grains,
> Dans la farine invisible de l'air,

84. « La nuit remue », 3, *La nuit remue, op. cit.*, p. 10.
85. *Ibid.*, (4), p. 11.
86. *Les Ravagés, op. cit.*, p. 47.

Dans un grand vide qui se nourrit comme du sang,
C'est là que je vis.

Oh! Je n'ai pas à me vanter : Petit! petit! [...] [87].

Lorsqu'il fait l'inventaire de ses « changements » successifs,
dans « Mes propriétés », ce n'est pas sans raison qu'il place en
premier les fourmis :

Je fus toutes choses : des fourmis surtout, interminablement
à la file, laborieuses et toutefois hésitantes [88].

Et c'est aussi dans une fourmi que s'est « oublié » Tahavi, dans
la Vie dans les plis [89]. Monde de fourmis, plus grouillant encore
dans les dessins mescaliniens [90], monde qui restaure à l'autre
bout cet univers d'angoisse qu'il cherchait à apprivoiser en le
rétrécissant (pl. VII). Une excellente illustration nous en est
donnée par le texte qui clôt *Face aux verrous,* et dans lequel un
seigneur, qui règne sur un peuple de nains, assiste impuissant au
rétrécissement progressif de son domaine qui, de façon inéluctable, annonce aussi sa fin [91]. Car, à l'extrême limite de cette
miniaturisation, il y a cette réduction de l'être au point au-delà
duquel il n'y a plus que la mort :

L'homme – son être essentiel – n'est qu'un point. C'est ce
seul point que la Mort avale. Il doit donc veiller à ne pas
être encerclé [92].

On peut d'ailleurs remarquer ici, sans en tirer d'autre conclusion,
que celui qui parle et agit dans le poème, ou plutôt par le poème,
arrivé à ce degré extrême de concentration – « un point, c'est
tout » –, soudain prend peur de la folie qui le menace; comme

---

87. « Mes propriétés » : « Petits », *La nuit remue, op. cit.,* p. 166.
88. « Mes propriétés » : « Encore des changements », *La nuit remue, op. cit.,*
p. 123; cf. aussi « Déchéance », p. 52-53.
89. « Apparitions » : « Tahavi », *la Vie dans les plis, op. cit.,* p. 91; cf. aussi
« La faille » : « Ce fut une épopée de géants. Nous la vécûmes en fourmis »,
p. 78.
90. Cf. *l'Infini turbulent, op. cit.,* p. 43, et pl. VII, p. 48.
91. « Fin d'un domaine », *Face aux verrous, op. cit.,* p. 200-217. Même thème
dans « Mon royaume perdu », *La nuit remue, op. cit.,* p. 52.
92. « La nuit remue » : « Un point c'est tout », *La nuit remue, op. cit.,* p. 30.

PLANCHE VII

s'il venait de mesurer la fragile distance qui sépare cette interminable descente en soi qu'il gouverne en son rêve et la prise de possession de soi – l'aliénation – par des forces qui le gouverneraient :

> Autre chose, c'est comme ça que commence l'épilepsie. Les points alors marchent sur vous et vous éliminent. Ils soufflent et vous êtes envahis. De combien de temps peut-on retarder sa première crise, je me le demande [93].

*

Tel est bien, prenant soin de se définir lui-même, ce régime euphémique d'une écriture où l'univers imaginaire qui émerge et peu à peu se révèle à nous, dans ses signes multiples et les mouvements qui les métamorphosent, est peuplé de phantasmes dont aucun exorcisme, même celui de la peinture, ne vient jamais à bout. Car, à regarder de plus près, cette joie et cette libération que Michaux prétend trouver dans le dessin, cette paix qu'il affirme découvrir dans la peinture [94], ne tiendraient-elles pas seulement au retour au concret que permettent dessin et peinture ? Pouvant donner d'emblée l'avantage au sensoriel sur le rationnel, l'écriture plastique lui paraît plus apte que l'écriture verbale à favoriser son besoin de coïncider avec ce qu'il perçoit, et l'acheminer plus sûrement à cette intimité en soi qu'il ne cesse de rechercher et de défendre, d'aménager contre toutes les menaces. Manière plus directe de se retrouver, pense-t-il, de retrouver en soi « le primitif, le primordial » :

> Si je tiens à aller par des traits plutôt que par des mots, c'est toujours pour entrer en relation avec ce que j'ai de plus précieux, de plus vrai, de plus replié, de plus « mien », et non avec des formes géométriques, ou des toits de maisons ou des bouts de rues, ou des pommes et des harengs sur une assiette : c'est à cette recherche que je suis parti [95].

C'est donc bien une coïncidence intime, immédiate, avec les êtres et les choses, et d'abord avec lui-même, que Michaux

---

93. *Ibid.*
94. Cf. *Émergences-Résurgences, op. cit., passim* et *Passages, op. cit.,* p. 117-137.
95. *Émergences-Résurgences, op. cit.,* p. 18.

entend trouver dans la peinture; coïncidence qui lui fait appréhender le monde non de l'extérieur – nulle description jamais, et combien de fois s'est-il défendu de chercher dans la peinture un double du réel [96] – mais au contraire de l'intérieur, dans ce qui l'anime et qu'il veut retrouver, au sein de son dynamisme profond. C'est là définir une cinquième caractéristique de l'écriture de Michaux, qui renvoie à une dernière modalité de structuration, l'adhérence au concret.

Cette adhérence au concret, qui voit le mouvement toujours privilégié au détriment de la forme qui reste secondaire, Michaux la vit à l'extrême dans ses expériences mescaliniennes où tel mot devient « le verbe fait chair [97] »; mais c'est elle aussi qui fait de sa peinture comme de ses dessins une écriture de gestes bien propre à séduire le poéticien de l'Imaginaire. Une écriture qui coïncide parfaitement avec le rêve éveillé qu'il définit comme « art pur. Le seul [...] unique, absolument, pour suivre au plus près ce dont vous étiez réellement avide, qui risque de beaucoup vous apprendre [98] »; ce rêve qui, nous dit-il, ne cesse d'assouvir son « désir inapaisé de mouvements, d'intenses, excessifs mouvements [le] faisant vivre surtout de gestes, de rythmes, d'actes » :

> La vie gestuelle à laquelle je me livre, je ne vois pas à quoi dans le monde la comparer.
> Dans cet état, je me livre à la véritable vie gestuelle, impossible autrement [99].

Et plus loin, dans cette même confession de *Façons d'endormi, Façons d'éveillé* :

> La vie gestuelle chez moi n'est pas qu'arrachages, démantèlements, soulèvements, quoique ce le soit souvent, et que probablement [...] ça ait été ainsi dans les commencements de ma vie et que cela revienne encore quand se fait sentir le besoin d'une bonne joie toute à moi [...]. Sans aucun ennemi, j'ai encore à faire, prodigieusement à faire. Infini des gestes, des gestes possibles. Et j'en profite [100].

96. *Ibid.*, p. 17.
97. *L'Infini turbulent, op. cit.*, p. 133.
98. *Façons d'endormi, Façons d'éveillé, op. cit.*, p. 201.
99. *Ibid.*, p. 206.
100. *Ibid.*, p. 214.

Cette « vie gestuelle » ne transparaît pas seulement dans l'œuvre peint (pl. VIII), il s'en faut de beaucoup; et s'ils laissent Michaux plus insatisfait, les mots de ses poèmes ne disent pas autre chose que cette communion profonde avec son théâtre à lui, que l'autre théâtre ennuie, « ce tremblement qui, cependant, ne brise pas, ou brise d'une façon différente, dans l'intime [101] ». Telle sa méditation sur l'arbre tropical, cet arbre dans lequel, sitôt qu'il l'a isolé de la forêt − « il faut voir l'arbre à part, son geste. Il est tout geste » −, il s'essaie à lire précisément une foule de gestes qui sont débordement, turgescence, grandissement, multiplication, prolifération, éruption, danse, excès, déclamation, exhibition, dégorgement, interpénétration. Ainsi découvre-t-il ce qu'il a déjà trouvé : une écriture exemplaire qui est gestuelle [102].

Le lexique et la syntaxe de cette écriture mettent en lumière, une fois de plus, la prédominance du verbe et ses incidences, mais aussi, complétant cette adhérence au concret, la place occupée par les notations colorées; notations qui jouent, à coup sûr, un plus grand rôle dans les textes écrits que dans les peintures mêmes, où bien souvent les couleurs sont comme retenues, à moins que l'épanchement ne soit confié qu'à une seule d'entre elles qui le plus souvent se trouve être le rouge. La sensorialité de Michaux, de ce point de vue, si primordiale dans ses expériences hallucinogènes où les couleurs le « pressent », le « débordent », l'« inondent [103] », éclate bien davantage dans son langage verbal, et surtout dans ses réflexions sur la peinture ou la musique, plus colorées que les tableaux eux-mêmes : c'est là, en effet, qu'on rencontre l'homme qui « contemple son propre fleuve de sang [104] », celui qui « le plus souvent, le plus naturellement » met du rouge − car « qu'est-ce qui se répand plus facilement que le sang? [105] », ou celui qui veut « noyer le mal [...] et presque tout des choses [...] sauf le fluide des choses, / et la couleur et le parfum des choses [106] ».

*

101. *Ibid.*, p. 222.
102. *Arbres des tropiques,* Paris, Gallimard, 1942, p. 9-13. Ce texte commente une suite de croquis d'arbres des tropiques.
103. Cf. *Émergences-Résurgences, op. cit.,* p. 78, 79, 82, 83, 93. Symptomatique cette remarque : « L'impression était qu'on m'arrachait des couleurs, de moi, de ma tête, d'un certain endroit en arrière de mon cerveau » (p. 82).
104. « Nature », *Passages, op. cit.,* p. 45.
105. « En pensant au phénomène de la peinture », *Passages, op. cit.,* p. 108.
106. « Premières impressions », *Passages, op. cit.,* p. 122.

PLANCHE VIII

Il y a là certaine contradiction propre à remettre en cause le discours de Michaux sur sa double écriture. Que l'on confronte, en effet, les principales caractéristiques décelées et examinées conjointement dans ses poèmes et ses essais, ses dessins et ses tableaux, et les grandes modalités de structuration qui leur correspondent dans l'espace de la page ou de la toile. C'est un régime parfaitement cohérent de l'écriture de l'Imaginaire, le même qui, ici et là, s'impose alors à notre lecture : régime du repli, du retrait, du passage de refuge en refuge, de la délimitation et de l'aménagement d'espaces toujours menacés, toujours à chercher plus loin, plus à l'étroit, vers quelque intimité toujours à venir. D'où l'incontestable primauté des mouvements sur les formes arrêtées, et le fait que poèmes et tableaux ne sont jamais représentation d'un sujet ou d'un projet quelconque, sous les yeux du lecteur ou du spectateur, mais naissent à mesure d'un bourgeonnement progressif.

Aussi bien la relative pauvreté de sa palette, qui escamote le plus souvent dans les tableaux les manifestations colorées d'une sensorialité dont il ne cesse de parler cependant, laisse-t-elle à penser que la prépondérance des processus d'euphémisation et de miniaturisation, ou plutôt des modalités de structuration qui les gouvernent, a de quelque façon empêché Michaux d'être le peintre qu'il n'a cessé de rêver d'être. Comme si la peinture qui devait le manifester davantage parce que passant par moins d'intermédiaires – « et qui ne sont pas vraiment intermédiaires, n'étant point partie d'un langage organisé, codifié, hiérarchisé [107] » – l'obligeait en fait à ne pas se révéler autrement que dans ses retraits et ses pudeurs, du moins dans ses défenses plutôt que dans ses attaques. Étrange paradoxe, et qui pourrait expliquer autrement qu'il ne le fait lui-même sa méfiance à l'endroit des mots, comme il lui arrive parfois de l'avouer :

Mais il est temps de me taire. J'en ai trop dit.
A écrire on s'expose décidément à l'excès.
Un mot de plus, je culbutais dans la vérité.
D'ailleurs je ne tue plus. Tout lasse. [...] Maintenant, je vais peindre, c'est beau les couleurs, quand ça sort du tube, et parfois encore quelque temps après. C'est comme du sang [108].

Très curieusement, donc, le conflit des deux écritures dont les

107. *Émergences-Résurgences*, op. cit., p. 19.
108. « Homme-bombe », *la Vie dans les plis*, op. cit., p. 36.

supports dans l'Imaginaire sont identiques, ce conflit que Michaux voudrait résoudre au profit de la peinture, non seulement s'estompe sitôt que découvertes les analogies profondes des deux formulations syntaxiques, mais paraît encore réhabiliter le verbe dans sa fonction de signe. Car, bien loin de « tourner le dos au verbal », sa vision elle-même nous y renvoie, quand tout devient texte à déchiffrer; témoin cette « tranche de savoir » :

> On ne voit pas les virgules entre les maisons, ce qui en rend la lecture si difficile et les rues si lassantes à parcourir.
> La phrase dans les villes est interminable. Mais elle fascine et les campagnes sont désertées des laboureurs autrefois courageux qui maintenant veulent se rendre compte par eux-mêmes du texte admirablement retors, dont tout le monde parle, si malaisé à suivre, le plus souvent impossible [109].

Et de la même façon, dans un conte tardif, *Moriturus,* le héros solitaire, « celui qui va mourir », fuyant les lieux où l'on « parle homme », entend « le langage des grands immobiles », et ne peut résister finalement au signe que lui fait la montagne d'aller se précipiter dans un gouffre [110].

Il apparaît ainsi que c'est ce goût du signe, cet « alphabet de la vie [111] » dont très tôt il avait salué le génie dans la graphie et la peinture orientales [112], qui aura conduit Michaux à désirer quitter les mots, « ces collants partenaires »; mais c'est le graphiste en lui, caché sous le peintre, une fois tous les mots écartés [113], qui l'entraîne en fait à éprouver « l'écoulement du temps » dans l'espace du tableau [114]. Et c'est aussi ce goût du signe qui lui aura fait renouveler le langage poétique en l'empêchant, nous ne saurions nous en plaindre, de se « déconditionner » tout à fait, mais c'est pour nous contraindre cependant à parti-

---

109. « Tranches de savoir », *Face aux verrous, op. cit.,* p. 46-47.
110. « Moriturus », *Nouvelle Revue Française,* septembre 1973, p. 1-8.
111. *Vents et Poussières,* Paris, Flinker, 1962, p. 70.
112. Cf. *Un barbare en Asie,* Paris, Gallimard, 1972, p. 181.
113. Cf. *Émergences-Résurgences, op. cit.,* p. 38.
114. « Au lieu d'une vision à l'exclusion des autres, j'eusse voulu dessiner les moments qui bout à bout font la vie, donner à voir la phrase intérieure, la phrase sans mots, corde qui indéfiniment se déroule sinueuse, et, dans l'intime, accompagne tout ce qui se présente du dehors comme du dedans.
Je voulais dessiner la conscience d'exister et l'écoulement du temps. Comme on se tâte le pouls. [...]
Dessin cinématique. » (« Dessiner l'écoulement du temps », *Passages, op. cit.,* p. 197-198).

ciper, presque gestuellement, au déroulement temporel du poème. Ici et là, l'écriture cesse d'être innocente pour signifier par elle-même et nous compromettre en son espace, bien au-delà des impossibles refuges de l'intimité, bien au-delà des phantasmes et des revanches du poète ou du peintre. Une écriture qui dans ses lignes constamment déviées nous redit avec lui que « c'est sur l'invisible que l'on bute » et que « toujours restent les yeux chargés d'un autre monde [115] ».

115. *Émergences-Résurgences, op. cit.*, p. 116.

7

Apollinaire
ou les irréalités raisonnables

Sur les itinéraires obligés
du texte poétique

Dans l'espace du texte, ce sont donc bien toutes les relations que l'image instaure qui importent, et le dynamisme opératoire que cette image entraîne au gré de ses métamorphoses; aussi ne saurait-on tirer conclusions de l'examen d'images isolées, sorties de leur champ sémantique, certes, mais pas davantage de l'examen des seules constellations d'images éparses aux résonances prétendument révélatrices ou des seuls schèmes moteurs aux allures obsédantes. Mais si une analyse exhaustive des données en présence, indispensable en soi, est effectivement réalisable dans le cas d'une œuvre isolée, elle devient non seulement aléatoire dans le cas de la production globale d'un écrivain, mais contestable aussi dès lors qu'elle se heurte à la diachronie. En effet, l'étirement d'une production dans le temps, à moins que ne soient prises en considération avec toutes les précautions requises les diverses périodes fragmentant la durée de cette production, empêche d'arrêter les caractéristiques d'une écriture de l'Imaginaire; l'empêche, mais aussi l'interdit, dans la mesure où ces caractéristiques, même si elles ne varient pas radicalement au cours du temps, encore que cela ne se puisse exclure *a priori,* ne cessent cependant de se modifier, de se défaire et de se refaire autour de certains axes privilégiés, si tant est que toute gélification définisse assez précisément le domaine du pathologique.

Il reste que, sans donner à la description de ce qu'il est convenu d'appeler un univers imaginaire toute la précision et toute la finesse que l'on serait en droit d'attendre de l'exploration d'un texte singulier, il n'est pas insensé de tenter une telle entreprise. Encore faut-il auparavant mettre en évidence le fait que les grandes lignes de force qui se dégagent peu à peu des regroupements d'images, de leurs principes organisateurs et de leurs divers modes de fonctionnement, le long de certains itinéraires obligés, ne peuvent jamais donner en ce cas que des indications sur les cheminements d'une écriture; mais se convaincre aussi de ce que les résultats obtenus, tout provisoires, loin d'énoncer un verdict ou d'établir un diagnostic, ne sauraient même autoriser à dégager une signification générale de l'œuvre : tout au plus devraient-ils permettre d'établir certaine convergence des divers itinéraires propre à favoriser l'émergence ultérieure d'un sens, mais plus immédiatement à guider toute lecture qui se veut féconde. Ces précautions prises, il devient désormais possible de s'avancer dans l'œuvre d'Apollinaire.

*

Le premier thème organisateur de l'Imaginaire de cette œuvre, le premier itinéraire qu'elle impose, non seulement ne saurait se ramener au seul sémantisme des images qui le jalonnent ou à la seule somme des forces qui l'habitent, mais encore remet en question le langage poétique que ces images construisent et détruisent tout à la fois, en situant au mieux son être de langage. Cet itinéraire, c'est celui sur lequel s'effectue la dénonciation constante de la réalité première, de la facticité des apparences. Qu'on se souvienne des divinités fausses, des faux Rois mages et des faux santons, du faux dieu magique de *l'Enchanteur pourrissant;* du faux amour et des fausses femmes de « La chanson du mal aimé », des faux centurions des « Fiançailles », du faux corps apparent et solide du faux Messie qu'est l'Amphion de *l'Hérésiarque et Cie* ou bien encore du faux hiver d'« Onirocritique », du faux fleuve de sang de *Vitam impendere amori,* des faux miracles de « Simon Mage », des « Pèlerins piémontais » et du *Poète assassiné.* Qu'on se souvienne aussi de la fausse Nativité de Merlin et de la fausse Assomption d'Angélique, dans l'*Enchanteur,* ou de la serviette des poètes, ce faux Suaire, dans l'*Hérésiarque.* N'importe si c'est là un thème que l'on peut suivre tout au long du Symbolisme, hérité, à travers Rimbaud et Quinet, de Baudelaire qui l'avait lui-même repéré chez Edgar Poe; car cette continuelle dénonciation de la facticité du réel, qui prépare les jeux de renversement de l'apparence et de la réalité que l'on découvre au centre de tous les grands poèmes d'*Alcools* et de *Calligrammes,* ne paraît guère refléter chez Apollinaire le seul héritage littéraire du platonisme. Il s'agit là, en fait, moins d'une attitude de défiance à l'endroit d'une réalité assimilée aux ombres de la Caverne de la *République* que d'un réflexe de recul devant le donné et d'une projection dans le rêve qui est aussi le possible; mise à distance ironique du monde extérieur qui, à la limite, n'est plus interprété qu'en fonction du sujet écrivant ou d'une écriture se privant à dessein de tout référent.

Voilà qui aide à saisir un second aspect de ce thème, corollaire de cette dénonciation toute négative, et qui se manifeste dans la substitution d'« irréalités raisonnables », comme il est dit dans l'*Enchanteur,* aux réalités fausses rencontrées d'abord. Tel est d'ailleurs le programme que se propose et nous propose le poète au centre même des « Fiançailles », lorsqu'il avoue son « ignorance », récusant les données des sens – « Les fleurs à mes yeux redeviennent des flammes » –, méditant « divinement », contemplant à distance sa création virtuelle et pressentant finalement la « réalisation » par les jeux de son écriture de ce qui n'était qu'« ombre » jusque-là :

> Mais si le temps venait où l'ombre enfin solide
> Se multipliait en réalisant la diversité formelle de mon amour
> J'admirerais mon ouvrage [1]

Mais l'ombre ne pourra vraiment se « solidifier » qu'à l'issue de la réduction de « l'infiniment petite science » imposée par les sens, jusqu'à l'holocauste même de qui doit mourir au monde pour que renaisse de ses cendres l'« oiseau feint peint » du poème [2]. De la même façon, dans le poème « Les collines », c'est parce que le poète, installé à sa table, « écrit ce qu'il a ressenti », que les objets du décor aussi bien que les personnages du bal de la vie, « au fond du temps », sont découverts morts tour à tour, tués comme « le beau chef d'orchestre » lui-même. Et c'est justement parce que « tous sont morts », jusqu'aux amis, que le maître d'hôtel peut leur verser « un champagne irréel / Qui mousse comme un escargot / Ou comme un cerveau de poète [3] ». « Comme un cerveau de poète » : on voit par là qu'il s'agit de bien autre chose qu'un jeu d'échanges entre rêve et réalité; et lorsque, dans l'*Enchanteur,* Apollinaire évoque « les réels présents des faux Rois mages », ou lorsqu'il remarque, dans « Zone », que « cet édredon et nos rêves sont aussi irréels », il affirme en fait l'autonomie – et l'autorité – du poète, en même temps que la distance qu'il met, par l'écriture, entre le monde et lui. Distance

---

1. *Alcools* (1913), in *Œuvres poétiques, op. cit.,* p. 132.
2. *Ibid.,* p. 136.
3. *Calligrammes* (1918), in *Œuvres poétiques, op. cit.,* p. 176.

essentielle qui se voit précisée dans « Les fiançailles » lorsqu'il reconnaît : « Et je souris des êtres que je n'ai pas créés »; distance qui se trouve objectivée dans le « grand morceau de miroir brisé » que découvre Croniamantal chez l'Oiseau du Bénin, cette « insondable mer morte, verticale et au fond de laquelle une fausse vie animait ce qui n'existe pas [4] ». Ainsi ce recul par rapport au donné, caractéristique de ce premier thème, paraît-il rendre compte, à l'intérieur du langage poétique lui-même, de cette ironie apollinarienne qui double constamment, et pour contradictoire que cela paraisse, ce qu'Henri Ghéon appelait la « sympathique candeur [5] ».

Ce détachement, qui pourrait définir une première modalité de structuration de l'écriture apollinarienne, s'organisant autour du thème de l'apparence et de la réalité, a pour corollaire, tout naturellement, ce goût pour l'abstraction que n'ont guère compris les familiers du poète et qui se manifeste aussi bien dans les jugements qu'il porte sur ses amis les peintres que dans les définitions qu'il entend donner, en poésie, de sa fonction de poète. Ainsi son attirance pour Metzinger, dont l'« art de plus en plus abstrait mais toujours agréable aborde et tâche de résoudre les problèmes les plus difficiles et les plus imprévus de l'esthétique [6] »; mieux encore, sa prédilection pour Delaunay auquel il emprunte tout un vocabulaire technique et pour lequel il s'enthousiasme, à partir d'avril 1913, au point de voir bientôt dans sa production une direction indépendante du cubisme qu'il vient tout juste de célébrer dans ses *Méditations esthétiques* : peinture abstraite ou « peinture pure » qui arrive à se passer totalement de l'objet pour ne plus jouer que du contraste des complémentaires et se faire proprement « langage lumineux ». C'est le souci de ne dessiner, de ne peindre « que des formes matériellement pures [7] », qu'il aime en Juan Gris, tout comme il loue Marcel Duchamp de n'avoir plus « le culte des apparences » et d'« écarter de son art toutes les perceptions qui pourraient devenir notions [8] ». Mais nulle part, sans doute, cet impérieux besoin de passage à l'abs-

---

4. « Poésie », *le Poète assassiné, op. cit.,* p. 47.
5. Cette double appartenance de la poésie apollinarienne a été en effet fort bien remarquée, dès août 1913, par Henri Ghéon qui, dans la *NRF,* écrit d'Apollinaire : « On n'est pas sûr pourtant que, dans sa dévotion, il n'eût pas apporté une sorte d'ironie, et d'autre part certains traits de son œuvre dénoncent la plus sympathique candeur. »
6. *Les Peintres cubistes, op. cit.,* p. 73.
7. *Ibid.,* p. 82-83.
8. *Ibid.,* p. 91.

traction n'est mieux manifesté par Apollinaire que dans son approche de l'œuvre de Gleizes :

> Toutes les figures des tableaux d'Albert Gleizes ne sont pas la même figure, tous les arbres, un arbre, tous les fleuves, un fleuve, mais le spectateur, s'il peut s'élever jusqu'aux idées générales pourra fort bien généraliser cette figure, cet arbre ou ce fleuve parce que le travail du peintre a fait monter ces objets à un degré supérieur de plasticité, à un degré de plasticité tel, que tous les éléments qui en constituent les caractères individuels sont représentés avec la même majesté dramatique [9].

Sans doute est-ce cette substitution d'une réalité neuve et plus pure à l'autre réalité devenant de plus en plus suspecte qu'Apollinaire devait d'abord guetter dans l'aventure de la peinture nouvelle. Mais, de la distanciation qu'implique cette substitution, le poète lui-même ne cesse de nous parler tout au long de son œuvre – « Bien souvent j'ai plané si haut / Si haut qu'adieu toutes les choses [10] » – en même temps qu'il affirme sa constante revendication de poète qui, par la seule magie de son verbe, restructure le monde selon ce qu'il est, tout comme l'Oiseau du Bénin, à la fin du *Poète assassiné,* sculpte de Croniamantal « une profonde statue en rien comme la poésie et comme la gloire [11] ». Distanciation qui gouverne et ordonne tout le poème d'«Onirocritique », aussi bien dans sa thématique que dans sa reprise en écho du refrain des « éternités différentes de l'homme et de la femme », jusqu'à son final, exemplaire à tous égards, où le héros-poète, d'abord mort au monde avec l'Enchanteur, se découvre bientôt seul vivant d'un monde mort qu'il contemple à distance :

> Des vaisseaux d'or, sans matelots, passaient à l'horizon. Des ombres gigantesques se profilaient sur les voiles lointaines. Plusieurs siècles me séparaient de ces ombres. Je me désespérai [12].

9. *Ibid.,* p. 75-76.
10. « Les collines », *Calligrammes, op. cit.,* p. 174.
11. « Apothéose », *le Poète assassiné, op. cit.,* p. 112.
12. *L'Enchanteur pourrissant* (1909), éd. J. Burgos, Paris, Lettres Modernes, 1972, p. 186.

Et l'on ne saurait être surpris, dès lors, que ce détachement préludant à la réalisation, au sens fort du terme, des « irréalités vraies [13] » se trouve au centre de ces deux professions de foi qui sont aussi des poétiques encadrant *Calligrammes;* celle des « Collines » :

> Je me suis enfin détaché
> De toutes choses naturelles
> Je peux mourir mais non pécher
> Et ce qu'on n'a jamais touché
> Je l'ai touché je l'ai palpé
>
> Et j'ai scruté tout ce que nul
> Ne peut en rien imaginer
> Et j'ai soupesé maintes fois
> Même la vie impondérable
> Je peux mourir en souriant [14]

mais aussi, plus mièvre sans doute mais intéressante dans sa maladresse même, celle de « La jolie rousse » :

> Nous voulons vous donner de vastes et d'étranges domaines
> Où le mystère en fleurs s'offre à qui veut le cueillir
> Il y a là des feux nouveaux des couleurs jamais vues
> Mille phantasmes impondérables
> Auxquels il faut donner de la réalité [15]

*

Ce n'est donc pas hasard si les trois faux Rois mages de *l'Enchanteur* sont des alchimistes : « Fantômes de rois orientaux venus d'Allemagne, vêtus d'habits sacerdotaux et coiffés de la mitre », ce ne sont point des usurpateurs mais des êtres n'ayant plus de réalité que leur apparence et qui, ayant perdu leurs pouvoirs temporels, ne sont plus que les ombres de ce qu'ils furent. Aussi bien, comme l'affirme l'un d'eux, ne portent-ils pas « pour beaux présents, la myrrhe, l'or et l'encens », puisque l'or

---

13. Sur cette conception de l'art comme « création de nouvelles illusions », cf. *les Soirées de Paris,* n° 3, avril 1912, p. 89-92 (« La peinture nouvelle – Notes d'art »).
14. *Calligrammes, op. cit.,* p. 173.
15. *Ibid.,* p. 313.

vrai – ainsi que le souligne en un jeu de mots facile la suite du texte – est ailleurs, qu'il faut savoir obtenir : « Or, le faux Balthazar portait le mercure, le faux Gaspard portait le sel et le faux Melchior portait le soufre [16]. » Car c'est bien d'une alchimie, en définitive, celle du verbe, qu'Apollinaire attend de se couper du monde, de se détacher de toutes choses naturelles, autant que de provoquer un monde nouveau : « Plusieurs siècles me séparaient de ces ombres », constate-t-il à la fin d'« Onirocritique », au moment même où il s'apprête à fertiliser de ses yeux multipliés le monde mort et à célébrer l'apothéose de sa revanche de poète.

Coupure, arrachement, séparation : voilà qui caractérise, en effet, un autre grand thème apollinarien et impose un second itinéraire de l'œuvre. Sur cet itinéraire vont se rencontrer une multiplicité d'images qui tantôt manifestent un morcellement, voire une patiente mutilation des êtres et des choses, et tantôt mettent en évidence, aussi bien dans leur contenu que dans leurs métamorphoses, un découpage, une accentuation des contours, bref un isolement renforcé de chacun des matériaux en présence.

Cette attirance pour le découpage, Apollinaire ne cesse de nous la révéler déjà dans ses articles consacrés aux peintres cubistes; et il se pourrait bien que, même s'il n'a pas toujours compris exactement l'orientation de la nouvelle école de peinture, ainsi qu'il la nomme, son attirance pour elle trouve ici un de ses plus solides fondements. S'il se plaît à citer Signac, c'est pour évoquer ceux qui « ont instauré et, depuis 1886, développé la technique dite de la *division* en employant comme mode d'expression le mélange optique des tons et des teintes », technique qu'il ne manque pas de rattacher à l'art des mosaïstes byzantins [17]. Ce qu'il retient de Seurat, c'est d'abord d'avoir exposé « le premier tableau divisé : *Un dimanche à la Grande-Jatte* »; s'il distingue Metzinger, c'est parce qu'il a joué « un rôle parmi les divisionnistes raffinés et laborieux » et, dans l'œuvre de Gleizes, il est surtout sensible à « l'individuation des objets », qui n'est pas seulement, dit-il, le travail des spectateurs [18].

---

16. *L'Enchanteur pourrissant, op. cit.,* p. 56.
17. *Les Peintres cubistes, op. cit.,* p. 71. Il est à noter que, pour définir et situer la technique de Signac, dans lequel il semble se reconnaître, Apollinaire use de la même comparaison que G. Durand pour illustrer, à la suite de M. A. Sechehaye, la vision schizomorphe – l'un et l'autre se référant à l'art byzantin.
18. *Ibid.,* p. 74.

Sans multiplier davantage les exemples, il est permis déjà d'affirmer que ce n'est pas un parti pris d'actualité, comme on l'a trop souvent prétendu, qui a poussé Apollinaire à défendre vaille que vaille, et souvent malgré elles, les écoles nouvelles, mais bien une attirance profonde, et très révélatrice, pour la vision morcelée du monde et des choses qu'elles proposaient. Et l'on voit par là, d'ailleurs, comment se trouvent liées les deux premières caractéristiques de l'écriture apollinarienne, le morcellement et la netteté des contours de l'image n'étant, somme toute, qu'une conséquence de la mise à distance de la réalité, de son épurement et de son abstraction progressive.

C'est un morcellement similaire, en ses multiples aspects, que l'on retrouve à chaque instant dans l'œuvre poétique. Morcellement dans la composition d'ensemble de l'ouvrage, dont *Alcools* nous donne une excellente illustration; morcellement dans l'agencement et la typographie du poème : *Calligrammes,* plus que la reprise d'un jeu ancien où le signe participe de la chose qu'il nomme, traduit, de ce point de vue, la volonté d'ajouter au déroulement temporel du discours la mainmise sur l'espace de la page par l'éclatement même de ce discours; morcellement dans la facture du poème : la technique de rapiéçage et de découpage ne relève pas du souci mallarméen d'écarter les profanes ni même, comme on l'a dit aussi, du désir du poète de se retrouver toujours semblable au fil des âges, mais bien plutôt d'une certaine vision éclatée dont on peut suivre la trace d'un bout à l'autre de son œuvre; morcellement dans l'enchaînement des strophes et des périodes, mais aussi dans l'enchaînement des vers, par un travail savant qui s'opère toujours, l'étude des manuscrits nous en a bien souvent assurés, de façon à supprimer transitions logiques, glissements attendus, et à faire se détacher chaque unité formelle – spatiale – ainsi que la voix même d'Apollinaire nous y invite [19]; morcellement plus révélateur encore dans l'enchaînement des images qu'aucun lien ne semble rapprocher et qui se succèdent dans le plus parfait désordre apparent, comme si chaque image, loin de s'ouvrir sur l'image suivante, devait au contraire s'affirmer dans sa plus complète autonomie pour que son éclatement produise son plein effet.

Mais cette image, pour autonome qu'elle soit dans son fonctionnement, révèle elle aussi, dans son contenu même, cet écla-

---

19. Cf. les enregistrements du « Pont Mirabeau », de « Marie » et du « Voyageur » pour les Archives de la Parole (27 mai 1914).

tement, ce démembrement que nous pouvons saisir à tous les niveaux et dans des manifestations bien différentes. Ainsi lorsque le poète, dans « Cortège », part une nouvelle fois à la rencontre de lui-même, ce n'est pas son double constitué qu'il rencontre d'abord :

> Tous ceux qui survenaient et n'étaient pas moi-même
> Amenaient un à un les morceaux de moi-même
> On me bâtit peu à peu comme on élève une tour
> Les peuples s'entassaient et je parus moi-même
> Qu'ont formé tous les corps et les choses humaines [20]

De ce morcellement de son être, il sera bien souvent question au long de l'œuvre. Dans « Onirocritique », c'est le rêveur qui, par sa danse qui le dénature, impose ses justes pouvoirs : « Mes bras, mes jambes se ressemblaient et mes yeux multipliés me couronnaient attentivement. Je me relevai ensuite pour danser comme les mains et les feuilles [21]. » Dans « Le brasier », ce sont les morceaux de lui-même, chacun lié à son passé, dont il cherche à se défaire :

> J'ai jeté dans le noble feu
> Que je transporte et que j'adore
> De vives mains et même feu
> Ce Passé ces têtes de morts
> Flamme je fais ce que tu veux [22]

Semblable démantèlement se retrouve dans « Les fiançailles », donnant naissance progressivement à une construction mons-trueuse, celle du poète agrandi par ses sens aux mesures mêmes du monde :

> Comment comment réduire
> L'infiniment petite science
> Que m'imposent mes sens
> L'un est pareil aux montagnes au ciel
> Aux villes à mon amour
> Il ressemble aux saisons
> Il vit décapité sa tête est le soleil

20. « Cortège », *Alcools, op. cit.*, p. 75-76.
21. *L'Enchanteur pourrissant, op. cit.*, p. 182.
22. « Le brasier », *Alcools, op. cit.*, p. 108.

Et la lune son cou tranché
Je voudrais éprouver une ardeur infinie
Monstre de mon ouïe tu rugis et tu pleures
Le tonnerre te sert de chevelure
Et tes griffes répètent le chant des oiseaux
Le toucher monstrueux m'a pénétré m'empoisonne
Mes yeux nagent loin de moi
Et les astres intacts sont mes maîtres sans épreuve
La bête des fumées a la tête fleurie
Et le monstre le plus beau
Ayant la saveur du laurier se désole [23]

Mais ce morcellement, toutefois, déborde largement la seule conquête du poète par lui-même, puisque dans toute l'œuvre d'Apollinaire se retrouve semblable démembrement des êtres et des choses : c'est la « tête faite d'une seule perle » que le rêveur d'« Onirocritique » rejette à la mer; ce sont les têtes de « Palais » qu'il faut pendre aux patères par les tresses; les têtes coupées, celles des mannequins qui l'accueillent dans « L'émigrant de Landor Road » ou celles qui l'acclament dans « Le brasier »; ce sont aussi les grappes de têtes de « Vendémiaire » s'offrant aux oiseaux ivres. Mieux encore, c'est la « tête chevelue à face barbue » du Baptiste qu'Hérodiade reçoit dans un vaisseau d'or avant d'en percer à coups d'épingle la langue et les yeux; et, dans ce même conte, exemplaire de symétrie, c'est, à la fin, la tête de Salomé qui seule reste au-dessus des glaces ressoudées du Danube : « Sa tête semblait tranchée et posée sur un plat d'argent [24]. »

Dans « Rhénane d'automne », les feuilles mortes, « ce sont les mains des chères mortes / Ce sont tes mains coupées [25] »; image reprise, on le sait, à un poème de jeunesse :

Oh je ne veux pas que tu sortes
L'automne est plein de mains coupées
Non non ce sont des feuilles mortes
Ce sont les mains de ceux qui sortent [26]

23. « Les fiançailles », *ibid.*, p. 133.
24. « Trois histoires de châtiments divins », *l'Hérésiarque et C*ⁱᵉ (1910), Paris, Stock, 1948, p. 84-87.
25. *Alcools, op. cit.*, p. 120.
26. « La clef », *le Guetteur mélancolique*, in *Œuvres poétiques, op. cit.*, p. 557.

Dans « Signe », ce sont « les mains des amantes d'antan » qui jonchent le sol; et cette végétalisation des mains, que l'on retrouve dans « Marie », dans « L'émigrant de Landor Road », dans « Onirocritique », tout comme leur apparition obsédante – tachées, marquées ou gercées – qui leur accorde soudain une importance démesurée et les isole en quelque sorte, dans « Onirocritique » mais aussi dans « Palais » et dans « Zone », signale à n'en pas douter un mode de représentation qu'il serait assez vain de vouloir expliquer en lui-même, mais qu'on ne saurait cependant négliger dans les perspectives d'une poétique de l'Imaginaire [27].

En dehors de ces têtes et de ces mains isolées, comment ne pas noter aussi le bras du Babo coupé à la jointure par Que vlo-ve? qui l'enfonce dans sa pochette « comme une belle fleur [28] », ou les deux jambes que le rescapé de Cox-City découpe soigneusement pour subvenir à sa nourriture et qui se trouvent être celles de sa maîtresse [29]? Ou bien la chevelure coupée, dont le motif revient dans l'*Enchanteur pourrissant* et l'*Hérésiarque* comme dans *Calligrammes* ou *la Fin de Babylone* [30]? Mais plus nombreux encore, au cours de l'œuvre, les yeux autonomes : dans « Onirocritique » où, préfigurant les yeux fertiles d'Eluard, ils se multiplient « dans les fleuves, dans les villes et dans la neige des montagnes »; dans « Vendémiaire », où la nuit revient « couverte d'yeux ouverts » alors que, dans « A travers l'Europe », tout au contraire, « tant d'yeux sont clos au bord des routes »; dans « Le voyageur », où ce sont les regards, « tous les regards de tous les yeux », qui roulent, mourants, vers l'estuaire; d'une façon plus exemplaire encore, dans ce conte du *Poète assassiné* où un œil bleu rôde dans les couloirs du pensionnat qui très judicieusement fait dire au conteur, par la voix de la narratrice : « nous ne songeâmes point que l'œil unique dénotait un borgne ni que les yeux ne volent point à travers les corridors des vieux couvents

---

27. Ainsi le grossissement que nous offrent les processus pathologiques peut-il nous aider à situer ce morcellement fondamental. La patiente de M. A. Sechehaye, décrivant une de ses crises, n'avoue-t-elle pas qu'elle percevait « toutes les parties du visage séparées les unes des autres, indépendantes : les dents, puis le nez, puis les joues, puis un œil, puis l'autre »? (*Journal d'une schizophrène*, Paris, PUF, 1970, p. 34). Et, un peu plus tard, elle dira qu'elle avait « une peur atroce de ses mains » (p. 71).
28. « Que vlo-ve? », *l'Hérésiarque et Cⁱᵉ, op. cit.*, p. 135-136.
29. « L'Amphion faux Messie », *ibid.*, p. 236.
30. Cf. *l'Enchanteur pourrissant*, p. 64-66; *l'Hérésiarque et Cⁱᵉ*, p. 110, 113, 116; *Calligrammes*, p. 248; *la Fin de Babylone* (1914), Paris, Bibliothèque des Curieux, 1922, p. 164.

et n'errent point détachés de leurs corps. Et cependant nous ne pensions qu'à cet œil bleu [31] ».

Ce ne sont là cependant que quelques exemples : il faudrait parler encore de « L'infirme divinisé » auquel manquent une jambe, un bras, un œil et une oreille [32], de l'ombre qui se sépare de Louise Ancelette [33], des visages des quatre poètes qui se détachent, vivants encore, sur la serviette « au quadruple regard [34] », et surtout de ce blasonnement du corps de la femme dans les poèmes d'amour à Lou et à Madeleine, tout particulièrement dans les poèmes secrets. Mais déjà cette seconde modalité de structuration de l'écriture apollinarienne, que ces divers exemples permettent de préciser, paraît autoriser à tirer, à titre provisoire, deux conclusions. La première, c'est que la vision du poète s'impose presque toujours en découpant les êtres et les choses comme autant de décors de théâtre ou d'ombres projetées; vision qui coïncide assez bien, jusque dans les détails, avec celle que nous proposent les quatre quatrains de composition plus ancienne insérés au cœur du « Voyageur » :

Les cyprès projetaient sur la lune leurs ombres
[...]

Alors sans bruit sans qu'on pût voir rien de vivant
Contre le mont passèrent des ombres vivaces
De profil ou soudain tournant leurs vagues faces
Et tenant l'ombre de leurs lances en avant

Les ombres contre le mont perpendiculaire
Grandissaient ou parfois s'abaissaient brusquement
Et ces ombres barbues pleuraient humainement
En glissant pas à pas sur la montagne claire [35]

31. « L'œil bleu », *le Poète assassiné, op. cit.*, p. 178.
32. « L'infirme divinisé », *ibid.*, p. 181.
33. « Le départ de l'ombre », *ibid.*, p. 161.
34. « La serviette des poètes », *l'Hérésiarque et Cⁱᵉ, op. cit.*, p. 204-205.
35. *Alcools, op. cit.*, p. 79. Là encore, et en se gardant bien du moindre diagnostic clinique, il est intéressant de confronter cette vision morcelée et théâtrale du « Voyageur » avec celle du sujet analysé par M. A. Sechehaye, pour qui « les arbres et les haies étaient de carton, posés çà et là comme des accessoires de théâtre », et chaque être « une statue [...], une maquette qui fait partie du décor de carton, un automate [...], un mannequin mû par une mécanique qui agit, qui parle comme un automate »; monde « irréel » où régnait « un silence effrayant que les bruits ne rompaient que pour le faire encore plus silencieux, encore plus effrayant » (*op. cit.*, p. 22-23).

La seconde, c'est que l'émergence d'une telle écriture ne cesse d'être fidèle à cette vision morcelée qu'elle ordonne; et, de ce point de vue, la création apollinarienne, en cela création poétique authentique, se trouve merveilleusement définie et illustrée en même temps par cette strophe des « Collines » qu'il faut bien citer encore :

> L'esclave tient une épée nue
> Semblable aux sources et aux fleuves
> Et chaque fois qu'elle s'abaisse
> Un univers est éventré
> Dont il sort des mondes nouveaux [36]

*

L'analyse sémantique des images et des schèmes présidant à ce deuxième mode de structuration de l'écriture a déjà montré, à plus d'un moment, que le démantèlement des êtres et des choses entraînait une multiplication des morceaux épars et de là un nouveau remplissage de l'espace lié à une survalorisation de celui-ci. C'est un troisième grand thème que l'on rencontre alors, celui qui regroupe, le long d'un schème non plus d'éloignement ni de séparation mais d'agrandissement, toutes les images réalisant d'une part l'occupation totale de l'espace et les processus de gigantisation qu'elle implique, d'autre part l'effacement de la notion de temps ou plutôt sa résorption dans une sorte de présent spatialisé.

Là encore, il est permis de faire référence d'abord à l'engagement d'Apollinaire dans la révolution cubiste, à ce que dit le poète de cette géométrisation de l'espace qui est au centre d'un nouveau type de structuration. Dans ses considérations générales sur la peinture, en tête de ses *Méditations esthétiques,* il écrit en effet :

On a vivement reproché aux artistes-peintres nouveaux des préoccupations géométriques. Cependant les figures géométriques sont l'essentiel du dessin. La géométrie, science qui a pour objet l'étendue, sa mesure et ses rapports, a été de tout temps la règle même de la peinture.

36. « Les collines », *Calligrammes, op. cit.,* p. 176.

Et après avoir constaté que les savants ne s'en tiennent plus désormais aux trois dimensions de la géométrie euclidienne, il poursuit ainsi :

Les peintres ont été amenés tout naturellement, et, pour ainsi dire, par intuition, à se préoccuper de nouvelles mesures possibles de l'étendue que dans le langage des ateliers modernes on désignait toutes ensemble et brièvement par le terme de quatrième dimension [37].

On ne saurait mieux circonscrire cette géométrisation dont les *Calligrammes* nous offrent tant d'exemples. Et sans doute faut-il ramener à ce souci de « figure[r] l'immensité de l'espace s'éternisant dans toutes les directions à un moment déterminé » non seulement l'éclatement graphique du discours sur toute la surface de la page, mais aussi les recherches de simultanéité dans plusieurs grands poèmes comme dans tous les poèmes-conversations, et ce besoin de symétrie auquel on n'a pas accordé jusqu'alors l'importance qui est la sienne; symétrie que l'on décèle aussi bien dans un poème isolé comme « La chanson du mal aimé » que dans un recueil comme *l'Enchanteur pourrissant* ou *le Poète assassiné.* Ainsi glissons-nous de la géométrisation au géométrisme lorsque, au constant souci de séparer, de distinguer, comme on l'a vu précédemment, s'ajoute un besoin non moins constant de combler les vides, de remplir l'espace, et d'accorder par là pleine valeur à cet espace [38].

Le premier versant de ce thème se manifeste dans les très fréquentes images de la multiplication : grappes de têtes de « Vendémiaire » et grappes de lune d'« Onirocritique »; mains végétales de « Rhénane d'Automne » et d'« Onirocritique » encore; yeux ouverts sur la nuit, roulant en fleuves ou se répandant dans le paysage, toutes images déjà rencontrées. Mais aussi grouillement et prolifération autour du tombeau de Merlin, dans l'*Enchanteur,* peuplement progressif de l'espace d'abord désert qui l'entoure et l'isole. Cortèges : celui qui amène un à un les morceaux du poète, sans doute, mais aussi celui qu'évoque le chœur du « Larron » ou celui qu'entraîne derrière lui le musi-

37. *Les Peintres cubistes, op. cit.,* p. 51-52.
38. Minkowski, pour sa part, a étudié de près le « géométrisme morbide », et montré ses liens étroits avec la valorisation de l'espace qui explique la gigantisation des objets dans la vision schizomorphe. Cf. *la Schizophrénie,* Paris, Desclée de Brouwer, 1953, p. 89 *sq.;* cf. aussi M. A. Sechehaye, *Journal d'une schizophrène, op. cit.,* p. 97 *sq.*

cien de Saint-Merry. Multiplication au centuple du rêveur d'« Onirocritique » procréant cent enfants mâles et devenant à lui seul une troupe; multiplication dans le temps des visages du poète, qui si souvent revient dans *Alcools,* sert de motif au « Passant de Prague » et nous vaut l'aveu de « Sanglots » : « Or nous savons qu'en nous beaucoup d'hommes respirent / Qui vinrent de très loin et sont un sous nos fronts [39] »; mais aussi multiplication dans l'espace si haut proclamée dans « Merveilles de la guerre » : « Je suis dans la tranchée de première ligne et cependant je suis partout ou plutôt je commence à être partout [40] », et qui trouve son apothéose dans le toucher à distance du baron d'Ormesan.

Mais cette occupation de l'espace se manifeste mieux encore dans les images du grandissement et de la gigantisation, liées d'ailleurs bien souvent à celles de la multiplication. Lorsque le poète avoue, dans le « Poème lu au mariage d'André Salmon » : « nous avons tant grandi que beaucoup pourraient confondre nos yeux et les étoiles [41] », ou lorsque le héros d'« Onirocritique » se sent soudain grandir après avoir goûté à l'IOD divin et, bientôt centuplé, se hausse au niveau de la lune ou de la colline, il s'agit sans doute d'un rêve de conquérant. Mais ce n'est pas la revendication héroïque qui paraît essentielle, en ces processus de gigantisation, bien plutôt l'occupation de la totalité de l'espace et l'immobilisation du temps que de tels processus impliquent. C'est ce que réalise dans son graphisme même, hors de tout commentaire, tel calligramme dédié à Lou :

> Les coupoles admirables de tes seins d'aurore
>
> Le soleil et la forêt ce sont mes père et mère
> La lune et la colline mamelles de ma nourrice [42] [...].

Cette géométrisation et cette gigantisation se situent là encore dans le prolongement des modes de structuration précédents qui voyaient l'image décollée du réel tout d'abord, puis sertie, séparée, isolée de son fond. Et la disparition des proportions comme de toute référence aux mesures de la réalité est source de cette même « grandeur » qu'Apollinaire lisait dans l'œuvre de certains peintres, notamment dans l'œuvre de Gleizes où il remarque le constant souci d'individualisation et la « majesté dramatique »

39. « Sanglots », *Il y a,* in *Œuvres poétiques, op. cit.,* p. 365.
40. « Merveilles de la guerre », *Calligrammes, op. cit.,* p. 272.
41. « Poème lu au mariage d'André Salmon », *Alcools, op. cit.,* p. 84.
42. *Poèmes à Lou,* LIV, in *Œuvres poétiques, op. cit.,* p. 474.

qui en découle : « Cette majesté éveille l'imagination, provoque l'imagination et, considérée du point de vue plastique, elle est l'immensité des choses [43]. »

Comment s'étonner, désormais, si l'autre versant de ce thème du grandissement correspond à l'effacement de la notion de temps et à la quête, toujours recommencée, d'un présent lié à cet espace conquis et comme figé? C'est là d'ailleurs qu'il apparaît le plus manifestement que l'organisation du langage à partir de ses images ne se sépare en rien du sémantisme de ces images, et qu'on ne saurait en conséquence envisager séparément l'une et l'autre : car la conquête dans l'écriture de ce présent spatialisé ne peut se réaliser que par la mise en place d'une nouvelle syntaxe poétique imposée par la dynamique des images en action, mais infusant à son tour de nouvelles forces et donc des valeurs nouvelles à ces images. Un bon exemple nous en est fourni par le poème des « Fenêtres », dont il importe peu de savoir si les matériaux renvoient à une conversation de café entre amis ou à la description de l'atelier de Delaunay, mais où il se révèle clairement que ce qu'il est d'usage d'appeler technique de la simultanéité ne relève pas d'une mode ni d'une querelle d'écoles. La simplification de la syntaxe poétique, pour reprendre l'expression d'Apollinaire qui voit là sa plus grande réussite en ce domaine et dont il se plaindra plus tard de n'avoir plus retrouvé les ressorts [44], cette simplification correspond ici d'abord à la primauté accordée aux substantifs :

Bigorneaux Lotte multiples Soleils et l'Oursin du couchant
Une vieille paire de chaussures jaunes devant la fenêtre
Tours
Les Tours ce sont les rues
Puits
Puits ce sont les places
Puits
Arbres creux qui abritent les Câpresses vagabondes [45]

Mais cette simplification correspond aussi à l'isolement de chacun

43. *Les Peintres cubistes, op. cit.*, p. 76.
44. *Tendre comme le souvenir*, Paris, Gallimard, 1952, p. 48 (1-VII-1915) et p. 70-71 (30-VII-1915).
45. « Les fenêtres », *Calligrammes, op. cit.*, p. 168.

des vers, à l'autonomie des images, aux ruptures grammaticales et plus encore au mélange des temps verbaux :

Le pauvre jeune homme se mouchait dans sa cravate
blanche
Tu soulèveras le rideau
Et maintenant voilà que s'ouvre la fenêtre

Et c'est dans le poème lui-même que se trouve, une fois de plus, sa clé, lorsque Apollinaire écrit, avec une ironie qui dément comme toujours l'écriture spontanée mais certainement pas l'authenticité profonde du poème :

Il y a un poème à faire sur l'oiseau qui n'a qu'une aile
Nous l'enverrons en message téléphonique

Le « message téléphonique » qu'est cette écriture nouvelle, d'une certaine façon, permet de supprimer le déroulement du temps, de nier sa durée comme son sens unique et, loin d'être un exercice de style sans lendemain, une provocation gratuite ou même la seule recherche d'équivalence de la syntaxe picturale de Delaunay [46], coïncide parfaitement avec l'Imaginaire de l'écriture apollinarienne et se situe dans l'exact prolongement de ses manifestations précédentes : quête immobile d'un espace total et sans profondeur dans une écriture elle-même en à-plat [47].

Qu'un tel discours, dans son apparente incohérence, traduise l'angoisse vécue de qui voudrait se défaire du temps et de sa conscience paralysante, c'est là vérité d'évidence [48]. Mais c'est en fait cette même suppression de l'impression du temps qu'en toute lucidité recherche Apollinaire par ses essais de simultanéisme dont « Les fenêtres » nous offrent le meilleur exemple

---

46. Rappelons que ce poème était destiné à servir de préface au Catalogue de l'exposition de Robert Delaunay, à Berlin, en janvier 1913.

47. Ce « message téléphonique » ne laisse pas de faire songer au « langage télégraphique » qui définit, on le sait, le discours schizomorphe, discours éclairé là encore par le grossissement pathologique que présente Minkowski dans son analyse de l'attitude autiste :
> Nous ne serons plus surpris qu'un fragment de pensée puisse remplacer l'expression explicite de celle-ci, et ces fragments former ainsi une succession de bribes dont le sens nous échappe et qui seront associées les unes aux autres par des liens tout d'abord invisibles pour la pensée réaliste. (*Op. cit.,* p. 112.)

48. Un des sujets de Minkowski l'exprime d'ailleurs clairement, dans sa logique de malade :
> Il m'est arrivé dans ma maladie de supprimer l'impression du temps.
> Le temps ne compte pas pour moi. (*Op. cit.,* p. 94.)

peut-être : ce n'est pas sans raison profonde que ce poème restera l'un de ses préférés [49]. Il illustre au mieux, en effet, cette haute idée qu'il se fait du poète et de l'artiste en général et qui nous vaut cette réflexion des « Trois vertus plastiques » :

> [...] Le peintre doit avant tout se donner le spectacle de sa propre divinité et les tableaux qu'il offre à l'admiration des hommes leur conféreront la gloire d'exercer aussi et momentanément leur propre divinité.
> Il faut pour cela embrasser d'un coup d'œil : le passé, le présent et l'avenir.
> La toile doit présenter cette unité essentielle qui seule provoque l'extase [50].

On aurait donc tort de ne pas prendre au sérieux, dans la polémique avec Barzun, les nombreuses déclarations dans lesquelles le poète, se référant à *l'Enchanteur pourrissant*, à « Vendémiaire » et aux « Fenêtres », non seulement s'attribue les mérites de l'antériorité mais aussi défend avec acharnement ses tentatives pour « habituer l'esprit à concevoir un poème simultanément comme une scène de la vie [51] ». Déjà, l'année précédente, c'est par la disparition de la succession temporelle et l'instauration d'un présent spatialisé qu'il avait défini l'harmonie :

> L'harmonie ne s'engendre que de la simultanéité où les mesures et proportions de la lumière arrivent à l'âme, sens suprême de nos yeux. Cette simultanéité seule est la création; le reste n'étant qu'énumération, contemplation, étude. Cette simultanéité est la vie même [52].

La recherche de la simultanéité est donc bien, pour Apollinaire, recherche d'une certaine victoire sur le temps; cette même victoire que célèbrent, en leurs orgies anachroniques, les heureux convives du Roi-Lune attachés chacun à leur appareil :

49. Le 30 novembre 1915, le poète avoue à Madeleine que ce poème, dont il a fait remarquer plus tôt l'esthétique toute neuve, est de ceux qui lui sont le plus chers (*Tendre comme le souvenir, op. cit.*, p. 274); et il y reviendra dans sa lettre du 16 décembre (p. 295).
50. *Les Peintres cubistes, op. cit.*, p. 47.
51. « Le simultanisme-librettisme » in *les Soirées de Paris*, n° 25, 15 juin 1914, p. 323.
52. « A travers le salon des Indépendants », *Montjoie*, 18 mars 1913. Cf. *Chroniques d'art*, éd. L.C. Breunig, Paris, Gallimard, 1960, p. 297.

Cette machine avait pour fonction : d'une part, d'abstraire du temps une certaine portion de l'espace et de s'y fixer à un certain moment et pour quelques minutes seulement, car l'appareil n'était pas très puissant; d'autre part, de rendre visible et tangible à qui ceignait la courroie la portion du temps ressuscitée [53].

Mais à regarder de plus près, comme nous y invite Apollinaire affirmant que « les mots et le poète peuvent être en même temps dans un livre et ailleurs [54] », on s'aperçoit que plutôt que la récupération au présent de morceaux d'un passé qui désormais ne peut plus mourir, ce qui importe c'est la traduction en termes d'espace des fragments épars du temps. De ce point de vue, qui définit très exactement la topographie de l'Imaginaire, il est certain que le clavier du Roi-Lune est plus remarquable, plus exemplaire que les cylindres de ses convives, puisqu'il parvient à traduire les différents moments du temps en autant de lieux géographiques : le petit matin devient paysage japonais; la pleine matinée, scène de travail en Nouvelle-Zélande, puis marché à Tahiti et prairie américaine; midi : Chicago, puis New York et Mexico; quatre heures : cavalcade à Rio de Janeiro; six heures : défilés à Saint-Pierre-de-la-Martinique; sept heures : un café des grands boulevards parisiens; angélus : Bonn et bateau sur le Rhin, puis Naples et la Tripolitaine; dix heures : Ispahan; minuit : l'Asie, l'Inde, bientôt le Tibet... Permettant d'immobiliser le présent par des projections spatiales et de glisser sans cesse du temps à l'espace comme le font bon nombre d'images d'*Alcools* et de *Calligrammes,* ce clavier pourrait résumer assez bien le troisième mode de structuration de l'écriture apollinarienne [55].

*

Les trois itinéraires suivis jusque-là, et qui révèlent dans l'écriture de l'Imaginaire d'Apollinaire trois grandes modalités de structuration gravitant autour des schèmes de l'éloignement,

53. « Le Roi-Lune », 3, *le Poète assassiné, op. cit.,* p. 126.
54. « Jean Royère », *Il y a, op. cit.,* p. 209-210.
55. Selon Minkowski, une des marques constantes de la constitution schizoïde serait la confusion des temps grammaticaux, mais aussi le remplacement fréquent des conjonctions temporelles par des conjonctions indiquant le lieu – le passage du *quand* au *où.* Cf. Minkowski, *op. cit.,* p. 94 *sq.* Voilà qui qualifie assez justement et fait se rejoindre « Les fenêtres » et « Le Roi-Lune ».

de la séparation et de l'agrandissement, ont ceci en commun qu'ils refusent tous l'exclusion des contraires. Ainsi le premier thème nous parlait à la fois des fausses réalités et des irréalités raisonnables; le second thème nous parlait d'une image globale et bien sertie, et du continuel morcellement de cette image; le troisième thème, enfin, nous parlait de la solitude fondamentale de l'être et de sa multiplication, de la miniaturisation du cosmos et de la gigantisation du héros, de l'immobilité du rêveur et du dynamisme conquérant. Au point qu'il semble bien que l'Imaginaire apollinarien se définisse en termes de contraires dont il aurait besoin pour s'imposer. Se découvrent ici un nouveau mode de structuration et un dernier grand thème organisateur qui est de juxtaposition, d'incessante confrontation des contraires; thème qui n'est pas la somme d'images gravitant autour d'un centre unique, comme on le voit communément, mais la somme d'images gravitant autour de pôles antithétiques et qui se trouvent confrontées de façon permanente tout au long de l'œuvre.

L'a-t-on assez remarqué, la conquête solaire, qui est au cœur de toute la création d'Apollinaire, ne trouve jamais son relief et son dynamisme que par rapport à une nuit présente sur laquelle elle se détache constamment; et cette nuit présente, liée à la souffrance, ne s'organise elle-même qu'en fonction d'un « passé luisant », paradis perdu que le poète se veut de restaurer dans un avenir encore incolore :

> Mais pleure pleure et repleurons
> Et soit que la lune soit pleine
> Ou soit qu'elle n'ait qu'un croissant
> Ah! pleure pleure et repleurons
> Nous avons tant ri au soleil [56]

Tout le poème des « Collines », hiver entre deux étés, se situe ainsi comme un monde sombre entre deux univers lumineux, et chacun d'eux a besoin de son contraire pour rester ce qu'il est :

> Habituez-vous comme moi
> A ces prodiges que j'annonce
> A la bonté qui va régner
> A la souffrance que j'endure
> Et vous connaîtrez l'avenir [57]

56. « Les collines », *Calligrammes, op. cit.*, p. 177. — 57. *Ibid.*, p. 176.

Cette· souffrance présente nécessaire à la beauté future ne fait que traduire, en l'exagérant, le conflit entre le poète et le monde, lequel conflit se manifestait déjà dans la mise à distance du monde aussi bien que dans les particularités de l'écriture qui en découlaient. C'est dire que nous ne changeons pas de régime de l'image avec cette juxtaposition des contraires dont il est difficile de ne pas remarquer la constance dans l'œuvre d'Apollinaire.

Ce que le poète retient des peintres ses amis, ce qui chez eux le séduit, nous renseigne là encore sur sa propre vision. Or, s'il célèbre Seurat, c'est pour avoir « porté le plus loin le contraste des complémentaires dans la construction des tableaux [58] »; s'il admire Picabia, c'est parce que les couleurs contiennent chez lui toutes les dimensions, les créent en prenant possession de la toile : « couleurs qui s'unissent ou contrastent, qui prennent une direction dans l'espace, se dégradent ou augmentent d'intensité pour provoquer l'émotion esthétique [59] ». Et s'il voit dans Picasso celui qui a accompli presque seul la grande révolution des arts, faisant du monde sa nouvelle représentation, il ne manque pas de lier cette « nouvelle représentation », par laquelle l'artiste « met de l'ordre dans l'univers pour son usage personnel », aux « contrastes délicats » et aux « lignes parallèles » que fait apparaître le dénombrement minutieux des éléments du monde [60].

Dans tous les cas, on croirait entendre Apollinaire nous parler de sa poétique et donner à la « surprise », dont il fait toujours si grand cas, d'autres fondements que ceux qu'il avance dans *l'Esprit nouveau et les Poètes.* Car il ne s'agit pas seulement, comme il voudrait nous en convaincre dans sa conférence, de créer à tout prix du possible qui finira par devenir du réel, mais bien plutôt de laisser émerger des êtres et des choses cette vision totale qui fait que rien ne se détache jamais que sur le fond de son contraire, que tout prend son relief et sa raison d'être par rapport à un double négatif qui le force à exister et lui confère sa vie propre. Aussi bien la surprise, ce « grand ressort nouveau », ne relève-t-elle pas d'une technique par laquelle le poète, dénonçant les opinions communément admises et leur opposant des vérités nouvelles, irait au-devant du futur; elle relève beaucoup plus simplement, et plus naturellement, d'une certaine syntaxe

58. *Les Peintres cubistes, op. cit.,* p. 71.
59. *Ibid.,* p. 90.
60. *Ibid.,* p. 67.

de l'Imaginaire et d'un régime antithétique qui impose de lui-même la constante confrontation des contraires.

De là ces couples de contraires qui, de la figure rhétorique à l'illustration mythique, en passant par toute une gamme de motifs et d'images au caractère symbolique diversement prononcé, parsèment l'œuvre entière d'Apollinaire, à la façon des couples de « La maison des morts » – « Les morts avaient choisi les vivantes / Et les vivants / Des mortes [61]. » Sans en faire un recensement exhaustif, ni tenter d'en établir une classification rigoureuse, il est permis déjà, à la lueur des divers modes de structuration de l'écriture apollinarienne dégagés jusque-là, de mettre en relief quelques aspects fondamentaux de ces couples de contraires.

La première de ces modalités, nous l'avons vu, celle qui manifeste un décollement d'avec la réalité première, se révèle d'abord dans les schèmes ascensionnels associés au mythe prométhéen – « Et j'ai pris mon essor vers ta face splendide [62] »; au culte solaire – « Ô grand maître je suis / Le désirable feu qui pour vous se dévoue [63] »; au motif du feu purificateur – « Je tremble dans le brasier à l'ardeur adorable [64] »; au personnage de Gauvain, le héros solaire, et à ses avatars depuis le « Triptyque de l'homme »; aux images de l'aile, de l'aigle, de l'ange, si nombreuses dans l'œuvre apollinarienne. Mais semblable structuration se révèle pareillement et conjointement, à l'intérieur bien souvent du même champ sémantique, dans les schèmes catamorphes qui, du mythe prométhéen, retiennent par exemple la figure d'Icare en mettant l'accent sur sa chute – « Un dieu choit dans la mer, un dieu nu, les mains vides [65]. » De même le soleil, cette « auge au ciel : ce grand soleil tout plein de perdition [66] », voit-il très tôt son culte renversé; et c'est le soleil écrasé de l'*Enchanteur*, le soleil saignant de « Merlin et la vieille femme », le soleil luxurieux de « Lul de Faltenin », le soleil noyé de « Prospectus pour un nouveau médicament », le soleil décapité des « Doukhobors », d'« Epithalame », des « Fiançailles » ou de « Zone ». Le feu purificateur, « le feu qu'il faut aimer comme on s'aime soi-même [67] », est aussi le feu destructeur, celui auquel

---

61. « La maison des morts », *Alcools, op. cit.*, p. 70.
62. « L'ignorance », *Il y a, op. cit.*, p. 344.
63. « Les fiançailles », *Alcools, op. cit.*, p. 136.
64. « Le brasier », *ibid.*, p. 109.
65. « L'ignorance », *Il y a, op. cit.*, p. 345.
66. *L'Enchanteur pourrissant, op. cit.*, p. 168.
67. « Vendémiaire », *Alcools, op. cit.*, p. 153.

songe l'Enchanteur désespéré de son pourrissement : « Je préférerais avoir été brûlé », avoue-t-il au prophète Élie [68]. Gauvain n'est plus qu'un chevalier solitaire, voué à perdre ses forces à la tombée du jour : « Or, le soleil se couchait et Gauvain au loin disparaissait avec lui [69]. » Et au bestiaire aérien et glorieux se mêle un bestiaire chthonien et combien équivoque où se mêlent serpents et crapauds; l'aigle se double du corbeau nécrophile et les anges, compagnes de Salomon ou envoyés de Lucifer, prennent aussi figures de chauves-souris. Il est rare que, dans un même poème, cette double nature ne se manifeste, comme si la tentative d'éloignement du monde entraînait un rapprochement de la conscience de ce monde, comme si la conquête de Prométhée ne trouvait son sens et sa valeur qu'en fonction de la chute d'Icare. Et ce qu'on a pu appeler les contradictions d'Apollinaire – devant l'avenir, incolore dans « Cortège » et flamboyant dans « Le brasier »; devant les autres quand, à la fois berger et troupeau, il n'en finit pas de louer et de maudire sa solitude; devant lui-même, enfin, qui ne cesse de se bâtir ou se laisser bâtir « comme on élève une tour [70] » et de se détruire dans le brasier – ces prétendues contradictions, telles qu'elles peuvent apparaître au seul inventaire des images et de leurs métamorphoses, ne laissent pas d'être parfaitement cohérentes, du point de vue de l'Imaginaire, dans le régime où elles s'inscrivent.

Ce régime antithétique qui ne fixe l'image que sur le fond de son contraire – la lumière contre les ténèbres, l'ascension contre la chute, l'ascèse contre l'animalité – se manifeste pareillement à l'intérieur de la seconde structuration de l'écriture apollinarienne, celle qui appelle les images de la séparation et du morcellement. L'accentuation des contours – du poème, du vers, de l'image – si caractéristique de cette modalité, semble toujours imposée chez Apollinaire par un contexte envahissant qui enchaîne, englobe, dilue et finalement euphémise. C'est toujours pour affirmer l'impérialisme de sa vision, la primauté de sa conquête que le poète découpe et retaille ses manuscrits, isole les différents morceaux, rompt l'unité première, supprime certains vers ou les change de place, juxtapose autrement les images ou même refuse la métaphore au profit de la comparaison. Tout se passe comme s'il redoutait, en s'abandonnant à son lyrisme premier, d'atténuer

---

68. *L'Enchanteur pourrissant, op. cit.*, p. 142.
69. *Ibid.*, p. 14.
70. « Cortège », *Alcools, op. cit.*, p. 76.

peu à peu sa vision ou son discours en cherchant refuge en lui-même. La méfiance, et de plus en plus grande, d'Apollinaire à l'endroit de son lyrisme – « Car il y a tant de choses que je n'ose vous dire / Tant de choses que vous ne me laisseriez pas dire [71] », plus généralement sa constante recherche d'une poétique nouvelle et d'un nouveau langage, pourraient bien signaler moins la pudeur de qui se méfie des effusions que la crainte de ne pas être suffisamment entendu, de ne pas être suffisamment reconnu. Aussi les oppositions accentuées à tous leurs niveaux, avec les jeux de mots qui en résultent, ne sont-elles pas diversions pour déjouer le lyrisme menaçant mais au contraire assertions réitérées de ce qu'il y a de plus authentique en lui, manifestations de son être le plus intime qui a besoin de ces contrastes pour se trouver.

C'est ainsi que les images apollinariennes voient leurs contours d'autant plus appuyés que la toile de fond sur laquelle elles se découpent commémore un événement plus profond de la vie du poète; et le morcellement est d'autant plus apparent que la revendication du poète, qui se veut d'être victorieux au regard de l'homme toujours sur le point de s'avouer vaincu, est plus affirmée. Ainsi du « Brasier », des « Fiançailles », mieux encore d'« Onirocritique », où, sur le fond couleur de nuit des « éternités différentes de l'homme et de la femme », conscience lancinante de l'impossibilité d'un amour partagé et de l'échec de toute communion humaine qui ne cesse d'affleurer tout au long du texte, se projettent, de plus en plus nettes, de plus en plus vives, les images de la rédemption et de la toute-puissance du poète :

> Nulle créature vivante n'apparaissait plus. Mais des chants s'élevaient de toutes parts. Je visitai des villes vides et des chaumières abandonnées. Je ramassai les couronnes de tous les rois et en fis le ministre immobile du monde loquace [72].

D'un côté, un monde nocturne et déserté, comme mort, où se profilent encore, souvenirs obsédants, des ombres dissemblables toujours plus lointaines; de l'autre le poète qui, seul, découvre à l'horizon, comme autant de jours à naître, des vaisseaux d'or, et, par sa parole, qu'il investit de tous les pouvoirs, comme par son regard, qui force à être ce qu'il contemple, prend possession d'un monde nouveau. Symétrie renversée parfaite, qui repose sur le

---

71. « La jolie rousse », *Calligrammes, op. cit.*, p. 314.
72. *L'Enchanteur pourrissant, op. cit.*, p. 184-186.

même jeu profond des antithèses et montre qu'au sein de la troisième structuration, celle de la géométrisation liée au thème du grandissement, c'est toujours ce même mode de représentation que nous appréhendons.

N'est-ce pas d'ailleurs dans un monde aveugle et vide que les yeux du poète se multiplient jusqu'à remplir totalement, en l'éclairant, l'espace du monde? C'est encore, magnifiée, l'opposition de l'homme au monde qu'illustre la fin exemplaire d'« Onirocritique », et c'est une fois de plus l'image de la conquête qui s'impose à nous. Mais la conquête apollinarienne, chaque poème en ses images nous le redit, n'est pas affrontement des obstacles, tentative de conciliation des contraires, comme on le pourrait croire : ce n'est pas, au terme d'une dialectique, mainmise sur le temps par la reconnaissance de ses différents moments et des contradictions qu'ils incarnent, que le poète attend la « victoire ». Tout à l'inverse, une telle conquête, et parce qu'elle est refus des séductions du temps qu'elle ne cesse de remplacer par les séductions de l'espace, ne peut se promouvoir qu'en termes de ruptures, de dysharmonie, de conflits jamais résolus. Cela explique la permanence, d'un bout à l'autre de l'œuvre, de ces images antithétiques constamment confrontées et d'où procède pour bonne part le dynamisme profond de la poésie apollinarienne; un dynamisme qui tient moins aux thèmes en présence et aux techniques d'harmonisation qu'ils appellent, pour grand que soit l'élan donné et par les schèmes verbaux de la conquête et par le lyrisme conquérant, qu'au mode même de cette création dont le poète, parfois, semble pressentir les ressorts :

> Et moi aussi de près je suis sombre et terne
> Une brume qui vient d'obscurcir les lanternes
> Une main qui tout à coup se pose devant les yeux
> Une voûte entre vous et toutes les lumières
> Et je m'éloignerai m'illuminant au milieu d'ombres
> Et d'alignements d'yeux des astres bien-aimés [73]

*

Ainsi apparaît-il, à travers cet exemple privilégié de l'œuvre d'Apollinaire, que le déchiffrement des images ne peut servir à la lecture du texte poétique qu'autant que chacune d'elles est

---

73. « Cortège », *Alcools, op. cit.,* p. 74.

envisagée sur tous les réseaux où elle s'inscrit, dans tous les mouvements dont elle procède ou qui procèdent d'elle. Cela implique de saisir l'image dans les rapports qu'elle institue avec les autres matériaux lexicaux de son entourage, sans doute, en se gardant bien de n'accorder attention qu'aux seuls mots prétendus clés ou aux seules images présumées exemplaires; mais cela implique conjointement de saisir l'image dans les variations et métamorphoses qu'elle prolonge ou inaugure, entraînant avec elle jeux phoniques, rythmiques, rhétoriques et syntaxiques de toute sorte, au long des grands axes orientés qui forment l'ossature dynamique du texte.

On voit par là combien nous sommes loin de cette image chosifiée, réduite à l'état de signe, qui peuple les répertoires des amateurs de dictionnaires et les classifications des maniaques de la statistique. Et dans le cas d'Apollinaire, soucieux de commémorer chaque événement de sa vie mais attentif aussi, plus que beaucoup, au langage du monde, approcher le texte par le biais du dynamisme de ses images, c'est non seulement s'installer au carrefour même où le texte s'écrit, mais encore se mettre en mesure de vivre au présent, dans leur nouveauté comme dans leur complexité, les forces vives qui tissent le texte.

Explorer l'univers imaginaire d'une œuvre, dès lors, va consister non pas à improviser, fût-ce avec beaucoup de tact et de flair, des chemins que nul autre jamais ne saura parcourir pour son propre compte, mais bien à tenter de repérer pour les mieux vivre ces forces qui dictent autant d'itinéraires obligés dont aucun n'a le privilège du sens mais qui tous ensemble, et de par les réseaux qu'ils instaurent, acheminent à coup sûr vers ce surcroît de sens qu'implique la lecture du texte poétique. Ainsi la mise à jour de ce que nous sommes convenus d'appeler, faute de mieux, les modalités de structuration de l'écriture, ne conduira-t-elle pas à rêver l'œuvre au singulier, selon le rêveur de service et son rêve de l'instant; mais ne conduira-t-elle pas davantage à coller une étiquette sur l'homme ou sur l'œuvre, quelque grande que soit la tentation de s'y abandonner. Car un tel diagnostic, pour éclairé fût-il et dût-il prudemment s'en tenir à la seule écriture du texte, ne saurait bien souvent que confirmer ce que nous savions déjà par ailleurs, mais surtout ne saurait en rien sauvegarder l'unicité du texte, de par les catégorisations qu'à coup sûr il implique. En réponse à tous ceux qui voudraient se contenter, s'appuyant sur les travaux récents de la psychologie de l'Imaginaire, de la psychopathologie et plus généralement de l'anthropologie culturelle, de retrouver comme à la fin du siècle dernier des familles de poètes, devenues maintenant des classes d'écriture, on pourrait aisément retourner la formule de Bachelard selon laquelle « une originalité est nécessairement un complexe et un complexe n'est jamais bien original [74] ».

Autre chose, en effet, la singularité du texte, qui seule nous importe en dernier ressort, et qui ne saurait tenir dans aucune formule. Ainsi, dans le cas d'Apollinaire, sera-t-il bien insuffisant, considérant les grandes forces qui parcourent ses textes et la cohérence qui s'instaure entre elles, de placer toute l'œuvre sous le signe du héros solaire. Car s'il est certain que c'est bien le visage d'un tel héros que dévoilent, à travers les thèmes de l'ascension, de la lumière et de la conquête, et les schèmes de l'éloignement, du morcellement et du grandissement, des images autonomes, vives, aux contours résolument appuyés, géométriques et souvent amplifiées, mais qui toujours se profilent sur le fond de leurs contraires, il est certain plus encore que, nous devançant, le poète avait pris soin de se peindre lui-même sous ce jour [75].

En revanche, et c'est là sans doute l'essentiel, quand tant d'autres œuvres poétiques répondent à ces mêmes critères prométhéens, le mode de regroupement des images en constellations, l'ordonnance particulière de ces constellations le long des schèmes moteurs où elles prennent vie, l'émergence et le tissage de ces différents schèmes, tout manifeste une certaine attitude devant le monde, qui est d'élan et de retrait, et une certaine attitude devant le temps, qui est d'attaque et de défense, dont procèdent un ton de voix et un mode d'écriture qui n'appartiennent qu'à Apollinaire. Aussi bien une telle approche, patiemment menée, importera-t-elle moins finalement par ce qu'elle nous dit en propre que par l'attitude qu'elle nous dicte : en nous aidant à trouver l'unité, tant diachronique que synchronique, de l'œuvre, par-delà les multiples contradictions dont elle a besoin pour se construire, elle nous inscrit dans sa conquête et nous donne à suivre ses itinéraires, nous permettant par cela même de nous laisser porter par elle.

On ne saurait être surpris, désormais, si celui qui toute sa vie ou presque a cherché à s'intégrer, à se faire reconnaître, à se faire adopter – « Ouvrez-moi cette porte où je frappe en pleu-

74. G. Bachelard, *Lautréamont, op. cit.,* p. 118.
75. Lettre à Louise Faure-Favier, *in* Louise Faure-Favier, *Souvenirs sur Guillaume Apollinaire,* Paris, Grasset, 1945, p. 118.

rant [76] » – est ce même poète qui, de tous ses pouvoirs, de tous ses mots, se sépare du monde pour planer « si haut / Si haut qu'adieu toutes les choses [77] ». On ne saurait être surpris non plus si le bon vivant, ouvert au monde et aux amis, que les biographes reconnaissent d'abord, est aussi celui qui rentre si bien en lui-même « qu'un abîme seul est resté » où il doit bientôt se jeter « jusqu'aux profondeurs incolores ». Si un régime cohérent de l'image se dessine ici, c'est un régime qui implique l'antithèse à tous les niveaux : mode d'écriture renvoyant conjointement au poète écrivant et au monde où s'écrit le texte, sans doute, mais aussi mode d'appréhension de l'œuvre en sa globalité. Toutes les incarnations mythiques du poète s'y retrouvent, tous ses rêves, tous ses élans qui, par les obstacles qu'ils rencontrent, les oppositions qu'ils suscitent, les échecs qu'ils appellent entraînent le lecteur avec le héros dans le jeu conquérant de cette poésie; un jeu que le poète contrôle tout en s'y laissant prendre, et dont il découvre les règles dans son langage même.

La conquête prométhéenne, avec le châtiment qu'elle inclut, oppose ainsi un nouveau démenti à ceux qui voudraient nous donner du poète deux visages différents, et peu conciliables; tant est évidente la permanence, comme aussi la primauté de ce régime antithétique de l'écriture dans l'œuvre d'Apollinaire. Régime antithétique qui ne connaîtra pas toujours les mêmes tensions et n'engendrera pas toujours les mêmes conflits, sans doute; mais régime antithétique qui subsistera même lorsque les images de reconstruction, de remembrement, de réunification, tendront à prévaloir, comme c'est le cas notamment dans les derniers *Contes,* sur les images de morcellement et de mutilation.

Il est vrai qu'après la blessure de mars 1916 tout se passe comme si le régime antithétique venait à s'estomper, et jusqu'à disparaître parfois, pour laisser place à un régime de l'intimité dans lequel les images, au lieu de s'affronter, vont avoir tendance à s'enchaîner, à se chevaucher, voire à se fondre : l'antithèse, et de plus en plus souvent, paraît céder la place à l'euphémisme. Il n'est qu'à relire la préface des *Mamelles de Tirésias* où s'affichent la recherche d'un « ton moins sombre » et l'expression du « bon sens » dans la fantaisie [78], après certaines précautions

---

76. « Le voyageur », *Alcools, op. cit.*, p. 78.
77. « Les collines », *Calligrammes, op. cit.*, p. 174.
78. *Les Mamelles de Tirésias*, in *Œuvres poétiques, op. cit.*, p. 865-866.

liminaires auxquelles le poète ne nous avait guère habitués. De la même façon, *l'Esprit nouveau et les Poètes,* prônant l'ordre et la mesure et rejetant les « filles excessives de l'esprit nouveau », malgré l'éloge de la surprise et de la nouveauté, s'efforce de concilier « le sens du devoir qui dépouille les sentiments et en limite ou plutôt en contient les manifestations » et « une curiosité qui [...] pousse à explorer tous les domaines propres à fournir une matière littéraire qui permette d'exalter la vie sous quelque forme qu'elle se présente » [79]. Déjà, dans la préface du Catalogue de l'exposition Derain, en octobre 1916, Apollinaire, se lisant comme bien souvent au travers des œuvres des peintres, faisait à mi-mot cet aveu :

> Dans les ouvrages d'André Derain que l'on expose aujourd'hui, on reconnaîtra donc un tempérament audacieux et discipliné. Et toute une partie récente de son œuvre garde la trace toujours émouvante des efforts qu'il a fallu pour concilier ces deux tendances. Il est près d'atteindre son but qui est une harmonie pleine de béatitude réaliste et sublime. C'est en encourageant l'audace et en tempérant la témérité que l'on réalise l'ordre [80].

Alors que, dans les œuvres de la maturité, la dichotomie des images tendait à s'accentuer jusqu'à cette vision manichéenne poussée à la caricature dans le *Manifeste de l'anti-tradition futuriste,* désormais les tentatives de conciliation des contraires se font de plus en plus nombreuses, qui coïncident avec le retour au lyrisme premier et voient finalement le poète se faire le juge de « cette longue querelle de la tradition et de l'invention / De l'Ordre et de l'Aventure » avant de demander pitié pour ses erreurs et ses péchés [81]. Sans doute pourra-t-on penser que cette réconciliation, qu'accompagne sur le mode lyrique l'apologie de la pondération, du bon sens et de la bonne foi, ne fait que traduire cette illusion de la synthèse qu'Apollinaire pensait avoir enfin réalisée tant sur le plan physiologique que sur le plan affectif ou le plan esthétique [82]. Mais le changement pourrait être plus

79. *L'Esprit nouveau et les Poètes, op. cit.,* p. 900.
80. Album-Catalogue de l'exposition André Derain (galerie Paul Guillaume, 15-21 octobre 1916), *Chroniques d'art, op. cit.,* p. 424.
81. « La jolie rousse », *Alcools, op. cit.,* p. 313-314.
82. Cf. séminaire Apollinaire de l'université de la Sorbonne nouvelle du 8 mai 1971 (intervention de Michel Décaudin).

profond, qui signale non seulement une attitude nouvelle devant la vie, qu'expliquerait assez bien la blessure, mais certaine rupture interne qui met en jeu l'univers imaginaire du poète et plus d'un ressort de son écriture. Celui que ses amis ne reconnaissent plus ne s'est pourtant jamais voulu aussi près d'eux. Mais le poète, pour la première fois, refuse le combat, le héros se met en quête d'un refuge. Il se pourrait que Prométhée ait été tué à la guerre.

8
Saint-Pol Roux
ou les exorcismes du verbe

Sur la convergence des schèmes
de *la Dame à la faulx*

Constant théoricien de la poésie, mais à l'écoute aussi de sa propre création, Saint-Pol Roux, pour sa part, n'a cessé de célébrer l'image en des termes qui montrent bien, jusque dans leur excès, le rôle privilégié qu'il entendait lui accorder. Pour celui qui définit l'imagination, « cette moisson avant les semailles », comme « l'expérience de l'éternité[1] », l'image qui en est le matériau spontané contient en elle tout un monde, « un peu d'imprévu concrétisé » :

> L'image c'est la survie car l'image est au-dessus du réel : métaphore qui porte au-dessus.
> L'image c'est l'étincelle provoquée par deux pierres et parfois l'éblouissement.
> L'image c'est souvent deux choses contraires qui s'unissent dans une épousaille inattendue.
> C'est la vie nouvelle.
> C'est une griffe.
> C'est Noël.
> C'est l'union [2].

Ainsi l'image apparaît-elle, pour Saint-Pol Roux, comme révélation d'une *réalité* qui n'est pas perceptible d'autre façon et manifestation d'une *totalité* qui n'est jamais épuisée. Et il prend soin d'insister sur le fait qu'à la différence de l'image musicale qui « impressionne indirectement et sollicite une transposition, voire une traduction », « l'image verbale impressionne directement » :

1. *La Répoétique, op. cit.,* p. 47.
2. *Le Trésor de l'homme,* Limoges, Rougerie, 1970, p. 113-114.

L'image est simplement immédiate, celle-ci n'étant pas artificielle mais naturelle, mieux encore *(les images musicale et picturale pouvant l'être)* humaine [3].

Cela revient à affirmer non seulement le caractère nécessaire de l'image, qui s'impose d'elle-même, globalement, et ne saurait être traduite ni reçue sous une forme autre que celle qui est la sienne, mais aussi son caractère spécifique, et qui fait d'elle un matériau de choix pour dévoiler ce qui d'abord est caché, le visage derrière le masque.

Parce qu'elle est à la fois commune et privée, parce qu'elle révèle tout en même temps une réalité qui dépasse l'individu – qui l'universalise – et une réalité qui lui appartient en propre – qui le singularise –, l'image pour Saint-Pol Roux revêt un caractère exemplaire qui vaut qu'on s'y arrête. Car la fonction poétique pourrait bien consister, dès lors, à « réaliser en pleine clarté toutes les images naïves qui, depuis l'origine, se sont fixées sur les infiniment petits murs sombres de cette caverne : le cerveau de l'homme [4] ».

Sans doute, l'existence et plus encore la pérennité du poème sont-elles liées à l'image puisque, nous dit-il, « sa valeur sensible dépend de la figuration que lui vaut la translation imagière au moyen de laquelle s'opère comme une transmigration de l'absolu au relatif [5] »; mais cette « translation », qui permet la « cristallisation » ou l'« enchâssement » de l'idée, n'est en rien fortuite et les manifestations concrètes de ce qu'il nomme ailleurs « bactériologie du cerveau [6] » sont moins imprévues qu'il ne voudrait parfois le laisser entendre. Si le poète, grâce à l'image, « peut construire un monde et le peupler [7] », ce monde cependant d'une certaine façon lui est imposé, et son peuplement n'est pas davantage le fruit du hasard qu'il n'est l'œuvre de son seul libre arbitre. Relative par rapport à la totalité de l'univers dont elle émane et auquel elle ne cesse de renvoyer, l'image en fait n'en est pas moins absolue en elle-même, dans la mesure où elle manifeste à elle seule tout cet univers. Et la nécessité qui préside à la création poétique n'est pas à chercher seulement, comme pourrait le laisser croire une lecture superficielle de la *Répoé-*

3. *Cinéma vivant,* Limoges, Rougerie, 1972, p. 89.
4. *La Répoétique, op. cit.,* p. 41.
5. *Ibid.,* p. 73.
6. *Le Trésor de l'homme, op. cit.,* p. 113.
7. *La Répoétique, op. cit.,* p. 75.

tique, dans cette conjonction de l'« idée venue du mystère » et de l'« image arrivée de la nature », d'où procéderait l'idéoréalité de l'œuvre : elle est d'abord à chercher dans l'être même de cette image, que Saint-Pol Roux n'hésite pas à qualifier de « prédestinée », dans l'utilisation qui en est faite comme dans son mode de fonctionnement. Autrement dit, l'image ne permet pas seulement à l'idée de se concrétiser en « s'individualisant » dans une écriture; elle impose certaine écriture qu'elle conditionne et met en œuvre tout à la fois en « personnalisant » la Matière universelle, ce Texte du monde, qui devient matière unique et irremplaçable du texte poétique.

*

On voit déjà par là que, dans une telle perspective, la fonction poétique est lecture du Texte du monde autant que création proprement dite, ou plus exactement, comme il l'écrit, surcréation :

La création du poète est donc une surcréation.
Il n'ajoute rien, il met en place pour le profit des hommes dont il est le fondé de pouvoir.
Le poète est un génie qui n'engendre pas, mais qui ordonne et nous offre sous sa signature une sélection.
Le poème émane avec facilité de cette perfection [8].

Aussi la poésie, bien loin d'être diversion, sera-t-elle au contraire conversion, tentative sans cesse renouvelée de régénération aux sources mêmes de la vie la plus vraie :

Poésie signifie action. Le poète doit faire une œuvre agissante, vivante.
Le poème c'est la vie [9].

D'où ce rôle privilégié qu'il entend accorder au poète :

Si l'on considère l'homme comme partie intégrante de la Vie – du Tout rayonnant – le poète, actif parmi tant de passifs, produit son œuvre tel un arbre producteur du fruit, une fois

8. *Ibid.,* p. 87.
9. *Cinéma vivant,* p. 69.

mûre l'œuvre tombant vers la collectivité qui s'en croit la sève éternelle. Il ne s'agit plus ici de nature, de divinité, ou de rapports entre elles par le truchement du poète, non, puisque le poète y ressortit et que, par son offrande où la vie entière se résume, il se donne soi-même en donnant l'univers, cet univers auquel les autres hommes ressortissent tous aussi, mais négativement et sans le zèle de s'offrir. La conscience du poète agit en mandataire et cette action supplée à l'inconsciente paresse des masses inconscientes. Il fait le labeur spirituel de tous, au profit de la vie [10].

Par là même le poète, ce « fondé de pouvoir », porte-parole de tous ceux qui ne peuvent opérer pareille conversion, sera non seulement celui qui saura le mieux se réconcilier avec « la vie toute » – qui n'est pas autre chose que la « répoétique » –, mais il sera aussi celui qui saura réaliser pour tous, collectivement, cette adhésion parfaite à l'ordre organique du monde vécu, grâce au mystère du Verbe devenu Chair, dans toute son incarnation [11]. Ce qui explique cette remarque, à la fin du premier carnet de notes qui devait servir à la rédaction de la conférence sur le *Trésor de l'homme* :

La substance de la poésie est de plus en plus intérieure, spirituelle, métaphysique – avec le vœu de s'extérioriser, de se sensibiliser, d'entrer dans un cadre organique (naturel).

La Poésie : un poète individuel peut la réaliser, mais cette réalisation sera massive, collective [12].

Les définitions de la poésie données par Saint-Pol Roux, et elles sont nombreuses jusqu'en ses derniers brouillons, mettent toutes en relief cette fin collective de la fonction poétique et cette action totale et sans faille qu'elle seule peut réaliser, action qui se confond avec la quête de la Vie pleine. Mais la façon dont s'opère, au niveau de l'écriture, cette quête, qui est aussi conquête de l'Imaginaire entendu comme cette sur-réalité qu'est l'univers du Réel, c'est aux œuvres mêmes du poète qu'il faut la demander. Et si l'on ne saurait mieux choisir pour exemple

10. *La Répoétique, op. cit.*, p. 63.
11. Cf. *ibid.*, p. 61.
12. *Le Trésor de l'homme, op. cit.*, p. 67.

que sa première œuvre achevée, cette *Dame à la faulx* qui lui tenait tant à cœur et qu'il ne devait jamais renier, c'est qu'il entendait précisément, par cette tragédie dans laquelle il s'était mis tout entier, célébrer « la vie toute » en montrant les pouvoirs les plus vrais du verbe. Il s'en explique d'ailleurs dans la seconde préface, écrite en novembre 1896 :

> Par cette *Dame à la faulx,* j'ai voulu, en grande religion de Joie, en grand respect de la Vie, faire œuvre de santé; et j'estime que de ce drame élaboré en mars 1980 à Paris, revu plus tard parmi la nature, se dégage le robuste conseil de vivre, – de vivre son écot d'énergie commune et d'universelle harmonie [13].

Il peut paraître paradoxal que le poète, tout imprégné de l'esthétique symboliste et décadente, et fort éloigné encore, semble-t-il, des recherches formelles des *Reposoirs de la procession* comme des principes théoriques qui seront énoncés dans *la Répoétique* et *le Trésor de l'homme,* n'ait cessé de défendre sa pièce, réputée injouable, de s'y référer et de la justifier. Il serait bien léger, en tout cas, d'en chercher la raison dans la seule rancœur du poète qui en avait tant attendu – la fin de la misère et peut-être même la gloire – et n'en avait finalement retiré qu'une amertume plus grande et le sentiment qu'il n'était pas fait pour son temps. En réalité cette œuvre, à laquelle il ne devait cesser de revenir et qu'il allait reprendre pendant de nombreuses années en vue d'une version allégée et mieux adaptée à la scène que la version publiée par le *Mercure,* était pour lui bien autre chose qu'un simple drame où se raconter [14]. Aussi totalement ambitieuse dans ses desseins que naïve dans sa réalisation – d'où le malaise qui préside à sa lecture première –,

---

13. *La Dame à la faulx,* Paris, Mercure de France, 1899, p. 22.
14. Dans son ouvrage *Saint-Pol Roux le crucifié* (Nantes, Éd. du Fleuve, 1946), Paul T. Pelleau rapporte qu'après le pillage du manoir de Camaret, le 2 juillet 1940, qui avait vu les manuscrits du poète bouleversés mais respectés pour l'essentiel, il avait lui-même invité le poète à mettre à l'abri les manuscrits des drames inédits. Saint-Pol Roux, après avoir refusé, aurait finalement accepté pour le seul manuscrit de *la Dame à la faulx;* mais une erreur aurait fait que le carton contenait le manuscrit dactylographié de la version de 1899, non la version remaniée. Or, dans la nuit du 3 au 4 octobre, le manoir était à nouveau pillé, et l'on ne devait jamais retrouver le dernier état de *la Dame à la faulx.* On connaît cependant depuis peu, à défaut de la version que le poète présenta à la Comédie-Française, celle qui était destinée au Théâtre des Arts (1910-1912) et qui ne fut pas davantage acceptée (Limoges, Rougerie, 1979).

elle dépasse de beaucoup le discours allégorique sur la vie et la mort qu'on retient d'abord :

> *La Dame à la faulx,* spectacle de l'Humanité parmi le multiple conflit de la Vie et de la Mort, est une *tragédie intérieure* dont – pour la rendre saisissable à la foule – j'ai extériorisé les éléments en des cristallisations simples, familières, oserai-je dire *populaires,* et c'est parfois de larges fresques d'Épinal [15]

C'est là qu'il convient de situer le problème, justement mis en évidence par le poète : celui d'une écriture susceptible d'être directement saisie du plus grand nombre et capable de donner de la « tragédie intérieure » une série d'images originelles, exemplaires, qu'il importe de capter mais aussi d'analyser le long des schèmes sur lesquels elles s'installent, et dont la convergence dicte seule une cohérence profonde qui n'est pas d'abord évidente.

*

De ces images on a beaucoup parlé, pour s'en amuser ou s'en émerveiller; mais qui donc jamais s'est demandé comment ces « cristallisations simples, familières » mettent en œuvre une écriture dont André Breton dit qu'elle crée un vertige qui n'est comparable qu'à celui de l'amour [16]? Tout au plus a-t-on parfois constaté qu'elles dépassaient les mots qui les portaient au point de mettre en péril le langage verbal dont elles procédaient et de nécessiter, pour être vraiment *reçues,* le recours à un autre langage, plus directement perceptible. Déjà, Jules Renard notait dans son *Journal :*

> Il *[Jules Lemaitre]* change de conversation en me montrant un manuscrit de Saint-Pol Roux, une pièce injouable, mais qui l'amuse. Roux lui a écrit deux lettres « magnifiques ». Lemaitre lit quelques belles images, dont aucune ne porterait. On n'entendrait même pas les mots.
> – Quelqu'un viendra, dis-je, qui lira Roux et adaptera tout cela au goût français [17].

15. *La Dame à la faulx, op. cit.,* p. 9.
16. *Les Nouvelles littéraires,* 9 mai 1925.
17. Jules Renard, *Journal* (4 avril 1897), Paris, Gallimard, 1965, p. 401.

Cette « adaptation » de *la Dame à la faulx* devait en fait préoccuper jusqu'à la fin de ses jours le poète lui-même, tellement désireux d'être joué et enfin reconnu. Ne se voulait-il pas avant tout dramaturge et, comme pour s'en justifier, ne définissait-il pas le théâtre, moins de deux ans avant sa mort, comme l'art proprement démiurgique qui est « sculpture parlée [18] »?

Mais lui aurait-il suffi, ainsi que le croyait Jean Royère, « d'alléger son œuvre et d'en simplifier la mise en scène pour que *la Dame à la faulx* se prêtât aux exigences du théâtre [19] »? On sait que les premiers remaniements, demandés par Jean Royère mais aussi par Paul Adam, André Fontainas et quelques autres amis du poète qui avaient pressé Jules Claretie de faire jouer ce drame à la Comédie-Française, ne devaient guère convaincre le comité de lecture du Français qui allait demander de nouvelles corrections. Saint-Pol Roux aurait-il accepté, la mise en scène n'en aurait été davantage réalisable, tant le problème était ailleurs, ainsi que le poète le pressentait en refusant finalement de mutiler plus avant son texte. Et sans doute Sarah Bernhardt, à qui le poète avait songé en écrivant sa pièce (dédiée, on s'en souvient, « à la hardie qui la première incarnera ma tragique dame »), était-elle déjà mieux avisée en motivant ainsi son refus du rôle :

Je voudrais bien [...]. L'œuvre est sublime et je crois à son succès. Mais, dans l'état actuel de l'éclairage et de la machinerie théâtrale en France, la représentation en est autant dire impossible. On la desservirait plus qu'on ne la servirait en essayant... [20].

Moins de deux ans plus tard, en 1902, Saint-Pol Roux, à ceux qui lui opposaient une nouvelle fois les difficultés quasi insurmontables de porter à la scène sa *Dame à la faulx,* répondait que « le cinéma rendrait la chose très possible [21] ». C'était là

---

18. A Théophile Briant. Cité par P. Pelleau, *Saint-Pol Roux le crucifié, op. cit.,* p. 99.
19. Cité par P. Pelleau, *ibid.,* p. 35. La version beaucoup plus tardive destinée au Théâtre des Arts, la seule version scénique qui nous soit parvenue, prouve à l'évidence, en tout cas, l'absurdité d'une telle entreprise : laborieuse mise en prose qui dévitalise et dénature le texte primitif en le désimageant, cette *Dame à la faulx* n'est qu'affligeant reflet de l'œuvre première.
20. Propos cités par Georges Pioch, in *Saint-Pol Roux le crucifié, op. cit.,* p. 102.
21. *In* Auguste Bergot, *Le Solitaire de Camaret,* s.l.n.d., p. 31.

situer le problème à son véritable niveau : celui, non de l'agencement de son texte ni des exigences scéniques qu'il impose, mais de la réception directe de ses images, de leur « représentation » immédiate.

L'inventaire de ces images pourrait pourtant paraître décevant, qui non seulement ne nous fait rien découvrir qui ne se retrouve ailleurs et surtout dans la poésie de la fin du siècle, mais encore se révèle beaucoup plus pauvre qu'on ne serait en droit de l'attendre chez celui qu'André Breton devait nommer « le maître de l'image ». D'où procède alors cette fascination qu'exerce sur nous, malgré certain agacement que ne peut manquer d'éprouver quiconque n'est pas en parfait état de poésie, un texte au demeurant tout linéaire dans son déroulement et dont les procédés narratifs n'outrepassent jamais ceux de la simple fable?

On peut en voir volontiers une raison première dans le rythme que donnent à ce drame poétique et le retour régulier des images mères en des constellations toujours renouvelées, et le jeu constant des contraires à l'intérieur de ces constellations. D'un bout à l'autre de la pièce, en effet, se succèdent les scènes de jour et les scènes de nuit en une série d'alternances qui n'ont pas pour seule raison d'être l'opposition première de la lumière et des ténèbres, de la Vie et de la Mort. A quelque niveau qu'on envisage l'analyse des images, on s'aperçoit d'ailleurs que cette opposition primaire est constamment démentie : la vie contient en elle la mort et la mort elle-même achemine à la vie, les contraires ne cessent de s'appeler l'un l'autre, poussant l'œuvre plus avant mais lui conférant aussi son rythme fondamental.

Cette alternance et ce mouvement régulier de retour vont jouer d'abord dans les lieux scéniques de chacun des tableaux, entre les pôles extrêmes que représentent le lieu de passage initial qu'est le pont-levis (premier tableau) et le lieu clos terminal qu'est le cimetière (dixième tableau), le premier conduisant à la demeure de Divine, image de la Vie, et le dernier délimitant le champ de la Mort. C'est ainsi que se répondent le manoir de Divine (deuxième tableau) et le palais de Magnus (sixième tableau), les décors apocalyptiques de la traversée de la vie (troisième tableau) et le parvis de la cathédrale au mercredi des Cendres (huitième tableau), le plateau dans la forêt (quatrième tableau) et la place de l'Université (cinquième tableau), le carrefour de la ville (septième tableau) et le carrefour de la forêt (neuvième tableau). Lieux clos et lieux ouverts, lieux de passage et lieux d'arrivée, lieux isolés et lieux animés, lieux profanes et lieux sacrés contrastent sans doute, en un jeu savant, mais en s'appelant et non en se repoussant.

Bien mieux, en chacun de ces lieux qui se répondent en s'opposant, les images, personnages ou décors, s'ordonnent selon ce même rythme fondamental. Ainsi, sur le pont-levis du manoir de Divine, ce sont les vieillards près de mourir qui saluent, dans le premier tableau, le jour à naître :

> Ah dès lors,
> En le sang,
> C'est le givre annonçant qu'on va cesser de vivre
> Et qu'on aura bientôt cinq aunes d'arbre pour manteau
> Et pour fourrure un peu de marbre!

> Soleil, réchauffe-nous de ton vin de lumière! (p. 32 [22])

Pareillement, dans la scène finale du cimetière qui répond à celle-ci, les derniers mots de Magnus, à l'instant de tomber sous la faulx de la Dame, seront pour exalter la Vie et le rajeunissement perpétuel de qui travaille « aux Vignes de la Vie ».

Dans le manoir de Divine, où l'on apprend l'amour et les noces prochaines de Magnus et de celle dont le « nom véritable est : la Vie! » (p. 57), sur fond d'alléluia chanté dans la chapelle, au plus clair de la joie, l'ami fidèle, Joris, parvient à déceler l'ombre de la mort :

> Un nuage énorme
> Ayant la forme d'une orfraie
> Sournoisement sourd de la forêt. (p. 61)

Et de la même façon, lors des noces célébrées dans la grand-salle des fêtes du palais de Magnus, au milieu de l'enthousiasme général et de la liesse populaire, un autre compagnon de Magnus, Rodolphe, se prend à redouter que « ces épousailles n'attirent la mystérieuse » (p. 232); et, évoquant l'aventure de son ami en la forêt et sa troublante disparition au moment du concours dont il aurait dû sortir vainqueur, il ne parvient pas à partager l'optimisme de son entourage :

---

22. Toutes les références à *la Dame à la faulx*, dans l'édition citée plus haut, seront désormais limitées à la seule pagination.

La plaie trop vite close
Peut soudain se défermer. (p. 233)

A la foule des pèlerins venus implorer Notre-Dame de la Vie, pendant la chevauchée du troisième tableau qui mènera Magnus à son rendez-vous solitaire avec la Dame à la faulx, la statue qui s'anime et emprunte le visage et la voix de Divine répond en assurant sa protection mais en avouant surtout son impuissance, face au néant :

Je vous prends sous ma sauvegarde,
Amis des arbres,
Mais le pouvoir de ma rivale outrepasse le mien.
Sa force est la force du rien,
Cependant mon rayon ne saurait prévaloir
Contre la faulx brandie vers l'épi vert de vos espoirs.
(p. 102)

Inversement, au huitième tableau, à la procession des fidèles venus participer à la cérémonie des Cendres et à l'archevêque qui lui rappelle qu'il n'est que poussière et qu'il retournera en poussière, Magnus oppose son orgueil blasphématoire et son assurance en l'immortalité de qui refuse de se plier :

Fragile multitude,
Sarcle en ton esprit l'ivraie de servitude
Pour qu'y grandisse suzerainement l'orgueil
Qui magnifie l'argile,
Et tu seras dès lors affranchie du cercueil! (p. 368)

Il apparaît alors que les lieux bien délimités, dans lesquels se multiplient images et schèmes de l'emprisonnement, de l'ensevelissement, de la dégradation et de l'effacement progressif de toute lumière, appellent chez Saint-Pol Roux une thématique de l'ouverture, de l'évasion, de la régénération et de l'apparition d'une lumière nouvelle; et qu'inversement les lieux non circonscrits et ceux qu'on ne fait que traverser, les carrefours, où les schèmes premiers sont d'ouverture, d'échange et de vie renouvelée, engendrent peu à peu une thématique de l'obscurcissement, du ralentissement, de l'ankylose et de la nuit définitive.

Ainsi au quatrième tableau, où le plateau dans la forêt se fait espace exemplaire de la mort, rien ne manque à ce décor : la nuit, sans doute, les ruines de l'ancien manoir, les oiseaux de proie, mais aussi les lamentations animales et humaines venues de l'abîme et jusqu'aux adieux qu'échangent les cors (ou les corps?). Tout évoque la parodie de la vie ou sa fatale dégradation, et d'abord ces nains dont les noms déjà donnent le juste ton : nain pavot, nain ciguë, nain fumier, nain fruits pourris, nain peau de serpent, nain pustules de crapaud, nain chair de noyé, nain écailles de lèpre, nain viande en décomposition; mais plus encore cette longue et inutile leçon d'apprentissage de la mort que la Dame impose à Magnus. Or, ce tableau s'ouvre et se ferme sur des images résistant au contraire à cette dégradation : d'une part, celles des yeux qu'ont glanés les nains et qui contiennent encore, à l'inventaire, toute la vie du monde ainsi résumé; d'autre part, celles des attributs féminins merveilleux que gardent en leurs coffres magiques ces mêmes nains, et qui célèbrent cette immortelle Beauté que la Dame à la faulx va faire servir à sa métamorphose.

En cet autre espace clos qu'est la place de l'Université, au tableau suivant – et la clôture de ce monde en raccourci se trouve renforcée par la notation scénique de Saint-Pol Roux qui précise que « le péristyle à degrés de l'Université est précédé d'une cour qu'enclôt une grille ouvragée » –, ce sont aussi, sur fond de liesse qui sonne faux, les images de la mort qui prévalent d'abord. Le rival de Magnus est lui aussi dérision de la vie, « homunculus/ Avec sa face glabre de cadavre et son échine en tumulus./ Un crapaud droit sur les deux pattes de derrière! Belzébuth en personne! » (p. 172-173); comme est aussi dérision de la vie ce Mathusalem, ivrogne au long cours dont les idées sont « susceptibles de mettre sens dessus dessous/La ridicule création du Démiurge » (p. 169) et dont la vision de génie consiste à voir « une femme dans chaque bouteille » (p. 175). Et c'est partout la mort qui occupe la première place, au jour même du « Concours de la Vie », avec l'enterrement de la petite Rosalie, les allusions aux ravages quotidiens de « la vraie femme fatale », la révélation par le petit page de la passion de Magnus pour celle qui est « belle ainsi qu'une très grande catastrophe » (p. 192), l'apparition de l'Androgyne aux haillons de pourpre, phantasme de l'énergie de Magnus « sur la voie de mourir », l'aveu enfin du héros aveuglé par son « désir transformé en folie » et qui se sent expirer dans ce fol amour. Cependant, tandis qu'invisible rôde « la Dame qui riait » (Kyrie?) à la grille du cimetière et que tout ramène au temps que mesure l'Absente, c'est d'éternité que parle Mathusalem jusque dans son ivresse et c'est « l'archange en deuil d'un mausolée » que voit le jeune page dans la mystérieuse Visiteuse de Magnus. Celui-ci, pour sa part, la décrira bientôt comme celle qui fait s'ouvrir chaque porte sur son passage et fait chacun se découvrir « comme devant un navire en partance pour un long voyage » (p. 212). Et ce sont effectivement les images et les schèmes du départ, de l'ouverture, du déploiement, qui apparaissent et se multiplient dans la fin du tableau; à peine la petite Rosalie morte a-t-elle été emportée que Joris, en un très beau fondu-enchaîné, annonce ainsi l'arrivée de Divine :

> Courez vite, courez à la Porte ouvrant du côté de l'Aurore accueillir deux Voyageurs (que vous reconnaîtrez), deux Voyageurs qu'emportent vers la Ville les chevaux d'argent d'un carrosse d'or!... (p. 217)

Dès lors, au travers de Divine germe et se développe toute une thématique de la naissance, de la lumière, de l'ascension et de la reconquête de l'espace. Bien mieux, non seulement Divine va se confondre avec la nature – « Te respirant, je crois respirer la nature/Entière à l'ombre rose de ta chevelure » (p. 225) –, mais elle va contenir elle-même la nature et comme telle bénéficier de ses pouvoirs régénérateurs :

> La Vallée est en toi comme en cage un oiseau,
> Je la sens qui frissonne au travers de ta peau.
> Fleurs, fruits, sources, forêts, tout ton être m'enivre,
> Et, presque moribond, je me reprends à vivre. (p. 222)

On pourrait faire les mêmes remarques, mais en ordre inverse, à partir des deux scènes « carrefours » qui se répondent. Le septième tableau, pour sa part, est écrit à l'image de ce « tohu-bohu charivarique de carnaval où se croisent, se heurtent, se mêlent cris, chants, airs populaires, sifflets, appels de cors, sons de cornes, fifres, caisses, tam-tams, musiques proches, fanfares lointaines... », selon le ton donné par le prélude. Ce sont d'abord les jeux de couleurs – les gilles sont répartis en bandes dont chacune revêt une couleur de l'arc-en-ciel –, ou les jeux de lumière avec le lanternier, ce « jardinier aux fleurs de flamme » (p. 270); ce sont aussi les diverses occupations de l'espace qu'opèrent tant les déplacements de la foule en délire que le long cortège d'Elle en folie invitant à rompre tous les jougs et toutes les chaînes :

Héréditaires prisonniers de ce vain monde,
Rompez la chaîne qui vous rive à son mensonge
Et, forts de l'oriflamme de ma chevelure,
Partez ensemble à la conquête du délire
Qui fait de chaque tête une boule qui roule
Et de chaque convive une statue par terre! (p. 293)

Mais c'est évidemment la présence de Divine, tout au long de ce tableau, face à la Truie, face à Magnus, face enfin à la Dame à la faulx, qui va entretenir les images lumineuses, aériennes, verticalisantes, qui se multiplient jusqu'à la mort de celle qui fut « Sa Majesté la Vie », cette mort ainsi notée par le poète :

L'Étrangleuse retire ses mains, et c'est comme une grande colombe qui choit dans la neige, ailes écartées, roide, dans la neige, à droite... (p. 344)

Or, le contrepoint de cette thématique est donné dès le départ par ce même lanternier qui éclaire la ville pour cette nuit de fête mais regrette d'avoir à le faire, tant il pressent l'envers de ce décor qu'il illumine :

Semblable soir de mascarade où chacun se déguise afin de ne rien laisser voir de soi, mieux vaudrait, à mon humble sens, laisser noir comme un four ce nombril de la Ville, autrement dit ce Carrefour!... (p. 271)

De fait, aux images premières vont bientôt répondre, en ce « nombril » devenu monde clos, voué à des farandoles se refermant sur elles-mêmes et livré aux seuls caprices de la Dame à la faulx, des images du grouillement, du rétrécissement, de la dévalorisation et de l'enlisement. Non seulement le cabaret de la Folie, au centre du carrefour, va revêtir une importance de plus en plus grande, métamorphosant la prostituée en Vierge sage et les trois Rois mages l'un en chiffonnier, l'autre en balayeur et le troisième en vidangeur, mais encore tout un peuple de nains, entrant et sortant de ce lupanar, va bientôt envahir la ville :

Singulière avalanche de Nains
Qui depuis hier s'est abattue sur notre ville
Et met une grimace à chaque coin de rue.
[...]

295

> Il semble qu'en ce jour se rapetisse toute chose
> Au point de n'être presque plus qu'une ombre. (p. 278)

Et dès la troisième scène, où se forme un cortège qui deviendra de plus en plus important derrière la mystérieuse femme « aux allures d'un ange à moins que d'un démon », se fera entendre, et toujours s'amplifiant, « Un bruit d'osselets rythmant une marche cadencée ». Tout se referme, à l'image du palais de Magnus « toujours clos », tout se replie, comme cette foule où la Dame ne voit plus qu'« escargots de l'ignare sagesse », tout se dégrade, ainsi que le préfigure l'histoire même de la Truie :

> La rosée de ma chair bientôt se fit aride
> Et mon miroir enfin se craquela de rides. (p. 308)

Au « hâtez-vous, mes sœurs » des vieillards aux vieillardes (p. 287) répond le « Pas si vite, mon ange, oh, pas si, pas si vite ! » de Mathusalem (p. 321), le plus lucide en son ivresse. Et tandis que tombe la neige sur le corps dénudé de Divine, la Dame en noir rapporte sa descente dans le « souterrain qui sert d'entrailles à la Ville » où elle a essayé de se débarrasser du cortège à ses trousses. L'orgie finale, « orgie délirante où les râles remplacent les rires », alors que tout s'écroule et que la folie devient générale, s'achève au son du *Dies irae* joué par la foison des nains jouant de trompettes fantastiques. Et le dernier mot du tableau revient, comme il se doit, à celle qui conduit et active cette bacchanale démente qui, de Carnaval joyeux de la Vie, est devenue bientôt Kermesse de la Mort :

> Virez, tournez, pantins aux fragiles ressorts
> Et vous, pâles marionnettes de l'Humanité,
> Dansez votre dernière danse
> Avant le grand silence de l'Éternité !
> C'est la Kermesse de la Mort !!! (p. 363)

Mais plus caractéristiques encore le retour des constellations d'images et le renversement des contraires à l'intérieur de ces constellations, dans le très court neuvième tableau, au carrefour de la forêt. Nous retrouvons les pèlerins du troisième tableau, la statue de la Vierge sur le reposoir, les funestes présages du vieux pèlerin et les défis téméraires de Magnus bravant la Mort. Tout est semblable, en apparence, et cependant tout a changé : à la place de la statue de Notre-Dame de la Vie, « souriante et colorée », c'est la statue de Notre-Dame de la Mort, « ricanante et sombre », qui se dresse sur le reposoir; Magnus a beau clamer encore qu'il n'a point à redouter la mort, il n'est plus le « jeune écolier qui traversa ce carrefour », insouciant et sûr de lui : les traits altérés de sa face « plus raturée qu'un palimpseste » dénoncent ses tourments profonds. Il s'agissait tout à l'heure pour les pèlerins d'implorer la Vie afin qu'elle les préserve du trépas : il ne s'agit plus maintenant pour eux que de prier la Mort de « différer le sombre son des glas »; et, finalement, celui qui « se dressait orgueilleusement sur les marches du reposoir » n'est plus qu'un être angoissé « qui [se] cramponne aux crins de [sa] cavale ». Ce même carrefour d'où partaient tous les espoirs et où Magnus, en un rêve merveilleux, pouvait confondre, à travers la statue, Divine et la Vie, devient maintenant, ainsi que le remarque le vieux pèlerin, un miroir qui concentre toutes « les misères qui par le monde traînent » et renvoie de Magnus l'image de « toute la souffrance humaine » (p. 381).

Un premier mode de structuration, dans l'écriture de l'Imaginaire de *la Dame à la faulx,* se manifeste ainsi, qui est de constante dialectique des contraires; une dialectique qui engendre et sans cesse régénère le rythme du drame à tous ses niveaux. Il n'est guère d'image, dans cet univers, qui ne contienne en elle son contraire, qui ne l'appelle et ne le force à naître; et tout se passe comme si l'équilibre de l'écriture était assuré, dans la distribution des personnages comme dans l'enchaînement des séquences, des scènes et des tableaux, par ce jeu de l'alternance des contraires dessinant peu à peu un monde fortement contrasté qui ne cherche pas à réduire l'un à l'autre les deux termes en présence, mais ne se propose pas davantage de les maintenir face à face dans leur inconciliable intégrité. Nulle fusion ni effusion mystique dans ce drame que tout, en fait, oppose à *Axel,* malgré les apparences, mais nul manichéisme non plus comme on serait tenté de le croire d'abord, quand, de l'affrontement des oppositions pourtant soigneusement sauvegardées, résulte la dynamique de l'œuvre. Ainsi, à la fin du cinquième tableau, et donc très exactement au milieu du drame, c'est par la voix de Magnus s'adressant à Divine, au plus haut moment de leur amour, que l'opposition fondamentale est attestée :

Ici j'avais le cerveau pris dans de la nuit,
Là-bas tu rayonnais parmi tout ce qui luit.

Moi je traînais la lourde chape de l'emprise,
Toi tu marchais légère en ta robe de brise. (p. 225)

Mais sitôt après cette confrontation des contraires, et qui va s'opérant à tous les niveaux, s'instaure une synthèse qui n'est pas unification des oppositions mais mise en œuvre de leur confrontation dans une dialectique régénératrice :

Fleurs, fruits, sources, forêts, tout ton être m'enivre,
Et, presque moribond, je me reprends à vivre.
Ton soleil envahit ma pauvre argile en deuil
Qui s'illumine ainsi de sourire et d'orgueil. (p. 225)

C'est sans doute en cela que *la Dame à la faulx* est un drame exemplaire, si l'on veut bien considérer que le drame procède toujours de la rencontre de l'obstacle par une tendance qui, sans lui, se prolongerait indéfiniment, et que « la force de la tendance n'est dramatique que si elle rencontre une résistance [23] ». Cette résistance, où l'écriture de Saint-Pol Roux puise sa dynamique, est si bien à la source du rythme de l'œuvre que les divers conflits qui opposent images, constellations d'images et schèmes moteurs se ramènent tous finalement, si l'on y prend garde, au seul conflit du temps et de l'éternité. Et si le « galérien », le « mendiant », le « presque moribond » Magnus à « la lourde chape de l'emprise » se heurte d'abord à « toutes les aubes, toutes les aurores », à l'« archange égaré dans l'espace », Divine qui « fleure bon la Vie », il se dégage si bien de sa nuit et du temps où il s'enlise qu'il s'en trouvera bientôt lui-même « chaussé d'un éternel dimanche » (p. 223-225). Mais inversement, au tableau suivant, lorsque Elle apparaîtra, Magnus optera cette fois pour celle qui lui promet « l'ivresse de l'Éternité », « archange de l'abîme ou démon de l'azur », la « surhumaine éblouissante », au détriment de celle qui ne pouvait promettre que « la grappe [des] jours comptés »; et Divine sera chassée par lui justement pour être « l'absurde mendiante de [son] être », celle qui interfère dans sa vie « avec [la chaîne] à la cheville de [sa] liberté » et, inscrite dans le temps, devient la « mensongère » et l'« étrangère » (p. 251-260).

Ce premier mode de structuration de l'écriture apparaît alors

---

23. Étienne Souriau, *Les Deux cent mille Situations dramatiques*, Paris, Flammarion, 1950, p. 94.

comme une tentative d'investissement du temps par la prise de possession successive de tous ses instants. Aussi bien convient-il de lire au-delà du discours narratif les premières paroles de la Dame à la faulx apparaissant au jour même du mariage de Divine et de Magnus, ces « épousailles de l'amour et de la vie » :

Quand la face pâle ou rose
Du cadran des Heures et des Malheurs
Signifiera notre heure,
Mienne tu seras et Tienne je serai pour l'éternité grande.

Prince, la face du Cadran nous fait signe à travers les
choses. (p. 250)

C'est dans cette pleine occupation du temps qu'il faut trouver, semble-t-il, le fondement du rythme tel que l'entend Saint-Pol Roux, et auquel il accorde si grande importance dans la première préface de son drame :

De même que dans le mystère et que dans la nature, le rythme se meut dans notre être en vagues de sang avec, pour tabernacle animé, notre cœur. Essence de vie, expression initiale, idiome indivis, il permet aux êtres les plus opposés de se fédérer dans une compréhension réciproque et de battre à l'unisson, *éoliennement,* sans toutefois perdre leur caractère idiosyncratique devant le multiple frémissement de la nature et du mystère. (p. 14-15)

*

Cette « fédération » des êtres les plus opposés d'où jaillit le rythme propre à Saint-Pol Roux va déboucher, hors de toute coïncidence des contraires, sur une harmonisation particulièrement remarquable et susceptible de définir un second mode de structuration de l'écriture de l'Imaginaire de *la Dame à la faulx.* Ce n'est pas hasard si le texte s'ouvre et se ferme sur une aurore, et si la chevauchée du troisième tableau, qui se veut allégorie de la vie, occupe une journée complète sur fond de décor unissant « glorieux symboles » et « reptiles aux gueules narquoises » en une même symphonie triomphante. Car c'est bien de musique qu'il s'agit ici, d'une musique inscrite dans le déroulement de la pièce mais davantage encore dans son écriture, et qui fait que les nombreuses notations scéniques indiquées par Saint-Pol Roux, et qui se rapportent bien souvent à la partition d'orchestre devant accompagner les diverses péripéties, font étrangement pléonasme avec ce qui s'écrit dans le texte lui-même.

Car cette musique n'est pas celle des métaphores mièvres, héritage encombrant d'une quincaillerie symboliste dont le poète ne se débarrassera jamais tout à fait; ni celle de l'alexandrin, accusé, dans la préface du drame, d'être « à la longue harassant et compassé en dépit de ses avatars modernes » (p. 13), mais trop abondamment utilisé cependant dans sa grandiloquence ou son ronronnement traditionnels; encore moins celle des allitérations faciles, des rimes trop attendues, pas même celle des assonances multipliées, lesquelles ne tiennent pas toujours les promesses de libération et de renouvellement lyrique qui, bien imprudemment, nous avaient été faites. Et si l'on ne peut s'empêcher de regretter que tous ces procédés, dénoncés d'abord comme artificiels, n'aient été relégués à l'arrière-plan « pour céder la place à la seule cadence » (p. 14), il faut en même temps reconnaître que de toute façon ils ne contribuent que pour une bien faible part à cette musique profonde et à ce rythme défini par Saint-Pol Roux comme le fondement essentiel de l'expression de la Beauté (p. 13-14).

C'est à l'écriture même des « figures » rythmiques qu'il faut en appeler pour déceler la source de cette harmonie ainsi entendue :

> Parti d'un centre d'expansion – cœur des êtres ou cœur des choses – le rythme se prononce en figures comme géométriques dont la science compose le génie du poète à qui revient le privilège de cadastrer l'évolution des sensibilités du monde, petites et grandes, subtiles et drues, douces et tragiques, et d'en paraphraser le lyrisme intérieur.
> Tout se traduit par des ondes. (p. 14)

Si l'on se souvient que la syntonie, telle qu'elle a été définie par les typologues de diverses obédiences, se manifeste en première instance par une volonté d'harmonisation qui fait que « la vie du syntone peut être comparée à des ondes [24] », on ne peut pas ne pas être frappé par le caractère syntonique de l'écriture

---

24. Eugène Minkowski, *La Schizophrénie, op. cit.*, p. 33. Sur cette question de la structure harmonique et de l'imagination « synthétique », voir Gilbert Durand, *Les Structures anthropologiques de l'Imaginaire, op. cit.*, p. 374-377.

de Saint-Pol Roux où, de fait, « tout se traduit par des ondes » et tend à réaliser concrètement cette image du poète donnée un peu plus loin :

> Parmi les éléments de l'humanité, foyers d'émission, le poète se dresse en foyer de réception, susceptible d'attirer les ondes diverses et de les hospitaliser dans l'appareil de son âme pour à son tour devenir, lui poète, sous les espèces de l'œuvre, foyer de transmission vis-à-vis de la foule attentive. (p. 15)

Dans *la Dame à la faulx,* cette syntonie ne revêt cependant pas toujours de semblables aspects. Et si le jeu de libération et d'équilibration des contraires reste assez extérieur, sinon superficiel, dans la première moitié du drame où il ne concerne jamais que l'agencement du discours narratif, il prend une autre forme, et bien plus essentielle, dans la seconde partie où il se retourne sur le texte lui-même en train de s'écrire et assure l'ordonnance de sa propre écriture. Ainsi, par exemple, au début du septième tableau, ce passage de la scène du lanternier que, très curieusement, Saint-Pol Roux propose de supprimer à la représentation, et qui pourrait bien être révélatrice d'une certaine mécanique dramatique, mais révélatrice aussi de son mécanicien :

> D'ailleurs considérez :
> la femme en l'homme, l'homme en la femme;
> l'éphèbe en vieillard, le vieillard en éphèbe;
> la vierge en grisette, la grisette en vierge;
> le poltron en héros, le héros en poltron;
> le paysan en soldat, le soldat en paysan;
> le valet en maître, le maître en valet;
> le manant en seigneur, le seigneur en manant;
> le bourgeois en artiste, l'artiste en bourgeois;
> le juge en inculpé, l'inculpé en juge;
> la victime en assassin, l'assassin en victime;
> le fossoyeur en accoucheur, l'accoucheur en fossoyeur...
> A parler franc, l'Univers ne change pas, encore qu'à l'envers; et l'Heure continue sa marche quoique tête en bas et pieds en l'air; les Figures du monde un moment se déplacent en un chassé-croisé de déguisées, pas davantage! la Tragédie passant à la Comédie son masque et réciproquement. Mais si le Carnaval des Corps ne dure qu'un seul jour, le Carnaval des Ames oh celui-là dure toujours!... (p. 271-272)

Il est effectivement primordial, dans *la Dame à la faulx,* ce motif de l'endroit et de l'envers, du haut et du bas, du visage et du masque qui peuvent s'intervertir sans aucun dommage pour l'Histoire; motif, plus rigoureusement, des antagonismes qui se contiennent l'un l'autre et, bien loin de perturber la marche du temps, l'assurent au contraire et contribuent à son équilibre comme à son harmonie. Fondant l'ordonnance scénique du drame aussi bien que le sens premier de son histoire, il module aussi le rythme de son écriture au point d'infléchir peu à peu ce discours naïf sur la vie et la mort vers un discours se prenant lui-même comme cible et s'abandonnant au jeu de construction-destruction de ce qu'il prétendait rapporter. Sans doute un tel motif, il serait vain de le nier, trouve-t-il d'abord ses sources dans la vision optimiste d'un temps fabricateur d'éternité et dans une conception messianique de l'Histoire permettant d'inféoder à cette visée heureuse toutes les contradictions momentanées, toutes les incompatibilités manifestes et l'absurde sous toutes ses formes. Dans l'univers plein de Saint-Pol Roux, il est certain qu'il n'y a pas la moindre place pour le fait isolé, l'événement fortuit, le vide de sens, puisque tout signifie. Mais ce sémantisme généralisé déborde de beaucoup le seul langage du drame entendu comme « œuvre première » capable de « charrier en soi la sève du monde » (p. 13). Il atteint les structures mêmes d'une écriture qui, cessant d'être mise uniquement au service d'une communication, se met à fonctionner par elle-même et devient le véritable moteur de cette « création » par laquelle « le poète s'égale à Dieu puisqu'il le découvre, le démystérise, le précise et le regarde en face ».

Une bonne illustration nous en est fournie par la seconde scène du septième tableau, où justement bascule le texte, lors de la confrontation des trois faux Rois mages avec la prostituée :

SECOND ROI MAGE
Sangdieu! la plus vieille *arrosée* de nos trottoirs!

PREMIER ROI MAGE
La Truie!

TROISIÈME ROI MAGE
La moitié de ce Tout que l'on appelle Autrui.

PREMIER ROI MAGE
Ô toi qui de coutume gueuses *l'arrosoir,*
En fais-tu fi ce soir?

LA TRUIE
Lorsque Vierges Sages deviennent Vierges Folles,
Vierges Folles alors deviennent Vierges Sages.
LES TROIS ROIS MAGES
L'équilibre!   (p. 273-274)

Cet « équilibre », qui thématiquement se manifestait dès le début du drame, se trouve affiché ici à l'intérieur même du discours, au moment où le texte se met à l'écoute de lui-même. Et l'harmonisation des contraires ne s'arrête plus à la seule sanctification de la pécheresse [25] – qui va se préciser dans la troisième scène, lors de la confrontation de Magnus avec la Truie devenue sa conscience –, tandis que se déchaînent les prétendues Vierges Sages, bourgeoises en goguette qui s'en prennent à la prostituée avant d'aller « au corps-de-garde émoustiller les mousquetaires » (p. 305). C'est l'écriture qui assure désormais l'équilibre, tantôt jouant sur les seuls mots (« Truie » devenant la moitié d'« autrui ») et tantôt jouant de plus sur les sonorités (« en fais-tu fi »).

Équilibre du jour et de la nuit, du bien et du mal qui se renversent, mais équilibre aussi de la beauté et de la laideur, du blé et de l'ivraie, de l'espoir et du désespoir quand Magnus entreprend sa quête de la Vie affublé, malgré lui, d'un drap mortuaire; équilibre qui est aussi prise de conscience, en un instant ramassée, du temps qui passe et dans lequel il faut s'insérer coûte que coûte, ainsi que le constate, moins innocemment qu'il ne pourrait le paraître d'abord, la prostituée :

Il semble alors que les caresses que je donne
S'inscrivent sur le corps en stigmates de mort,
Et, quand l'adolescent quitte mon lit de réprouvée,
Je crois voir un vieillard blanchement se lever. (p. 314)

Car, finalement, cet équilibre qui se cherche et se trouve à tous les niveaux, et cette synthèse qui fait de l'épopée de la mort la geste de la vie, renvoient à la conscience d'un univers plein où tout s'organise en un même devenir et concourt à un même sens : un univers dont l'écriture par son dynamisme même assure la possession.

*

25. Il est d'ailleurs expressément fait mention de Marie-Madeleine à propos de la Truie, à la treizième scène de ce septième tableau (p. 307).

Que cette plénitude soit le corollaire d'une certaine attitude devant le temps, qui est d'acceptation, et qu'elle se trouve intimement liée à l'affirmation d'un sens de l'Histoire et du déroulement d'un temps facteur d'éternité, cela ne fait aucun doute dans le cas de *la Dame à la faulx*. Déjà la philosophie du discours dramatique, qui occupe l'essentiel de la préface, insiste sur les corrélations qui unissent tous les êtres et toutes les choses, et sur l'illusion du vide, de la solitude et du silence, « termes imaginés par l'ignorance » :

> La Vie est un agrégat de vies, famille compacte et une en sa mosaïcité, et c'est dans ce que l'on suppose le *vide* que se tiennent les assises de la Destinée, cette infiniment petite Infiniment Grande.
> Lié à un univers par un cordon qui n'est jamais tranché, l'être a des attaches éternelles dont, à son heure *dramatique,* il devient le centre, – heure exceptionnelle au cours de laquelle il emprunte la face de Dieu. (p. 10)

C'est par le fait que, à côté des êtres catalogués par la foule, « il en est d'autres innombrables, dans les prétendus interstices et marges du règne sensible », que se justifie le rôle du poète : étant celui qui voit et vit cette plénitude, c'est à lui qu'il appartient « d'enseigner ses trouvailles au public malhabile et de les lui faire sentir au moyen d'allégories ou de symboles, comme on fait lire les aveugles au moyen de cunéiformités ». Aussi bien l'œuvre n'aura-t-elle d'autre dessein que de restituer au mieux le *sens* qui résulte de cette vision pleine de l'univers, et dont le premier corollaire est la réciprocité des causes et des effets (la faiblesse de l'homme étant entendue comme l'énergie des autres et son action comme l'inertie des autres) [26]; d'où va résulter un second corollaire, qui est l'inscription de cette réciprocité, facteur à la fois d'équilibre et d'harmonie, sur la ligne de l'histoire.

Ainsi l'œuvre poétique, pour Saint-Pol Roux, va-t-elle se définir d'abord comme une sorte de fresque ou de panneau de fresque susceptible de montrer, dans son déroulement, que l'« on est ensemble effet et cause, à la fois créateur d'une création et

---

26. Dans le dernier texte du premier cahier devant servir à la rédaction de *Cinéma vivant,* nous lisons pareillement ceci :
Puisqu'il n'y a pas de vide, de néant, que nous ressortissons au Tout, nous sommes toujours au commencement comme à la fin du Tout. Nous sommes un grain et un moment de ce Tout, Espace et Temps. (*Cinéma vivant, op. cit.,* p. 42.)

création d'un créateur ». Puisque « chaque être [a] pour compléments, anciens, présents, futurs, des voisins et des hôtes aimables et farouches à qui l'apparente une cohésion mystérieuse aux pathies variées », il s'agit avant tout, pour le poète, d'exprimer cette « atmosphère de corrélations », et de l'exprimer de façon exemplaire – d'où ces « *cristallisations simples, familières,* [...]*populaires* » auxquelles il avoue avoir recours, et cet art de la synthèse à qui vont ses préférences [27]. Si l'œuvre est pour lui, par essence, un *drame,* c'est-à-dire une réalisation première devant « paraître un tout à la fois principe et fin, une révélation » (p. 13), c'est bien parce que la « création » qu'elle suscite, à l'image du monde créé, ne prend son sens que dans le déroulement complet et la vision globale de son histoire.

C'est effectivement une telle perspective historienne qui paraît définir la troisième modalité de structuration de l'écriture de *la Dame à la faulx.* Dès le premier tableau interviennent, comme personnages à plein temps du drame qu'elles préparent, les Heures de peine – « les douze heures de peine en robe sombre : sournoisement, lèvres mauvaises ». Or, ces heures, qui refusent d'attendre plus longtemps l'instant d'intervenir et se proposent, semant l'effroi, de « [changer] le colombier en sabbat de corbeaux », très symboliquement vont monter à l'assaut du beffroi du manoir de Divine jusqu'à la scène finale de ce tableau. Tandis qu'elles grimpent et font en sorte de ne pas se faire oublier, au milieu de l'allégresse générale qui prélude aux fiançailles de Divine et de Magnus, quelqu'un, bien à propos, fait remarquer que « Notre devoir est d'être un maillon de la chaîne/Alliant, univers, ta tombe à ton tombeau » (p. 43), avant que de lancer à l'assemblée :

Allons à l'avenir comme on vient du passé. (p. 44)

Peu après, ce sera au tour de Joris, l'ami privilégié, de prendre la parole pour évoquer le « Temps de Deuil », quand « les arbres du pays ne produisaient alors que des cercueils »; temps de l'Épouvante renvoyant sinon à un passé mythique du moins à un début de l'Histoire, et brusquement métamorphosé par l'appa-

27. A l'appui de la parfaite cohérence de l'univers de Saint-Pol Roux, il faut noter ce constant besoin de synthèse – dans la dialectique des contraires, dans leur harmonisation comme dans l'expression des « corrélations » essentielles du monde sensible. D'où cet aveu du poète, et qui prend alors tout son sens : « Au théâtre nos préférences iraient à la synthèse, l'art dramatique étant par excellence l'art des centralisations » (*la Dame à la faulx, op. cit.,* p. 12, n. 1).

POUR UNE POÉTIQUE DE L'IMAGINAIRE

rition quasi miraculeuse de Divine. Or, tout le récit de la découverte de la petite fille nue par le Vieil Astrologue et de la délivrance du malheur qui s'ensuit se fait au présent de narration. On aurait tort, sans doute, de ne voir là qu'un simple procédé de style quand il s'agit du transfert au présent d'un acte passé susceptible de se répéter, et par là même de la transformation d'une chronologie dégradante et effrayante en une chronologie rassurante, aussi bien parce que tout événement historique exemplaire tend à se reproduire que parce que la vision globale ainsi proposée assure déjà une certaine domination du temps [28].

Cette première domination du temps est d'ailleurs renforcée, dans la scène suivante, la dernière de ce tableau, par l'apparition, en même temps que Magnus, des deux paons qui font la roue. D'un symbolisme identique dans les traditions orientales et dans les traditions occidentales, le paon, évoquant la roue solaire, est emblème d'immortalité, image d'un perpétuel recommencement et donc d'une éternité conquise par le dévidement même du temps; et il se trouve qu'il vient justement d'être question d'éternité à propos de Magnus (p. 50) [29].

Enfin, comment ne pas remarquer que ce premier tableau s'achève sur une image exemplaire, celle de la confrontation du bel et sage et fort Magnus, sur sa cavale blanche, avec le Nain hideux au profil hircin? Et les contraires ici s'engendrent si bien que Saint-Pol Roux, dans ses notations scéniques, précise que le Nain surgit soudain « comme jailli d'entre les sabots d'argent de la cavale blanche de Magnus » (p. 52). Or, sitôt après la triple menace du Néant brandie par le Nain, va commencer le combat des Heures de peine, enfin parvenues au sommet du beffroi, contre les Heures de joie : combat des oiseaux de lumière et des oiseaux de ténèbres qui, par la dialectique des contraires qu'il restaure, remet en route la marche du temps un instant menacée et, par la seule dynamique des images et d'une écriture qui se tient à distance du discours qu'elle propose (le poète ne note-t-il pas pour finir que le beffroi, au-dessus de ce combat nécessaire, « s'élève comme un doute »?), rend l'histoire à l'Histoire.

28. De ce point de vue, on remarquera par exemple que la mort de Divine, soudain toute petite et seule et nue dans la neige, va réitérer l'image de sa naissance – son apparition miraculeuse dans le monde en deuil –, assurant ainsi, mythiquement, un recommencement qui est victoire sur la mort.
29. Ce symbolisme du paon apparaît d'ailleurs, explicitement utilisé, dans le poème du deuxième volume des *Reposoirs de la procession (De la colombe au corbeau par le paon)* intitulé précisément « Le paon ».

De cette éternité fabriquée par l'Histoire, et qui peut coïncider avec l'histoire de l'amour même que Divine porte à Magnus, il est question dans le second tableau, tout au long notamment de la deuxième scène où se mêlent très curieusement le thème de l'abolition des limites du temps (« Je me figure en ce moment, dit Magnus, [...] Que mon être jamais n'eut de commencement et qu'il n'aura jamais de fin » (p. 57) et le thème de la clôture en la « prairie du Temps » d'où il faudra sortir quelque jour (p. 59). Mais cette fonction du temps se trouve ici parfaitement définie par Divine, répondant au Très Vieil Astrologue :

Père, mon avenir sera construit de votre souvenir.

(p. 60)

C'est d'ailleurs peu après le toast porté à la Vie qu'à nouveau est introduite la Mort – l'« Absente incessamment présente » (p. 66) – à propos de cette même « lugubre époque » d'avant Divine déjà évoquée par Joris et à laquelle revient le Vieil Astrologue pour montrer la durée parcourue de la peine à la joie, mais plus encore pour annoncer le retour éventuel de ce temps primitif – « La Mort repasse aux grandes heures de beauté » (p. 69). Retour si plausible, et même si nécessaire, que les signes aussitôt s'accumulent qui d'avance le manifestent, comme pour donner raison au vieillard : chute de la harpe dont les cordes se brisent, nuage en forme de vautour, tonnerre et foudre, rire sarcastique venu d'ailleurs. Mais l'exorcisme de ce retour de la Dame à la faulx, rêvé collectivement à partir de ces signes, c'est encore un retour : celui bien réel du soleil, des petits enfants avec leurs fleurs et leur vrai rire. L'enchaînement même des images cycliques comme la succession des thèmes et des personnages – ainsi ce sont les vieillards qui, après l'évocation de la Mort, vont ouvrir la porte aux enfants – articulent une écriture qui ne cesse de mettre en évidence cette structuration historienne où le passé est toujours du présent virtuel, où rien jamais ne peut s'achever, où le moindre événement résonne, où chaque fait est saisi synthétiquement dans son devenir et où tout finalement concourt, ce qui se voit d'abord aussi bien que ce qui reste inaperçu, à donner un sens à l'aventure de l'homme et du monde où elle se situe.

On comprend mieux, désormais, l'ultime recommandation de Magnus aux Fiancées, à l'heure de la séparation – et la chevauchée qui suivra sera chevauchée de la Vie, rappelons-le; recommandation qui est mesure d'un changement futur inévitable mais aussi d'un retour possible à la forme présente, par quoi s'achève l'acte premier :

> Certes parmi les Heures nous allons changer
> Au point de ne trouver qu'une figure d'étranger
> Dans le miroir futur.
> C'est pourquoi daignez en otage,
> O primitives,
> Garder notre présente image,
> Afin qu'en retournant de la Cité des Hommes
> Nous puissions à vos pieds nous retrouver tels que nous
> sommes. (p. 81)

Cette inscription dans le temps, Saint-Pol Roux ne cesse de la souligner jusque dans la moindre de ses notations scéniques : tandis que les cavaliers s'éloignent du manoir de Divine pour aller affronter la Vie, à l'invisible beffroi n'entend-on pas « ricaner une heure »? Mais c'est évidemment dans la chevauchée du troisième tableau, synthétiquement représentée et fort symboliquement selon les vœux du poète, qu'apparaît le mieux cette inscription. Une note précise d'ailleurs que « les décors de la Chevauchée se succèdent sur une toile qui se déroule » et émet le souhait, très révélateur, qu'un jour cette chevauchée puisse être *développée* cinématographiquement (p. 88). Il faudrait ici relever l'ordre de succession de ces décors, résumant la vie en une journée complète, ce qui n'est guère original, et assurant progressivement la possession d'une durée sans faille à travers ses événements contradictoires, ce qui l'est bien davantage : du « jardin de fleurs naïves » aux « fourrés hérissés des crocs et de boutoirs de sangliers », des hirondelles aux corbeaux et aux oiseaux nocturnes, de la plaine d'émeraude au poteau d'épines, toute l'imagerie populaire ici avancée gouverne le galop du temps que rythme celui des chevaux.

Par là même ce temps en marche, saisi dans toute son extension, s'approprie, en compréhension pourrait-on dire, un espace qui se voudrait total. Ainsi, ce qui en dit long sur la création qui ne cesse ici de se renouveler dans et par l'écriture, à une plaisanterie de Hans évoquant à propos de la bourrasque, mais sans toutefois le nommer, saint Antoine qui « doit écorcher son porc en paradis », répond une plaisanterie de Gilles, au second degré celle-ci, qui évoque, sans le nommer non plus, Huysmans et sa « convulsion satanique », de peu antérieure à *la Dame à la faulx* [30] :

Non, c'est *là-bas* le Diable qui renâcle, pète et s'ébroue.

(p. 93)

Enfer et paradis tour à tour occupés, durant cette chevauchée de la Vie, plus encore qu'une nouvelle dialectique des contraires mettent en œuvre un temps à qui rien n'échappe et qui ne laisse rien hors de lui. L'apparition du marchand d'almanachs, à la scène sixième, n'est donc point gratuite, après le branle-bas de la bourrasque et le désordre apparemment semé. Mais ne sont pas gratuites davantage, un peu plus loin, ces théories de pèlerins défilant un peu partout sur les collines, mais tous « en marche vers un même point » (p. 98), préfigurant le sens même de cette marche dans le temps, son orientation messianique.

*

Et sans doute faut-il voir là un dernier mode de structuration de l'Imaginaire de *la Dame à la faulx,* qui prolonge et parfait l'utilisation du temps, facteur d'éternité, en assurant sa totale domination. Car ce sens rassurant de l'Histoire, on pourrait le suivre tout au long du drame jusqu'au tableau ultime où Magnus, qui courait à la Vie, se reconnaît « un mort que meut le serpent du remords » (p. 423) et se voit confronté avec Divine, la jeune morte, qui devient soudain l'éternellement vivante, « une âme qui ne meurt jamais » (p. 429). Mais ce serait pour découvrir alors, à côté de la dialectique des contraires et du renversement des valeurs réduisant à néant la fatalité chronologique, au-delà de la récupération d'un temps cessant de se dégrader grâce à l'incessante récurrence des images qui l'écrivent et des thèmes qui l'apprivoisent, une mise en œuvre progressiste des schèmes présidant au fonctionnement du texte qui prend alors une portée messianique.

Il s'en faut de beaucoup que cette dernière modalité de structuration revête la même importance que les modalités précédentes; et les propos de la Dame à la faulx, intervenant dans le cours du Temps et se proposant de tout « effacer », pourraient

30. *Là-bas* a été publié en 1891, et *la Dame à la faulx* élaborée entre 1890 et 1895.

même paraître démentir toute confiance en une ultime résolution des conflits, tout acheminement vers un point oméga, arrêt suprême de l'Histoire. La Mort n'est-elle pas celle qui vient rompre la lignée et mettre fin à l'« orgueilleuse ronde »? C'est du moins ce qu'elle nous conte d'elle :

> Regarde, ils sont là, tous, ceux-là de ta nature,
> Espoirs de l'avenir et regrets du passé,
> Chênes de l'autrefois et germes du futur,
> Dans ce vase de chair que ma faulx va casser. (p. 430)

Il apparaît cependant, au travers même de la sentence dernière, qu'une visée messianique n'est pas exclue; car celui qui pourrait de quelque façon échapper à la Dame à la faulx atteindrait à coup sûr cette fin des temps, le présent de l'éternité :

> Parti des genèses du monde,
> Magnus eût pu toucher, de fils en fils, au Jugement
> Dernier
> Si je n'avais mis fin à l'orgueilleuse ronde
> En jetant ton aurore aux vers de mon charnier. (p. 430)

Le « trop tard » de Magnus, au bord du tombeau, bien loin de consacrer l'absurdité de l'Histoire ne dénonce en fait que l'absurdité de son histoire qui eût trouvé sa juste résolution s'il avait vécu sa vie au lieu de la rêver. Car tel est bien le sens profond de sa dernière exhortation à l'Humanité, qui est aussi le lieu de résolution des contraires à l'œuvre tout au long du drame :

> N'émoussez pas vos heures brèves
> Au désert du Rêve,
> Ne hantez pas ce monde en trépassés,
> Vivez, c'est-à-dire agissez!
> L'Action paralyse la Mort
> Et rajeunit le sang des vieux siècles du sort. (p. 431)

Le conflit des Heures de peine et des Heures de joie, qui avait mis en train la problématique du drame, est maintenant largement dépassé; et ce n'est pas en fait par le cri de victoire de la Mort triomphante – « La Camarde te garde! » – que s'achève l'œuvre, mais bien plutôt par le tardif sursaut de Magnus découvrant, à la dernière minute, que l'homme peut vaincre la mort, peut vaincre le temps, s'il « [travaille sa part] de la tâche commune aux Vignes de la Vie ». Les « heures brèves » peuvent non seulement participer aux « vieux siècles » et les régénérer, mais elles peuvent encore, si elles sont effectivement et totalement occupées, faire se correspondre la vie et la Vie, faire se rejoindre la Vigne d'en bas et le « ciel bleu ».

Si cette correspondance, annonciatrice d'une conjonction définitive du monde d'en bas et du monde d'en haut, n'était pas signe d'un messianisme rassurant, promesse d'une rédemption à venir – et l'ultime exhortation de Magnus, entre deux râles, par son écriture même manifeste ce dépassement et réalise cette promesse –, on comprendrait mal le courroux croissant de la Dame qui, précise la notation scénique, « poussée à bout [...] se cabre » et précipite l'instant d'abattre Magnus « d'un vigoureux coup de Faulx ». Car Magnus, en cet instant suprême où il découvre que « les Hommes sont les gestes visibles de Dieu », affirme au niveau du discours la suprématie d'une rythmique, source de vie (dialectique des contraires) et la primauté d'une gestuelle, génératrice d'harmonie (coïncidence des contraires), que nous avions déjà découvertes dans l'écriture de l'Imaginaire du drame et ses modes de structuration. Mais, par là, il fait plus que donner un sens à la marche du Temps et une fonction à son éternel retour, ce que pourtant souligne la toute dernière notation scénique où il est précisé que « l'heure nouvelle sourit d'un clocher » tandis qu'à peine distincte la voix du Vagabond annonce, avec l'aurore, la promesse d'un nouveau jour à vivre. Il assigne encore à ce Temps une possible fin, résolution de l'Humanité en la Divinité, et rejoint ainsi la sagesse de tel de ses amis qui, au tout début du drame, prônait l'amour comme seule « force féconde avec quoi l'on domine la réalité » :

Il faut aimer si tu veux voir la fin du monde,
Et c'est cela peut-être l'*immortalité*. (p. 44)

Même défi à la mort, de part et d'autre, même souci de « survivre » mais aussi, par le temps, de dépasser le Temps, d'abolir à jamais la mort.

Entre la promesse d'un perpétuel recommencement, qui préside à toutes les métamorphoses, et l'annonce d'une fin des Temps, nulle contradiction cependant. Dans l'un et l'autre cas, c'est la même mainmise sur le temps qui s'opère, en toutes ses manifestations et à tous ses niveaux; mainmise qui présentifie le passé le plus lointain comme le futur le plus hypothétique et ramasse dans la contemporanéité de l'écriture le commencement et la fin des Temps. Cette parfaite domination du temps qui passe, mise au présent qui n'est pas refus du devenir mais concentration de la durée créatrice et accélération de ses processus régénérateurs, c'est l'image ici qui l'assure. Ainsi, dans la dernière scène du quatrième tableau, lorsque la Dame, bien décidée à séduire Magnus et à se venger de lui, fait opérer par ses nains sa propre métamorphose, c'est à la construction d'une image exemplaire – « splendide image tentatrice » – que nous assistons : tresses d'une dogeresse de Venise, face d'une archiduchesse d'Allemagne, bouche et sexe d'une idole de Lesbos, seins d'une courtisane de Paphos, bras d'une gladiatrice de l'Hellade, nuque et reins d'une esclave du Nil, épaules et hanches d'une patricienne de Rome, ventre, croupe et cuisses d'une gitane d'Espagne, mollets d'une fille de France – tous les éléments de beauté sortis tour à tour des coffres et assemblés par les éléments d'horreur que sont les nains construisent progressivement, sous nos yeux, non pas un simulacre de la Dame à la Faulx, mais « un symbole fameux masquant l'Usurpatrice » (p. 160). Symbole qui rassemble en lui tous les espaces et tous les temps mais les transcende aussi puisque, au terme de cette métamorphose, la Mort sera « belle/ Comme jamais ne fut belle/ La plus belle des belles d'entre les mortelles! » (p. 162).

De la même façon lorsque Divine, au début du drame, tout à son bonheur présent, dessine devant Magnus le paradis qu'elle entrevoit, elle évoque ce paradis qu'elle vit à l'avance moins au travers des images proprement dites, qui restent conventionnelles, qu'au travers de leur actualisation. Et l'hypotypose opère si bien l'apprivoisement du temps qui passe jusqu'« au suprême soleil des tranquilles tombeaux » que Magnus, charmé, lui avoue bientôt qu'en l'écoutant « [il] puise dans [ses] yeux l'orgueil qui [le] fait dieu », que chacun de ses mots le rend un peu plus éternel (p. 57). Au long de cette scène où se trouvent chantées conjointement la mort inévitable et l'éternité promise à l'amour, ne cessent de se côtoyer les deux images de la roue du temps – « La Mort repasse aux grandes heures de beauté » (p. 69) – et de la flèche du temps – « Le temps est proche, /Ô séculaire théorie,/ Où je te conduirai vers Celui qui demeure! » (p. 59). Temps circulaire et temps vectoriel, bien loin de s'exclure, ne cessent là encore de s'appeler, tant il est vrai que, pour Saint-Pol Roux, la marche du Temps, quels que soient les retours et les similitudes, par son mouvement même est libération du temps. S'inscrire activement dans le temps, accomplir pleinement sa geste d'homme qui se sait geste de Dieu, c'est travailler aussi à accomplir le Temps où l'homme se confondra avec Dieu. D'où ce refus de tout immobilisme dans le présent comme de toute fuite dans un passé refuge; ni gagné *hic et nunc,* ni perdu à jamais, le Paradis du Magnifique, Création sans cesse corrigée par le poète, est encore à conquérir :

> On ne vit pas par le passé, mais par l'avenir. Le présent, c'est du passé chaque jour en moins et c'est de l'avenir chaque jour un peu plus [31].

*

Il se révèle ainsi que, si *la Dame à la faulx* tient les promesses ambitieuses qu'elle nous faisait d'abord, c'est grâce à l'image par laquelle elle construit et peuple tout un monde, selon les vœux de la *Répoétique*. Car ce monde, à l'analyse, se révèle bien peu le fruit de cet idéoréalisme auquel Saint-Pol Roux devait si souvent revenir, jusque dans la préface de son drame, et auquel on a tort de réduire généralement sa poétique. C'est d'une écriture qu'il procède d'abord et essentiellement, d'une écriture qui manifeste, par le dynamisme même des images qu'elle met en œuvre et des schèmes qui les conduisent, cette « vie toute » qui est à la fois révélation et possession d'un univers imaginaire qui est le vrai Réel.

L'écriture du texte se confond dès lors avec la conquête de ce monde complet qui est aussi le Texte à déchiffrer : c'est en écrivant le monde qui l'habite, en laissant au mieux émerger et s'ordonner les images profondes qui le peuplent, que le poète parvient à lire le Monde et à participer à son accomplissement. On le voit déjà, et les différentes modalités de structuration de l'écriture de l'Imaginaire le confirment d'abondance, qui assurent dans tous ses détails, par la parfaite convergence des schèmes, une totale cohérence de l'œuvre : tout le drame s'écrit, s'organise et se développe en fonction d'un apprivoisement et d'une progressive domination du temps. La première structuration repérée, celle de la dialectique des contraires, tend à fonder la dynamique du texte sur le rythme même des jeux d'oppositions constamment

---

31. *La Répoétique, op. cit.,* p. 58.

repris et renouvelés, voire renversés, à tous les niveaux, et par là manifeste, dans et par l'écriture, un dramatisme qui est acceptation du cycle temporel en toutes ses péripéties. L'équilibre assuré par la constante confrontation des contraires, qui jamais ne se détruisent ni ne se réduisent d'aucune façon, détermine une seconde structuration qui est d'harmonisation des contraires; de cette harmonisation témoigne une écriture qui fait constamment référence à un univers plein où tout signifie, à commencer par le texte lui-même en son déroulement, où tout concourt au même devenir qui cesse d'être absurde et angoissant aussitôt que l'ensemble du drame, ou du temps qu'il occupe, devient signifiant. Temps circulaire et temps rectiligne s'unissent dans une troisième structuration : structuration historienne qui ne se contente plus d'apprivoiser le temps mais l'utilise systématiquement dans chacun de ses instants devenu irremplaçable et qui contribue à donner, dans la progression même où il s'insère, non plus seulement un sens mais aussi une valeur à l'histoire. Le temps rassurant, de ce fait, sécrète peu à peu l'éternité, comme l'histoire sécrète l'Histoire qu'elle résume; mais ce passage du dramatisme au progressisme trouve alors un dernier accomplissement avec le terme ultime donné à l'Histoire, par la mainmise sur le devenir lui-même : c'est la quatrième structuration manifeste et qui, à l'issue d'une continuelle régénération du temps, débouche sur une fin des Temps qui est mort de la Mort et apothéose à jamais glorieuse de la Vie, dépassement du drame en train de s'écrire par l'Œuvre enfin accomplie.

Ces quatre grandes modalités de structuration délimitent assez précisément, semble-t-il, en lui donnant sa cohérence, l'écriture de l'Imaginaire de *la Dame à la faulx;* une écriture qui est si bien le véritable lieu du déroulement et de la résolution du drame que les images qui constamment la dynamisent en arrivent à devenir personnages vivants inscrits dans l'actualité de ce drame où elles jouent activement un rôle. Telles ces Images des Aïeux pendues aux murailles du palais de Magnus et qui, à la fin du sixième tableau, reprennent vie présente, le temps d'essayer de faire s'enfuir Magnus vers l'avenir et de capturer la Mort en leurs « filets du souvenir »; le temps de retrouver l'ordre des choses, l'ordre du temps qui est aussi celui de la réalité.

Aussi bien les images en action dessinent-elles effectivement dans *la Dame à la faulx,* qui plus que toute autre œuvre de Saint-Pol Roux est œuvre de synthèse, ces « larges fresques d'Épinal » que, fort lucidement, le poète se proposait de dérouler sous nos yeux. Dépouillées à l'extrême au point de paraître parfois stéréotypes de bien peu de consistance et prêtant à sourire, elles n'en sont pas moins responsables, de par leur agencement, d'une écriture majeure et qui ne saurait être analysée, ni même simplement appréhendée, autrement que par leur entremise. Encore cela suppose-t-il, à la lecture ou l'audition, d'accepter de vivre ce dynamisme à travers cette convergence des schèmes sur lesquels elles s'installent et qui met en jeu la texture du discours dramatique plutôt que le discours lui-même. Le contenu des images, au contraire, pourrait bien être ici un obstacle sérieux à la réalisation de cette lecture dynamique, et peut-être faudrait-il apprendre à oublier les mots que nous savons, ces « collants partenaires » d'Henri Michaux, pour ne garder d'eux que les signes qu'ils nous font ou qu'ils se font entre eux, et mieux encore les mouvements qu'ils appellent et figurent. Tâche malaisée et presque insurmontable qui laisse à penser que, prophète plus encore qu'il ne le croyait, Saint-Pol Roux avait sans doute raison de songer au cinéma pour donner directement ses images à vivre. Non point un cinéma englué encore dans le langage des mots et reflétant péniblement, « pancarte de coiffeur », leur destination; mais celui-là même, seul capable d'extérioriser vraiment sans la dénaturer cette « tragédie intérieure » à la fois dans le temps et hors du temps qu'est *la Dame à la faulx,* qu'il sut si bien prophétiser :

> Le cinéma n'est encore que filigrane, il va sortir du cadre, s'avancer, tourner cette fois sur lui-même, nous offrir par l'avers et le revers sa forme adéquate, enfin vivre plus seulement comme un reflet dans l'heure relative mais comme l'être qui se mue en évoluant sur la rive du temps absolu [32].

32. *Cinéma vivant, op. cit.,* p. 109.

9
Éluard
ou les rituels de régénération

Sur le tissage des *Yeux fertiles*

Si une lecture de l'Imaginaire permet à la fois de s'insérer dans la réalité en devenir du texte, en suivant les itinéraires obligés que ses images imposent, et d'approcher sa vérité logique, en découvrant sa cohérence dans la convergence même de ses schèmes, c'est elle aussi qui va permettre, allant plus loin encore, de saisir les connexions qui s'établissent entre processus génétiques et implications logiques du texte, entre le réel et le possible. Peut-être, d'ailleurs, n'est-ce pas là son moindre intérêt que de déceler au plus près, dans les jeux de cette incessante navette de l'actuel au virtuel et du virtuel à l'actuel, le tissage même du texte poétique.

Ainsi se révèle peu à peu, face au texte, cette syntaxe de l'Imaginaire qui n'est pas seulement un instrument au service d'un meilleur savoir, comme pourrait l'être une grammaire du langage poétique. Car si elle engage résolument, sans hésitation mais surtout sans limitation aucune, sur les divers chemins de sa connaissance actuelle qu'elle identifie à mesure, elle donne aussi les moyens d'appréhender l'œuvre dans sa globalité, en tant que domaine des possibles. Dès lors, c'est la structuration du sens qu'elle nous donne à voir et à vivre *conjointement,* au travers d'une lecture qui est régénération des forces vives du texte poétique mais aussi invention de leur cohérence. Et le rituel qu'instaure une telle lecture, laquelle ne saurait d'aucune façon dénaturer son objet, devrait permettre de participer à une double actualisation : celle d'abord du devenir qui leur confère la réalité qui est sienne, mais celle aussi des virtualités qu'elle met en œuvre pour nous. Actualisation, réactualisation peut-être même; car il se pourrait bien que cette participation présente à la construction, à la mise à jour d'un sens *au-delà,* renvoyât à quelque structure mythique prête à se révéler dans le texte en même temps que chez son lecteur.

Cette syntaxe de l'Imaginaire, il est d'autant plus intéressant de la déceler dans l'œuvre d'un poète comme Eluard que cette œuvre, parmi toutes celles de son époque, est sans doute la plus libre mais aussi la plus dépouillée qui soit. C'est Pieyre de Mandiargues qui notait à son propos l'importance de ce mot de « facile » qui toujours y revient, cette facilité se manifestant comme « une sorte de brusque flamme qui dévêt la pensée de toute gangue et qui lui livre instantanément la phrase dans sa plus pure et fière nudité, sans nul effort qui se soit laissé voir [1] ». Rien ici qui ne paraisse donné d'abord, rien qui ne dépasse en apparence une réalité que le poète voudrait seulement infléchir par son verbe, rien qui n'outrepasse, semble-t-il, chez celui pour qui le monde privé du Voyant ne se distingue en rien du monde le plus commun [2], la vérité qu'il a mise en ses mots. Et pourtant, au-delà de son dépouillement, à moins que ce ne soit à cause de lui, le poème d'Éluard s'élabore comme un drame et s'offre comme un rite que la lecture redouble.

*

Peut-être parce qu'il est des plus courts, peut-être aussi parce qu'il rassemble, ainsi que le remarque encore Mandiargues, les plus émouvants parmi tous les poèmes d'amour d'Éluard, le recueil des *Yeux fertiles* appelle à coup sûr une telle lecture. Déjà son organisation d'ensemble manifeste, en même temps qu'un dépouillement progressif vers la « facilité », les progrès d'une libération qui est aussi passage du dedans au dehors, du « vase clos » au « couple illimité », du « sablier vide » au « temps d'une rue qui n'en finit pas », des yeux fermés aux yeux fertiles; et les titres mêmes des trois sections – « La barre d'appui », « Grand air », « Facile » – soulignent bien les étapes de cette catharsis qui prend allure de réconciliation.

La toile de fond reste sans doute obstinément nocturne, du sommeil initial dans les yeux de la femme aimée réservant aux lumières du poète « un sort meilleur qu'aux nuits du monde [3] »

1. Préface à *Capitale de la douleur* (1926), Paris, Gallimard, 1966, p. 7.
2. « Au sommet de tout, comme ailleurs, plus qu'ailleurs peut-être, pour celui qui *voit,* le malheur défait et refait sans cesse un monde banal, vulgaire, insupportable, impossible » (« L'évidence poétique », in *la Vie immédiate* (1932), Paris, Gallimard, 1968, p. 9).
3. « On ne peut me connaître... », p. 187. Toutes les références au recueil des *Yeux fertiles* (1936) renverront désormais à l'édition courante : *la Vie immédiate* suivi de *la Rose publique* et de *les Yeux fertiles,* Paris, Gallimard, 1968.

à la nuit finale, fruit de l'amour, dans laquelle s'opèrent la réconciliation avec le monde et l'ouverture à toute nouveauté [4]. Mais de la fréquence des images de la nuit, des ténèbres, de l'obscurité, de l'ombre, du trou noir ou de la vague noire du sommeil, des yeux clos, des lueurs nocturnes et du feu éteint, de la lune, des étoiles, de la chouette et de la veille, on ne saurait rien conclure. Et il ne suffit pas de réintroduire chacune de ces images dans le champ qui est le sien pour trouver à cheminer dans le texte, encore moins pour découvrir les modes de structuration de son sens ou l'orientation de ses potentialités. Car les connotations heureuses qui s'y lisent d'abord montrent vite leur ambivalence, par les réseaux d'images à valorisation tant négative que positive qu'elles suscitent, et cela d'un bout à l'autre du recueil, comme on le voit déjà dès « La barre d'appui » :

> O nuit perle perdue
> Aveugle point de chute où le chagrin s'acharne [5].

Ce n'est pas un relevé lexical, avec les classifications qu'il appelle, ni même une analyse sémantique, fût-elle des plus minutieuses, qui pourrait en effet, sans sortir du texte, justifier de quelque façon cette contradiction fondamentale et rendre compte du tissage qui résulte de ce jeu des contraires. Il y faut plus, à commencer par une attention portée et aux divers modes d'articulation des images, déterminant le devenir du texte, et aux types de relations qui s'établissent entre les différents schèmes imaginaux, profilant son sens à venir.

De ce point de vue, une première caractéristique de cette syntaxe de l'Imaginaire, et qui apparaît dès la première lecture, pourrait résider justement dans la multiplicité des liaisons qui se nouent d'image à image et de schème à schème, comme dans la multiplicité des images et des schèmes impliquant un rapport, une relation voire une réunion. Tout tient à tout, dans un tel monde, ainsi cette ville où la misère fait signe :

> Poutres désespérantes d'un pont
> Jeté sur le vide
> Jeté sur chaque rue et sur chaque maison

4. « Nous avons fait la nuit... », p. 244.
5. « Les maîtres », p. 196.

Lourdes folies errantes
Que l'on finira bien par connaître par cœur [6]

Et le regard porté sur la condition humaine ne dissocie point la chaîne des générations des liens unissant l'homme à la nature :

Les femmes défendues
Qui font des enfants
Et la chaîne
De la joue aux champs
De la main aux branches
De l'eau à l'azur des sauterelles [7].

Ce regard qui relie et ne laisse rien à l'écart [8], prenant souci de ne jamais isoler les êtres et les choses sinon à de rares moments de bonheur intime [9] ou de désespoir subit [10] qu'il faudra dépasser bien vite, est contemporain d'une écriture qui relie, elle aussi, ce qu'elle énonce et inscrit dans l'espace-temps de la page. De là ces énumérations qui remplissent peu à peu l'espace du poème tout en prenant possession d'un temps saisi dans sa durée et ses infinies virtualités; et l'on pressent ici déjà comment le réel et le possible vont renvoyer l'un à l'autre, dominant le temps par le temps lui-même jusqu'à dépasser le monde actuel, comme dans le poème intitulé précisément « Durer ». De là aussi ces schèmes du dénombrement, du recensement, du parcours d'un espace total, qu'il s'agisse de l'ici et de l'ailleurs :

Montrez-moi aussi le corsage noir
Les cheveux tirés les yeux perdus
De ces filles noires et pures qui sont d'ici de
passage et d'ailleurs à mon gré [11]

ou bien de l'en-bas et de l'en-haut :

---

6. « Chassé », p. 199.
7. « Balances II », p. 214.
8. Cf. « Man Ray » :
    L'œil fait la chaîne sur les dunes négligées
    Où les fontaines tiennent dans leurs griffes des mains nues
        (*La Rose publique*, in *la Vie immédiate*, p. 183.)
9. Cf. « En vase clos », p. 197-198.
10. Cf. « Au présent », p. 195; « Les maîtres », p. 196.
11. « A Pablo Picasso II », p. 212.

Montrez-moi cet homme de toujours si doux
Qui disait les doigts font monter la terre
L'arc-en-ciel qui se noue le serpent qui roule [11]

qu'il s'agisse de l'intérieur et de l'extérieur :

Tout il nous faut ramener tout
A ce moment de compagnie mêlée
Évidée par les murs protecteurs [12]

de l'endroit et de l'envers du décor :

Montrez-moi ces secrets qui unissent leurs tempes
A ces palais absents qui font monter la terre [13].

ou même du visible et de l'invisible :

Un escalier perpétuel
Le repos qui n'existe pas
Une des marches est cachée par un nuage
Une autre par un grand couteau
Une autre par un arbre qui se déroule
Comme un tapis
Sans gestes

Toutes les marches sont cachées [14]

Cette totalisation, qui va englober dans une même vision l'image et son reflet – « Et toujours un seul couple [...] Couché aux pieds de son reflet [15] » –, le masque et le visage – « Un masque tu l'apprivoises / Il te ressemble vivement [16] » –, justifie déjà pleinement, dans la syntaxe qu'elle met en œuvre et qui la révèle, le dessein des *Yeux fertiles*. Mais elle n'opère pas à ce seul niveau et se découvre pareillement dans le recours constant au principe d'analogie, lequel relie deux mondes distants et, sans les réduire l'un à l'autre ni les confondre jamais, établit entre eux un incessant trajet facteur d'équilibre. Analogie entre la

12. « En vase clos », p. 197.
13. « A Pablo Picasso II », p. 213.
14. « René Magritte », p. 218.
15. « A la fin de l'année... II », p. 242.
16. « Facile est bien », p. 243.

femme aimée qui veille au profond du poète et l'oiseau qui veille dans la nuit, retournant l'épithète homérique :

> Ainsi viendra veiller ton oiseau familier
> Sur des milliers d'yeux clos

> Mon oiseau c'est la chouette
> Aux entournures de déesse
> La vraie tueuse des couleurs [17]

Analogie entre le lieu désert d'un regard et l'immensité du ciel, monde clos et monde ouvert :

> J'ai vu le ciel très grand
> Le beau regard des gens privés de tout
> Plage distante où personne n'aborde [18]

Sur le même thème, et toujours à partir des toiles de Picasso dans lesquelles le poète ne tarde pas à se lire lui-même, analogie entre le manifeste et le caché, monde public et monde privé :

> Montrez-moi le ciel chargé de nuages
> Répétant le monde enfoui sous mes paupières [19]

Et ce sont encore des analogies, sur un autre registre, que ces correspondances qui à chaque instant s'établissent, tant au niveau perceptif qu'au niveau symbolique, entre les êtres et les choses, et plus particulièrement entre la femme et le monde, dans un même mouvement totalisateur. Tantôt c'est la nature elle-même qui appelle cette correspondance et la rend impérative, inaugurant un jeu de renvois dont le déroulement même assure l'équilibre :

> Un pic écervelé aux nuages fuyants au sourire éternel
> Dans leurs cages les lacs au fond des trous la pluie
> Le vent sa longue langue et les anneaux de la fraîcheur
> La verdure et la chair des femmes au printemps
> La plus belle est un baume elle incline au repos

17. « Egolios », p. 191.
18. « A Pablo Picasso I », p. 211.
19. « A Pablo Picasso II », p. 212.

Dans des jardins tout neufs amortis d'ombres tendres
Leur mère est une feuille
Luisante et nue comme un linge mouillé [20]

Tantôt, au contraire, c'est de la femme aimée que part la confrontation :

> Nue dans l'ombre et nue éblouie
> Comme un ciel frissonnant d'éclairs
> Tu te livres à toi-même
> Pour te livrer aux autres [21].

Et ce même jeu des correspondances unissant l'être aux autres et au monde dans un mouvement à double sens se retrouve au niveau symbolique, comme dans cette « Crinière de fièvre », qui pourrait être le digne pendant du « Lul de Faltenin » d'Apollinaire, où se célèbre la gloire du « pavillon rampant / Qui s'avoue plus haut / Que l'inondation / Au pouce foudroyant [22] ». Aussi bien, à la fin de ce texte et de son aventure, le héros pourra-t-il en une même étreinte embrasser, dans l'alcôve aux mesures du monde, la femme et le soleil :

> Charmé souris d'alcool
> Et d'alcôve hiver en couleurs vivantes
> Soleil que je peux embrasser.

Mieux encore, il arrive même que correspondances perceptives et correspondances symboliques s'associent intimement, comme dans cet hymne à la femme médiatrice où l'« entente » de celle-

20. « A la fin de l'année... II », p. 242.
21. « Facile est bien », p. 243.
22. [...]
La naine pleine de blé
Descend la pente sur un air absolu

Va s'affaler sur l'herbe
De l'hacienda en flammes
De désastre en désastre
Elle se vêt
D'un tissu de bien-être
D'images lumineuses
[...]

(« Crinière de fièvre », p. 217.)

ci avec les autres, avec le monde, est si parfaite qu'à l'infini multipliée elle devient les autres, elle devient le monde, totalisant en elle toutes les forces vives :

> Écoute-toi parler tu parles pour les autres
> Et si tu te réponds ce sont les autres qui t'entendent
> Sous le soleil au haut du ciel qui te délivre de ton ombre
> Tu prends la place de chacun et ta réalité est infinie

> Multiple tes yeux divers et confondus
> Font fleurir les miroirs
> Les couvrent de rosée de givre de pollen
> Les miroirs spontanés où les aubes voyagent
> Où les horizons s'associent [23]

Recensements, analogies, correspondances : ce sont autant de processus d'harmonisation qui caractérisent ce premier aspect de la syntaxe de l'Imaginaire éluardien, dans *les Yeux fertiles,* et dynamisent son écriture. Une harmonisation qui n'est pas le seul fait des images spectaculaires, pourtant privilégiées, ni des rapports analogiques qui s'établissent à tous les niveaux et que souligne une abondance de coordinations et de liens causals; mais une harmonisation qui trouve appui aussi sur une rythmique qui jamais ne s'affiche au premier plan, au point qu'on pourrait la tenir parfois pour négligeable, et cependant assure l'équilibre de l'œuvre. A peine souligné par les répétitions qui marquent les étapes de chaque itinéraire, les degrés de chaque progression, le rythme lui-même renforce cette totalisation harmonieuse en en montrant le double sens ou le renversement :

> Tes yeux dans lesquels nous dormons
> [...]
> Tes yeux dans lesquels je voyage
> [...]
> Dans tes yeux ceux qui nous révèlent
> Notre solitude infinie
> Ne sont plus ce qu'ils croyaient être [24]

Ou bien :

23. « L'entente », p. 236-237.
24. « On ne peut me connaître... », p. 187.

Bonne journée j'ai revu qui je n'oublie pas
[...]
Bonne journée j'ai vu mes amis sans soucis
[...]
J'ai vu le ciel très grand
Le beau regard des gens privés de tout
[...]
Bonne journée qui commença mélancolique [25]

Dans nombre de poèmes, d'ailleurs, la reprise rythmique coïncide avec la reprise du thème du regard, en une redondance qui en dit long sur l'importance d'une telle structure harmonisatrice, que le mouvement qu'elle engendre aille du regard au monde, comme dans ces deux derniers poèmes, ou du monde au regard :

Montrez-moi cet homme de toujours si doux
[...]
Montrez-moi le ciel chargé de nuages
[...]
Montrez-moi le ciel dans une seule étoile
[...]
Montrez-moi le corsage noir
[...]
Montrez-moi ces secrets qui unissent leurs tempes [26]

Mais il s'en faut de beaucoup que seules de telles reprises assurent la primauté de cette rythmique, avec les particularités qui lui sont attachées. Plus discrets, sans doute, mais non moins efficaces, et qui sont pour beaucoup dans cette tonalité d'Éluard que l'on reconnaît entre toutes, ces décasyllabes, ces octosyllabes, mais surtout ces hexamètres solidement charpentés qui soudain surgissent, disparaissent pour revenir, dans un ensemble aux allures plus souples, improviser des cadences à leur gré. Vers isolé et qui donne au poème sa clé :

La lune noie la nuit [27]

strophe centrale, incantation autour de laquelle tout s'ordonne :

25. « A Pablo Picasso I », p. 211.
26. « A Pablo Picasso II », p. 212-213.
27. « Une foule toute noire... », p. 200.

> Espère espère espère
> Que tu vas te sourire
> Pour la première fois [28]

ou bien :

> Toujours en train de rire
> Mon petit feu charnel
> Toujours prête à chanter
> Ma double lèvre en flamme [29]

motif qui impose le mouvement et jusqu'au titre même du poème :

> Parlons de la jeunesse
> Perdons notre jeunesse
> Rions d'elle elle rit
> La tête à la renverse [30]

ou encore :

> Tu sortais toute nue
> Faux marbres palpitant [31]

structure rigide qui ouvre et referme le texte, l'encadrant et par là reliant les pôles de son espace :

> Nous avançons toujours
> [...]
> Nous nous perpétuons [32].

ou bien :

> Au-dessus des sommets
> [...]
> Un couple illimité [33].

28. « Intimes I », p. 228.
29. « L'entente I », p. 237.
30. « Et quel âge avez-vous? », p. 194.
31. « Grand air », p. 231.
32. « A la fin de l'année... I », p. 240-241.
33. « A la fin de l'année... II », p. 241-242. Cf. aussi le poème introductif « On ne peut me connaître... », exemplaire à cet égard. Mais le renversement thématique qui s'y opère fait intervenir un autre mode de structuration.

mais plus souvent terminus, lieu vers lequel convergent toutes les forces actuelles et qui sera nouveau départ :

> Une scie qui se brise [34].
>
> Tu es la ressemblance [35].
>
> Qu'un trésor délivré [36].
>
> Pour te livrer aux autres [37].
>
> Qui est toujours nouveau [38].

Mais ces mêmes jeux rythmiques, qui d'abord soulignaient seulement les images totalisatrices avant que de totaliser par eux-mêmes les diverses étapes puis les lieux extrêmes de l'espace du poème, finissent par renvoyer à leur tour à une nouvelle thématique de la relation, où le rythme en tant que tel, au sein même du discours poétique, est dénoncé comme milieu d'harmonisation – et l'amphibologie de l'épithète « majeur » qui qualifie ce rythme, justifiant sa qualité musicale tout autant que son importance, n'est point négligeable; un rythme universel qu'absorbe et redonne au monde, en un double mouvement de diastole et de systole, la femme intercesseur entre l'homme et le monde, et cœur de l'univers :

> Le creux de ton corps cueille des avalanches
> Car tu bois au soleil
> Tu dissous le rythme majeur
> Tu le redonnes au monde
> Tu enveloppes l'homme [39].

*

Il arrive même, dans la syntaxe de l'Imaginaire des *Yeux fertiles,* que le schème relationnel, mené jusqu'à son terme ultime, abolisse la distance qui sépare les objets ou les lieux des correspondances et des analogies. La relation se fait plus étroite et

---

34. « Et quel âge avez-vous? », p. 194.
35. « Tu te lèves l'eau se déplie... », p. 235.
36. « L'entente I », p. 238.
37. « Facile est bien », p. 243.
38. « Nous avons fait la nuit... », p. 244.
39. « L'entente I », p. 237.

plus définitive qui devient ou feint de devenir, dans le temps du moins de l'écriture ou l'espace du rêve qui l'anime, réunion vraie. Réunion du poète et de son peuple, au travers de la voix de la femme-oiseau qui lie, dans le présent de son poème, le passé au futur :

> J'entends encore la voix
> Ainsi viendra veiller ton oiseau familier
> Sur des milliers d'yeux clos
> [...]
> J'y gagne il me la fallait attentive
> Au peuple que je réunis [40].

Ou bien, à l'inverse, réunion du poète et de la femme aimée en une nuit « pareille à un jour sans travail », la première, et qui contient en elle « toute une vie toute la vie », renvoyant d'un futur impossible à un passé mythique :

> Tu es comme la nature
> Sans lendemain
>
> Nous sommes réunis par-delà le passé [41].

Bien mieux, cette réunion, qui à tous les niveaux paraît d'abord se confirmer, se change même parfois, en ce point extrême où le schème relationnel se nie à vouloir se parachever, en une authentique fusion qui ne laisse pas de surprendre. Il est vrai que c'est en un jeu, par-delà les murs de leurs nuits et l'horizon de leurs baisers, en un espace déréalisé, puisque sans limites, que les deux amants se fondent en un seul être qui se fond à son tour en l'univers :

> Nous jouions au soleil à la pluie à la mer
> A n'avoir qu'un regard qu'un ciel et qu'une mer
> Les nôtres [42].

Mais ce sont là processus d'exception, car la cohérence de cette syntaxe tient au contraire, généralement, à une confronta-

---

40. « Egolios », p. 191.
41. « Ma vivante », p. 220.
42. « Grand air », p. 231.

tion du même et de l'autre qui ne débouche, certes, sur nulle polémique mais ne se résout pas davantage, tandis que se multiplient les analogies et les permutations possibles, en une confusion euphémisante. Une seconde caractéristique de la syntaxe de l'Imaginaire éluardien pourrait se trouver ici, corrélat logique de la totalisation, dans la façon ou plutôt les multiples façons dont sont confrontés les contraires de manière à éviter tout heurt, à montrer à là fois la nécessité de chacun, la logique de leur coexistence et les échanges, au reste essentiels, qui s'établissent de l'un à l'autre.

A un premier niveau, cette confrontation paraît n'être qu'énonciation des différences, refus de toute limitation, reconnaissance d'une continuité de l'être sous la diversité des apparences; qu'il s'agisse de la femme médiatrice entre l'homme et le monde :

> Nue dans l'ombre et nue éblouie
> Comme un ciel frissonnant d'éclairs [43]

de la femme creuset où germe et se transmue le chant du poète :

> Je me répète ta voix cachée ta voix publique [44]

ou qu'il s'agisse du lieu multiple de l'amour unique :

> Les plaines et les toits de neige et les tropiques luxueux
> Les façons d'être du ciel changeant
> Au fil des chevelures [45]

Il apparaît cependant qu'au-delà de la simple énonciation, qui n'est jamais qu'identification d'une totalité, cette confrontation conduit à une mise en relief des contraires et donc à une prise de possession de cette totalité :

> Tu es l'eau détournée de ses abîmes
> Tu es la terre qui prend racine
> Et sur laquelle tout s'établit [46]

Ce qui pourrait passer parfois pour revendication de similitude :

---

43. « Facile est bien », p. 243.
44. « Nous avons fait la nuit... », p. 244.
45. « A la fin de l'année... II », p. 242.
46. « Tu te lèves... », p. 235.

Une nuit pareille à un jour sans travail
Et sans soucis et sans dégoût [47]

prend figure alors d'oxymore où chacun des deux termes en présence tire valeur et force de la proximité de son contraire, l'un et l'autre s'y trouvant finalement modifiés – régénérés – sans s'être en rien amenuisés. Sans doute est-ce cette régénération des contraires, lesquels sont affirmés chacun comme tels, dans leur unicité, et cependant prennent leur cohérence dans leur rencontre même, qui préside pour bonne part à la mise en œuvre de l'harmonisation éluardienne. Ainsi cette évocation exemplaire des amants « l'un à l'autre dans le présent » :

> Premier dernière ardoise et craie
> Fer et rouille seul à seule
> Enlacés au rayon debout
> Qui va comme un aveu
> Écorce et source redressée
> L'un à l'autre dans le présent
> Toute brume chassée
> Deux autour de leur ardeur
> Joints par des lieues et des années [48]

Cette cohérence harmonieuse – cette « entente » – procède en fait d'un souci ou d'un besoin d'équilibre que démentira bien rarement la syntaxe de l'Imaginaire des *Yeux fertiles*. Équilibre entre deux espaces, entre deux moments, entre deux êtres, mais équilibre plus encore entre une action effective, une réalité en devenir, et les possibilités ouvertes par cette action, le monde intemporel qu'elles entrouvrent. C'est à la jointure du réel et du possible que se situe, tel le lecteur, le regard du poète, en cela premier déchiffreur de son œuvre. Remarquable, à cet égard, la suite de sept poèmes intitulée justement « Balances », où chacune des énigmes tour à tour proposées – la fonction poétique, la condition humaine, l'identité du moi, la vie, l'amour, le monde, la réalité – s'offre comme un jeu d'équilibre entre deux plateaux opposés :

> On promet amour et voyages
> Mille nuits de rêve mille sortilèges

47. « Ma vivante », p. 220.
48. « A la fin de l'année... I », p. 241.

> Mais c'est à l'oreille des sourds
> Au cœur mort des mortels [49].

Et sans cesse l'actuel, qui n'est point monde figé mais devenir psychologique et physique, lieu du vivant, se voit confronté au virtuel, lieu d'une vérité logique qui se voudrait rassurante par cela même qu'au travers des possibles elle permet de vivre :

> Le désert au profit de la sève
> Et autres lieux
> Pour se croire ici [50].

Il est manifeste que cet équilibre n'est pas arrêt, n'est pas repos, mais qu'il est suspendu au contraire à l'échange qui toujours s'opère d'un plateau à l'autre de la balance. Tout se passe comme si les contradictions n'étaient jamais résolues et si l'harmonie, loin d'être jamais trouvée, résidait dans la quête même d'un équilibre toujours compromis. Entre le dedans et le dehors, entre le même et l'autre, il n'y a plus actuellement de cloison, mais c'est *virtuellement* que sont envisagés les passages possibles de l'un à l'autre, dans l'un ou l'autre sens :

> Il n'y a plus de porte
> Part à deux si j'entre où tu es
> Si tu sors tu viens avec moi [51].

Aussi bien cette syntaxe de la cohérence des contraires est-elle étroitement liée aux thèmes et images du passage, aux schèmes de la progression, du rattachement, de l'aller et du retour. De chaque côté de la vitre, transparence et obstacle, du spectateur à la ville et de la ville au spectateur, ce ne sont qu'échanges d'images et de reflets, incessants réajustements :

> La vitre aux veines de pensée
> Achève dans une rue interrompue
> Sa carrière d'eau pure
> La tête aux rires de pensée

49. « Balances I », p. 214.
50. « Balances VII », p. 216.
51. « Balances V », p. 215.

> Éloigne l'air étroit fredonné dans la rue
> La rive aux lèvres de pensée
> Baise doucement son reflet
> La rive aux lèvres de pensée [52]

Réajustements insensibles dont témoignent ici les glissements phoniques et la métamorphose des images, tout comme ailleurs ces successions d'accords qui viennent établir des équivalences, suggérer des rapprochements, proposer des similitudes, alors même que sont accentués les écarts :

> La foule dort dans l'ombre
> A deux pas d'elle-même
> Qui se mêle et se sépare [53].

Il semble même parfois, tant ces adaptations se raffinent qui parfont l'harmonie, que l'assimilation des contraires soit tout près de se réaliser, abolissant les différences dans un même émerveillement :

> Et dans ma tête qui se met doucement d'accord avec la tienne avec la nuit
> Je m'émerveille de l'inconnue que tu deviens

Mais, sitôt après, et sans que soit en rien marquée quelque rupture – c'est au contraire à cet instant que va se faire au grand jour l'aveu d'amour –, ce n'est pas à l'amant mais à elle-même que l'amante est renvoyée dans sa nouveauté, et c'est de l'écart encore entre le même et l'autre que naît l'harmonie :

> Une inconnue semblable à toi semblable à tout ce que j'aime
> Qui est toujours nouveau [54].

Ainsi, à l'extrême limite d'un tel processus, le même et l'autre sont-ils affirmés conjointement qui se rejoignent mais sans se confondre, indissolublement un et deux; et c'est le thème de l'androgyne, tel qu'il éclate au terme d'une marche qui est conquête de l'espace – « Nous avançons toujours / Un fleuve plus

---

52. « Le pont brisé », p. 225.
53. « Balances IV », p. 215.
54. « Nous avons fait la nuit... », p. 244.

épais qu'une grasse prairie / Nous vivons d'un seul jet [...] / Où nous arrêterons-nous [55] » – et s'achève victorieusement :

> Et toujours un seul couple uni par un seul vêtement
> Par le même désir
> Couché aux pieds de son reflet
> Un couple illimité [56].

Mais cette harmonisation des contraires, que ceux-ci soient maintenus à distance ou finissent par se rejoindre, inséparable dans tous les cas d'un échange de forces, se révèle aussi dans les thèmes et les schèmes de la réversibilité qui, d'une autre manière encore, manifestent ce même équilibre en mouvement. Le poème d'ouverture, sous le signe duquel va se placer tout le recueil, en offre un bon exemple qui, dans les yeux de la femme aimée, lieux du sommeil, du voyage, de la révélation et qui donnent à voir et à vivre autrement, opère ce renversement :

> On ne peut me connaître
> Mieux que tu me connais
> [...]
> On ne peut te connaître
> Mieux que je te connais [57].

Renversement ici, par le jeu du regard, du sens de la liaison, du schème progressif; renversement ailleurs du regard lui-même et, par l'échange des points de vue extérieurs et intérieurs, retournement des forces et des valeurs thématiques :

> Une fenêtre en face
> Est un trou noir
> Un linge blanc s'en échappe
> [...]
> Elles se cassent les vertèbres
> A dormir debout et sans rêves
> Devant des fenêtres ouvertes
> Sur l'ombre coriace d'un linge [58].

55. « A la fin de l'année... I », p. 240.
56. « A la fin de l'année... II », p. 242.
57. « On ne peut me connaître... », p. 187.
58. « Hors de la masse », p. 210.

Renversement qui ne laisse parfois d'être signalé et souligné dans le discours lui-même quand, par le truchement du regard du peintre, le poète a pu s'emparer progressivement de tout son temps d'homme et de tout l'espace du monde venus se prendre en son propre regard :

> Bonne journée qui commença mélancolique
> Noire sous les arbres verts
> Mais qui soudain trempée d'aurore
> M'entra dans le cœur par surprise [59].

*

Par ces ajustements et ces renversements, ces mises en parallèle et cette constante confrontation harmonieuse des contraires, on le voit déjà, s'établit une dialectique qui pourrait bien définir une troisième caractéristique de la syntaxe de l'Imaginaire des *Yeux fertiles.* Car si l'équilibre éluardien paraît parfois vouloir arrêter la fuite même du temps – « Tes deux mains sont aussi chaudes l'une que l'autre / Tu es comme la nature / Sans lendemain [60] » –, la conciliation qui le sous-tend conduit le plus souvent à une maîtrise du temps de par l'insertion même dans son mouvement – « Les mains touchent aux mêmes choses [61] ». Aussi bien est-ce la sauvegarde, voire l'accentuation des contraires, qui va presque toujours entretenir la dialectique du même et de l'autre et garantir, par le jeu des renvois, la domination du temps :

> Je ne veux pas les lâcher
> Tes mains claires et compliquées
> Nées dans le miroir clos des miennes [62]

Les images des mains, dans tous ces exemples, comme celles des yeux et du regard, sont étroitement liées aux schèmes de la relation, de la complémentarité, de la totalisation unificatrice. Mais les images de la germination et du miroir qui s'y adjoignent viennent ici non seulement les redoubler ou les renforcer, mais

---

59. « A Pablo Picasso I », p. 211-212.
60. « Ma vivante », p. 220.
61. « L'entente I », p. 236.
62. « Être », p. 204.

encore nous faire passer à une autre série de schèmes, ceux de la progression, du mûrissement, de la transformation.

C'est bien d'abord, effectivement, comme mode de germination instantanée, et donc à la fois possibilité de recommencement et domination de la chronologie, que fonctionne la dialectique des contraires dans l'écriture d'Eluard :

> Quel soleil dans la glace qui fait fondre un œuf [63]

Certes, il arrive parfois qu'une telle dialectique se resserre sur un espace clos, le temps d'un dépit, se referme sur le monde privé d'une vie qui se refuse :

> Figure de force brûlante et farouche
> Cheveux noirs où l'or coule vers le sud
> Aux nuits corrompues
> Or englouti étoile impure
> Dans un lit jamais partagé
> [...]
> Intraitable démesurée
> Inutile
> Cette santé bâtit une prison [64].

Mais le plus souvent, au contraire, le mouvement qu'elle entraîne est d'ouverture, qui occupe un espace de plus en plus vaste et substitue au temps mesuré des hommes le temps illimité du monde où les amants s'avancent :

> Au loin les fleurs fanées des vacances d'autrui
> Un rien de paysage suffisant
> Les prisons de la liberté s'effacent
> Nous avons à jamais
> Laissé derrière nous l'espoir qui se consume
> Dans une ville pétrie de chair et de misère
> De tyrannie
> La paupière du soleil s'abaisse sur ton visage
> Un rideau doux comme ta peau
> Une aile salubre une végétation
> Plus transparente que la lune du matin [65]

63. « Intimes III », p. 229.
64. « Intimes IV », p. 229-230.
65. « A la fin de l'année... I », p. 240-241.

La valorisation des contraires, dès lors, ne va plus seulement établir un équilibre, maintenir une harmonie, qui implique que tout soit pris en compte sans souci d'aucune exclusive ni mutilation d'aucune sorte; mais, par la liaison qui s'établit entre les contraires et les différents moments du temps qu'ils balisent, elle va être au départ d'une syntaxe progressive enchâssant tout en une histoire et insérant dans une durée créatrice jusqu'à la conscience d'un devenir impossible et d'une impossible raison d'être. Une syntaxe intégrant le désespoir du solitaire frappé de l'inutilité de la vie, de la vanité de toute chose, et tenté seulement de creuser la terre sous son ombre afin de « se noyer comme une pierre » :

> Le front comme un drapeau perdu
> Je te traîne quand je suis seul
> Dans des rues froides
> Des chambres noires
> En criant misère [66]

mais intégrant aussi la veille forcée de qui ne voit que ruine en son passé et ne peut pas même oublier en trouvant le sommeil :

> La ruine s'en va à tâtons
> Chercher ses vaches dans un pré
> J'ai vu le jour je vois cela
> Sans en avoir honte
>
> Il est minuit comme une flèche
> Dans un cœur à la portée
> Des folâtres lueurs nocturnes
> Qui contredisent le sommeil [67].

Il n'est guère de poèmes des *Yeux fertiles,* de fait, qui, par la prise en considération des contraires envisagés non point comme des oppositions irréductibles mais comme les moments successifs d'un temps puisant ici son dynamisme inépuisable, ne se présentent comme une histoire de l'Histoire. L'Histoire, « un œil fermé l'autre en bonds clairs », avec ses lois et ses désordres que l'« on ne mesure pas », avec ses lumières et ses orages, avec ses

66. « Être », p. 204.
67. « Je croyais le repos possible », p. 205.

attentes et « la poursuite au fil de son sang », avec ses avances et ses reculs, ses désirs et ses impatiences :

> N'ai-je pas appris à franchir
> D'un climat à l'autre les mois
> A la suite les années
> J'ai mesuré mon impatience
> Aux femmes que j'imaginais [68]

Cela même qu'en un autre contexte, mais procédant d'une semblable attitude fondamentale, Eluard nommera dix ans plus tard « *le dur désir de durer* [69] », en s'écrivant par les contraires s'inscrit dans une temporalité qui prend signification de par son déroulement :

> Dans des souterrains infinis
> Sensible retour à tâtons
> Des serpents continuent leur course
> Vers le lait lisse d'un seul jour
> Vers la verdure du ciel fixe
> Qu'un enfant montrera du doigt [70]

Et alors que ce déroulement n'est plus, semble-t-il, que dévidement, alors que les schèmes verbaux sont tous d'enfoncement et d'ensevelissement, que la thématique nocturne, sous le signe de la lune et de sa symbolique mortuaire, de la fosse et du littombeau, annonce la fin de toute histoire, comme il apparaît à la fin de la première section du recueil, un renversement soudain vient au dernier moment tirer la vie de la mort même et relancer la roue du temps :

> Une foule toute noire qui va à reculons
> La bêche entre dans le sol mou
> Comme une fille fraîche dans des draps déjà chauds
> La lune noie la nuit
> Force reste pourtant aux preuves de la vie [71].

---

68. « Un soir courbé », p. 226.
69. Suite de 19 poèmes dédiés à Marc Chagall et illustrés par lui, et qui sont aussi poèmes d'amour (1946).
70. « Un soir courbé », p. 227.
71. « Une foule toute noire », p. 200.

Cette remise en route, on le voit dans ce dernier exemple mais il en va de même dans de très nombreux poèmes [72], ne s'opère pas cependant sur le plan de l'image mais sur le plan du discours. Ou plutôt, pour reprendre la terminologie d'Ezra Pound et sa distinction fort utile des trois « manières » ou des trois niveaux poétiques [73], c'est le brusque passage de la « phanopœia » à la « logopœia » dominante, une fois toute représentation visuelle estompée, qui vient souligner la rupture en même temps qu'est assurée la réinsertion dans une chronologie créatrice. Cette rupture d'un continuum tendant à se figer hors du temps ou se dissoudre dans la finitude, et cette irruption, à l'intérieur d'une écriture dont la « melopœia » bien souvent se charge d'assurer l'unité, d'un autre plan qui voit lever les germes d'une création indéfiniment renouvelée, nous offrent, semble-t-il, une belle illustration des catastrophes de René Thom. Car c'est bien dans le passage de l'identique au différent, nettement signalé dans la syntaxe de l'Imaginaire, que s'opère ici la création : une création qui n'est pas seulement réconciliation avec un temps qui cesse d'être dégradant pour devenir, dans sa répétition et de par les forces antagonistes qui sans fin le régénèrent, facteur d'éternité; mais une création qui, dans l'écriture même mais au-delà du poème, réussit aussi le passage de l'actuel au virtuel, de l'effectif au possible ou, mieux encore, le passage d'un processus génétique voué à la finitude à une permanence normative échappant dans le temps même à la temporalité.

Telle est bien, en définitive, la particularité la plus grande, mais peut-être aussi la valeur poétique la plus vraie de cette dialectique éluardienne qui dépasse de beaucoup le seul procédé rhétorique qu'on serait tenté de voir d'abord. On ne saurait assez remarquer, d'ailleurs, combien l'abandon aux images entraîne à sa suite le rétrécissement du temps, tandis que le jeu des contraires progressivement s'efface jusqu'à disparaître dans un espace de plus en plus réduit. Ainsi dans « Le sablier vide », où l'errance de la femme qui a fui celui qui est en train d'imaginer sa fuite conduit celle-ci de la montagne en fleurs et des « bois de grande chasse » aux « buissons proposés aux lumières » puis

---

72. Cf. notamment : « Egolios », « Le sablier vide », « En vase clos », « Chassé », « Durer », « Rideau », « A Pablo Picasso I », « Ma vivante », « Le front couvert », « Un soir courbé », « Grand air », « Tu te lèves... », « A la fin de l'année I et II », « Facile est bien », « Nous avons fait la nuit... ».

73. Cf. *Literary Essay of Ezra Pound,* « How to Read », London, Faber and Faber, 1968, p. 25 *sq.*

à la « toute petite maison cartilage », de là « au milieu de la salle d'honneur désaffectée »; et la vision, qui se rétrécit encore, s'arrête avec les « coquilles natales » aux pieds des grands bambins ridicules, dernier espace-refuge brisé qui ne laisse plus place, derrière le burlesque de l'évocation, qu'au temps dérisoire d'une croissance appelant sa fin :

> Ils ressemblaient à des dindons géants
> Leurs coquilles natales à leurs pieds [74]

Mais, sitôt après, rupture brutale de la vision, retour à la réalité première de qui cesse de « voir » pour se mettre à parler (passage de la « phanopœia » à la « logopœia », et remise en route du cycle du temps sur lequel insiste le discours :

> Les tulipes des cafés se fanaient
> Je répète qu'il était huit heures du matin
> Une heure à s'en aller par les rues maintenant vides
> Comme des cendriers propres.

Un temps qui, certes, procède de la mort – fin de la vision, fin de l'histoire de la femme à laquelle répond, dans la réalité présente, la fin des fleurs des cafés –, mais un temps qui reprend au commencement : commencement du jour mais aussi commencement du poème auquel on est renvoyé. Un temps qui marque un nouveau départ mais qui entraîne aussi avec lui une nouvelle ouverture sur l'espace du dehors, un nouvel apprentissage de l'espace remis à neuf à son tour.

C'est ce même processus que l'on pourrait suivre dans un poème comme « Chassé » où, de façon plus nette encore, à la vision désespérante d'un monde réduit aux dimensions d'une ville misérable repliée sur elle-même, tournant à vide sur sa décrépitude, mécaniquement :

> Lourdes folies errantes
> Que l'on finira bien par connaître par cœur
> Appétits machinaux et danses détraquées
> Qui conduisent au regret de la haine [75]

74. « Le sablier vide », p. 192-193.
75. « Chassé », p. 199.

répond brutalement, dans le discours bien séparé de la vision, le seul dernier vers qui réintroduit la marche du temps avec l'espoir d'un autre monde :

Nostalgie de la justice.

La place du discours est d'importance, en effet, dans *les Yeux fertiles,* qui, bien loin de nous écarter du champ poétique, de son espace et de son temps, nous y ramène au contraire sitôt que la vision, se regardant elle-même en quelque sorte, menace de se figer ici ou de se diluer en quelque ailleurs, dans l'un et l'autre cas perdant sa qualité de vivant. Car c'est cela qui importe, en dernier ressort, si l'on suit les méandres de l'Imaginaire en action dans cette écriture au travers de sa dialectique. Sans doute il s'agit bien, et comme toujours serait-on tenté de dire, de se délivrer des angoisses du temps qui passe, de l'inévitable dégradation qui lui est attachée. Mais ce n'est pas en tentant de l'arrêter ni même d'en sortir, en le figeant dans un espace plein ou en le fuyant dans quelque refuge bien isolé, que l'Imaginaire éluardien cherche remède à cette angoisse; c'est en s'inscrivant au contraire, par une ruse supérieure, au cœur d'une temporalité dont la régénération continue peut être assurée par ses affrontements mêmes :

> La forge son vin sous la glace
> Au carrefour domptait la nuit
> Avide fascinée soumise
> Comme aux pointes des seins la robe
> Comme la proie à son amant [76]

La forge du poème, en une ivresse dionysiaque, entend dompter la nuit du temps : c'est bien de fascination qu'il faut parler, quand le temps est subjugué dans une syntaxe qui se sert justement de procédés temporels pour parvenir à ses fins. Moins paradoxal qu'il ne paraît, cet exorcisme va se manifester d'abord par une multiplication de schèmes verbaux qui entraînent des actions allant toutes dans le sens de la disparition de ce qui est au profit d'autre chose, dans le sens du bouleversement total du monde en place imposant un recommencement. Et c'est cela, d'ailleurs, qu'Éluard appelle « durer » :

---

76. « Un soir courbé », p. 226-227.

> Une rafale une seule
> D'horizon à horizon
> Et ainsi sur toute la terre
> Pour balayer la poussière
> Les myriades de feuilles mortes
> Pour dépouiller tous les arbres
> Pour dévaster les cultures
> Pour abattre les oiseaux
> Pour éparpiller les vagues
> Pour détruire les fumées
> Pour rompre l'équilibre
> Du soleil le plus chaud
> [...]
> Je ne serai plus libre que dans d'autres bras [77].

Mais cet exorcisme ne va pas s'opérer que dans la multiplication des interventions temporelles; il va s'opérer encore dans le renforcement du jeu des contraires, tant au niveau des images, de leur matérialité comme de leurs résonances symboliques, qu'au niveau de leurs modes d'évolution au long des grands schèmes moteurs. Ainsi dans la dialectique de l'un et du multiple d'un poème comme « L'entente » – « Sous le soleil au haut du ciel qui te délivre de ton ombre/Tu prends la place de chacun et ta réalité est infinie » – et qui débouche, là encore, sur un nouveau rythme du monde – « Tu dissous le rythme majeur/Tu le redonnes au monde [78] ». Ou bien encore dans cette dialectique de la prison et de la liberté, de la nuit et du feu, renvoyant jusqu'en son discours au poème en train de s'écrire et d'où naîtront une autre vie, un autre monde :

> Ils n'étaient que quelques-uns
> Sur toute la terre
> Chacun se croyait seul
> Ils chantaient ils avaient raison
> De chanter
> Mais ils chantaient comme on saccage
> Comme on se tue [79]

77. « Durer », p. 203.
78. « L'entente I », p. 236-237.
79. « La tête contre les murs », p. 208.

Et c'est finalement d'une mainmise sur le temps en toutes ses directions – passées, présentes et futures –, mais qui accepte le sens de l'Histoire, que vont procéder le rejet de la condition temporelle actuelle et la possibilité d'un recommencement :

> Il y a du feu sous roche
> Pour qui éteint le feu [80]

On comprend mieux, désormais, pourquoi tant de poèmes des *Yeux fertiles,* si courts fussent-ils, s'organisent en drame, qui cherchent à maîtriser le temps en le vivant et le donnant à vivre, et non point en s'y opposant. Drame qui part d'un canevas donné, comme on le voit dans ce dernier exemple, et qui force en quelque sorte les personnages qui s'y abandonnaient – « Leurs nuits d'amour épuisées/Ils ne rêvent que de mourir/Leurs belles chairs s'oublient/Pavanes en tournecœur [81] » – à réintégrer une histoire qui n'est pas près de finir pourvu qu'éclate ce monde-ci et que vienne de force à sa place – « Nous prendrons notre bien où nous voulons qu'il soit [82] » – un monde meilleur à vivre. Ou bien drame qui, évacuant les acteurs ou les réduisant à l'état d'ombres, ne garde que les décors sordides d'un théâtre de l'absurde qu'une habile redondance se plaît à souligner – « Ce théâtre de miel et de roses fanées/Où les mouches incalculables/Répondent aux signes noirs que leur fait la misère [83] »; décors dont la vue prolongée devient insoutenable et qui appellent l'action qui viendra rétablir la justice. Drame enfin qui se nomme lui-même et, évoquant sur la scène de la mémoire les images d'un passé qui semblait révolu, entrouvre le rideau sur un temps mort qui se remet à vivre et le referme sur un temps fort où rien ne meurt pour qui vit ce qu'il voit :

> Une roulotte couverte en tuiles
> Le cheval mort un enfant maître
> Pensant le front bleu de haine
> A deux seins s'abattant sur lui
> Comme deux poings
>
> Ce mélodrame nous arrache
> La raison du cœur [84].

80. *Ibid.,* p. 209. – 81. *Ibid.,* p. 208. – 82. *Ibid.,* p. 209.
83. « Chassé », p. 199.
84. « Rideau », p. 207.

*

Cette dramatisation de la vision, qui n'est pas mise à distance ironique mais prise en compte d'une création continue inhérente au déroulement temporel, va donc tout naturellement se trouver liée à un certain nombre de processus susceptibles d'activer et de manifester ce déroulement temporel, par là de mieux mettre en valeur la création qui en découle. Aussi ne saurait-on s'étonner de la place privilégiée qu'occupent les images évoquant reprise, retour, recommencement, régénération, ainsi que les schèmes répétitifs ou cycliques. Se dégage ici, à n'en pas douter, une nouvelle caractéristique de cette syntaxe de l'Imaginaire, la quatrième, et qui n'est pas des moindres.

L'aspect cyclique de l'écriture éluardienne se révèle d'abord, au niveau le plus élémentaire, dans l'architecture d'un certain nombre de poèmes qui, d'une façon ou d'une autre, paraissent vouloir revenir au point de départ. Fausse symétrie, d'ailleurs, puisque le jeu fréquent de la réversibilité des contraires, tel que nous l'avons pu voir, fait que les données de l'arrivée et du départ, pour être apparemment semblables, sont cependant bien souvent retournées. Ainsi dans le poème liminaire [85], particulièrement exemplaire de ce point de vue, où la symétrie serait parfaite n'était le renversement des pronoms. Ailleurs, l'espace de la ville d'où a surgi la vision du périple de la femme en fuite se retrouve pareillement à la fin du poème, à cela près que « les rues encombrées » sont devenues « les rues maintenant vides [86] ». Ou bien c'est la fenêtre noire avec son linge blanc qui réapparaît, mais le linge est maintenant sombre qui se découpe sur la fenêtre claire [87].

Il arrive toutefois que la fin du poème, si elle n'est pas symétrique, ramène exactement au commencement et que, du centre de la ville, « la tête prise dans le vide d'une place », après de longs cheminements, on revienne « sur cette place absurde » où la solitude est reniée comme elle l'était d'abord [88]. Et ce ne sont pas seulement les décors qui restent les mêmes, mais ce sont aussi les mêmes rires qui s'y font entendre :

85. « On ne peut me connaître... », p. 187.
86. « Le sablier vide », p. 192-193.
87. « Hors de la masse », p. 210.
88. « L'entente I », p. 236-238.

Ou bien rire ensemble dans les rues
Chaque pas plus léger plus rapide
Nous sommes deux à ne plus compter sur la sagesse
[...]
Tes rires et tes gestes règlent mon allure
Poliraient les pavés
Et je ris avec toi et je te crois toute seule

Tout le temps d'une rue qui n'en finit pas [89].

Plus rarement, enfin, il arrive que ce soient les mêmes schèmes, les mêmes gestes qui se manifestent ici et là, enserrant le poème, bien que les cadres soient différents :

Montrez-moi cet homme de toujours si doux
Qui disait les doigts font monter la terre
[...]
Montrez-moi ces secrets qui unissent leurs tempes
A ces palais absents qui font monter la terre [90].

Si cette architecture cyclique ne concerne pas tous les poèmes des *Yeux fertiles,* en revanche une analyse des schèmes moteurs portant sur l'ensemble du recueil montre, et de façon probante, que dans tous les cas ou presque le titre du poème ne constitue pas le démarreur du texte mais au contraire son dernier mot. Un dernier mot qui non seulement fait la synthèse du trajet parcouru, en précisant ses plus justes mesures, mais qui relance aussi le poème à un autre niveau. Tout se passe effectivement comme si le titre, étranger d'abord au parcours proposé, venait imposer une seconde lecture, d'autres lectures substituant le temps chronologique au temps anachronique du poème et par là même réactualisant ce dernier en un authentique rituel. Ainsi le « Sablier vide » ne commence-t-il à se remplir de sens qu'à partir du retour final du rêveur à l'espace de la ville et au temps des horloges :

Je répète qu'il était huit heures du matin
Une heure à s'en aller par les rues maintenant vides
Comme des cendriers propres [91].

89. « L'entente II », p. 238-239.
90. « A Pablo Picasso II », p. 212-213.
91. « Le sablier vide », p. 193.

Les rues vides, les cendriers propres – la préoriginale parlait de cendriers vides –, l'heure matinale, tout appelle un recommencement. La vision est effacée, le temps arrêté, l'espace désert : le sablier est vide qu'il faut retourner. Sitôt fait – et le retour au titre entraîne le retournement du sablier et donc la relecture –, le temps est à nouveau en marche : le renard est parti « depuis longtemps »; l'espace est à nouveau rempli : les rues sont « encombrées »; la vision de la femme métamorphosée ne passe plus inaperçue :

> Offerte au renard parti depuis longtemps
> Par les rues encombrées
> Reprenant
> Ce qu'elle avait donné le plus précieux
> Le sang ne tachait plus jamais sa robe
> Il y eut plusieurs de ses amis pour le remarquer [92]

Ce qui n'était qu'anecdote à la première lecture, alors que le titre n'était encore qu'énigme, en s'insérant dans une histoire qui peut se répéter et prend signification dans sa répétition même devient rituel de mainmise sur le temps. Tout ce qui arrive est soumis au sable du sablier qui se vide, certes; mais, parce qu'en s'écrivant l'histoire peut indéfiniment se répéter qui, par la lecture, retourne le sablier, le temps ne s'use plus. Et l'on comprend enfin pourquoi le rêveur, qui semblait n'avoir rien dit de tel jusqu'alors, peut affirmer « répéter » qu'il était huit heures du matin.

On pourrait voir de la même façon, en tel autre poème, que c'est le dernier vers, bien détaché – « Une scie qui se brise » – qui entraîne, avec la prise de conscience d'une rupture nécessaire avec le temps de la jeunesse, le titre : « Et quel âge avez-vous? »; et de là une réactualisation par le dire de ce temps de l'insouciance et du rire, du vivre, dont on ne se sépare que pour mieux le dire – ce qui n'apparaissait guère à la première lecture :

> Parlons de la jeunesse
> Perdons notre jeunesse
> Rions d'elle elle rit
> La tête à la renverse
> Rire est plus fort que dire [93]

92. *Ibid.*, p. 192.
93. « Et quel âge avez-vous? », p. 194.

Ce sont encore les deux vers conclusions de « En vase clos » :

> Ce que vous avez de bon de mieux de délectable
> C'est juste nous voulons le cacher des étoiles [94].

qui appellent le titre du poème; mais c'est aussi ce titre qui, en seconde lecture, va donner son sens *actuel* à la « fausse prison » où « l'on ferme ses yeux sur l'homme et sur la femme », prison de laquelle on n'est guère pressé de s'évader. Et c'est pareillement la « nostalgie de la justice » qui engendre le titre de « Chassé », tout comme la flèche entrant « dans un cœur à la portée/Des folâtres lueurs nocturnes/Qui contredisent le sommeil » entraîne le « Je croyais le repos possible », ou comme le « soleil que je peux embrasser » dessine la « Crinière de fièvre ». Dans tous ces cas, et dans bien d'autres, car cela concerne la plupart des textes du recueil, non seulement le titre clôt le premier parcours du poème, imposant un premier retour, mais il ouvre de nouvelles lectures qui incluent la répétition des phases temporelles et valorisent la roue du temps.

Loin d'être réservée à l'architecture du poème ou à son mode de fonctionnement, une telle valorisation affecte aussi la thématique éluardienne en plus d'un endroit. Ainsi de l'arbre du sixième poème de « Balances », et dont il serait difficile d'imaginer plus parfait symbole cyclique :

> D'un vrai port de racines
> Équilibré
> Sensible
> Les feuilles unifiées
> Partent
>
> Un oiseau direct ailes aiguisées
> Revient pierre d'instinct
> A la graine du vol [95].

Cet arbre tient équilibre de son enracinement même, et de la terre tire qualité de vivant : « port » d'attache, il est aussi point de départ des feuilles-oiseaux qui toutes le quittent; première balance et qui le lie au temps : il est celui qui demeure, par ses

94. « En vase clos », p. 198.
95. « Balances VI », p. 216.

346

racines, et celui qui change par sa frondaison. Un oiseau cependant, feuille vivante, d'instinct retourne dans l'arbre : image à la fois de la flèche du temps – « ailes aiguisées » – et de la roue du temps revenant au départ, seconde balance. L'arbre dont l'oiseau était le fruit devient alors, et par retournement, « la graine du vol », source de tous les départs possibles; c'est l'oiseau qui assure la régénération de l'arbre, lequel à son tour va l'engendrer : troisième balance et qui survalorise, au travers de l'image de l'arbre qui fait les saisons et qui se refait avec elles, le temps cyclique.

Autre image de ce temps qui se régénère lui-même : la chouette qui veille « sur des milliers d'yeux clos », « la chouette au regard précis [96] », attentive autant que la femme qu'elle désigne au peuple que réunit le poète. Dans la nuit de celui-ci, elle est celle qui garde la clairvoyance, qui renvoie à la vraie lumière (n'at-elle pas d'Athéna les « entournures de déesse »?), celle qui empêche tout endormissement, tout enfermement en quelque refuge nocturne; et c'est bien parce qu'elle est « la vraie tueuse des couleurs » (ou des couleuvres?) qu'elle assure la liaison du jour et de la nuit, la continuelle régénération du temps.

Ailleurs, c'est la double image, renforcée en chiasme, du mariage de la terre et de l'eau, et qui appelle celle des yeux toujours ouverts :

> Torrents de pierre labours d'écume
> Où flottent des yeux sans rancune
> Des yeux justes sans espoir
> Qui vous connaissent
> Et que vous auriez dû crever
> Plutôt que de les ignorer [97]

Ou bien c'est l'image des « femmes défendues qui font les enfants » et la « chaîne » ininterrompue qui s'ensuit, liant à jamais l'être au monde [98]; image qui rejoint la justification du « désordre » de l'amour : « C'est par la femme que l'homme dure [99]. » Ou celle de l'« escalier perpétuel », découverte dans le tableau de Magritte :

96. « Egolios », p. 191.
97. « La tête contre les murs », p. 209.
98. « Balances II », p. 211.
99. « Un soir courbé », p. 226.

Un escalier perpétuel
Le repos qui n'existe pas [100].

Un escalier dont « Toutes les marches sont cachées » et dont les implications temporelles sont redoublées, là encore, par « un arbre qui se déroule/Comme un tapis/Sans gestes », un arbre « teinté de fruits invulnérables ». C'est encore et surtout l'image de la femme aimée, image toute végétale et qui se confond intimement avec le cycle des saisons :

> Tu glisses dans le lit
> De lait glacé tes sœurs les fleurs
> Et tes frères les fruits
> Par le détour de leurs saisons
> A l'aiguille irisée
> Au flanc qui se répète
> Tes mains tes yeux et tes cheveux
> S'ouvrent aux croissances nouvelles
> Perpétuelles [101]

Toutes ces images de la régénération dans le temps, par le temps, et dont la plupart ont des connotations féminines, montrent déjà, on le voit particulièrement dans ce dernier exemple, que le caractère cyclique de l'écriture éluardienne se manifeste aussi dans la part de choix réservée aux schèmes de la fécondation, de la naissance, du mûrissement, de la croissance, de la reproduction, et aux images qu'ils nourrissent. Pour unique soit-elle, peut-être faudrait-il d'abord réserver un sort particulier à l'image de la lune, telle qu'elle apparaît dans le poème-conclusion de la première section. A la fois inductrice d'une rêverie cyclique, par les phases qu'elle propose, et symbole de fertilité, la lune ici « noie la nuit » de cette humanité s'acheminant vers la tombe dès sa naissance, et par là même annule la mort inévitable. Or, cette mort de la mort est amenée par l'image nettement érotique de la bêche qui « entre dans le sol mou/Comme une fille fraîche dans des draps déjà chauds » – union d'Éros et de Thanatos que n'aurait point reniée Georges Bataille. D'où ce renversement qu'opère l'intrusion de la lune, fécondant cette nuit dont la mort n'est en fait que petite mort, et ce cri final qui ne peut plus surprendre :

100. « René Magritte », p. 218-219. – 101. « Intimes I », p. 228.

Force reste pourtant aux preuves de la vie [102].

C'est aussi dans la « nuit humide râpée » des prisons que naissent les ferments de la révolte et de la vie toujours à venir – et c'est encore le mot de « force » qui revient :

> Prenez-y garde nous avons
> Malgré la nuit qu'il couve
> Plus de force que le ventre
> De vos sœurs et de vos femmes
> Et nous nous reproduirons
> Sans elles mais à coups de hache
> Dans vos prisons [103]

Et de même, c'est du trou noir de la fenêtre des « putains », à l'image de leur solitude, que toujours s'échappe ce linge blanc qui, de façon grotesque, double la scène intérieure et proclame la vaine fertilisation :

> De perfection en perfection
> De ciel en ciel
> L'or têtu jette sa semence [104]

Répondant à cette fécondation dérisoire, sans doute rencontre-t-on, l'espace d'un découragement, telle image dérisoire de la naissance et de la croissance peu susceptible d'entraîner avec elle la victoire des forces de la vie. C'est le cas des « grands bambins » du « Sablier vide » qui grandissent, « encouragés par leurs nourrices et leurs mamans/Des saintes obscènes [...]/Leurs coquilles natales à leurs pieds [105] ». Mais c'est là exception. Car, partout ailleurs, les yeux de la femme aimée « font fleurir les miroirs/Les couvrent de rosée de givre de pollen [106] », font fructifier tout ce sur quoi ils se posent; ses mains, « claires et compliquées », naissent et renaissent « dans le miroir clos » des mains de l'homme qui l'aime [107]; son corps germe éternellement dans les « sillons profonds » que « grave. sur un roc » le poète [108].

102. « Une foule toute noire... », p. 200.
103. « La tête contre les murs », p. 209.
104. « Hors de la masse », p. 210.
105. « Le sablier vide », p. 192-193.
106. « L'entente I », p. 237.
107. « Être », p. 204.
108. « Nous avons fait la nuit... », p. 244.

Au point que cette femme finit par devenir elle-même l'image d'un temps qui toujours renvoie à lui-même, ne cesse de s'engendrer lui-même et ne saurait d'aucune façon se dégrader :

> Tu sacrifies le temps
> A l'éternelle jeunesse de la flamme exacte
> Qui voile la nature en la reproduisant
>
> Femme tu mets au monde un corps toujours pareil
> Le tien
>
> Tu es la ressemblance [109].

A tous les niveaux, donc, des plus élémentaires aux plus complexes, de la structure d'ensemble de chacun des poèmes aux différents réseaux de ses images et à ses grands schèmes directeurs, l'écriture de l'Imaginaire des *Yeux fertiles* manifeste une prise de possession du temps par la valorisation même de ce temps dans ses reprises et ses répétitions, l'insertion dans une temporalité qui se fait indéfiniment créatrice dès lors qu'elle est liée à des processus de reproduction. Il est certain que la dynamique éluardienne procède essentiellement de cette acceptation ou, mieux encore, de cette récupération des rythmes du temps. Aussi ne saurait-on s'étonner que, dans un tel univers, tout blocage du temps chronologique, toute fixation dans un espace donné, hors de tout devenir, corresponde non point à une victoire sur la finitude, à une conquête de l'éternité, mais au contraire à un arrêt de mort. Ainsi dans le poème intitulé « Au présent », et qui propose une vision exactement opposée à celle de « Durer », c'est un monde des Limbes, désespérément voué à « l'immobilité » et à la « misère alerte », qui tient lieu de Paradis renversé :

> Sans chansons depuis longtemps
> Fleurs cultivées fleurs à vendre
> Ô les belles vertus abstraites [110]

Ici les êtres ne se voient plus – « On a beau se laver on ne se voit plus/Bien tranquille dormir dans un lit de cendres » –, ne

---

109. « Tu te lèves... », p. 235.
110. « Au présent », p. 195.

communiquent plus – « Il n'y a plus de sortie » –, et la lumière elle-même ne pénètre plus – « Plus de jour entre les maisons »; nul désir n'attise plus les passions – « Le bonheur a pris la mort pour enseigne » –, et rien ne sépare plus les générations :

> Les jeunes aux charmes renversants
> Et les vieux aux chaînes puantes
> Qu'ils se ressemblent

Dans l'endormissement du présent. « A l'abri de tous les lendemains », ils ne veulent pas croire qu'ils sont morts à la vie.

De la même façon, encore que dans un contexte inverse, c'est l'enfermement du rêveur dans « L'habituel vase clos des désastres/ Des mauvais rêves » qui, dans « Le front couvert », coïncide avec l'arrêt du temps qui passe, entraînant une double série d'images opposant le réel au possible, les « ténèbres » du dedans aux « délices » du dehors. Mais c'est la mort du temps qui est première ici, liée à un rétrécissement de l'espace en cette « Chambre secrète sans serrure sans espoir » qui ressemble fort à une prison devenant tombeau. Se multiplient d'abord les images d'une chronologie figée :

> Les battements de l'horloge comme une arme brisée
> La cheminée émue où se pâme la cime
> D'un arbre dernier éclairé [111]

Puis, des « ruines de l'horloge » sort « un animal abrupt désespoir du cavalier » – image miniaturisée de la cavale indomptable du temps qui, au matin, le cauchemar domestiqué, ira doubler « l'écrevisse clouée sur la porte du refuge ». Si l'on sait que l'écrevisse, tant dans la Chine ancienne que dans l'Antiquité classique, est symbole lunaire et comme tel liée aux cycles temporels, du fait que, comme la lune, elle marche soit en avant soit en arrière [112], on s'aperçoit bientôt que l'unité du poème tient à une série d'images redondantes qui toutes manifestent une même suspension de la durée. Dès lors, l'impossible abandon au devenir, ce « navire des délices », l'impossible adhésion à la course solaire – « Un jour de plus [...]/J'éclipsais de ma silhouette le

---

111. « Le front couvert », p. 223.
112. C'est ainsi que l'écrevisse apparaît sur la lame XVIII (Arcanes majeurs) du Tarot, celle de la lune précisément.

soleil qui m'aurait suivi » –, conduisent à cet enfermement vivant dans un tombeau :

> Ici j'ai ma part de ténèbres
> Chambre secrète sans serrure sans espoir
> [...]
> Un grand froid de corail
> Ombre du cœur
> Ternit mes yeux qui s'entr'ouvrent
> Sans donner prise au matin fraternel

Privé de lendemain – « Sans confiance sans un beau jour sans horizon » –, plus ne reste au rêveur, s'il ne veut pas mourir, qu'à remonter le temps « jusqu'aux pires absences ».

*

Car, alors même qu'il n'est plus permis de s'inscrire dans les cycles du temps, comme en ce « Front couvert », l'écriture de l'Imaginaire éluardien manifeste une autre mainmise sur la temporalité, qui consiste non plus à assurer par tous les moyens le passage du réel au possible, mais à actualiser purement et simplement le virtuel. Une telle actualisation, par les divers procédés de présentification qu'elle appelle, plus encore peut-être que les processus de reprise et de répétition, va faire du poème le lieu d'accomplissement d'un rite. Il ne s'agit plus seulement, en effet, d'accepter une temporalité, voire de la souligner pour s'y insérer mieux; il s'agit désormais de la prévenir, de l'infléchir, de la dominer en l'accélérant, mais aussi de lui fournir une direction et une destination, en bref, de la perfectionner. C'est là, semble-t-il, une cinquième caractéristique de cette syntaxe de l'Imaginaire dont on peut suivre ici de nombreuses manifestations.

Sans doute, une telle domination peut-elle parfois paraître contredire la rêverie cyclique et l'acceptation du sens de l'histoire qu'elle implique. Ainsi lorsque le prisonnier, dans la nuit de sa solitude, entreprend de remonter le cours du temps [113], ou lorsque le rêveur éveillé revit au présent son enfance, « sans en avoir honte [114] », la chronologie est-elle non seulement mise à mal mais bel et bien niée. Et il ne semble pas qu'il lui soit fait davantage

---

113. Cf. « Le front couvert », p. 224.
114. « Je croyais le repos possible », p. 205.

confiance lorsque tout se fige en un présent heureux qui ne demande rien qu'à se refermer sur lui-même :

> La faible cloche des poisons
> Ne parvient pas jusqu'ici
> Ici l'on ferme les yeux sur l'homme et sur la femme
> Venez tailler le bois de rose de la nuit
> Et lui sculpter des fleurs faciles
> Toutes à l'image d'un désir [115]

Dans tous ces cas, il est vrai, un obstacle momentané, intérieur ou extérieur, mais obstacle cependant et même s'il est à la source de quelque chose « de bon de mieux de délectable », empêche l'adhésion au temps qui court. Mais, le plus souvent, le bousculement du calendrier, loin de manifester une attitude de révolte ou de refus à l'encontre du sens de l'histoire, va mettre au contraire en relief l'impatience à vivre totalement, et dès maintenant, un temps qui est encore à venir.

Le présent qui, uniformément ou presque dans *les Yeux fertiles,* relate événements du passé et promesses du futur, déjà témoigne de cette impatience comme de la volonté de prendre en main le temps. Et l'actualisation d'un monde saisi dans son devenir, certes, mais selon aussi toutes les virtualités qui sont siennes, va même parfois se trouver signalée, en redondance, dans le discours poétique lui-même. Tel est le cas du poème qui célèbre le long cortège, au fil du temps, de ce couple « illimité » qui prend aussi possession d'un espace illimité : d'une part sont bien marquées, et au présent de narration, les diverses étapes de cet itinéraire d'une vie à venir :

> Nous avançons toujours
> [...]
> Nous vivons d'un seul jet
> [...]
> Nous avons à jamais
> Laissé derrière nous l'espoir qui se consume
> [...]
> Nous nous perpétuons
> [...]
> Nous ne craignons pas la paix de l'hiver [116]

115. « En vase clos », p. 197. – 116. « A la fin de l'année I et II », p. 240-242.

mais d'autre part le texte ne cesse de nous dire, dans son discours
même, que c'est au présent que se vit cette vie :

> Écorce et source redressée
> L'un à l'autre dans le présent
> Toute brume chassée
> Deux autour de leur ardeur
> Joints par des lieues et des années

et de façon plus explicite encore :

> Mais c'est ici qu'en ce moment
> Commencent et finissent nos voyages
> Les meilleures folies
> C'est ici que nous défendons notre vie
> Que nous cherchons le monde

Tandis qu'en ce poème, et de façon continue, le futur est vécu
au présent, ailleurs c'est au contraire le présent qui va être vécu
au futur : la fusion des lieux du temps s'opère alors pareillement
et dans l'écriture des images et dans le discours qui la commente
à mesure :

> Les chemins tendres que trace ton sang clair
> Joignent les créatures
> C'est de la mousse qui recouvre le désert
> Sans que la nuit jamais puisse y laisser d'empreintes ni
> d'ornières
> Belle à dormir partout à rêver rencontrée à chaque instant
> d'air pur
> Aussi bien sur la terre que parmi les fruits des bras des
> jambes de la tête
> Belle à désirs renouvelés tout est nouveau tout est futur [117]

Cette actualisation du temps a ceci de particulier, comme le
montrent d'ailleurs admirablement ces deux derniers poèmes, les
plus longs du recueil, qu'elle annule les jeux compensatoires de
l'espace et du temps, tels qu'ils apparaissent le plus souvent dans
le champ de l'Imaginaire. L'espace n'ayant plus pour fonction

d'immobiliser, par son remplissement, le temps présent, non plus que de délimiter, en un ailleurs aménagé en refuge, un abri hors du temps qui passe, tout se passe ici comme si espace et temps cessaient de se répondre l'un l'autre pour se fondre en un temps-étendue ou en un espace-durée que manifestent à merveille tant l'escalier perpétuel que l'arbre teinté de fruits invulnérables de René Magritte [118]. Et c'est sans doute aussi parce qu'elle réalise pleinement en sa nature cette fusion de l'espace et du temps que la femme se révèle, dans la thématique éluardienne, à la fois l'image simultanée de la présence et du devenir, et l'instrument privilégié de la maîtrise au présent du cours du monde à venir :

> Tu fais des bulles de silence dans le désert des bruits
> Tu chantes des hymnes nocturnes sur les cordes de
> l'arc-en-ciel
> Tu es partout tu abolis toutes les routes [119]

Mais, inversement, que le poète, se faisant philosophe, retire la femme de l'espace du monde pour ne plus garder d'elle que l'idée de sa beauté, et voilà cette femme anéantie à l'instant :

> Belle sans la terre ferme
> Sans parquet sans souliers sans draps
> Je te néante [120].

Cette domination du temps saisi dans toutes ses dimensions, et plus particulièrement cette présentification du futur, apparaît donc déjà comme allant bien au-delà d'une simple insertion dans la temporalité en ses diverses phases créatrices, au-delà d'une simple appropriation de ses cycles qui serait aussi adaptation au monde et à l'histoire. La syntaxe de l'Imaginaire, dans *les Yeux fertiles,* montre en effet qu'à chaque instant il y a tentative pour infléchir la temporalité en se rendant maître non plus seulement de ses forces intrinsèques, mais aussi de sa destination. Là encore, c'est une image de la femme – « secrète » – qui, sous forme d'énigme, pourrait poser la question de cette destination :

> L'indifférence violemment exclue
> Tout se jouait

118. « René Magritte », p. 218-219.
119. « Tu te lèves... », p. 235.
120. « Ondée », p. 206.

Autour du ventre sans raison et des paroles sans suite
D'une femme faite pour elle-même
Et plus nue que réelle [121]

Cette femme qui possède « un charme de plus/Que celle dont
elle était née/Qui promettait », cette femme qui recueille « tant
de merveilles/Tous les mystères/Dans la lumière écarquillée »
et « A voix sourde mêlée de rires » raconte la vie, manifeste bien
et la création autonome d'un temps qui s'engendre lui-même et
l'inquiétante étrangeté d'une temporalité qui laisserait l'homme
étranger à tout ce qu'elle recueille et rapporte. Or, le temps ne
saurait être fait pour lui-même, et l'homme est inutile en un
monde où il ne participerait pas à la création, où la temporalité
ne se laisserait pas féconder par lui. Fable sur le temps que ce
poème allégorique aux rares images, lesquelles ont en commun
d'être toutes placées sous le signe de l'autofécondation et de la
fausse vie qui en résulte, la vie « D'hommes qui n'y tenaient
guère/De femmes aux chagrins bizarres/Qui se fardent pour
s'effacer ». Aussi bien est-ce sur cette énigme d'un temps secret
laissant à rêver sans raison délices et certitudes que débouche le
poème, un des rares du recueil à ne pas contenir en lui ses
réponses :

Et nul ne comprenait sur quel fond de délices et
de certitudes
La mémoire future la mémoire inconnue
Jouerait mieux que l'espoir
A jamais joué dans le commun dans l'habituel [122].

Les réponses à cette énigme, ce sont les processus d'infléchissement du cours du temps qui, dans tant d'autres poèmes, vont
nous les apporter. Outre toutes les images de fécondation, de
maturation, de fructification, de perpétuation, lesquelles renvoient
d'abord aux rêveries cycliques et aux symboles résurrectionnels
qu'elles appellent, peut-être faudrait-il mentionner en priorité ici
les images de l'émerveillement liées à la régénération; une régénération qui n'est pas simplement retour au départ, comme le
phénix cher à Eluard pourrait nous le faire croire, qui n'est pas

---

121. « Où la femme est secrète l'homme est inutile », p. 221.
122. *Ibid.*, p. 222.

simple recommencement de la création, mais qui est création renouvelée – recréation. Et c'est là sans doute que la roue du temps, si souvent à l'œuvre dans l'écriture éluardienne, cède la place à la flèche du temps et à sa vectorialité qui nous empêche de nous baigner deux fois dans le même fleuve. Car tout regard n'est pas fertile, mais celui-là seulement qui sait voir et faire voir, se poser d'une certaine façon sur les êtres et sur les choses jusqu'à les contraindre à se renouveler. Ce n'est pas dans le « cuvier de plomb » des maîtres – « Il y a de la graisse au plafond/De la salive sur les vitres/La lumière est horrible [123] » – que la nuit « aveugle » pourra d'elle-même laver le chagrin, s'ouvrir au jour; et dans la « nuit humide râpée » des prisons, quand ceux qui habitent ces prisons « ne rêvent que de mourir », il ne s'agit pas davantage d'attendre « un matin fait sur mesure [124] » : il faut vouloir « voir clair dans les yeux des autres ». La thématique du regard se trouve ainsi toujours liée, dans une telle écriture, à la conscience de l'existence temporelle de qui voit autant que de qui est vu, de là à la durée et à la mémoire; ce qui fait que « Les yeux nul ne peut les crever [125] ». Mais seuls les regards capables de voir et de faire voir autrement ont véritablement prise sur le temps par cela même qu'en refaçonnant les êtres et le monde, en provoquant l'émerveillement, ils modifient le cours des choses en assurant son renouvellement mais aussi en détournant à leur profit sa destination.

Ainsi le regard porté sur la femme aimée recrée-t-il celle-ci, mais en lui donnant les mesures et les rythmes d'un monde refait à son image et déchiffré dans son regard :

> Je t'ai faite à la taille de ma solitude
> Un monde entier pour se cacher
> Des jours des nuits pour se comprendre
>
> Pour ne plus rien voir dans tes yeux
> Que ce que je pense de toi
> Et d'un monde à ton image [126]

Nouvelle fusion d'un espace et d'un temps conquis, dans l'Imaginaire, au travers de la femme, mais surtout remplacement d'un

123. « Les maîtres », p. 196.
124. « La tête contre les murs », p. 208.
125. « Intimes IV », p. 230.
126. « Intimes V », p. 230.

temps anonyme, objectif, imposant sa loi, par un temps vécu, orienté, et devant se plier aux rythmes mêmes de l'amour :

Et des jours et des nuits réglés par tes paupières.

Il apparaît déjà par là qu'images et schèmes progressistes, inséparables à l'origine d'une syntaxe de la régénération et de ces rituels partout à l'œuvre dans *les Yeux fertiles,* bien que les dépassant à chaque instant, finissent par gauchir sinon par contredire cette Histoire dont ils soulignaient d'abord les seuls processus créateurs et renforçaient, en le cachant derrière l'arbre de vie, « l'escalier perpétuel [127] ». Certain rêve démiurgique transparaît en effet derrière ce calendrier de remplacement, ce temps nouveau et plein dicté par les amants. Car elles sont nombreuses les images qui relèvent, dans leurs modalités de fonctionnement, d'un symbolisme alchimique tendant à transmuer toutes choses relatives et périssables en un or véritable lié à l'immortalité. De telle ou d'autre sorte, toutes les opérations du Grand : Œuvre – *purificatio, sublimatio, conjunctio, integratio* – peuvent se lire ici dans l'écriture de l'Imaginaire éluardien. *Purification,* avec les images de l'eau lustrale [128], de la plante de vie [129] ou, mêlant les deux, du bain rituel aux herbes médicinales que le poète feint de ne pas prendre au sérieux :

Je ris encore de l'orgueilleuse
Que tu traites comme une mendiante
Des fous que tu respectes des simples où tu te
baignes [130]

Sublimation, avec notamment l'image du sablier, lequel signifie les échanges entre les deux mondes dans la tradition alchimique : après le passage du plein au vide qui est passage du monde supérieur au monde inférieur, le sablier, par son renversement qu'appelle le poème lui-même [131], symbolise en effet la possibilité du passage de l'inférieur dans le supérieur, du terrestre dans le céleste, et donc le retour de la manifestation temporelle dans la source intemporelle. *Conjonction,* de par l'union des contraires

---

127. Cf. « René Magritte », p. 218-219.
128. Cf. « Au présent », p. 195.
129. Cf. « Balances III », p. 215.
130. « Nous avons fait la nuit... », p. 244.
131. Cf. « Le sablier vide », p. 192-193.

et la tension qui procède de leur rapprochement, réalisée à chaque étape de l'écriture : conjonction de l'arc-en-ciel et du serpent, du feu et de la cendre, du ciel et du regard, et qui, par la coïncidence du bas et du haut, de l'ici et de l'ailleurs, du visible et de l'invisible, finit par faire de l'espace du tableau, réduit aux dimensions des deux mains mimant la course du temps – « L'une suivant l'autre aiguilles de la même horloge [132] » –, l'espace même de ces « palais absents qui font monter la terre » et la pérennise. *Intégration,* enfin, avec l'image de l'abandon sur un « navire de délices [133] », image qui amorce le thème de la navigation céleste et prend valeur de quête d'immortalité; une navigation qui « éclipse » la course solaire et s'effectue, comme l'opération traditionnelle, par distillation, ainsi que le texte prend soin de le préciser – « je respirais naïvement/Une mer et des cieux volatils ».

On pourrait, sans trop de peine, poursuivre le relevé des images à valeur alchimique – de l'œuf, germe de toute vie spirituelle, lieu premier de toutes les transmutations [134], au lait traditionnellement en relation avec la lune et donc avec le temps chronologique [135]; et de la coquille vide, évoquant la calcination et la mort présidant à toute renaissance [136], au trésor flanqué de ses gardiens, symbole d'une vie profonde veillée par des monstres qui ne sont point différents de nous-mêmes [137]. On pourrait aussi, sans forcer le texte ni réduire d'aucune façon la lecture plurielle qu'il propose, dégager plus méthodiquement les modes de fonctionnement de ces images privilégiées qui réalisent, dans l'écriture, solution et coagulation, l'insertion dans le rythme universel et les voies de mûrissement du Cosmos, mais aussi l'activation des processus de transformation de l'être et du monde. Mais, pour cohérente que soit une telle approche, l'important paraît bien plutôt résider dans le rêve démiurgique que découvre cette

132. « A Pablo Picasso II », p. 212-213.
133. Cf. « Le front couvert », p. 223-224.
134. Cf. « Intimes III », p. 229.
135. Cf. « Un soir courbé », p. 227 :
    Des serpents continuent leur course
    Vers le lait lisse d'un seul jour
    Vers la verdure du ciel fixe
    Cf. aussi « Intimes I », p. 228.
136. Cf. « Je croyais le repos possible », p. 205.
137. Cf. « Grand air », p. 231 :
    Trésor gardé par des bêtes immenses
    Qui gardaient elles du soleil sous leurs ailes
    Pour toi
    Des bêtes que nous connaissions sans les voir

lecture : maîtrise de l'avenir qui laisse loin derrière elle le seul abandon aux cycles saisonniers et la confiance faite au sens de l'Histoire.

Ainsi, en plus d'un endroit, cette maîtrise va-t-elle se manifester par une authentique accélération de l'Histoire; une accélération provoquée par toute une thématique des « soifs [...] plus contra-dictoires/Que des noyées », des « verges de l'ouragan » et des « désirs » qui ne sont plus à inventer :

> A toutes brides toi dont le fantôme
> Piaffe la nuit sur un violon
> Viens régner dans les bois [138]

une accélération non point seulement souhaitée mais effective-ment réalisée :

> Quelle aubaine insensée le printemps tout de suite [139]

Accélération qui se manifeste finalement dans la concomitance du présent et du futur – « Mais c'est ici qu'en ce moment/ Commencent et finissent nos voyages [140] » – et qui va trouver son apothéose dans la perfection d'un temps saisi au présent dans ses métamorphoses et totalement dominé dans l'actualisation d'un renouvellement virtuel infini, cet émerveillement :

> Et dans ma tête qui se met doucement d'accord avec la tienne avec la nuit
> Je m'émerveille de l'inconnue que tu deviens
> Une inconnue semblable à toi semblable à tout ce que j'aime
> Qui est toujours nouveau [141].

*

Sans doute, toutes les connexions qui s'établissent ici entre processus génétiques et implications logiques ne sauraient-elles apparaître au clair dans une telle approche de l'écriture de l'Imaginaire des *Yeux fertiles*. Du moins se fait jour certaine

---

138. « Intimes II », p. 229.
139. « Intimes III », p. 229.
140. « A la fin de l'année... II », p. 242.
141. « Nous avons fait la nuit... », p. 244.

cohérence profonde non point des images elles-mêmes mais de leur organisation en une syntaxe qui dicte de façon plus certaine encore la lecture de ses divers cheminements. C'est dire que le déchiffrement de cette syntaxe de l'Imaginaire, même imparfait dans les moyens d'investigation qu'il se donne, en mettant l'accent sur les jeux d'échanges entre l'actuel et le virtuel et sur les règles qui les régissent, non seulement identifie et singularise un langage dans son fonctionnement poétique, mais encore montre de façon évidente que les lectures du texte, si multiples soient-elles, restent cependant limitées, si diverses soient-elles, convergent néanmoins vers un sens à venir.

Ainsi la syntaxe de l'Imaginaire des *Yeux fertiles* s'est-elle révélée à nous selon certaines caractéristiques qui vont permettre de saisir le texte globalement, jusque dans ses contradictions, mais surtout de le faire résonner au mieux de ses possibilités. La fréquence des thèmes et des schèmes de la relation et de la coordination entraînant divers processus d'harmonisation à tous les niveaux; la constante recherche d'une cohérence des contraires en un équilibre dynamique appelant ajustements mais aussi renversements; la valorisation de ces contraires engendrant une thématique de la progression et une structuration à caractère dramatique; l'abondance des reprises et réitérations, mais aussi des images du recommencement et de la régénération, du mûrissement et de la fructification le long de schèmes cycliques; la multiplicité des processus d'actualisation, d'accélération et finalement de perfectionnement du temps : toutes ces caractéristiques vont dans le même sens d'une inscription, la meilleure, dans la temporalité et d'une utilisation du temps lui-même pour venir à bout des énigmes qu'il propose. La parfaite adéquation de ce temps et de l'espace, qui presque toujours évoluent parallèlement, sans du moins se faire contrepoids, montre bien que l'Imaginaire d'une telle écriture est lieu de réconciliation de l'angoisse et du désir. Non, certes, acceptation passive à couleur de résignation qui ferait du monde de l'écriture le seul reflet des mondes d'où il procède; mais au contraire monde de la ruse où l'on joue avec le temps pour mieux le piéger, où l'on joue sur le temps pour s'en rendre maître, lui imposer sa propre mesure et l'infléchir à sa convenance.

A regarder de près, cependant, cette syntaxe de l'harmonie n'est pas toujours aussi harmonieuse dans ses détails que ne le dit l'œuvre saisie dans son ensemble. Et sans doute ne saurait-on négliger, pour être vraiment fidèle à l'incessante reconstruction du texte en ses divers moments, certaine organisation thématique tendant à se cristalliser autour des schèmes du repli, de la descente, de l'enfouissement, de l'enfermement, tournant le dos au temps des horloges et à toute chronologie valorisante et régénératrice. Cette tentation d'un refuge à l'abri du temps qui passe prend d'ailleurs, nous l'avons remarqué au passage, divers aspects dans *les Yeux fertiles.* Tantôt c'est l'édification et l'aménagement d'une prison heureuse où s'enfermer à deux :

> Dans ce globe d'herbes tiraillées
> Par des oiseaux d'orgie
> Si prétentieusement inspirés des rayures
> De cette fausse prison
> Que fait la blonde assise
> Voiles bisées à bloc
> Pour réduire les nombres [142]

Et ce refuge est si délibérément coupé du monde en devenir – « La faible cloche des poisons/Ne parvient pas jusqu'ici » –, si délibérément lesté en un monde figé – « File le plomb galère » –, qu'est sans cesse remis à plus tard le moment de s'en évader, de reprendre la marche du temps :

> Extrême marche
> Ce ne sera pourtant pas pour aujourd'hui

Tantôt c'est la fascination d'une image ancienne, spectacle de sa propre enfance dans laquelle se perdre dès le rideau levé; fascination d'un temps mort et d'une mort au temps dont il sera bien difficile de s'arracher :

> Une roulotte couverte en tuiles
> Le cheval mort un enfant maître
> Pensant le front bleu de haine
> A deux seins s'abattant sur lui
> Comme deux poings [143]

142. « En vase clos », p. 197.
143. « Rideau », p. 207.

Tantôt enfin, et de façon plus radicale, c'est le vœu d'enfouissement définitif, après la vaine errance en solitaire ne débouchant ailleurs que sur la conscience de l'inutilité de la vie :

> Creuse la terre sous ton ombre

> Une nappe d'eau près des seins
> Où se noyer
> Comme une pierre [144].

Manifestement, c'est une autre syntaxe de l'Imaginaire qui entre ici en jeu, substituant des images et des schèmes du repli, du retrait et de l'immobilisation aux images et aux schèmes de l'ouverture, du mûrissement et de la régénération; syntaxe dans laquelle les contraires, comme en ce dernier exemple les divers éléments, tendent à se fondre, mais dans laquelle l'être aussi tend à se fondre avec les autres et avec le monde. Syntaxe de la réduction de l'espace et des nombres, de la limitation des êtres et des choses, mais aussi de la substitution de l'état à l'action, de l'être au faire, et finalement de la néantisation de la durée quand s'abolissent une à une toutes les virtualités et que plus rien dans le temps ne semble possible.

Une telle syntaxe, cependant, et qui n'apparaît d'ailleurs que dans le premier tiers de l'œuvre où s'amoncellent tous les obstacles, où rien encore n'est « facile », va se trouver bien vite confrontée avec la syntaxe des passages et des enchaînements, des ajustements et des recommencements; submergée par cette syntaxe de la cohésion mais aussi de la cohérence qui affirme, au-delà du discours et de ses contradictions, la possibilité d'accepter la temporalité, de croire en la chronologie, d'agir sur l'Histoire et donc de dominer les angoisses du temps. Aussi bien l'image de la femme médiatrice entre l'homme et le monde, mais encore médiatrice entre l'homme et lui-même quand c'est par elle que s'opèrent l'acceptation et le dépassement de la finitude, prend-elle valeur exemplaire dans l'écriture de l'Imaginaire éluardien. La femme, en effet, cesse d'être seulement l'objet de l'écriture autour duquel gravite et se développe toute la suite de ces poèmes d'amour; elle devient le sujet même de l'écriture qui s'écrit pour se régénérer et prouve ainsi l'éternité par le temps. A la fois objet et sujet du rite qu'elle instaure et impose en

---

144. « Être », p. 204.

chaque poème, elle devient l'image d'une poésie qui fait voir au-delà d'elle-même et se fait infiniment fertile :

> Espère espère espère
> Que tu vas te sourire
> Pour la première fois
>
> Espère
> Que tu vas te sourire
> A jamais
> Sans songer à mourir [145].

145. « Intimes I », p. 228.

10
Saint-John Perse
ou la gloire du chant

Sur la morphogenèse d'*Anabase*

Belle leçon de poétique que celle que nous donne Saint-John Perse dans une lettre à Roger Caillois où il se livre à quelque confidence : il nous invite à rompre l'accoutumance afin d'aborder son œuvre par un autre biais que celui de son archéologie, dont il voudrait que l'on se garde :

> Mon œuvre tout entière, de recréation, a toujours évolué hors du lieu et du temps : aussi allusive et mémorable qu'elle soit pour moi dans ses incarnations, elle entend échapper à toute référence historique aussi bien que géographique; aussi « vécue » qu'elle soit pour moi contre l'abstraction, elle entend échapper à toute incidence personnelle [1].

Voilà qui efface toute incertitude et renvoie dos à dos bien des approches critiques réputées sérieuses : pour autonome qu'il soit, le texte poétique tient sa réalité même de l'homme et du monde; mais, pour tributaire qu'il soit de cette réalité double, le texte poétique ne tient sa spécificité que de lui-même. C'est là situer d'emblée l'écriture au carrefour de l'Imaginaire, mais pour reconnaître aussitôt que de la rencontre de forces opposées mais complémentaires naît une réalité nouvelle qui n'est réductible à aucun des deux mondes qui le conditionnent; ce que souligne le poète en affirmant que son œuvre entend échapper à toute référence historique ou géographique aussi bien qu'à toute incidence personnelle. Mais plus encore c'est là mettre l'accent, implicitement, sur la rupture inhérente à cette création poétique que Saint-John Perse appelle recréation, et qui fait que l'œuvre est radicalement autre que la somme des incarnations et des

---

1. Lettre du 26 janvier 1953, *in* Saint-John Perse, *Œuvres complètes, op. cit.,* p. 562.

situations vécues qui l'ont produite; rupture si radicale mais si essentielle ici qu'il est vain de vouloir expliquer celui-ci par celui-là, quand c'est le saut de l'un à l'autre, la coupure du continuum, qui à chaque instant définit la création.

Si la poésie est création par excellence, c'est sans doute parce que le poète ne se contente pas de reconnaître cette rupture que la poésie, au vrai, a en commun avec toute autre création. Encore la veut-il rupture et suite de ruptures : il entend mettre à profit ces « catastrophes » pour forcer à naître un monde autre ou une autre façon d'être au monde; mieux encore, il entend les multiplier dans son écriture afin d'agrandir ce monde, lui donner toujours plus de réalité à voir et à vivre. Mais cela même ne lui suffit pas; car, s'il se veut démiurge, ce n'est pas pour refaire, ici ou là, un petit monde à lui et tout autant divisé, mais bien pour tenter, par-delà ruptures et morcellements, de retrouver quelque cohérence, de restaurer l'unité première.

L'œuvre de Saint-John Perse, de ce point de vue, se révèle exemplaire, qui se tisse tout entière à partir de ce monde même qu'elle sait parcourir en ses moindres recoins, pénétrer en ses moindres secrets, sans souci de regarder ailleurs. Et cependant, pour serrée que soit la trame de son écriture, elle n'est que succession de ruptures, à peine marquées souvent, qui à chaque instant et sans qu'il en paraisse introduisent la différence, font passer du même à l'autre. D'ailleurs le poète ne s'en cache pas qui, dans cette même lettre à Roger Caillois, non sans certain sourire, confirme que l'oiseau « Anhinga » dont il parle dans *Vents* (II, 4), l'oiseau « Annaô » d'*Éloges* (« Pour fêter une enfance », III) ou le « cocculus indien » d'*Anabase* (III) existent bel et bien, quel que soit l'usage invraisemblable qu'il en fait[2]; mais c'est pour s'empresser d'ajouter que ce même oiseau « Annaô », en réalité « pique-bœuf » ou « pique-tiques », oiseau de plein midi, a une vérité « bien plus rigoureuse et bien plus absolue » sous ce nom d'« Annaô » « purement fictif et entièrement créé ». C'est peut-être montrer par là, une fois encore, que la fonction génératrice du mot, dans son champ sémantique, ne se sépare pas de sa fonction référentielle; mais c'est surtout montrer qu'un fossé sépare réalité et vérité comme le même et l'autre. De ce fossé, le poète ne cesse de jouer, au point que la genèse du texte poétique, en cela morphogenèse, va échapper à toute logique du continu, à quelque niveau qu'on l'envisage, et

2. *Ibid.*, p. 561-562.

que le recensement le plus complet des référents qu'elle appelle tour à tour se voit dans la totale incapacité d'en rendre compte. Aussi comprend-on la mise au point quelque peu agacée de Saint-John Perse :

> Rien ne me paraît [...] plus surprenant, comme contradiction, que de vouloir expliquer un « poète » par la culture. En ce qui me concerne plus personnellement, je m'étonne grandement de voir des critiques favorables apprécier mon art comme une cristallisation, alors que la poésie pour moi est avant tout mouvement – dans sa naissance, comme sa croissance et son élargissement final [3].

Et d'ajouter que même la métrique du poète, « qu'on lui impute à rhétorique, ne tend encore qu'au mouvement, dans toutes ses ressources vivantes, les plus imprévisibles ».

Ce sont ces « ressources vivantes, les plus imprévisibles » que devra donc tenter de saisir, dans leur discontinuité et leurs expansions, le lecteur de l'œuvre persienne, certain dès lors de ne point trahir cette œuvre mais certain aussi d'orienter sa lecture dans le sens même d'une poésie qui se veut « puissance, et novation toujours qui déplace les bornes [4] ». Et de la même façon que le poète provoque dans son écriture des « catastrophes » en série afin de mieux et plus vite opérer le saut de la réalité étroite qu'il vit à la vérité plus vaste de son chant, qui est aussi le saut d'un monde en devenir à un monde intemporel, son lecteur va devoir d'abord réactualiser ces ruptures et ces expansions jusque dans leurs contradictions créatrices, s'il veut prendre ensuite une mesure globale et unificatrice de l'œuvre, appréhender l'unité de son sens. Une telle lecture, qui est lecture de l'Imaginaire, ne saurait trouver meilleure justification que lorsqu'elle s'applique à l'œuvre de qui ne craignait point d'affirmer à haute voix qu'« il n'est pas moins d'expansion dans l'infini moral de l'homme » que dans l'univers lui-même et que la poésie, si elle n'est pas le « réel absolu », « en est bien la plus proche convoitise et la plus proche appréhension, à cette limite extrême de complicité où le réel dans le poème semble s'informer lui-même [5] ».

Par là déjà s'établit certaine relation entre écriture et lecture que l'on peut à bon droit tenir pour fondamentale dans l'élabo-

---

3. *Ibid.*, p. 562-563.
4. « Poésie », *ibid.*, p. 445.
5. *Ibid.*, p. 444.

ration d'une poétique de l'Imaginaire. Or, cette relation vient ruiner les « incompatibilités », hâtivement dénoncées par Valéry dans sa première leçon du *Cours de poétique,* entre « producteur » et « consommateur » : « deux systèmes essentiellement séparés », selon lui, puisque « l'œuvre est pour l'un le *terme;* pour l'autre l'*origine* de développements qui peuvent être aussi étrangers que l'on voudra, l'un à l'autre [6] ». Car si l'image est totalisatrice qui ramasse en elle, au fur et à mesure de son émergence, l'intégralité des forces dont elle procède, ou plutôt leur commune résultante dont elle forme exclusivement son être d'image, elle impose aussi la nouveauté de sa figure qui ne se révèle qu'en fonction de ce qu'elle devient et ne prend signification qu'en vertu de ce devenir. L'œuvre est donc bien, selon les vues valéryennes, *terme* et *origine,* mais elle l'est conjointement puisqu'elle se situe à l'extrémité des forces qui, de l'extérieur, gouvernent son écriture, mais au départ des forces qui, de l'intérieur, prescrivent certains itinéraires que la lecture va devoir emprunter, s'orientant ainsi vers un sens. Et cela est vrai tant pour le « producteur » que pour le « consommateur » dont les « systèmes », contrairement à ce qu'affirme Valéry, se voient finalement confondus en matière de poésie : d'une part, et c'est un lieu commun de le redire, parce que celui qui écrit est aussi le premier déchiffreur de son œuvre laquelle, de ce fait, nous l'avons vu, va s'en trouver sans cesse diversifiée et réajustée, tout comme celui qui lit se voit dans l'obligation de réactiver, selon des voies qu'il ne saurait choisir, les processus générateurs de cette œuvre; mais d'autre part surtout parce que les modalités de structuration de l'Imaginaire du texte, même vécues différemment par le poète et son lecteur, restent nécessairement les mêmes qui empêchent ces développements « étrangers » qu'évoque, non sans quelque dépit, l'auteur du « Cimetière marin ».

Aussi la lecture de l'Imaginaire, sérieusement conduite, ne peut-elle que contredire catégoriquement l'affirmation selon laquelle « un poème sur le papier n'est rien qu'une écriture soumise à tout ce qu'on peut faire d'une écriture [7] »; pourvu seulement qu'elle sache s'appliquer tout à la fois à déceler le canevas du texte, son schéma dynamique, au travers de toutes ses ruptures comme de ses liens multiples, et à découvrir son unité vraie, dans l'un et l'autre cas s'insérant dans son mouvement

---

6. « Première leçon du Cours de poétique », art. cité, p. 1346.
7. *Ibid.,* p. 1349.

– « dans sa naissance, comme sa croissance et son élargissement final ». Et s'il est possible désormais d'entreprendre la lecture d'*Anabase,* ce n'est pas au hasard d'une mise à l'épreuve de telle lecture, mais parce que les ruptures sont peut-être plus nombreuses dans *Anabase,* du moins plus manifestes que dans les autres œuvres de Saint-John Perse; ruptures qui cependant concourent, au travers des schèmes contradictoires qui le tissent, s'infléchissent et se ramifient plus qu'ailleurs, à donner du Poème, en son organisation profonde comme en ses desseins ultimes, la vue unitaire la plus parfaite. Mais il vaut aussi de l'entreprendre parce que, tout comme dans l'*Anabase* antique dont le poète prend soin pourtant de se démarquer, celui qui conduit l'expédition est aussi celui qui l'écrit; ce qui fait que l'écriture, en une habile redondance, en même temps dit la conquête et la réalise, la relate et l'autorise, au point qu'elle devient elle-même un de ses propres modes de structuration, au niveau de l'Imaginaire, et qu'au sein du texte lui-même elle vient ordonner les ruptures et dépasser les contradictions pour faire du poème un chant à la gloire du Chant.

*
* *

L'inventaire premier d'*Anabase,* cependant, ne laisse pas d'être déconcertant, qui met à jour des réseaux d'images et des groupes de schèmes dont on serait bien en peine, en effet, de saisir d'abord la convergence. Les modes d'occupation de l'espace – espaces traversés et espaces occupés, espaces abandonnés et espaces convoités – sont si divers, comme aussi les attitudes devant le temps qu'ils reflètent, si diverses les relations qui s'établissent entre les matériaux mis en œuvre, qu'il est bien difficile d'apercevoir d'abord la cohérence d'un régime syntaxique de l'Imaginaire.

Un premier groupe de schèmes, en effet, rassemble les images de la conquête, qui semble répondre à la définition du terme « anabase » que Saint-John Perse, par référence à l'étymologie, entend ne point négliger : « montée à cheval, montée en selle [8] ». Il n'importe guère, pour l'instant, de savoir que ces images vont jouer essentiellement sur un plan métaphorique par rapport au

---

8. « Observations et corrections de Saint-John Perse pour la traduction anglaise d'*Anabase* par T. S. Eliot » (1927), *Œuvres complètes,* p. 1145.

plan du discours que le poète prend soin de définir, on le sait, comme « poème de la solitude dans l'action. Aussi bien l'action parmi les hommes que l'action de l'esprit; envers autrui comme envers soi-même [9] ». Quel que soit le rôle qui leur est alloué, les images jouent d'abord en elles-mêmes, par elles-mêmes; et il est bien certain alors que la toile de fond d'*Anabase,* fidèle au titre du poème et à son référent antique, est de caractère conquérant.

Dès le départ, en effet, le poème est placé sous le signe des armes – « les armes au matin sont belles et la mer » (I, 1); des chevaux – « A nos chevaux livrée la terre sans amandes » (I, 1); des tambours – « les tambours de l'exil éveillent aux frontières / l'éternité qui bâille sur les sables » (I, 2) [10]. Un désert est à traverser, soleil et sable – « Qui n'a, louant la soif, bu l'eau des sables dans un casque, / je lui fais peu crédit au commerce de l'âme... » (I, 2); d'où les images de l'aridité – « aux pays fréquentés de criquets à midi » [11]; les images de l'aventure – « Au seuil des tentes toute gloire! ma force parmi vous! » (I, 1); et elles entraînent toute une thématique de la domination – « je ne sais qui de fort a marché sur mes pas » (III, 6); de la possession – « (Qu'on les nourrisse de mon grain!) » (III, 1); de la force – « Certes! une histoire pour les hommes, un chant de force pour les hommes, comme un frémissement du large dans un arbre de fer!... » (VI); de la violence – « la violence au cœur du sage et qui en posera les limites ce soir?... » (III, 4); une violence qui parfois même se désigne révolte – « Allez et dites bien : nos habitudes de violence, nos chevaux sobres et rapides sur les semences de révolte et nos casques flairés par la fureur du jour... » (VI).

Or, cette révolte se manifeste presque toujours, dans le Poème, par un remplissement soudain de l'espace dans toutes ses dimensions et à tous ses niveaux (cf. I, 1; I, 2; V; VI; IX) : tout se passe comme si ce remplissement devait assurer sur-le-champ la possession convoitée et l'assurer à jamais. Se profile ici, derrière

---

9. « D'une interview de Pierre Mazars », art. cité, *ibid.,* p. 576.
10. Toutes les références au texte d'*Anabase* (1924), à l'exception des deux Chansons qui encadrent le poème, seront désormais limitées ainsi à deux chiffres : le premier en romain désignant le chant, dans la numérotation de Saint-John Perse, et le second le numéro d'ordre de la laisse à l'intérieur du chant (si nous entendons par laisse le regroupement d'un certain nombre de versets, indiqué par des interlignes plus importants ou des astérisques, selon la proposition de Roger Little).
11. « Observations et corrections de Saint-John Perse pour la traduction anglaise d'*Anabase* par T. S. Eliot » (1927), art. cité, *ibid.,* p. 1145.

ces schèmes de conquête, une implication prométhéenne que souligne la prédominance des images lumineuses et solaires – « Et le soleil n'est point nommé, mais sa puissance est parmi nous » (I, 1); images liées à celles de l'or et du pouvoir – « Et voici que ces Rois sont assis à ma porte » (III, 1); et à celles de l'été – « savions-nous que déjà tant de lances nouvelles / poursuivaient au désert les silicates de l'Été » (V). Une implication prométhéenne que souligne plus nettement encore, au début du chant III, l'image de l'Ambassadeur assis à la table des Rois, du poète se nourrissant à la table des dieux.

*

Mais ces schèmes de conquête, cependant, ne semblent jamais conduits jusqu'à leur terme, et le rejet du temps chronologique qu'ils manifestent n'est plus bientôt que tentation vite surmontée. Thèmes et motifs conquérants vont se trouver alors confrontés à un processus harmonique qui correspond à deux groupes de schèmes, lesquels découlent du premier sens que Saint-John Perse entend donner à « anabase » par référence encore à l'étymologie, celui d'« expédition vers l'intérieur »; encore prend-il soin d'ajouter : « avec une signification à la fois géographique et spirituelle (ambiguïté voulue) [12] ». De cette « ambiguïté voulue » procèdent les schèmes de l'occupation progressive et de l'espace du dehors et de l'espace du dedans.

Les schèmes du remplissement progressif de l'espace extérieur correspondent assez bien à la signification géographique de « l'expédition vers l'intérieur » que nous suivons dans *Anabase;* expédition qui part effectivement de « la mer au matin comme une présomption de l'esprit » (I, 1) pour aller « jusqu'au lieu dit de l'Arbre Sec » (VIII, 3), cette extrême limite des terres habitées, si nous en croyons la tradition médiévale. Or, cette marche vers l'intérieur suit le sens de la course solaire – « Depuis un si long temps que nous allions en Ouest, que savions-nous des choses/ périssables?... » (IX, 1); et par là même s'intègre à la marche des « choses vivantes, [...] choses/excellentes! » (X, 1) : c'est dire qu'elle va dans le sens du cours du temps.

De fait, ce second groupe de schèmes qui rassemble les images de l'occupation de l'espace du dehors, de l'habitation du monde, manifeste d'abord une réconciliation avec le temps des horloges

12. *Ibid.*

et celui de l'histoire. Les images qu'on y rencontre, en toutes leurs constellations et toutes leurs métamorphoses, ne séparent guère saisons du temps et espaces saisonniers : « Sur trois grandes saisons m'établissant avec honneur, j'augure bien du sol où j'ai fondé ma loi » (I, 1). C'est bien là le temps du poète dans le monde, celui de son « action parmi les hommes », pour reprendre sa propre formule [13].

S'inscrivent le long de ces schèmes des images de cycles, de répétitions, de phases temporelles : la marche vers l'Ouest (I, 2), mais aussi l'écoulement du jour (II), la moisson des orges (III, 1) et plus généralement tout ce qui écrit cette « histoire pour les hommes » dont il est question au chant VI. De là une thématique liant rêverie historienne et occupation de l'espace : thème de « l'histoire de ces feuillages à nos murs » (III, 3), de « l'œil qui recule d'un siècle aux provinces de l'âme » (X, 1), et finalement de la mémoire du monde avec le « généalogiste sur la place » et « les entrepôts de livres et d'annales » (X, 3). De là aussi une thématique de l'éternel retour – « une année de souffles en Ouest » (VI), ou mieux ces herbes de l'été « s'allumant aux pailles de l'autre hiver » (VII, 1); mais aussi l'apparition, au travers d'images unissant harmonieusement le déroulement du temps et l'occupation de l'espace, d'un dynamisme messianique sensible aussi bien dans le thème des grandes eaux ou des clepsydres « en marche sur la terre » (VII, 4; VIII, 1) que dans celui du tout dernier verset du dernier chant :

Terre arable du songe! Qui parle de bâtir? – J'ai vu la terre distribuée en de vastes espaces et ma pensée n'est point distraite du navigateur. (X, 4.)

*

Un tel mode de cheminement n'est pas différent de celui que l'on retrouve dans un troisième groupe de schèmes, opposés aux précédents, ceux du remplissement de l'espace du dedans. L'ana-base serait ici perdue de vue si l'on ne rattachait ces schèmes à la seconde signification de « l'expédition vers l'intérieur », la signification « spirituelle » qui est prise de possession totale de l'espace intérieur au terme d'une série d'épreuves, dont certaines ne manquent pas d'être de caractère initiatique (cf. chant V), et

---

13. « D'une interview de Pierre Mazars », art. cité, *ibid.*, p. 576.

de purifications successives. Il ne s'agit pas ici d'une occupation de l'espace du dedans à la façon d'un Michaux, qui serait construction toujours recommencée de refuges à l'abri d'un espace extérieur menaçant, débordant, et d'un temps dégradant, envahissant lui aussi. Une telle descente, chez Saint-John Perse, n'est point fuite, mais quête de soi inséparable de la quête du monde ou, pour reprendre là encore la terminologie du poète, « action de l'esprit » inséparable de « l'action parmi les hommes ».

Cette quête du monde intérieur va regrouper, le long de ces schèmes, des images et des constellations d'images résolument différentes des précédentes et qui pourtant ne se séparent jamais ou presque, nous le verrons, des images de l'occupation de l'espace du dehors. Images de la nuit – « Que j'aille seul avec les souffles de la nuit » (V); de son eau lustrale – « où trouver l'eau nocturne qui lavera nos yeux? » (V); ou de son lait – « La nuit donne son lait, qu'on y prenne bien garde! » (V); images de la purification, si nombreuses tout au long du poème (III, 5; IV, 1; V; IX, 4; X, 2), mais, aussi images du sacrifice – corps de femme dans les sables (IV, 5) ou cœur de mouton noir (VIII, 3); images du silence intérieur – « Ame jointe en silence au bitume des Mortes! » (V); de la contemplation intérieure – « Cousues d'aiguilles nos paupières! louée l'attente sous nos cils! » (V). Images surtout de la solitude essentielle – « Je n'ai dit à personne d'attendre... » (V); et qui rythment le chant, marquant autant d'étapes successives, d'épreuves à franchir jusqu'à la naissance enfin du poème rédempteur : « Fruit de la femme, ô Sabéenne!... » (V).

Tout au long de cette descente intérieure, images et schèmes vont s'organiser selon des modalités de répétition et de reprise qui sans cesse renvoient, ouvertement ou en filigrane, à leur double positif : au matin, à la lumière, à la foule – « Et l'Étranger, tout habillé / de ses pensées nouvelles se fait encore des partisans dans les voies du silence » (V); aux choses de la plaine de l'autre côté de « la porte de craie vive » (X, 1); à la résurrection au-delà de la mort initiatique – « Je t'annonce les temps d'une grande faveur et la félicité du soir sur nos paupières périssables... » (IX, 5).

*

Aussi bien ces images nocturnes, liées à la descente vers l'intérieur, par un jeu de balancement lourd de signification renvoient-elles le plus souvent aux images de l'espace extérieur, et parce que là encore ne se dessine nulle révolte devant le temps qui passe mais bien plutôt le souci d'utiliser le temps pour aménager cet espace privilégié qu'est le texte. Il arrive cependant que, se séparant de « l'expédition parmi les hommes », ces images de la descente tendent à s'immobiliser dans un espace clos, coupé de toute conquête et replié sur un temps coupé lui aussi de toute présence comme de tout devenir. Se révèle alors un quatrième groupe de schèmes qui s'inscrit très exactement dans le prolongement du précédent, et qui rassemble les images de la prison heureuse, des « pièges au bonheur » (VI). Schèmes qui, au reste, loin d'entrer dans une quelconque acception du terme d'« anabase », semblent bien au contraire lui tourner le dos en niant la notion même d'expédition.

Il est vrai que ces images du refuge et de son aménagement, cependant si nombreuses tout au long du poème, interviennent souvent dans un champ ironique et qui met bien en évidence le refus, par celui qui conduit l'expédition mais se trouve être aussi celui qui l'écrit, de se laisser séduire ou longtemps arrêter dans sa quête. Mais, si dévalorisées que soient ces constellations d'images – et elles le sont parfois à l'extrême, comme dans le chant II, le chant IV ou le chant VI –, il n'empêche : ces images jouent à plein qui, certes, dénoncent la tentation du refuge, la fin de la conquête, mais en apprécient aussi les délices : « Nous n'habiterons pas toujours ces terres jaunes, notre délice... » (VII, I).

On aurait donc tort, sous prétexte de la mise à distance qui les accompagne toujours ou presque, de négliger ces schèmes qui rassemblent les images de la ville entourée, de la maison et de ses cours intérieures, des filles parfumées ou vêtues d'un souffle; les thèmes de la fondation de la ville (IV, 1) ou de l'arrêt des navires (IV, 2), des vents calmes (VI) et des « pays infestés de bien-être » (VI), bref de tout ce qui est « établissement » et regarde « Ceux-là qui en naissant n'ont point flairé de telle braise » et ne sauraient donc avoir « commerce de vivants » (VI).

Car ces schèmes de la construction et de l'aménagement du refuge, même s'ils sont dénoncés dans le discours du poète, n'en écrivent pas moins en contrepoint de l'anabase une catabase qui en donne l'épaisseur et montre les difficultés sinon les inévitables limites de celle-là. Et la tentation qu'ils dévoilent répond en quelque sorte en symétrique à la tentation prométhéenne, qui était tentation du tout tout de suite et recherche d'une éternité dans un présent arrêté. Ici, douceur et bonheur remplacent violence et conquête, mais c'est pareillement un refus du temps qui coule qui se manifeste, un semblable désir d'arrêt. A cela près que l'éternité est cherchée cette fois non plus dans le temps mais hors du temps, non plus en un macrocosme figé mais en un microcosme bien protégé.

*

Ainsi l'inventaire premier, qui fait éclater les contradictions de cette anabase et les ruptures de son déroulement bien plutôt que la continuité de son entreprise, laisse-t-il apparaître d'une part deux groupes de schèmes qui, bien qu'orientés à l'inverse l'un de l'autre, s'inscrivent tous deux dans le temps qu'ils semblent accepter; et d'autre part deux groupes de schèmes qui répondent à l'angoisse devant le temps et à la dégradation qu'il opère par des attitudes de révolte et de repli. Mais dans tous les cas, et c'est en cela que nous n'avons pas quitté les terres de l'Imaginaire, c'est en termes d'espace qu'est cherchée réponse aux problèmes posés par la temporalité.

Or, l'espace premier d'*Anabase,* celui qui sans cesse est remis en question par les jeux de ces différents schèmes, celui qui non seulement est constamment réaménagé au gré des forces en présence mais encore est pris comme référent au cœur même du discours, c'est l'espace du texte, l'espace de l'écriture et de ce chant auquel toujours nous sommes renvoyés du fait que l'« expédition vers l'intérieur » n'est dirigée qu'autant qu'elle est écrite. Aussi, et parce que c'est au poème lui-même qu'il revient tout à la fois d'exorciser les deux tentatives de la conquête prométhéenne et des pièges au bonheur, et de réaliser la coïncidence de la marche parmi les hommes et de la descente en soi-même, convient-il de voir dans ce rôle dévolu à l'écriture un dernier principe organisateur d'*Anabase.*

Si l'on y prend garde, en effet, nombreuses sont les images qui nous parlent du plaisir du chant et de sa « facilité », au sens éluardien du terme – « Qu'il est d'aisance dans nos voies! que la trompette m'est délice, et la plume savante au scandale de l'aile!... » (Chanson I); qui nous parlent de ses pouvoirs et de ses conquêtes sans limites – « Et l'homme enthousiasmé d'un vin [...] se prend à dire de ces choses : "... Roses, pourpre délice : la terre vaste à mon désir, et qui en posera les limites ce soir?... "

[...] » (III, 4). Par le Chant, l'homme pauvre « vient au pouvoir des signes et des songes » (III, 4), et par là met la main sur le temps dans lequel il s'insère pour en dominer aussitôt le cours – « Mais de mon frère le poète on a eu des nouvelles. Il a écrit encore une chose très douce. Et quelques-uns en eurent connaissance... » (Chanson II).

Toute une thématique de l'histoire légendaire et mythique, imaginairement apprivoisée, thématique de la succession des âges et des peuples, du prophétisme messianique, de la néantisation de la fatalité chronologique, se trouve liée à cette écriture qui, bien loin d'être réceptacle du monde et du vécu, loin d'être « cristallisation », est au contraire « mouvement » dans tous les moments de son émergence, selon les vœux mêmes du poète.

C'est par l'écriture que s'opère la fusion du sujet et de l'objet, la synchronie des deux quêtes du monde intérieur et du monde extérieur. Et l'on comprend mieux, dès lors, cette dernière appréciation que le poète a pu donner de son *Anabase* :

J'ai voulu rassembler la synthèse, non point passive mais active, de la ressource humaine. Mais on ne traite pas, en poésie, de thèmes psychologiques par des moyens abstraits. Il a fallu illustrer : c'est le poème le plus chargé de concret [...] [14].

C'est précisément cette concrétude que manifeste non seulement le Chant auquel renvoie directement le texte du poème – « Ce peuple d'images à conduire aux Mers Mortes » (V) –, mais toute l'écriture d'*Anabase*. Une écriture qui permet l'habitation d'un espace double de l'espace profane et inséparable du déroulement temporel; une écriture devenant pleinement habitable par cela même qu'elle inscrit l'infinitude non dans un présent arrêté ni dans un refuge hors du temps, mais dans l'œuvre même du temps qu'elle ranime : un temps dont la circularité est perçue comme créatrice et dont la vectorialité prend elle-même un sens, celui du poème.

*
* *

14. « D'une interview de Pierre Mazars », art. cité, *ibid.*, p. 576.

Voilà qui est bien mais reste lettre morte, si l'on s'en tient là, seule vue de l'esprit propre à donner raison à ceux qui, à l'exemple de Valéry, ne voient dans l'organisation formelle du texte « qu'une écriture soumise à tout ce qu'on peut faire d'une écriture ». Pour qu'il en aille autrement et que prenne signification ce dénombrement premier, encore faut-il voir comment ces images et ces constellations d'images, ainsi regroupées le long de grands schèmes qui pourtant ne semblent guère s'associer, jouent les unes par rapport aux autres, les unes contre les autres, déterminant de par leur confrontation même, et jusque dans leur discontinuité, les modalités de structuration de l'écriture de l'Imaginaire, lesquelles déterminent à leur tour certaine lecture.

Ce sont donc cinq grandes modalités de structuration qui sont apparues dans l'écriture d'*Anabase,* cinq modalités qui délimitent son schéma dynamique et régissent tant le regroupement de ses images et l'orientation de ses schèmes que l'organisation de sa syntaxe de l'Imaginaire : deux modalités opposées mais complémentaires réalisant l'anabase comme « marche vers l'intérieur », et au sens géographique (remplissement de l'espace extérieur) et au sens spirituel du terme (enfoncement dans l'espace intérieur); puis deux modalités opposées elles aussi, menaçant cette double anabase mais la renforçant en cela même, l'une de conquête prométhéenne (agression) et l'autre de quête de refuges heureux (installation); enfin une dernière modalité intégrant et coiffant les quatre autres, celle de l'écriture elle-même entendue comme lieu de coïncidence de « l'action parmi les hommes » et de « l'action de l'esprit », mais aussi comme mode d'exorcisme de la tentation prométhéenne comme des « pièges au bonheur ». Ce qui lie à coup sûr ces cinq modalités de structuration, qui manifestent autant de processus d'organisation de l'espace irréductibles les uns aux autres, c'est à n'en pas douter l'apprivoisement du temps.

Entre révolte et refus, entre ces deux négations temporaires du déroulement temporel et du sens de la quête que sont la revendication prométhéenne et l'installation en quelque refuge, repos ou bonheur, la « marche vers l'intérieur » – l'anabase proprement dite – coïncide en effet à tous ses niveaux avec un mouvement, une progression, une dynamique qui est acceptation de la chronologie et du sens de l'histoire. Acceptation que l'on ne saurait confondre à aucun moment avec le moindre acquiescement passif devant le monde et sa finitude, mais qui, à l'inverse, est assujettissement par l'écriture du déroulement temporel et continuelle tentative de réajustement, à travers l'occupation de l'espace, des rapports de l'homme et du temps.

*

Aussi bien le lieu du poème, qui est constamment resitué, repris pour objet et redéfini dans l'œuvre persienne, apparaît-il d'abord, dans *Anabase,* comme lieu d'harmonisation des contraires. Une harmonisation qui se confond avec le dessein du poème et qui est refus de choisir, d'opérer des tris, d'instaurer des hiérarchies dans les choses du monde et des hommes, mais aussi volonté de maintenir un équilibre entre toutes choses, volonté d'ordonner le monde par le Chant, de mettre ce monde en harmonie autant que de se mettre en harmonie avec lui.

Cette harmonisation procède sans doute d'une imagination musicale, imagination du mouvement qui non seulement fait rebondir toujours le texte poétique à partir du chant se chantant lui-même – « Et qu'est-ce à dire de ce chant que vous tirez de nous?... » (V) –, mais fait aussi progressivement se confondre le poète, son chant du monde et le monde lui-même :

[...] Et l'étranger tout habillé
de ses pensées nouvelles se fait encore des partisans dans les
voies du silence : son œil est plein d'une salive,
il n'y a plus en lui substance d'homme. Et la terre en ses
graines ailées, comme un poète en ses propos, voyage... (V.)

Mais elle procède d'abord, et plus simplement, d'un agencement des différences, constamment réaffirmé, qui fait du poète celui qui se tient au point d'équilibre de toutes choses et situe le poème au fléau des balances :

Mathématiques suspendues aux banquises du sel! Au point
sensible de mon front où le poème s'établit, j'inscris ce chant
de tout un peuple, le plus ivre,
à nos chantiers tirant d'immortelles carènes! (I, 3.)

Dès le début de sa quête, d'ailleurs, le poète, découvrant sa puissance en son chant, s'était défini en ce lieu d'équilibre : « Maître du grain, maître du sel, et la chose publique sur de justes balances! » (I, 1). Et nous le verrons bientôt en appeler au

« Vérificateur des poids et des mesures [qui] descend les fleuves emphatiques » (III, 1) ou au « juge plus étroit » que celui qu'ont connu « les mers fautives aux Détroits » (III, 4). Ailleurs, il évoquera la nécessité « d'arbitrer ce fleuve pâle, sans destin » (IV, 2), ou bien il recommandera à ceux parmi lesquels il ne veut plus longtemps demeurer de rechercher même équilibre avec le monde : « Homme, pèse ton poids calculé en froment » (VIII, 2).

A toutes les images de la balance, du juste échange, de l'équilibre, vont s'associer bientôt celles de la mesure; mesure, il est vrai, qui n'est pas donnée mais qui est toujours à chercher plus loin – « Tant de douceur au cœur de l'homme, se peut-il qu'elle faille à trouver sa mesure?... » (VIII, 3). Car l'harmonie persienne – dont le précepte premier se trouve clairement affirmé dans le *Discours de Stockholm :* « Une même loi d'harmonie régit pour [le poète] le monde entier des choses. Rien n'y peut advenir qui par nature excède la mesure de l'homme [15] » – ne trouve équilibre que dans un devenir dont elle est indissociable. Or, il est bien certain que c'est le jeu même des contraires, ombre et lumière, joie et tristesse, mort et renaissance, comme aussi l'alternance des temps forts et des temps faibles, qui assure ici cet équilibre en devenir. Et comment ne pas remarquer que ce sont aussi semblables oppositions qui gouvernent la prosodie persienne, lui assurant le ton qui est le sien?

Cette mise en harmonie du monde, en toutes ses manifestations, se double d'une mise en harmonie *avec* le monde. Non seulement il appartient à chacun, symboliquement et donc réellement, de peser son poids calculé en froment, mais encore il convient de faire en sorte que le faîte équilibre le fond, que l'ailleurs équilibre l'ici, comme l'azur le cuivre (IV, 3), de la même façon que « quelques grands oiseaux de terre, naviguant en Ouest, sont de bons mimes de nos oiseaux de mer » (VII, 3). Mais, là encore, cette mise en harmonie se trouve étroitement liée au déroulement du chant qui renvoie à lui-même et au poète jusqu'au cœur de l'inventaire final de toutes les choses vivantes, choses excellentes :

ha! toutes sortes d'hommes dans leurs voies et façons, et soudain! apparu dans ses vêtements du soir et tranchant à la ronde toutes questions de préséance, le Conteur qui prend place au pied du térébinthe... (X, 2.)

15. « Poésie », art. cité, *ibid.*, p. 446.

C'est d'ailleurs bien souvent par la médiation de l'arbre (que l'on songe à la dernière Chanson, qui est aussi célébration du Chant) que s'opère la mise en harmonie de l'homme avec le monde dans *Anabase*. Mais sans aller plus avant dans cette direction, on voit déjà l'importance primordiale, dans le Poème, de tous les processus harmoniques qui établissent un perpétuel équilibre entre les contraires et cela grâce au mouvement qui seul garantit cet équilibre; et l'on voit aussi que ce mouvement est celui-là même que Saint-John Perse revendique pour la poésie [16], de par la juxtaposition des schèmes progressifs et des références au poème en train de s'écrire, ou plutôt, si l'on en croit encore le poète, de par « la grâce d'un langage où se transmet le mouvement même de l'Être [17] ». C'est d'ailleurs dans ce même éloge de la poésie qu'il proclame que « l'inertie seule est menaçante. Poète est celui-là qui rompt pour nous l'accoutumance [18] ».

Ainsi vont se manifester ces processus harmoniques à partir des images du passage – « Ah! tant d'aisance dans nos voies, ah! tant d'histoires à l'année, et l'Étranger à ses façons par les chemins de toute la terre!... » (Chanson I); des images de la marche – « Je marche, vous marchez dans un pays de hautes pentes à mélisses, où l'on met à sécher la lessive des Grands » (II); ou de l'enjambement – « Nous enjambons la robe de la Reine [...] Nous enjambons la robe de Sa fille » (II). A partir des images de l'entrée – « Et un homme s'avança à l'entrée du Désert » (IV, 5); de la sortie – « A la moisson des orges l'homme sort » (III, 1 et 6); plus généralement, des images du départ – « je m'en irai avec les oies sauvages [...] Je m'en irai par là quand je voudrai... » (V); de tous les rêves de fuite vers un ailleurs – « Duc d'un peuple d'images à conduire aux Mers Mortes » (V). A partir des images du refus de ce pays-ci – « Un pays-ci n'est point le mien. Que m'a donné le monde que ce mouvement d'herbes?... » (VIII, 2); et des images de l'autre rive – « A nos destins promis ce souffle d'autres rives » (I, 3) ou « Au grand bruit frais de l'autre rive » (IV, 3). A partir enfin des images de l'ultime cheminement – « que les collines s'acheminent sous les données du ciel agraire – qu'elles cheminent en silence sur les incandescences pâles de la plaine; et s'agenouillent à la fin, dans la fumée des songes, là où les peuples s'abolissent

---

16. Cf. lettre à Roger Caillois du 26 janvier 1953, art. cité, *ibid.*, p. 562-563.
17. « Poésie », art. cité, *ibid.*, p. 444.
18. *Ibid.*, p. 446.

aux poudres mortes de la terre » (VII, 2); et des images de la terre dernière au-delà de toute chronologie – « Jusqu'au lieu dit de l'Arbre Sec : /et l'éclair famélique m'assigne ces provinces en Ouest. / Mais au-delà sont les plus grands loisirs, et dans un grand / pays d'herbages sans mémoire, l'année sans liens et sans anniversaires [...] » (VIII, 3).

Ainsi l'écriture du texte et le déroulement du chant auquel renvoie cette écriture font-ils du Poème, qui s'offre à nous d'abord comme perpétuelle recherche d'équilibre et d'harmonie, le lieu même de l'harmonisation des contraires.

*

Cette harmonisation, cependant, bien loin d'atténuer les contrastes, et nous le constatons tout au long d'*Anabase,* semble à l'inverse se proposer de les accentuer, de les valoriser comme tels. Et sans doute pourrait-il paraître déplacé, sinon abusif, de parler ici de dialectique si Saint-John Perse lui-même, dans son *Discours de Stockholm,* ne nous conviait à le faire. Après avoir relevé les pouvoirs médiateurs de l'image, après avoir rappelé les jeux qu'elle instaure, les réactions qu'elle suscite, n'en vient-il pas à se demander s'il est chez l'homme, en dehors de la démarche poétique, « plus saisissante dialectique et qui de l'homme engage plus [19] »?

De fait, le poète ne cesse de sauvegarder, en les accentuant, les oppositions, comme s'il en attendait quelque chose; non point seulement un effet de style, une façon provocante de cultiver la surprise, mais bien une vision nouvelle permettant de ne rien laisser échapper des choses et du monde mais aussi d'aller au-delà de la vision première. Il faudrait mentionner ici les images de la solitude dans la foule – « Solitude! nos partisans extravagants nous vantaient nos façons, mais nos pensées déjà campaient sous d'autres murs » (V); ou du silence au sein de l'agitation – « Que j'aille seul avec les souffles de la nuit, parmi les Princes pamphlétaires, parmi les chutes de Biélides! .../ Ame jointe en silence au bitume des Mortes! » (V); les images de l'ici et de l'ailleurs confrontés – « Je ne hélerai point les gens d'une autre rive. Je ne tracerai point de grands / quartiers de villes sur les pentes avec le sucre des coraux. Mais j'ai dessein de vivre parmi vous » (I, 2); celles de la certitude et du doute face à face –

19. *Ibid.,* p. 444.

« Ha! plus ample l'histoire de ces feuillages à nos murs, et l'eau plus pure qu'en des songes, grâces, grâces lui soient rendues de n'être pas un songe! Mon âme est pleine de mensonge, comme la mer agile et forte sous la vocation de l'éloquence [...] Et le doute s'élève sur la réalité des choses » (III, 3). Et il faudrait encore faire un relevé exhaustif de toutes les images soigneusement mises en opposition : songe et mensonge (III, 3), mais aussi gâteau et mouches noires (III, 4), selle brûlée et odeur délectable (III, 5), Prince et crâne de cheval (III, 6), temples et latrines (IV, 1), fonds et faîte (IV, 1), filles et mules (IV, 2), face honorée et face muette des bâtiments (IV, 3), singes et sœur d'une grande beauté (IV, 3), fêtes et services de voirie (IV, 4), palmes mortes et ailes géantes (IV, 4), ville jaune mais casquée d'ombre (IV, 4), plat d'or et filles de service (VI)... Il faudrait enfin dégager, au long du Poème, les diverses confrontations de la beauté et de la laideur, de l'ombre et de la lumière, de la fin et du commencement, du proche et du lointain, de l'amour et de la haine; et sans doute réserver un sort spécial à certaines formules ou tournures qui, à première vue, pourraient paraître vouloir résoudre les contradictions en rapprochant les valeurs opposées à la façon de l'oxymore, mais qui cependant ne font que poser de façon plus ramassée les matériaux de la contradiction : ainsi des « pures pestilences de la nuit » (V), des « pays infestés de bien-être » (VI), des « catastrophes pures du beau temps » (VI) ou des « violettes de l'orage » (VII, 2).

Par ce jeu même des oppositions, diversement mené, le poème crée une perpétuelle tension vers un au-delà de la conquête, un au-delà du temps présent, et s'installe dans un dramatisme qui pourrait être une des caractéristiques majeures de l'écriture de l'Imaginaire persien. Entendons par dramatisme l'enchaînement impératif de tous les événements dans une même série chronologique à l'intérieur de laquelle l'obstacle se trouve systématiquement valorisé, de sorte que rien n'est jamais donné, fixé, atteint, sinon en songe – « fumée des songes, là où les peuples s'abolissent aux poudres mortes de la terre » (VII, 2). Mais le songe toujours se découvre songe, et ces « grandes lignes calmes [...] s'en vont à des bleuissements de vignes improbables », nous dit le poète; déjà la terre « en plus d'un point mûrit les violettes de l'orage », ramenant un cheminement plus mesuré, inscrit cette fois dans le temps, celui des « grands oiseaux de terre naviguant en Ouest » et de « l'Orient du ciel si pâle » en attente des merveilles du jour : le temps du soleil et des horloges.

Quelles que soient les tentations de sortir du temps par la révolte ou le refus, l'installation en un présent figé ou en un refuge à l'abri de toute chronologie dégradante, le Poème finit par s'inscrire à nouveau « dans le jour », dans la fragilité des « choses sur la terre à entendre et à voir, choses vivantes parmi nous! » (X, 2) et qui tiennent justement leur excellence de leur fragilité, de leur propre finitude :

Ainsi parfois nos seuils pressés d'un singulier destin et, sur les pas précipités du jour, de ce côté du monde, le plus vaste, où le pouvoir s'exile chaque soir, tout un veuvage de lauriers! (VI.)

Cette réinscription dans le temps à laquelle toujours revient le Poème, et qu'il nous chante à chaque instant, n'est cependant pas lamentation sur ce « veuvage de lauriers ». Car, bien loin de se résigner aux délicieux « projets d'établissement et de fortune », une fois les épées rouillées par la mer, le conquérant d'*Anabase* va poursuivre sa quête dans le temps, sans doute, mais en essayant de dépasser ce temps. Tout se passe en effet comme si le Poème, par le jeu même de ses images, tentait de se délivrer du temps par des procédés temporels. C'est du moins ce qui se peut lire au travers des images de la régénération rituelle – « et l'Étranger a mis son doigt dans la bouche des morts » (Chanson I) ou « J'aviverai du sel les bouches mortes du désir! » (I, 2); du chant de l'oiseau – « Mon cœur a pépié de joie sous les magnificences de la chaux, l'oiseau chante : " Ô vieillesse!... " » (III, 2); du plus long jour – « Au plus long jour de l'année chauve, louant la terre sous l'herbage, je ne sais qui de fort a marché sur mes pas » (III, 6); de la renaissance après la descente au plus noir de sa nuit – « "... Fruit de la femme, ô Sabéenne!..." Trahissant l'âme la moins sobre et soulevé des pures pestilences de la nuit, / je m'élèverai dans mes pensées contre l'activité du songe » (V); du ciel tirant vie de la terre – « et de l'éponge verte d'un seul arbre le ciel tire son suc violet » (VII, 1). Ou bien encore au travers des images de la commémoration du chant par-delà la suite des siècles : « Levez des pierres à ma gloire, levez des pierres au silence, et à la garde de ces lieux les cavaleries de bronze vert sur de vastes chaussées!... » (VII, 4).

Ainsi l'écriture persienne se révèle-t-elle résistance au temps, dans lequel elle s'installe de par la dialectique de ses images, et exorcisme permanent d'une chronicité inéluctable et qui sert de support à sa rêverie.

*

La rêverie, en effet, ne cesse ici de revêtir un caractère historien, qui tout à la fois s'inscrit dans le cycle d'un éternel retour et laisse entrevoir certaine eschatologie. Or, cette rêverie historienne se trouve inséparable, dans *Anabase,* d'une prise de possession de l'espace; espace du dedans comme espace du dehors, puisque tous deux délimitent le champ de la conquête anabasique, mais espace aussi du Poème où s'opère leur parfaite coïncidence.

De cet aspect historien, on peut relever trois caractéristiques essentielles. Tout d'abord, la répétition des phases temporelles, qui ne cessent de rythmer le Poème. Est-il besoin de rappeler que, pour Saint-John Perse, un poème ne signifie rien en dehors du cycle où il trouve sa place et sa raison d'être? *Anabase,* de ce point de vue, représente bien un cycle poétique qui non seulement unit très rigoureusement, selon le rythme d'alternance cher au poète, dix chants qui rapportent et accomplissent la conquête jusqu'à son terme provisoire, en dépit de tous les obstacles ou peut-être à cause d'eux, mais encore souligne, par les deux chansons qui l'encadrent et se répondent, le retour au point de départ, compare le projet et le bilan de la quête. Mais à l'intérieur même du Poème, nombreuses sont les allusions au cycle des saisons, aux saisons du temps; que ce soit la marche vers l'Ouest, insertion dans le rythme solaire et le cours du temps sans cesse réaffirmée (I, 2; VI; VII, 3; IX, 1), l'écoulement du jour (II), le retour de la saison des orges (III, 1; III, 6) ou la traversée « d'une année de souffle en Ouest » (VI), dans tous les cas c'est par des reprises et des retours que s'écrit l'anabase :

> Certes! une histoire pour les hommes, un chant de force pour les hommes, comme un frémissement du large dans un arbre de fer!... (VI.)

Une seconde caractéristique de cet aspect historien de la rêverie persienne se découvre dans la constante récupération du passé qui s'opère par le fréquent recours au présent de narration, mais aussi et plus généralement par la multiplicité des procédés tendant à évaluer le passé, à le prendre en compte totalement et jusqu'à nier son caractère révolu par sa présentification – « Ha! plus ample l'histoire de ces feuillages à nos murs » (III, 3). Il n'est pas rare que la descente en soi-même s'accompagne d'une descente dans le passé qui est aussi immergence rafraîchissante : « l'homme clôt ses paupières et rafraîchit sa nuque dans les âges... » (VII, 4); mais l'occupation entière de l'espace du monde implique aussi telle plongée : « L'œil recule d'un siècle aux provinces de l'âme » (X, 1). De là les images exemplaires du généalogiste, avatar inattendu du poète, ou de ces entrepôts de toute la mémoire du monde que le conquérant découvre à la fin de sa quête :

> Ô généalogiste sur la place! combien d'histoires de familles et de filiations? – et que le mort saisisse le vif, comme il est dit aux tables du légiste, si je n'ai vu toute chose dans son ombre et le mérite de son âge : les entrepôts de livres et d'annales, les magasins de l'astronome et la beauté d'un lieu de sépultures, de très vieux temples sous les palmes [...]. (X, 3.)

Par là déjà se découvre une troisième caractéristique de cette rêverie et de cette écriture historienne, et qui est souci de tout embrasser dans l'instant. Ainsi de cet enthousiasme, de cette « violence au cœur du sage » qui soudain, grâce au chant, fait que « un tel, fils d'un tel, homme pauvre, / vient au pouvoir des signes et des songes » (III, 4); ainsi de cette chevauchée héroïque des « cavaliers au fil des caps » dont les exploits eux-mêmes, dans le moment de leur accomplissement, « publiaient sur les mers une ardente chronique » (VI).

Répétition des cycles temporels, actualisation du passé, possession dans l'instant : autant de procédés totalisateurs et qui permettent de prendre possession du temps en prenant au mieux possession de l'espace. Cette mainmise sur le temps par la médiation de l'espace se trouve d'ailleurs clairement affirmée dès les premiers mots du Poème : « Sur trois grandes saisons m'établissant avec honneur, j'augure bien du sol où j'ai fondé ma loi » (I, 1); et dès après se trouvent réunis, et comme possédés par le même regard, tous les éléments : la « terre sans amandes », le « ciel incorruptible », la « mer au matin » et « le soleil [qui] n'est point nommé ». Et c'est encore façon de prendre possession de l'espace qu'énumérer ceux qui l'habitent, le parcourent, le remplissent :

Hommes, gens de poussière et de toutes façons, gens de
négoce et de loisir, gens des confins et gens d'ailleurs [...] ô
chercheurs de points d'eau sur l'écorce du monde; ô chercheurs, ô trouveurs de raisons pour s'en aller ailleurs [...].
(I, 2.)

C'est effectivement la tâche, tout évangélique, que le Maître
« au pouvoir des signes et des songes » assigne à ses disciples :
« Tracez les routes où s'en aillent les gens de toute race » (III,
5). C'est à une même occupation de l'espace de la ville nouvelle
que nous assistons plus loin (IV, 4), une même occupation de
l'espace intérieur dans le chant de la solitude (V); et le rêve de
conquête guerrière puis d'installation pacifique, dans le chant
sixième, ne nous dit pas autre chose dans son double inventaire.
C'est sous un autre aspect que se présente, dans le chant suivant,
cette prise de possession de l'espace, puisque c'est sur la ligne
unissant « la fissure des paupières au fil des cimes » (VII, 1) que
s'écrit la conquête, laquelle non seulement confond bientôt tous
les règnes en un même regard – « pierre tachée d'ouïes », « essaims
de silence », « ruches de lumières » –, mais aussi nous fait progressivement passer du « lieu de pierres à mica » aux « données
du ciel agraire » en un grandissement qui préfigure la fin des
Temps. Mais c'est évidemment le dernier chant, cet inventaire
bouillonnant de toutes les « choses vivantes parmi nous » et de
« toutes sortes d'hommes dans leurs voies et façons » (X, 2), qui
nous livre la plus parfaite intégration au déroulement temporel
par le remplissement du monde, au travers de l'espace du Chant
du poète :

J'ai vu la terre distribuée en de vastes espaces et ma pensée
n'est point distraite du navigateur. (X, 4.)

Ainsi l'occupation progressive et toujours recommencée de
l'espace du dehors comme de l'espace du dedans se trouve-t-elle
intimement liée, dans *Anabase,* à une rêverie historienne qui
opère d'abord à partir des cycles du temps; et la plus belle image
de ces cycles est sans doute celle de cette « terre aux herbes
s'allumant aux pailles de l'autre hiver » et prenant du même
coup « couleur de choses immortelles » (VII, 1). Mais cette
rêverie cependant ne s'en tient pas là, qui opère aussi à partir
de l'orientation, de la force vectorielle du temps : le dynamisme
messianique qui apparaît çà et là dans le Poème suffirait seul à

nous prouver, s'il en était besoin, que c'est une véritable domination du temps qui s'effectue dans l'écriture.

*

Il est vrai que cette visée messianique, ou plutôt certaine perspective eschatologique qui se peut parfois déceler, ne joue qu'à l'arrière-plan du Poème. Il n'empêche : on ne saurait passer sous silence la vision du septième chant où le déroulement de l'expédition, passant de terre en ciel, envisage bel et bien une fin de la quête :

> que les collines s'acheminent sous les données du ciel agraire [...] et s'agenouillent à la fin, dans la fumée des songes, là où les peuples s'abolissent aux poudres mortes de la terre. (VII, 2.)

Même si les vignes célestes, dans leurs bleuissements, restent « improbables », il y a une marche du temps, un sens de l'histoire, et le poète ne manque pas de nous le rappeler peu après avec ces « fumées de sable qui s'élèvent au lieu des fleuves morts, comme des pans de siècles en voyage... » (VII, 2). C'est d'ailleurs sur la même lancée qu'il parlera plus loin, après l'évocation du bruit des « grandes eaux en marche sur la terre » (VII, 4), des « clepsydres en marche sur la terre » (VIII, 1).

Mais ce qui en fait nous importe, c'est moins ce terme ultime de la quête — « jusqu'au lieu dit de l'Arbre Sec » (VIII, 3), entrevu le temps d'un songe, que la façon dont est parachevée dans l'écriture la maîtrise du temps par l'apprivoisement du futur. De la même façon que le passé se trouve présentifié, le futur est appréhendé bien souvent par le présent de l'imagination; ce qui est à venir, ce qui sera, est montré comme vision de l'instant :

> Les fondateurs d'asiles s'arrêtent sous un arbre et les idées leur viennent pour le choix des terrains. Ils m'enseignent le sens et la destination des bâtiments : face honorée, face muette; les galeries de latérite, les vestibules de pierre noire, et les piscines d'ombre claire pour bibliothèques [...]. (IV, 3.)

Et par l'autorité qu'il prend « sur tous les signes de la terre », suivant tous les chemins du monde, le Voyageur maîtrise l'avenir.

Aussi le passage se fait-il insensible de l'histoire chronologique à l'histoire légendaire puis au mythe à venir, tout comme au terme de la solitude essentielle hier rejoint demain :

> ... Solitude! l'œuf bleu que pond un grand oiseau de mer, et les baies au matin tout encombrées de citrons d'or! – C'était hier! L'oiseau s'en fut!
> Demain les fêtes, les clameurs [...]. (IV, 4.)

L'imagination a tôt fait de reprendre ses droits « sur les ténèbres de l'esprit [...] sur les frontières de l'esprit », enfantant « beaucoup de choses à loisir », ces « grandes histoires séleucides au sifflement des frondes et la terre livrée aux explications... » (VIII, 2). Nous voilà, cette fois, en plein mythe.

Sans doute, et d'aucuns s'y sont laissé prendre, nombre de matériaux et de procédés d'écriture pourraient donner à penser que nous entrons par là dans le domaine épique. Le thème de la terre qui voyage « en ses graines ailées » (V), celui des « accidents extraordinaires » provoqués aux frontières, des « actions à la limite de nos forces », de l'« immense péril à courir » et des « actions sans nombre et sans mesure » (VI), celui des « averses solennelles, d'une substance merveilleuse » (VIII, 1), tout cela, joint aux images de la conquête et de la gloire, pourrait, semble-t-il, relever de l'épopée la plus pure. En fait, il n'en est rien, et le poète prend soin de nous le dire avant de nous laisser, au dernier chant de son anabase : le merveilleux n'est pas dans l'exceptionnel mais dans le quotidien, pour qui sait l'y trouver, il est « à hauteur de nos temps » (X, 2).

C'est par la qualité du regard porté sur le monde ordinaire que celui-ci peut devenir extraordinaire, certes, mais peut surtout prendre sens, comme l'histoire qui s'écrit :

> L'œil recule d'un siècle aux provinces de l'âme. Par la porte de craie vive on voit les choses de la plaine : choses vivantes, ô choses
> excellentes! (X, 1.)

Et cette nécessité d'un sens de l'Histoire, impliqué par la vie même du monde, son inépuisable richesse, va expliquer grossissements et grandissements, certaines résonances messianiques, l'annonce des temps à venir, voire de la fin des Temps, bref l'apprivoisement du futur. Ainsi du thème de la prophétie, présent

dès la Chanson initiale avec l'arbre de bronze, bien proche parent
des chênes de Dodone, et qui va rythmer tout le neuvième chant;
ainsi de l'image de la terre « toute attente en ses barbes d'insectes »
et qui « enfante des merveilles » (VII, 3), ou de celle du « peuple
de miroirs sur l'ossuaire des fleuves » (VII, 4) susceptibles d'in-
terjeter appel dans la suite des siècles; ainsi enfin de cette
évocation édénique du chant huitième :

> Mais au-delà sont les plus grands loisirs, et dans un grand
> pays d'herbages sans mémoire, l'année sans liens et sans
> anniversaires [...]. (VIII, 3.)

Par là est dominé, dans sa circularité comme dans sa vectorialité, le déroulement temporel; et si l'accélération du temps est
mesurée par les songes, par la prophétie ou la vision d'une fin
de l'Histoire, en fait elle est plus souvent maîtrisée par des voies
plus occultes, bien proches de certains itinéraires initiatiques.
C'est ainsi que les routes de l'avenir ne sont pas toutes tracées;
il faudra les ouvrir pour que d'autres les suivent (III, 5); et si,
par la porte de craie vive, le héros aperçoit les entrepôts de toute
la mémoire du monde, il aperçoit aussi « par-delà le cirque de
[son] œil, beaucoup d'actions secrètes en chemin » (X, 3). Enfin,
derrière les « actions des hommes » et leur diversité, c'est l'ordonnance même du voyage qui se peut déchiffrer et la transmutation future venant à bout de la fatalité chronologique :

> mais par-dessus les actions des hommes sur la terre, beaucoup
> de signes en voyage, beaucoup de graines en voyage, et sous
> l'azyme du beau temps, dans un grand souffle de la terre,
> toute la plume des moissons!...
> jusqu'à l'heure du soir où l'étoile femelle, chose pure et
> gagée dans les hauteurs du ciel... (X, 3.)

Ainsi est-ce dans l'écriture d'*Anabase* que s'opère le passage
des « choses à hauteur de nos tempes » à la « chose pure et gagée
dans les hauteurs du ciel », par l'écriture que s'opère la néantisation de la fatalité rivée à la chronologie. Et c'est après coup
seulement, une fois la quête arrêtée, que se comprennent ses
premiers mots qui déjà défiaient le temps des horloges et la
dégradation qui lui est attachée, mais prophétisaient aussi l'issue
de ce défi : « Sur trois grandes saisons m'établissant avec honneur,
j'augure bien du sol où j'ai fondé ma loi » (I, 1). Tout au long

du Poème, d'ailleurs, les images nous redisent en la réalisant cette maîtrise du temps qui passe : images de l'« éternité qui bâille sur les sables » (I, 2), du « chant de tout un peuple, le plus ivre / à nos chantiers tirant d'immortelles carènes! » (I, 3), de l'oiseau-cœur chantant « ô vieillesse!... » (III, 2), de l'œil tout « plein d'une salive » du poète encore enfoui dans son silence, après la descente en sa nuit, et en lequel il n'y a plus désormais « substance d'homme » (V). Images plus exemplaires encore, et souvent déjà rencontrées, de l'au-delà des provinces en Ouest, ce « grand/pays d'herbages sans mémoire, l'année sans liens et sans anniversaires, assaisonnée d'aurores et de feux » (VIII, 3), du « grand pays plus chaste que la mort » (IX, 6) ou de cette « étoile femelle » (X, 3) sur laquelle s'achève l'expédition. Toutes images qui nous rappellent que c'est à l'intérieur du temps que peut s'opérer sa domination, et cela par une écriture qui n'est plus seulement médiatrice de la conquête mais qui est la conquête même.

*

Si c'est bien là, de fait, que semble se découvrir progressivement l'harmonie du texte, comme aussi se réaliser son anabase, il serait téméraire encore de vouloir en prendre une vue unificatrice et d'opérer le passage de la pluralité de ses parcours à l'unité de son sens. Car l'inventaire de l'écriture de l'Imaginaire du Poème nous avait révélé, ne l'oublions pas, deux autres groupes de schèmes contradictoires et qui, tout au long de son déroulement, paraissaient menacer la quête persienne, l'un en voulant la mener à son terme dans l'instant, l'autre en voulant l'abandonner pour quelque refuge heureux. On pourrait certes se contenter de lire dans les deux modalités de structuration de l'écriture qu'ils entraînent, qui sont d'agression et de repos, le seul contrepoint de l'harmonie première à qui elles donneraient profondeur et résonance, sans doute, mais plus encore surcroît de dynamisme par leur résistance même au mouvement général. Et il est vrai que, grâce aux oppositions qu'elles multiplient d'image à image et de schème à schème, la toile du texte se trouve renforcée, sa trame resserrée. Mais peut-être faut-il leur allouer une fonction plus singulière et mieux définie dans la genèse du texte d'*Anabase,* une fonction plus résolument créatrice, quand elles viennent rompre à chaque instant le continuum du mouvement amorcé dans l'écriture. Et ce sont chaque fois d'autres gestes profonds qu'elles révèlent, d'autres directions qu'elles indiquent, et finalement d'autres réponses possibles à l'angoisse actuelle devant le temps qu'elles viennent écrire par leurs ruptures.

Ainsi apparaît-il à l'examen des matériaux en œuvre et des variations syntaxiques de l'Imaginaire, au sein de l'écriture d'*Anabase,* que la révolte de qui, sans pouvoir parfois plus attendre, voudrait tout tout de suite, va faire s'infléchir en plus d'un moment les processus de maîtrise et de domination du temps décelés jusque-là. Images et schèmes d'occupation et de prise de possession, de remplissement total de l'espace, vont intervenir en effet comme autant de ruptures d'équilibre qui sont aussi ruptures d'harmonie; et la dysharmonie qu'elles provoquent, qui est désaccord avec le déroulement du temps de la conquête, entraîne une immobilisation dans l'instant, possédé et figé lui aussi, qui réintroduit à l'autre extrémité cette inertie « toujours menaçante » fatale à toute quête. C'est ainsi que vont jouer, dans leurs métamorphoses, les images déjà recensées des armes et des casques, des chevaux et des tambours, liées aux schèmes du pouvoir, de la puissance, de la domination et bientôt de la violence; que vont jouer aussi les images du feu, celles de l'été et celles de l'or, celles des forgerons comme celles des forces du soleil, qui ne nous écartent guère de la violence et du désir de possession qui la sous-tend. Car toutes ces images, au terme d'une exaltation, d'une ivresse parfois dionysiaque, ne laissent pas de déboucher à plus d'un moment sur l'installation placide au seuil des tentes, sur les « assises dans le jour » (I, 1), quand ce n'est pas sur cette situation glorieusement absurde de l'Ambassadeur assis à la table des Rois, d'un Prométhée assis à la table des Dieux (III, 1).

Aussi ne saurait nous surprendre le fait que cette attitude de révolte rejoigne parfois, dans l'écriture du texte, l'attitude de refus qui lui semble d'abord opposée, et qui est retranchement dans un refuge, ou plutôt dans une série de refuges à l'abri du temps qui passe. Prométhée assis manifeste le même contentement, tout compte fait, la même « infection » de bonheur que celui qui se laisse séduire par les « projets d'établissement et de fortune »; et il suffit d'un parfum de femme (VI) pour que le « tout tout de suite » se transforme en « rien au-delà ».

Sans doute n'y a-t-il plus, dans le cas de la prégnance des images de l'intimité et de la prison heureuse, dysharmonie d'aucune sorte; mais l'inertie, cette fois, est d'emblée revendiquée qui annule la quête et paraît nier l'anabase. Bien loin d'être maîtrisé par la prise en compte de ses propres rythmes et des mesures qui lui sont propres, le temps est alors oublié dans des divertissements qui sont autant de pièges et menacent non plus la fin mais le principe même de la quête.

Elles sont nombreuses, cependant, les images qui délimitent et aménagent ces refuges, et qui le plus souvent se situent, nous l'avons déjà remarqué, dans le prolongement de celles de la conquête de l'espace du dedans et de la solitude de la nuit intérieure. Images de l'établissement définitif dans le lieu de la halte, de la fondation de la ville (IV, 1) et des asiles qui s'y créent (IV, 3), selon un processus d'emboîtement bien caractéristique de cette attitude de repli devant le temps. Images du ralentissement et de l'arrêt des navires « sous le paon blanc du ciel [...] /en ce point mort où flotte un âne mort » (IV, 2) – et la dérision de cette « installation » se trouve redoublée dans les connotations animales qui affectent jusqu'au fleuve, privé désormais de destin, et prenant « couleur de sauterelles écrasées dans leur sève » (IV, 2). Images délicieusement érotiques des filles parfumées (V; VI), des filles vêtues d'un souffle (VI; IX, 5), et plus généralement images des vêtements – « ah! que l'acide corps de femme sait tacher une robe à l'endroit de l'aisselle! » (II) – et des tissus – « les déploiements d'étoffes à loisir » (VI); images des parfums et des senteurs – « odeur solennelle des roses » (VI) ou « odeur de violettes et d'argile, aux mains des filles de nos femmes, [qui] nous visitait dans nos projets d'établissement et de fortune » (VI); images des « vents calmes » (VI) et des « terres jaunes, notre délice » (VII, 1), des songes et des sources (IX, 3 et 5). Images qui toutes révèlent cette même tentation du repli, du refuge, tentation qui trouve sa plus complète condensation, sans doute, dans le début du chant sixième :

> Tout-puissants dans nos grands gouvernements militaires, avec nos filles parfumées qui se vêtaient d'un souffle, ces tissus,
> nous établîmes en haut lieu nos pièges au bonheur.
> Abondance et bien-être, bonheur! (VI)

Tout ce chant, d'ailleurs, ne cesse de faire se rejoindre révolte et refus, impatience et abandon, le guerrier et son repos, Prométhée et Hercule aux pieds d'Omphale, ainsi que l'annonçaient les « pièges au bonheur » établis « en haut lieu »; comme si ces forces antagonistes importaient moins, finalement, pour les réponses qu'elles devaient apporter, les tentations passagères qu'elles allaient dévoiler, que pour leur pouvoir de « rompre l'accoutumance » en rompant la continuité et la similitude de l'écriture. Et, bien loin d'être accessoires, elles se montrent par là les éléments indispensables à la poursuite de cette anabase, à sa création renouvelée, alors même qu'elles semblaient d'abord la nier.

*
* *

Enfin s'aperçoit désormais, et sans que soit laissée de côté aucune des forces en œuvre dans le texte, l'unité d'*Anabase;* une unité dictée à tous les niveaux par le régime dialectique de sa syntaxe de l'Imaginaire et qui voit dominer les processus d'harmonisation des contraires tant dans la continuité que dans la discontinuité de son écriture. Mais cette unité, qui ne livre pas le sens du Poème mais du moins permet de s'en approcher, n'est pas seulement celle d'une totale mainmise sur le temps par le fait d'une ruse supérieure qui l'utilise pour le dépasser et donc l'annihiler. Car la vision unitaire qu'elle propose, au-delà de toutes les contradictions de sa genèse, est aussi la vision du poète au terme de sa quête, son cheval arrêté sous l'arbre plein de tourterelles : celle dont il entend confier la progressive réalisation, qui est passage du « plaisir » à la « connaissance », à l'écriture même, cette « chose très douce ». Cette écriture d'*Anabase,* pour peu qu'on envisage les itinéraires du Poème dans leur globalité, qu'on veuille saisir sa texture comme un tout organique, apparaît ainsi comme le lieu privilégié de toute synthèse. Et il se pourrait que nous tenions là le ressort de l'œuvre persienne, tant les images et les schèmes qui l'ordonnent, les desseins qu'elle se propose et réalise à mesure tout en les amplifiant, manifestent un pareil besoin de synthèse.

Qu'il s'agisse des différents espaces qu'elle occupe tour à tour ou des différentes « voies et façons » des hommes qui les peuplent; qu'il s'agisse de l'union intime de l'homme et du monde ou de la communion avec le macrocosme; qu'il s'agisse de la saisie de l'univers entier à partir de la seule image du cocculus indien qui possède des vertus enivrantes; qu'il s'agisse des deux mondes à conquérir ou des deux tentations à exorciser : dans tous les cas ce sont autant de synthèses provisoires qui ponctuent la vision persienne dans le passage du devenir à l'Être.

Cette fonction de rassemblement dévolue à l'écriture, c'est celle que met en représentation, dans sa fausse naïveté, la Chanson qui clôt le poème, transformant la tristesse en plaisir, l'arbre de vie en arbre de la connaissance, et remplaçant le chant du monde par la pleine possession de ce monde. Tout se passe en effet comme si le Chant était rendu possible par la vision possessive du monde, comme si le monde se trouvait régénéré par le Chant, mais aussi comme si le Chant, à son tour, se trouvait purifié par la voyance octroyée par le monde.

Aussi le poète peut-il se définir comme celui qui prend connaissance de la gloire et du *sens* du monde où il puise son Chant, mais aussi comme celui qui, par son écriture, donne connaissance de cette gloire et de ce *sens;* celui qui puise plaisir dans le monde et rend ce plaisir dans ses mots, renouvelant ainsi le monde. Par son écriture du monde, par sa poésie où le monde se fait écriture, le poète est donc bien celui qui réconcilie l'homme avec le Cosmos, source de vie, et permet de vivre – « mieux et plus loin » – cette réconciliation.

Mais, par-delà cette réconciliation, c'est la fusion du texte du monde et du texte du poème qui s'opère ici sous nos yeux – « Terre arable du songe : Qui parle de bâtir? » (X, 4). Ultime synthèse, et qui nous aide à comprendre pourquoi, selon les belles formules du *Discours de Stockholm,* une telle poésie « n'est point art d'embaumeur ni de décorateur », pourquoi « elle n'élève point des perles de culture, ne trafique point de simulacres ni d'emblèmes, et d'aucune fête musicale elle ne saurait se contenter », pourquoi « elle est action, elle est passion, elle est puissance, et novation toujours qui déplace les bornes », pourquoi enfin « elle ne se veut jamais absence ni refus [20] ».

Ainsi le déchiffrement de l'écriture de l'Imaginaire d'*Anabase* et la mise en relief de la syntaxe qui la forme comme des ruptures qui l'informent nous aident-ils à lire, en renouvelant notre émerveillement, ce que Saint-John Perse ne cesse de nous dire et nous donner à vivre jusqu'en son dernier Chant – « Les voici teints de notre sang, ces fruits d'un orageux destin [21] » : qu'il n'est désormais nulle différence entre l'homme qui chante, le monde chanté et le poème où ils s'échangent.

---

20. « Poésie », art. cité, *ibid.,* p. 445.
21. « *Nocturne »*, *Chant pour un équinoxe,* Paris, Gallimard, 1975, p. 24.

ÉLÉMENTS
POUR UNE POÉTIQUE
DE L'IMAGINAIRE

Théorie de la poésie et poétique des possibles

Et maintenant que dire de cette poétique de l'Imaginaire qu'il s'agissait ici d'essayer de fonder, sinon qu'elle est encore à faire? Une analyse de l'écriture de la poésie, récusant à dessein les chemins tracés à l'avance, a montré qu'elle était légitime; une série de lectures, s'imposant de mettre à l'épreuve les seules données de l'analyse théorique, a montré qu'elle pouvait être fructueuse. Mais ce ne sont là que préliminaires et qui valent plus, sans doute, par ce qu'ils promettent que par ce qu'ils accordent; car l'entreprise est périlleuse, qui demande à renverser le sens habituel du travail de la pensée et se doit d'être d'autant plus rigoureuse dans ses principes, d'autant plus prudente dans ses cheminements, que son domaine est celui de la qualité et donc du singulier, ce qu'elle ne veut oublier à aucun prix. En tout cas, c'est moins dans ses résultats, même provisoires, que dans ses visées propédeutiques qu'il convient pour l'heure d'examiner l'apport d'une telle poétique.

Que cette entreprise, ambitieuse s'il en fut, ait demandé d'abord de dénouer des habitudes, de démonter des postulats, de dénoncer des hypothèses tendant à s'ériger en dogmes – toutes choses qui ne se pardonnent pas aisément –, il n'y a pas lieu de s'en étonner. Par cela même qu'elle détermine son champ d'investigation non dans les possibilités qui ont réalisé le texte poétique mais dans les possibilités qu'ouvre cette réalisation, elle ne saurait se rallier à aucun des systèmes explicatifs qui tendent à faire loi en matière de critique. Et si nombre de démarches relevant des psycho-analyses, des socio-analyses, des mytho-analyses même les plus séduisantes lui sont également suspectes, qu'elle renvoie à d'autres terres que les siennes, c'est que la recherche des motivations, qui trop souvent seule les préoccupe, tourne le dos au sens même de la création poétique que pour sa part elle voudrait épouser.

Peut-être s'étonnera-t-on davantage, et à juste titre, de voir cette poétique tenir le moindre compte de travaux critiques, parmi les meilleures approches contemporaines de la poésie, dont elle aurait pu tirer cependant le plus grand profit. Mais il s'agissait seulement ici de légitimer, tant sur le plan théorique que sur le plan pratique, cette entreprise qui se serait certainement trouvé des ancêtres si elle avait dû être menée plus avant. Dans de telles conditions, par surcroît, il importait moins de la situer par rapport à d'autres approches ou d'autres poétiques que d'essayer de la fonder tout entière à partir de l'objet même de son étude. Et c'est bien là, sans doute, un premier apport qui lui revient, quand elle débouche sur ce qu'il est permis d'appeler une théorie de la poésie.

L'analyse de l'écriture, envisagée du point de vue de l'Imaginaire, permet en effet de déceler d'abord dans le texte poétique un principe formateur et qui assure en quelque sorte sa continuité; ce principe tient son identité de tendances vitales qui cherchent à se manifester dans l'écriture, laquelle se situe dans le prolongement d'une gestuelle profonde et, comme telle, vient apporter dans l'espace réponse à l'angoisse de l'homme devant le temps. Le continuum de l'écriture, engendré par ce principe formateur, va se diversifier en fonction des différentes réponses possibles à cette angoisse; comme ces réponses globales sont nécessairement limitées, les schémas organisateurs de l'écriture de l'Imaginaire vont être eux aussi peu nombreux. C'est à partir de ces schémas, en tout cas, qu'il est possible de mettre à jour une véritable syntaxe de l'Imaginaire régissant le fonctionnement du texte poétique selon des régimes qui chacun reflètent une des réponses trouvées à l'angoisse liée à la finitude, et donc un moyen de la transcender. Cette organisation et ce fonctionnement, toutefois, ne sont pas organisation et fonctionnement de formes vides; leur remplissement, qui assure leur concrétude, est assuré par les images, lesquelles tiennent leur pleine réalité de l'échange même des forces qui s'affrontent au carrefour de l'Imaginaire. Quels que soient leur dynamisme propre et leurs pouvoirs générateurs qu'elles tiennent de leur fonction symbolique, ces images cependant restent tributaires des schèmes sur lesquels elles s'installent et ne peuvent particulariser les modes de structuration de l'écriture. Ces schèmes sont déterminants dans l'identification de cette écriture, mais leur cohérence même ramène à l'identité du principe formateur dont elles procèdent : s'il est possible à partir d'eux, comme à partir des divers régimes syntaxiques de l'écriture, d'établir une typologie ou une modélisation plus ou moins affinée, attachée encore au domaine du quantitatif, en revanche il n'est pas encore possible de singulariser le texte poétique, de déceler sa qualité propre, en bref de faire apparaître ce qui le différencie et qui seul importe vraiment.

Or, l'analyse de l'écriture de l'Imaginaire met à jour, à côté de ce principe formateur répondant à l'identité, un principe informateur et qui va rompre cette identité comme le continuum de l'écriture. Étroitement associé au principe premier qu'il vient non relever mais compléter, celui-ci va mettre en péril la cohérence apportée tant par le regroupement des images que par la convergence des schèmes et dont semblait pouvoir répondre chacun des régimes syntaxiques de l'écriture. Introduisant la différence au sein de l'identité, ce principe va opérer d'incessantes ruptures dans le continuum premier; ruptures qui viennent dévier le cours d'une genèse purement mécaniste du poème dont pourrait rendre compte une analyse quantitative, et permettre le passage du monde en devenir du texte et des processus génétiques qui l'écrivent au monde intemporel de son sens. Ce principe de la différence, et qui est source de brisures qui pourraient bien définir l'essence du poétique, va faire de la poésie un langage de la discontinuité, d'une discontinuité qui seule peut justifier la création qu'elle assure. C'est à deux niveaux que peut se saisir ce principe en action : au niveau de la syntaxe de l'Imaginaire, dans la combinatoire des possibles régissant les jeux compensatoires de l'espace et du temps; au niveau du passage au sens, dans les mécanismes d'amplification qu'opère la dialectique de l'actuel et du virtuel. Par les « catastrophes » qu'il provoque, ce principe se révèle facteur de réalité neuve mais aussi créateur de sens et, par là, échappant à toute quantification, il permet d'entrer à plein dans le domaine du qualitatif; un domaine cependant qui n'est pas celui de la pure subjectivité, dans la mesure où certaine stabilité structurelle se découvre dans les modalités d'un tel principe, mais où la singularité du texte poétique, à quelque régime syntaxique de l'Imaginaire qu'il appartienne, peut enfin être pleinement dévoilée.

Cette théorie de la poésie, ainsi brièvement schématisée, par l'intervention simultanée d'un principe formateur et d'un principe informateur, et par les jeux de l'identité et de la différence qu'ils permettent, pourrait bien définir un langage spécifiquement poétique, du moins donner à la poésie un statut tout différent de celui de la littérature. Dans tous les cas, et ce n'est pas un des moindres mérites de la poétique de l'Imaginaire que de nous confirmer ce que nous pressentions déjà, elle montre la faillite des structuralismes et des analyses formalistes qui ont cru pouvoir faire pâture dans les champs de la poésie dès lors qu'elles mettaient l'accent sur des productions opérées par des arrangements internes de la langue ou de l'esprit qu'il devait être loisible de formaliser. Car, d'une part, cette formalisation laisse de côté tout le problème du sémantisme, et il apparaît que l'écriture poétique ne s'organise et ne fonctionne, à tous les niveaux, qu'en vue de la structuration et de l'amplification d'un sens; les productions vides auxquelles s'intéressent les divers structuralismes ne sauraient donc en rien concerner l'écriture poétique, laquelle ne peut évacuer le contenu de ses images ni la réalité tant de ses référents que des gestes qu'elle prolonge sans se nier elle-même. Mais, d'autre part, au-delà de la relation sémiotique-sémantique qui alimente des querelles jusqu'au sein même des chapelles formalistes, et quelles que soient les solutions que d'aucuns croient pouvoir lui apporter, les processus de « génération » ou de « transformation » auxquels recourent certains linguistes peuvent tout au plus rendre compte du principe formateur du texte poétique et de son continuum, mais le principe informateur leur échappe totalement, et avec lui les ruptures introduisant la différence, ce qui leur interdit à coup sûr le domaine de la création poétique.

Il semble bien, dès lors, qu'une poétique de l'Imaginaire seule puisse donner raison de tous les paradoxes du langage poétique, mais surtout soit à même de ne rien négliger de la spécificité qui est sienne, et d'abord de son appartenance au qualitatif qui n'entame aucunement son statut scientifique. La théorie de la poésie qu'elle permet, et qui demanderait sans doute à être parfaite, a du moins la particularité de se fonder sur ces paradoxes mêmes, au lieu d'essayer de les résoudre, et par là de ne réduire la poésie à aucun autre langage comme à aucune autre fonction que la sienne propre : celle d'opérer le passage du devenir à l'intemporel et de réaliser par son écriture, qui d'abord exacerbe l'angoisse de la finitude, une véritable quête d'éternité. Et peut-être par là pourraient se comprendre mais aussi vraiment s'appréhender cette fusion de l'harmonie et de la dysharmonie que réalise et renouvelle l'écriture poétique, mais aussi ce bonheur dans le malaise qu'elle suscite quand le plus-être qu'elle révèle

fait aussi mesurer la finitude d'un moindre être; ou quand
« l'inattendu devenir », que fête le poète, repousse toujours plus
loin, vers la complétude, l'instant d'être « totalement, sans corrections sans deuxième état, sans avoir à y revenir, à retoucher.
D'emblée, là [1] ».

La pratique du texte et le conflit des Imaginaires

Ainsi une poétique de l'Imaginaire permet-elle d'envisager le
texte dans son devenir et dans les implications logiques vers
lesquelles il s'achemine, dans la réalité pleine et concrète de son
actualité comme dans la cohérence et la cohésion de ses virtualités. Mais, par-delà contradictions et ruptures qui assurent sa
genèse, la vision unitaire qu'elle tend à donner de l'œuvre, cette
contemplation d'un sens qui se dispense du détour par la logique
discursive et transgresse l'identité, empêche de s'en tenir au seul
plan de la théorie et oblige en quelque sorte à passer à une
pratique.
C'est là sans doute un second apport de cette poétique, et qui
n'est pas négligeable. Car la connaissance de la poésie à laquelle
elle conduit ne prend valeur et signification que si elle est aussi
connaissance – occasion d'une nouvelle naissance – pour celui
qui s'y livre. Aussi la poétique de l'Imaginaire fait-elle plus que
réconcilier écriture et lecture : elle rend l'une et l'autre étroitement solidaires en interdisant à coup sûr au lecteur de lire dans
le texte ce qu'il lui plaît d'y lire, mais en le contraignant aussi
à actualiser et à vivre pour son propre compte les virtualités qui
s'y trouvent.
C'est bien un nouveau mode de lecture du texte poétique
qu'apporte ainsi la poétique de l'Imaginaire; une lecture qui,
certes, ne va pas tenir pour négligeables les apports d'autres
approches critiques susceptibles de confirmer la réalité du texte
en décelant les traces de ses référents, mais qui va d'abord se
vouloir immersion totale dans l'œuvre. Laissant le texte en place
et ne cherchant d'aucune façon à le traduire, à le réduire au
langage de l'échange, c'est-à-dire au connu et au raisonnable,
cherchant moins encore à l'expliquer, à défaire ses plis – tant la
vie du poème est toujours dans ses plis –, cette lecture va

1. Henri Michaux, *Émergences-Résurgences, op. cit.,* p. 71.

s'efforcer d'habiter l'espace du texte, de suivre les itinéraires qu'il impose, de découvrir la cohérence de ses modalités de structuration au cœur même de leurs contradictions, de raviver son tissage jusque dans les ruptures qui renouvellent son dessin, et finalement de poursuivre sa genèse plutôt que de la répéter, en ouvrant les chemins de tous ses possibles. C'est dire déjà qu'en une telle lecture sympathie et ironie ne cessent de renvoyer l'une à l'autre, et que l'acheminement progressif vers une vision unitaire du texte, vers ce sens qui fait aussi sortir des seuls processus de l'écriture, n'est permis que parce que ce qui est donné à voir dans l'écriture est aussi donné à vivre dans la lecture.

La première conséquence en est que cette lecture de l'Imaginaire va récuser d'autorité l'idée d'obscurité poétique. Car dès lors que le langage poétique est défini comme langage non de l'échange du sens mais de la génération du sens impliquant les jeux du double principe formateur et informateur que l'on sait, dès lors donc qu'il est un langage non certes réservé à l'usage de quelques initiés, comme le voulait Mallarmé, mais possédant ses propres lois d'organisation et de fonctionnement, comment peut-on dire qu'il est ou non « obscur »? Et comment prétendre qu'une œuvre, un ouvrage, un poème sont « difficiles » sitôt qu'on ne les confronte plus avec un langage économique dont ils n'ont rien à faire? Il semble qu'il y ait là matière à repenser un enseignement de la poésie – auquel songeait déjà Valéry il y a bien longtemps –, et sans doute afin de le dissocier, pour le plus grand soulagement des poètes eux-mêmes, de l'enseignement de la littérature.

Mais une autre conséquence découle de cette pratique du texte à laquelle conduit heureusement la poétique de l'Imaginaire, et c'est la nécessité de reconsidérer la notion même de lecture. Car si la lecture de l'Imaginaire, telle qu'elle a été ici définie et expérimentée dans quelques œuvres contemporaines, compromet nécessairement celui qui s'y adonne, si la connaissance du texte poétique est inséparable de la co-naissance du lecteur, comment cette lecture est-elle possible puisqu'elle va entraîner la rencontre, presque certainement conflictuelle, de l'Imaginaire du texte et de l'Imaginaire du lecteur? Si le texte poétique est au plus, pour le lecteur, occasion de rêver ou de se rêver, comme dans la lecture bachelardienne, le problème certes disparaît, mais le texte avec lui; si au contraire le texte veut être analysé dans ses structures impersonnelles et la génération de formes vides comme dans les lectures formalistes, le problème aussi disparaît mais, le lecteur s'effaçant, c'est à la poésie à son tour de s'en aller. Il faut donc bien admettre que la lecture de l'Imaginaire ne saurait pratiquement éviter le conflit des Imaginaires. Sans doute arrive-t-il que les deux Imaginaires du texte et du lecteur, ou plutôt les modes de structuration qui leur sont propres à tous deux, coïncident ou presque pour l'essentiel; c'est là le « coup de foudre » qui fait qu'à première lecture – ou première vision, ou première audition – l'œuvre se met à parler, laisse habiter son espace, découvre d'elle-même ses itinéraires, révèle sa chaîne et sa trame, fait écouter ce qui n'existait pas encore, ouvre tout grand ses possibles à vivre et donne à partager directement, dans une même vision unitaire qui est nouvelle naissance, le surcroît d'être qu'elle apporte. Mais c'est là l'exception et, la plupart du temps, il reste que deux Imaginaires, dont aucun ne doit supplanter l'autre pour qu'il y ait vraiment lecture poétique, vont devoir s'affronter. Il ne paraît pas qu'à ce jour on ait jamais abordé ce problème, qui n'est cependant pas sans importance si l'on tient pour essentiel que le texte poétique ne livre rien autre que ce qu'il écrit et que le lecteur, par son intervention, permette réactualisation et amplification du sens sans lesquelles le texte poétique n'est que lettre morte. C'est là encore une question que laisse en suspens la poétique de l'Imaginaire. Suffit-il, pour y répondre, d'affirmer que la réactualisation du sens selon les imaginaires en présence peut s'opérer différemment, l'accent étant mis plus particulièrement sur tel jeu compensatoire, sur telle procédure syntaxique, sur telle convergence d'images et de schèmes, sans interprétation différente mais selon différentes amplifications? Voilà qui est vraisemblable mais demanderait, en tout état de cause, à être examiné de plus près, qui est encore à porter au compte d'un enseignement propre à la poésie.

Du moins, et c'est là une dernière conséquence à tirer de la pratique du texte ainsi entendue, devrait-il être possible à quiconque, grâce à elle, de s'aventurer sur les terres de la poésie. Non certes de tout accepter, de tout apprécier d'égale façon, de tout partager en même connaissance; mais du moins de ne pas rester sur le seuil, de trouver en toute occasion les accès du texte, pour indifférent ou déroutant fût-il de prime abord, de le reconnaître et de s'y reconnaître à défaut de se laisser porter par lui. Et cela encore, dans une perspective propédeutique, laisse à songer au renouvellement de l'enseignement de la poésie. Car, en définitive, la pratique du texte à laquelle achemine la poétique de l'Imaginaire voit converger, comme déjà le montrait la théorie de la poésie sur laquelle elle débouche, la pratique du sens, qui définit l'écriture de l'Imaginaire, et le sens de la pratique que poursuit la lecture de l'Imaginaire. Dans l'un et l'autre cas, c'est un surcroît d'être qui est appelé, qui est ou qui doit être découvert, le plus-être du texte devenant le mieux-être de son lecteur quand tous deux réalisent, par les voies de l'Imaginaire, une même quête d'éternité.

Vers une philosophie de la critique poéticienne

Quoi qu'il en soit, ce que met en relief la poétique de l'Imaginaire, tant dans la théorie qu'elle entraîne que dans la pratique qu'elle suscite, c'est la spécificité du langage poétique. S'il convient de déchiffrer autrement son écriture, d'aborder autrement sa lecture, c'est parce que la poésie, en tant que création qui ne cesse de se renouveler, répond à un statut particulier que l'on ne peut méconnaître et qui a tout autre envergure que la seule fonction poétique du langage, même associée à d'autres fonctions. Peut-être le temps est-il venu de prendre au mot le poète et de cesser de voir dans la poésie cet art d'embaumeur et de décorateur que ce même poète ne cesse depuis longtemps de dénoncer, afin d'envisager sérieusement la façon dont elle peut être conjointement « mode de connaissance » et « mode de vie intégrale [2] ».

C'est à une telle réflexion qu'à coup sûr nous invite la poétique de l'Imaginaire, laquelle pourrait non seulement nous aider à reconnaître le poète parmi les faiseurs, décorateurs et embaumeurs de toute espèce, mais plus encore nous contraindre à découvrir l'exacte nature de son pouvoir. S'interroger sur le comment de cette signification supplémentaire, de ce surcroît de sens qui est aussi surcroît de réalité, cette surréalité qu'entraîne l'exercice du langage poétique, permettrait, il est vrai, de tirer au clair ce pouvoir qui n'est magique ou divin qu'autant qu'il échappe à la démarche et à la vision discursives. En fait, et à la lueur des analyses précédentes, il apparaît que le poète – en cela proche parent du mathématicien, ainsi que l'avait déjà remarqué Platon qui n'en devait pas moins le chasser de sa cité

2. Cf. Saint-John Perse, « Poésie », art. cité, *Œuvres complètes,* p. 444.

idéale [3] – s'attacherait à déceler, dans l'identité de la réalité qui nous est donnée d'abord, les ruptures susceptibles de mettre en péril cette identité par les nouveautés qu'elles apportent; ainsi de ces « différences » recherchées et cultivées comme telles par Baudelaire, Rimbaud, Corbière ou Jarry aussi bien que par Apollinaire, Breton, Michaux ou Char. Mais de ces différences, et grâce à un langage « où se transmet le mouvement même de l'Être [4] », par les jeux du continu et du discontinu comme par la dialectique de l'actuel et du virtuel qu'ils entraînent, le poète ferait émerger, *mais sur un autre plan,* une nouvelle continuité, celle du réel pleinement signifiant, bien proche en effet de ce « réel absolu » par lequel Novalis entendait définir la poésie. Ainsi, mettant sans cesse en péril la réalité première par la dénonciation de son identité qu'opère l'écriture – sa perpétuelle transgression au gré des différences qu'elle décèle et souligne –, le poète parviendrait-il à retrouver l'harmonie au-delà de la dysharmonie et à prendre, par son écriture même, une vue unitaire du monde et des choses, et donc capable de donner du sens en transcendant la finitude. Rejoignant alors le métaphysicien dont il vient prendre la relève « lorsque les philosophes eux-mêmes désertent le seuil métaphysique [4] », le poète tiendrait donc son pouvoir de ce qu'il peut réaliser *directement* le passage du devenir à l'être, tout comme il peut *directement,* sans la médiation du discours dont a besoin le philosophe, retrouver l'unité primitive.

Cette redéfinition du poète pourrait bien faire de lui, et parce que sa démarche concentre dans l'immédiateté de l'écriture des processus que l'homme de science a besoin de développer et de prouver ensuite, le seul véritable savant, au plein sens du terme, qui n'a besoin que de son écriture pour savoir, sans autre détour que son ironie, et qui n'a pas besoin non plus de preuves. Cela ne laissera pas sans doute de faire sourire; et pourtant tout donne à penser, au vu de cette poétique de l'Imaginaire qui prétend s'ériger en science de la qualité, que le poète, en notre monde aveugle et qui se prend au sérieux, est le seul véritable *voyant.*

3. On pourrait d'ailleurs, en regardant de près le texte de *la République,* s'interroger sur les motifs exacts de cette relégation qui pourrait tenir à des raisons plus profondes et plus sérieuses que le caractère émollient de la poésie, peu propice à une communauté vigilante. Le philosophe n'aurait-il pas perçu dans le poète un dangereux rival en matière d'étonnement, un rival susceptible de résoudre le passage du devenir à l'être par des voies plus immédiates et plus sûres que les siennes?

4. Saint-John Perse, « Poésie », art. cité, *Œuvres complètes,* p. 444.

Mais cette redéfinition du poète entraîne surtout une nouvelle critique poéticienne, qui plus importe pour notre propos. Cette critique, dont la spécificité est déterminée par la spécificité même du langage poétique, ne saura évidemment se cantonner dans les limites étroites et désespérément vides de la linguistique et des divers formalismes qui s'y rattachent, pas plus qu'elle ne voudra s'égarer dans les souterrains sans issue des psychanalyses ou les couloirs fléchés des socio-analyses à conditionnements idéologiques. Parce que le champ qu'elle s'est assigné va de l'actuel au virtuel et qu'elle veut suivre les chemins des possibles au-delà même de la réalité en devenir du texte, une telle critique va s'attacher à tout ce qui, dans ce texte, fabriquant du sens, fabrique aussi de la réalité supplémentaire et permet ainsi le passage à l'Être. Elle va donc nécessairement s'ériger en philosophie, et en philosophie pratique, tant il est vrai que « la poésie met le langage en état d'émergence » qui engendre toujours au moins « une tonification de la vie », tant il est vrai surtout qu'elle « sanctionne l'imprévisibilité de la parole »; et « rendre imprévisible la parole n'est-il pas un apprentissage de la liberté [5] ? ».

Un second aspect de cette critique poéticienne découle du glissement du quantitatif en qualitatif qu'opère la poétique de l'Imaginaire, en découvrant, à côté du principe formateur fondé sur l'identité, un principe informateur fondé sur la différence. Car, en opérant ce glissement, elle rend possible une autre critique que celle fondée sur le général – sur l'identique ou le similaire –, laquelle permet tout au plus d'effectuer des regroupements de familles de poètes ou de catégories d'écriture, dans tous les cas de déboucher sur une typologie dont l'intérêt est bien médiocre pour être seulement documentaire : elle ouvre une critique fondée sur le singulier. Aussi bien, s'appuyant d'abord sur les classifications premières de la poétique de l'Imaginaire, cette critique ne se contentera-t-elle pas de détecter en action tel ou tel régime syntaxique de l'écriture; dépassant ce stade quantitatif, mais qui est le premier temps indispensable de sa démarche où mettre à jour l'identité du texte, elle s'attachera sitôt après à voir comment se spécifie, se diversifie, se singularise cette écriture par les ruptures qui s'y instaurent, les différences qui finalement la signent. Ainsi, les trois œuvres de Saint-Pol Roux, d'Eluard et de Saint-John Perse, choisies à dessein,

---

5. Gaston Bachelard, *La Poétique de l'espace, op. cit.,* p. 10. Comment ne pas songer ici au vers d'Apollinaire : « La parole est soudaine et c'est un Dieu qui tremble » (« La victoire », *Calligrammes, op cit.,* p. 311)?

répondent-elles toutes trois au même régime dialectique, et cependant voient leurs modalités de structuration converger différemment pour aboutir à des visions finales résolument dissemblables.

Enfin, cette critique poéticienne va se caractériser par le fait, et qui ne devrait pas manquer aujourd'hui de la faire remarquer, qu'elle se refuse à être une critique bavarde. Par cela même qu'elle récuse toute glose interprétative, toute dilution des matériaux en place, toute extension des significations particulières, toute explication des prétendues obscurités, toute dérivation à partir des référents, des mobiles comme des motifs, toute confrontation avec un système quelconque qui serait norme ou normalité, plus généralement parce qu'elle s'interdit le recours à toute grille censée permettre de classer, de jauger, de juger le texte poétique, et qu'elle empêche aussi de s'écarter des itinéraires qu'il n'est plus permis d'improviser, cette critique ne se veut pas discours sur la poésie ni discours à propos de la poésie, encore moins discours sur son propre discours comme il est devenu d'usage. A la limite, et cela déjà ne semble plus impossible, cette critique sera silencieuse qui tentera de mettre en évidence *graphiquement* l'organisation du texte à tous ses niveaux et son fonctionnement continu et discontinu, par les jeux de ses seules forces : belle occasion de laisser enfin parler le texte lui-même, et se révéler lui-même, et donner à vivre lui-même ses virtualités, sans qu'un discours de l'extérieur vienne le troubler d'aucune sorte. Si le conflit des herméneutiques a fait place pour nous au conflit des Imaginaires, du moins rejoignons-nous le philosophe lorsqu'il convient qu'il est un temps où l'herméneutique doit savoir s'arrêter pour laisser parler les symboles [6].

Comme lui, c'est sur un retour au silence que nous voudrions terminer – « un silence [...] qui ne soit plus absence de parole mais véritablement parole de la parole elle-même ». Mais ce ne sera pas avant de nous être laissé aller à rêver, à notre tour, à l'extension possible de cette critique poéticienne qu'entraîne avec elle la poétique de l'Imaginaire. Car pourquoi réserver au seul domaine du verbal cette approche nouvelle, et qui engage dans la même quête de l'intemporel, compromis l'un par l'autre, le texte et son lecteur? N'y a-t-il pas aussi un texte de la ligne et de la tache, un texte de la couleur, un texte du volume comme un texte du rythme et du timbre, cent autres textes qu'il faudrait vraiment commencer à lire alors que tout est donné mais que

6. Cf. Paul Ricœur, « Le conflit des herméneutiques », art. cité, p. 184.

« rien n'est connu encore [7] »? Si poésie est toute création qui apporte avec elle un supplément d'être à connaître et à vivre, la poétique de l'Imaginaire devrait permettre de pénétrer dans d'autres domaines que l'on croyait interdits, dans d'autres langages que l'on croyait privés...

Et tandis que ces voies nouvelles, se profilant au loin, viennent redire encore le caractère préliminaire de ces pages, le rêve du poéticien s'en va rejoindre enfin le rêve du poète, « jusqu'en ce point d'écart et de silence où le temps fait son nid dans un casque de fer [8] ».

7. Henri Michaux, *Lecture de 8 lithographies de Zaó Wou Ki, op. cit.*, p. 1.
8. Saint-John Perse, *Vents*, I, 6, *Œuvres complètes*, p. 194.

Index des planches

Table

CET OUVRAGE A ÉTÉ COMPOSÉ ET ACHEVÉ D'IMPRIMER
PAR L'IMPRIMERIE FLOCH À MAYENNE
D.L. 4e TRIMESTRE 1982. No 6275 (20106)

COLLECTION « PIERRE VIVES »

DATE DUE

DEMCO NO. 38-298